Coders

The Making of a New Tribe and the Remaking of the World

凄腕ソフトウェア開発者が
新しい世界をビルドする

クライブ・トンプソン 著　井口耕二 訳　及川卓也 解説

日経BP

To Emily, Gabriel, Zev, and my mother

目次

Coders　凄腕ソフトウェア開発者が新しい世界をビルドする
Coders: The Making of a New Tribe and the Remaking of the World

第１章

リアルを変えた
ソフトウェアアップデート

The Software Update
That Changed Reality

2006年9月5日、まだまっくらなころ、ルーシ・サングイは、ソフトウェアのアップデートで世界を書きかえた。

物おじしない丸顔のプログラマー、サングイは、23歳でフェイスブックに就職した。インド出身の彼女は、もともと、港や製油所、風力発電所などの建設に使う重機をレンタルする父親の会社で働くことを夢見ていたが、カーネギーメロン大学でコンピューターエンジニアリングに出会い、恋に落ちてしまった。すべて、パズルにしか思えない。処理速度が上がるようアルゴリズムを工夫するのもそうだし、なにかおかしいコードをデバッグするのもそうだ。頭の中でチェスを指しているようでとても楽しく、ふと気づくと、コーディングのことを考えてしまっているほどだった。

「気づくと何時間もたってるんです。文字どおり、寝食なんか忘れて。考えずにいられないんですよ」と彼女は表現している。

プログラミングの世界でサングイは遅咲きだった。クラスは男ばかり、それも、9歳くらいからテレビゲームにはまり、コーディングもしてきた若者ばかりで、みな、苦もなく課題をこなしているように見える。そのなかでサングイは努力を続け、いい成績で卒業すると、マンハッタンに職を得た。金融派生商品の取引に使う数学モデルの作成だ。

だが、ニューヨークの職場に着き、グレーのキュービクルが並んでいるのを見たらぞっとしてしまった。ここで自分がなにをしても世界は変わらない。金融の仕事を支援するコードを書くなんて機械の歯車のようなものだ、そんな仕事はしたくない、テクノロジーそのものが中核の会社で働きたい、コンピューターサイエンティストが主力プレイヤーである会社で働きたい、と思った。世の中の人々が使うものを作りたい、地に足のついたもの、人の役に立つものを作りたいと思った。フェイスブックみたいなものがいい。大学を卒業する少し前に参加したのだが、これが、ついアクセスしてしまうのだ。ログインしては、一緒に卒業した学生時代の友だちがページを更新していないかを確かめてしまう。

そんなわけで、サングイは、1日も働くことなく最初の仕事をやめると、サンフランシスコでデータベースの会社、オラクルに就職。そして、ある日、学生時代の友だちに誘われてフェイスブックのオフィスを訪れた。

フェイスブックの大失敗

小さな会社だった。ユーザーは学生のみ。まだ、一般には公開されていなかったのだ。事務所は中華料理店の2階で、そこにいたのはほぼ全員が若い白人の男。ぼろぼろのサンダルを履いた21歳のマーク・ザッカーバーグ、ハーバードでザッカーバーグのルームメイトだったダスティン・モスコビッツなど、ハーバード中退組がいる。ザッカーバーグにコーディングを手ほどきしたアダム・ディアンジェロもいる。とにかく雑然としている。みな、すぐ横にある、寝るためだけに帰る寮のような部屋でゲームをしたり、屋上で肌を焼いたりしつつ、ごっちゃごちゃの机でノートパソコンを広げてぎんぎんに仕事をしているのだ。ちょうど、グラフィティアーティストのデビッド・チョーに頼んで壁に絵を描いてもらったころなのだが、そのなかには、「マッドマックスに出てきそうな服を着た巨乳の女性がブルドッグに乗っている絵」(創業期にフェイスブックで働いていたエズラ・カラハンの表現)があったりした。

彼らは、フェイスブックにどんどん変更を加えていた。ポーク機能や、長い投稿に便利なノート機能など、新しいコードを次々とユーザーに公開していたのだ。無鉄砲としか言いようがない。すごい機能だという思いだけで急いで作るものだから、思わぬ副作用が出たりする。しかも、コードを公開したあとにわかる始末である。だから、真夜中に新しいコードを公開し、フェイスブック全体が落ちるか否か、息を詰めて見守るのが常だった。問題が起きなければ家に帰る。大惨事になったら必死で修正する。朝までかかってしまうことも珍しくない。あるいは、新機能をあきらめて古いコードに「リバートする(戻す)」こともある。なにせ、ザッカーバーグのモットーが「さっと動いてどんどん打ち破れ!」なのだから。

これだとサングイは思った——「ここは違う。活気がある。生きている」と。「ここにいる人は、みんな、はつらつとしている。みんな、常になにかしていて、みんな、熱心だ……熱気がびんびん感じられた」
　実はそのころ、フェイスブックはコーダーがのどから手が出るほど欲しい状態だった。世界的な巨人となったいまの姿からは想像できないかもしれないが、2005年ごろのフェイスブックは、採用に苦労していた。シリコンバレーの経験豊富なソフトウェアエンジニアは、みな、フェイスブックなど一時的な流行にすぎないと思っていた。一時期はもてはやされるが、すぐ過去のものとなってしまうウェブにありがちなはかないものだと。だから、そんなところで働きたいと思わない。対してサングイは幸運だったと言える。フェイスブックを使ってみてそれがいかにはまるものか知っているくらいには若く、かつ、大学を卒業してコーディングの仕事を探すくらいには年を取っていたからだ。事務所訪問の１週間後、サングイは、フェイスブック初の女性ソフトウェアエンジニアとなった。
　すぐに大事な仕事を任された。フェイスブックは遅いし使いにくい、これじゃだめだとザッカーバーグら創業者は考えていた。あのころ、友だちがなにをしているか知りたければ、フェイスブックでその友だちのページを見にいかなければならなかった。これはなかなかに面倒だ。恋人と別れた話、おいしいうわさ話、きわどいプロフィール写真など、ぜひとも見ておきたいものが投稿されていても、その日、うっかりチェックし忘れたら見られずに終わってしまうかもしれない。当時のフェイスブックは、同じアパートに住んでいる人たちがなにをしているのか知りたければ、部屋をのぞいて歩かないといけないところだったのだ。
　もっとすっきりさせたい――ザッカーバーグはそう考え、「ニュースフィード」というビジョンを、いつも持ち歩いているノートに細かく、きちょうめんな字で記していた。ログインしたら、ニュースフィードが表示される。前回のログインから今回までのあいだに友達が投稿したものがリストアップされるページだ。超能力のようなものだ。だれかがなにかを投稿したら、ポンと、それが視界の隅に浮かぶわけだ。これは、かっこいいフォントやカラーといった表面的な変更ではない。人々がお互い、どこにどう注目するかから変えてしまうことになる。
　ニュースフィードの実現を任されたのがサングイである。サングイは、クリス・コックス、マット・ケイヒル、カンシャン・ジン（通称KX）、ティーチングアシスタントとしてハーバードでザッカーバーグに関わったアンドリュー・ボスワースら、小さなチームを率いて仕事に取りかかった。それから9カ月、コックスがノートパソコンから大音量で流すジェームス・ブラウンやジョニー・キャッシュを聞きながら、いろいろなアイデアをぶつけ合う、かちゃかちゃコードを書くなど、みな、大車輪で働いた。コーダーの例に漏れずサングイも、昼夜兼行でプログラミングを進めた。夜明けまで仕事をして、ふらふらとサンフランシスコの自宅に戻る生活だ。居眠り運転で事故を起こしかけ、事務所近くに引っ越すというおまけもついた。近くに住むようになってからは、寝間着のまま出社したりもした。そのくらい、気にする人はだれもいない。職場のコーダーは、みんな、親交を深めたり仕事をしたり、さらには、ポーカーをしたりビデオゲームに興じたりという状態で、2005年にテレビ電話で取材した際も、ザッカーバーグはビールを飲みながらだったし、樽に逆立ちした状態でビールを飲む芸を披露している社員もいたりした。

いかにも男の世界という感じだ。だが、そんなことに驚くサングイではなかった。彼女が歩んできたコンピューターサイエンスの世界は、ずっとそういう世界だったからだ。大学の学科は、定員150人に対して女性は数人しかいなかった。生意気な若者がたくさんいれば当たり前だが、どなられることもよくあって、それにどなり返すことも覚えた。声が大きく、しかも女性であることから、思わぬ評判も呼んだ。

「超気が強いとみんなに言われました。傷つきましたよ。気が強いなんて自分では思ってませんから」

それでもじっとがまんして、もくもくとコードに取り組んだ。興味があったのはそこだったし、とにかくおもしろくて、不思議で、難しかったからだ。ニュースフィード機能の作成では、どういう話ならお互い知りたいと思うのか、など、友だち付き合いという哲学的に深い問いに取り組まざるをえなかった。友達全員がその日にしたことを全部表示したのでは役に立たない。友達が200人いて、ひとり10回も投稿したら、投稿は全部で2000件ととても読み切れない量になってしまう。だから、投稿をふるいにかけるルールを作らなければならなかった。重要度を表す数字で「重み付け」をするのだ。人間ふたりの関係にどう重みをつければいいのだろうか――毎日のように夜遅くまで事務所に残り、そんなことを議論する。人と写真の関係にどう重みをつければいいのだろうか、と。

2006年の半ばには、プロトタイプが動くようになった。ある夜、クリス・コックスは、自宅で、ニュースフィードが世界で初めて登場する瞬間を迎えた――「マークが写真を追加しました」と表示されたのだ（フランケンシュタインの指が動いた瞬間、「生きてる！　生きてるぞ！」と叫んでしまうのがよくわかりました、とクリスはこのときをふり返っている）。夏の終わりには、一般公開できるくらい順調に動くようになった。

サングイは、新機能を紹介する「フェイスブックの化粧直し」という記事を書いた。

「一人ひとりに合わせて選んだ記事が並ぶので、マークがブリトニー・スピアーズをお気に入りに追加したり、思い人が恋人と別れたりしたらすぐわかります。ログインするたび、友達や仲間の投稿から作成した見出しのリストが示されるのです」

「ウェブの世界が一変します」とも書いた。

夜半過ぎ、サングイらはアップデートを公開し、ニュースフィードが実稼働に入った。チームはハグし合い、シャンパンで祝う。こういう瞬間が経験したいから、サングイはコンピューターの世界に入ったのだ。世の中の人の暮らしを変えるコードを書くために。

問題がひとつだけあった――大不評だったのだ。

ニュースフィード機能を公開したあと、みな、サングイのノートパソコンを囲んで、ユーザーの反応を待った。サングイはうずくまり、その肩越しに、CBGBのＴシャツを着たザッカーバーグがスクリーンを見つめる。そのまた上から、チームメンバーのＫＸがのぞき込むという具合だ。みな、わくわくしていた。このときについて、ザッカーバーグは、

「すごくいい反響が返ってくると、みんな、思っていました」とふり返っている。

そんなことにはならなかった。「最悪」——そんなコメントがずらりと並ぶ。退会する、ボイコットすると言う人も多い。「ルーシは悪魔だ」などのグループがいくつもできる。ベン・パーという学生が設置したグループ「フェイスブックニュースフィードに反対する学生の会」には、わずか1日で25万人以上もメンバーが集まった。

なにがそんなに気に入らなかったのだろうか。パーは、次のように説明している。

「なにかしたとき、それをみんなに知ってほしいと思う人はほとんどいなかったのです。そんな我々にとって、ニュースフィードは、ぞっとするほどストーカーチックなものでした」

ザッカーバーグが言うように、フェイスブックはもたつくし手間がかかるものだった。だが、ユーザーは、その手間暇に価値を見いだしていたわけだ。そのおかげで、ひそやかな雰囲気があったからだ。たとえば、新しいプロフィール写真に変えても、いまいちだと数分で元に戻せば、友達の多くは気づかないだろう。対してニュースフィードはでしゃばりだしおせっかいだしで、なにかするたび、空の向こうに聞こえるほどの大声でお知らせしてくれる。リタがジェフと別れたぞ～！　彼氏なしに戻ったぞ～！　チェックしろ～！という具合に。

開発の意図は達成された。つながりのある人々の状況を知る方法はたしかに変わった。ただ、注目や着目の仕組みがこれほど大きく、急に変わるのはいいことなのか、ユーザーにはわからなかったわけだ。

批判の嵐は終日吹き荒れたし、翌日も、事務所前に抗議の学生が座り込んでいたため、サングイらは裏口からそっと出入りしなければならなかった。オンラインの状況はもっと悪い。ニュースフィードの廃止を求めるグループの参加者が合計100万人に達していた。これはユーザーベースの10%にあたる。

スタッフ側では、善後策の協議が始まった。意見は大きくふたつに割れた。ニュースフィードはシャットダウンすべきという意見としばらく待てば落ちつくという意見だ。ザッカーバーグは後者で、大きな変化にびっくりしているだけで、しばらくすれば、意外にいいじゃないかとなるはずだと考えていた。サングイもこれに賛同。ただし、彼女の場合、エンジニアの誇りも継続を主張した理由のひとつだ。「9カ月もの時間を注ぎ込んだものを捨てるなんてありえない」というわけだ。

最終的に通ったのはザッカーバーグの意見だが、彼も、すべて時間が解決すると考えたわけではなく、少し急ぎすぎたのかもしれない、若干の譲歩は必要だとの言葉もあった。だから、表示されたくないアップデートはニュースフィードに出ないようにできるプライバシー設定を追加することにした。48時間の突貫工事でプライバシー設定のコードを公開。ザッカーバーグがおわびのノートをフェイスブックに投稿した。

「今回は大失敗をしてしまいました……新機能の説明が不十分だったのは失敗でしたし、新機能の使い方をユーザーが調整する方法の準備がきちんとできなかったのはもっと大きな失敗でした」

このようにやり方がまずかったと認めはしたが、それでもなお、ザッカーバーグは、長期的にニュースフィードはヒットすると信じていた。

実際、そのとおりだった。フィードは予想外の機能で不安をかき立てられるが、同時に、魅力的でもあった。しばらく使ってみると、友だちがなにをしているのか、ちょこちょこ見られるのはすばらしいとわかったのだ。新しい情報が並ぶニュースフィードを見ていれば、友だちの暮らしが微妙なところまでなんとなくわかるようになる。導入の翌日にはユーザーの利用時間が倍増したのも、魅力が認められた証拠だろう。グループもさっとできるようになった。当然だろう。友だちが政治運動に参加したとか、バンドのファンクラブに入ったとか知れば、自分もそうしようかなと思ったりするものだ。ニュースフィード批判のグループがあれほど短期間であれほどたくさんできたのも、実は、フィードの力があったればこそだ。皮肉なことと言えよう。（薄っぺらなもの以外にもさまざまなグループが生まれた。ニュースフィード導入後、2番目に大きなグループとなったのは、ダルフール紛争を考えるものだったし、4番目は乳がん研究を支援するものだった）

ニュースフィードは、ここ20年間に書かれたコンピューターコードのなかで有数の影響力を持つものに成長したと言っても過言ではない。

いま、その影響は、暮らしのいたるところ、そこここに見られる。フェイスブックを使っていれば、友だちのところに赤ちゃんが生まれたことも知れるし、仕事場や旅先の写真も見ることができる。しょうもないジョークも流れてくるし、ネタ記事のリンクも流れてくる。興味関心のごった煮状態で、思わず涙ぐむハートフルな動画からビヨンセの未公開動画にいたるまで、将来に希望を抱かせてくれるアラブの春による民主化運動の動画から、吐き気のするようなISISの徴兵用動画にいたるまで、なにかがバイラルに広がっていくメインストリートのひとつになっていることはまちがいない。ニュースフィードによって人々の絆は深まり、同時に、情報が多すぎてわけがわからなくなる、大事なことを見逃しているのではないかと不安になるなど、新たな問題がいろいろと生まれてもいる。

人々がフェイスブックを見る時間は、フィードの登場で大きく増えた——ひとり平均1日35分も、である。理由はわかるだろう。ソートアルゴリズムを工夫し、ユーザーが好むものをなるべく表示する、つまり、「いいね！」やシェア、コメントなど、フェイスブックでなにをしているのかをじっくり観察し、好みに合致すると思われるものを探しては表示するプログラムになっているのだ。ユーザーが見たいと思うものばかり並べられれば事業面で大成功できる。それは、2017年に400億ドルもの広告収入があったことを見ればわかる。

あらゆる人がフェイスブックのフィードを通じて世の中を見るようになった結果、深刻な副作用も生まれている。デマやうわさを広げたり憎しみをあおったりが簡単にできる世論のアキレス腱になってしまったのだ。2016年の大統領選が終わり、トランプ大統領が就任するころには、白人至上主義や注目を集めることを目的とした政治的ガセネタなど、悪意したたる記事があふれ、極端な政策へと人々を駆り立てるようになっていた。見たいニュース以外は基本的に見えなくするものなわけで、米国における政治的対立がさらに激化する可能性が高いとさえ思われた。

2017年2月、なにを生み出してしまったのかとザッカーバーグ本人も考えたのかもしれない。「テクノロジーやソーシャルメディアで不和や分断、孤立を緩和しつつ、人々がいい結果を生み出せるように支援するのが、我々フェイスブックの仕事だと考えています」など、米国における政治的不和にフェイスブックが果たした役割を、ある意味、謝罪するような擁護するようなノート（5700語もの長いもの）を公開した。「テクノロジーやソーシャルメディアで不和や分断を緩和しつつ」とは、ずいぶん控えめなミッションステートメントだと言わざるをえない。いけいけどんどんの「さっと動いてどんどん打ち破れ！」とは比べるべくもない。打ち破らずにおくべきものもあると読むことさえできるだろう。

コーダーが世界をビルドする

ベンチャーキャピタリストのマーク・アンドリーセンは、「ソフトウェアがこの世を食い荒らしている」とまで表現している。

一理ある。目が覚めているあいだ、我々は、ソフトウェアを使い続けているに等しい。電話やノートパソコン、電子メール、ソーシャルネットワーク、テレビゲーム、ネットフリックス、さらには、タクシーの配車や出前の注文などはわかりやすい。だが、わかりにくいケースもたくさんある。紙の本やパンフレットは、ほとんどがソフトウェアで制作されている。車のブレーキは、車載ソフトウェアがコントロールしている。銀行は、「機械学習」アルゴリズムで顧客の購買行動をチェックし、カード不正使用の瞬間を押さえようとしている。

さらに、わざわざ言うほどのことかと思われるかもしれないが、そういうソフトウェアは、すべて、一つひとつ、ルーシ・サングイやマーク・ザッカーバーグのようなプログラマーが書いたものだ。

そういう製品を思いつくのは、たいがいコーダーだ。コンピューターに新しいなにかをさせようと日がな一日考える人々、だから、どういう「できたらいいな」ならコンピューターで実現できるのか、ふつうの人とは比べものにならないほどわかる人々である。（たとえば単語を入力するたび、コンピューターが、陰でそっと、自動的に、その単語を辞書で確認してくれたらいいなと生み出されたのがスペルチェッカーだ）

我々が利用しているソフトウェアは、芝生に生える草のように、どこからともなく出てくると感じるかもしれないが、実際は違う。それを作った人がいるのだ。命令がずらりと並ぶコードという形で、なにをすればいいのか、手順をひとつずつ、きっちりコンピューターに教えるものを書いた人がいるのだ。アルゴリズムという言葉には神秘的な響きがあるが、その実体は、まずこれをしろ、次にこれをしろ、その次にはこれをしろという命令の集合である。ニュースフィードは機械学習も活用する複雑なアルゴリズムだが、その中核はルールのリストだ。そのルールに力があるわけだ。

最近、ハイテク会社を立ち上げている人々、つまり、なにを開発するのか、どういう問題を解決するのか、いや、そもそも、なにが「問題」であるのかを決める人物は、技術系が増えている。小さいころからコードを書きつらねてきた人間で、会社立ち上げの元となるプロトタイプをみずから作り上げた人物が創業するようになっているのだ。

こうして、プログラマーは、人知れず大きな影響力を行使するようになった。我々の世界がソフトウェアでできているとすれば、プログラマーは建築家だと言える。彼らがなにか決定を下すと、それに応じて我々の行動が変わる。彼らがなにかをやりやすくすると、我々は、それをすることが増える。逆に、なにかをしづらくしたりできなくしたりすると、そういう行動が減る。実例をいくつか紹介しよう。1990年代末から2000年代初頭、コーダーがブログ作成ツールを生み出すと、自己表現が爆発的に増えた。世界に向けた発信が簡単にできるようになると、そうする人がすごく増えたのだ。「ファイル交換」ツールが生み出されたのもそのころだ。このときは、流通を押さえているからとそれまで安心していたエンターテイメント業界が震え上がった。彼らは、「デジタル著作権管理」ソフトウェアをプログラマーに作ってもらって音楽や映画に組み込み、庶民がコピーして友だちに渡すなどをしにくくした。希少性を無理やり作りだそうとしたわけだ。あるコードの処理が気に入らない場合、資金力があれば、逆向きの流れを生むソフトウェアを開発してもらうことができる。コードは与え、奪うものなのだ。

ある職業の重要性が急に上がり、その仕事をする人が力を持つようになったケースは、過去にも何度かある。そのスキルを世界が突然に求め、報いるようになる瞬間だ。

18世紀後半、アメリカ独立革命の時代にもそんなことがあった。このとき脚光を浴びたのは法律である。アメリカ式政府は法律だけで構築されたものなのだから、当然だと言える。そのため、法制度を頭の中で作り上げたり、ある仕組みを受け入れるよう上手に説得できる弁護士や法案起草者が大きな力を持った。検討に参加できたからだ。だから、建国の父は、ジョン・アダムス、アレクサンダー・ハミルトン、ジョン・ジェイ、トーマス・ジェファーソンなど有能な弁護士が多いし、ジェームズ・マディソンなどそうでない人々も法律を第一と考えるタイプだった。彼らが、米国を米国たらしめるルールを作り上げたわけだ。民主主義のオペレーティングシステムを書いたと表現することもできるだろう。

この設計時に下された決断は、ごく小さなものでさえ、その後、国の発展の仕方に大きな影響を与え続けている。たとえば、このとき、選挙人団を通じて大統領・副大統領を選ぶというシステムにした結果、200年後のいま、ごく一部の激戦州、いわゆる「スイング・ステート」にのみ注力すればいいという状況が生まれているわけだ。政治地図において、民主党か共和党か旗色が鮮明な州は存在しないに等しい。候補者が訪れることもなければ、その州の有権者を惹きつけようとすることもない。国民投票で大統領を選ぶなど、異なる選出方法を最初に選んでいたら、選挙戦の様相はいまとまったく違ったものになったはずだ。だが、建国の父はいまのシステムを選んだし、そのシステムは、憲法を改正でもしないかぎり、変えることができない。

アメリカ独立戦争の100年後には、また別の専門職が脚光を浴びた。産業革命の進行によって都市化が進み、ニューヨークやボストンやシカゴに高層ビルが立ち並ぶようになった。そして、どうすれば、自分たちの排泄物に溺れることなく、文字どおり何百万人もがひしめき合って暮らせるのか、どうすれば、それなりにきれいな水と空気が人数分得られるのか、どうすれば動き回れるのかが喫緊の課題となった。この問題を解決するには、さまざまな仕組みを考案する必要があった。だから、土木技術者、建築家、都市計画技術者に舵取りの役が回ってきた。地下鉄を作る人、橋をかける人、公園を作る人など、この分野で仕事をする人々が都市住民の暮らしを大きく左右するようになったのだ。このときも、設計時に下された決断一つひとつが人々の暮らしに大きな影響を与え続けることになる。このころ活躍したロバート・モーゼスというシティプランナーがいる。高速道路や公園を次々と建設し、ニューヨークをいまのような形にした人物だ。彼の決断で暮らしがめちゃくちゃになった人々もいる。1948年、彼は、ロングアイランド州からニュージャージー州に向かう交通の緩和に必要だと、ブロンクス横断高速道路の建設に着手した。目的は達成されたが、高速道路近隣に住む人々（主に黒人）には大きな災厄が降りかかった。高速道路を大量のトラックが走り、騒音と排気ガスをまき散らすようになったため、周囲の土地の資産価値が大きく下落したのだ。資産は目減りするし、環境は悪くなるしとアフリカ系アメリカ人を中心に多くの人々がその被害を受けた。（モーゼスも、「さっと動いてどんどん打ち破れ！」を信奉するタイプだったのではないだろうか）

コーダーについて知らなければ、いまの世界を動かしている仕組みを理解することはできない。いま、世界を形作りつつあるコーダーとは、どういう人々なのか。彼らはなにをしようとしているのか。ソフトウェアの作成にのめり込むのはどういうタイプの人々なのか。彼らの仕事は我々にどういう影響を与えるのか。そして、これが一番おもしろいところだと思うのだが、彼らの仕事は彼ら自身にどういう影響を与えるのか。

コーディングはなぜ楽しいのか

コーディングに夢中になった瞬間についてたずねると、だいたい同じ回答が返ってくる。

たいがいは、小さなコードを初めて書き、コンピューターに“Hello, World!”と表示しろと命じたときだと返ってくるのだ。人気のプログラミング言語、Pythonなら、次のような1文だ。

```
print（“Hello, World!”）
```

エンターキーを押してこのコードを走らせると、

```
Hello, World!
```

と、予想どおりの文字列がコンピューターに表示される。

ややこしい話ではまったくない。だが、プログラマーになる人々にとって、これは、最高にしびれる経験なのだ。

「支配の感覚とでも言ったらいいのでしょうか。13歳のときでしたが、目の前のマシンは生きていて、私が言うことをなんでもしてくれると感じたのです。子どもにとっては夢のような話ですよ。意のままにできる小宇宙を手に入れた、そういうものを作った。そんなふうに感じられたのです」――サンフランシスコにある有名なハッカースペース、ノイズブリッジで話を聞いたコーダーの言葉である。

“Hello, World!”プログラムの初出は1972年、若手コンピューター研究員のブライアン・カーニハンがBというプログラミング言語によるプログラミングのマニュアルを書いたときらしい。彼は、B言語で実現できるごく簡単なこと、つまり、メッセージの表示方法を例に挙げようと考えた。また、卵からひながかえり、“Hello, World!”と挨拶するアニメを見たことがあり、風変わりでおもしろいとそのシーンが妙に記憶に残っていたという。だから、そのメッセージを表示するB言語コードを実例に採用した。そして、ほかのコーダーもこのアイデアを気に入ったのだろう、250を超えるプログラミング言語のガイド、ほぼすべてがこの呪文で始まるようになったわけだ。命あるものを生み出すというコーディングの実存的衝撃を“Hello, World!”以上にうまく表せるものはないのではないだろうか。

コーディングには、魔法のようなイメージがつきまとう。もちろん工学の一形態なのだが、機械工学や生産管理工学、土木工学など、ほかの工学分野と異なり、ソフトウェアは言葉でつづられている。コードは語りである。人がシリコンに語りかけるとマシンに命が宿り、我々の望みをかなえてくれる。コードには文学的な側面があるのだ。法律もそういう取り扱いをしている。車のエンジンや缶切りなど物理的な機械は特許法の管轄だが、ソフトウェアには著作権があり、詩や小説の兄弟だとも言えるのだ。もちろん、詩や小説とは本質的な違いがある。ソフトウェアは我々の暮らしに対し、物理的な影響を直接与える点だ（だから著作権でコードを管理するのは問題だと言うコーダーもいる）。コードは、なかば金属、なかばアイデアでいろいろな世界をつなぐ存在なのである。

ソフトウェアエンジニアのフレデリック・ブルックスが1975年に書いた文章を紹介しよう。

「プログラマーは、詩人と同じように、純粋な思考から少しだけ離れたところで仕事をしている。想像力で中空に城を出現させる……であるにもかかわらず、プログラムは、詩人の言葉と違い、実際に動いて仕事をする、そのもの自体以外の出力を目に見える形で出すという意味で現実的である。結果を出力する、図を描く、音を出す、アームを動かすなどするのだ。神話や伝説の魔法が現実になったと言えるだろう。キーボードから正しく呪文を入力すれば、ディスプレイに命が宿り、そこになかったものをどこからともなく映し出してくれるのだ」

だから、“Hello, World!”には比喩的な意味合いが色濃く感じられる。「はじめに言葉ありき」など、神が言葉で世界を創造したとする宗教的伝統につながるからだ（特にキリスト教徒のプログラマーは、このつながりを好む。『ミスト』というゲーム世界のプログラミングに参加しているロビン・ミラーは、天地創造の「神は良しとされた」にならい、なにかいいものができると手を止め、「良し」と思うそうだ）。だが、“Hello, World!”には薄気味悪い側面もある。生まれたものが制御できないかもしれないという副作用も示唆されるからだ。フランケンシュタイン博士の生み出した怪物が捨てられたことを恨み、博士の愛する人々を殺していくように、あるいは、『魔法使いの弟子』で増え続けるほうきのように。コードも同じだ。ニュースフィードのおかげで、がんになった友だちをみんなで励ますなどがやりやすくなったが、同時に、根拠のまるでない陰謀説も広めやすくなってしまった。このように魔法とコードは響き合うものがあるから、80年代初頭、10代のオタクプログラマーには、ファンタジー世界とさいころによる確率を組み合わせたゲーム『ダンジョンズ＆ドラゴンズ』にはまったり、トールキンの物語に出てくる魔法使いに魅せられたりする者が多かったわけだ。60年代に考案されたバックグラウンドで動き続けるコードは、「デーモン」と名付けられた。ラリー・ウォールは、プログラミング言語Pealを開発したとき、“Bless（祝福する）”という関数を用意した。コーダーのダニー・ヒリスが言うように、200年も前のニューイングランド州では、こういう仕事をしていると知られただけで火あぶりになったはず、なのだ。

こういう魔的な支配力は心躍るもので、みな、夢中になりがちである。こんなすばらしいものはないと、みな、目をキラキラ輝かせたりするのだ。また、まだ人生で挫折や失敗を経験していない若手コーダーを中心に、過剰な自信の源になったりもする。だから、自身もコーダーでテック文化の批評も行っているマーチュイ・スグロウスキーのように、プログラミングに秀でている人々は、「解析能力に優れた自分なら、どのようなシステムも、専門的な訓練など受けずに理解できる、その第一原理からすべてが理解できると考えがちだ。人工的に作られたソフトウェアの世界で成功すると、あやうい自信を身につけかねない」と批判する人もいる。コンピューターの研究者、ジョセフ・ワイゼンバウムも、1976年、「権力は腐敗するというアクトン卿の格言が、簡単に全能感が得られる環境で成立しないと考えるほうがおかしい」と書いている。

コーディングは簡単にできることではない。何時間も、微妙なソフトウェアとひとり向き合わなければならない。ユーザーのこの入力でここのループが起動したのはなぜか、こちらにある別のサブルーチンが動いていなかったからだな、それが動いていれば、こちらの関数に飛んだはず……という具合だ。この作業は、「ロンドンの入り組んだ道を作り、覚えるようなもの」とか、「高い塔をトランプで組む作業を頭の中でするようなもの」などと表現される。だから、内向的な人や論理的に物事を考えるパズル好きの人、たまたま開けた引き出しに1997年製のウェブカムが転がっていたので、じゃあ動くようにしてみようと、土曜の夜11時、自宅のコンピューターに向かい、古びたウェブカムのドライバーを書き始めたら、おお、こりゃおもしろいじゃないかとのめり込むような人、人と関わるよりわかりやすくていいじゃないかと思うような人がコーディングに惹かれがちなのだ（内向的な人ばかりというわけではない。実際のところ、最近のソフトウェアは、他人と関わらなければ開発できなくなりつつある。チームワークで作るものとなっていて、コーディングにかかる時間より、なにをすべきか、会議で話し合うほうに時間を取られることが多いのだ）。

内向的とか論理的とか以上に、コーディングでは、フラストレーションに耐え続ける力が求められる。コンピューターはなんでも言ったとおりにしてくれるが、そのためには、非人間的なほどに厳密な命令を与えなければならない。ちょっとあわてて“Hello, World!”のコードを

```
print (Hello, World!)
```

と引用符を入れ忘れてしまったら……クラッシュしてしまう。このコードをコンピューターは実行してくれないし、こういうときのコンピューターは優しくない。「すみません。なにかがまちがっているようです」などと言ってくれない。返ってくるのは、SyntaxError: invalid syntaxというエラーメッセージのみ。なにがまずかったのかは、コーダーが自分で考えなければならない。プログラミング言語とは、マシンに語りかけるための言語であるわけだが、この相手は、文字どおりの解釈しかしてくれない存在、わずかなミスも許さない文法至上主義の存在なのだ。人間なら、こちらがなにを言わんとしているのか、いろいろと推測してくれる。コンピューターはしてくれない。ミスがあれば、どれほど小さなものでも、直せと突き返してくる。その結果、人の心や性格にも影響が出るのは当然だろう。コーダーというのは、毎日、失敗をくり返し、フラストレーションにまみれる生活をしている人種なのだ。

コードとは常に壊れているものだ。思いどおりに動かないもの、しっ

ちゃかめっちゃかなもの、バグだらけのものだ。2分前に書いたばかりのコードを走らせたらクラッシュするなど日常茶飯事である。コンピューターのプログラムを学んでいるあいだ、1回で成功する体験はまずないと思っておくべきだと、コンピューター研究のパイオニアで教育者でもあったシーモア・パパートも1980年に指摘している。だから、コーダー心理はこの体験を軸に揺れ動くものだと。コードを書く。走らせてみる。動かない。それが当たり前なので、仕事の大半は、なにをまちがえたのかを探すことになるわけだ。そういう悩みに毎日向き合える人は成功する。耐えられない人は逃げ出す。コンピューターの研究者、モーリス・ウィルクスは、1949年6月、階段を上りかけた瞬間、気づきを得たという――これからの人生、自分が書いたプログラムのまちがい探しに大半を費やすことになるんだな、と。それから70年たったいま、コーダーは、みな、そういう人生を送っている。いや、最近は、自分が作ったもののまちがい探しより、勤める会社が4年前に雇っていたプログラマーが書いたいわゆるスパゲッティコードのまちがい探しが多いのだから、楽しみもここに極まれりというところだろう。スパゲッティコードはフォーマットもいいかげん、変数には意味のない名前がつけられている、構造も、難解で有名な『フィネガンズ・ウェイク』並みにわけがわからないので、とにかく、少しずつ、少しずつ、直していくしか対応のしようがない。プログラマーとは、ギリシャ神話に出てくるシーシュポスのような人なのだろう。あきらめの境地で失敗に向き合い、ようやく押し上げた巨石が転がり落ちるのを見る……突然、頂上を越えるその日まで毎日だ。そして、頂上の向こうには、別の丘がそびえているわけだ。

テレビや映画で、コーディングは、驚異的なスピードのタイピングで描かれるのが常だ。止めどなく流れ出る水のようにソフトウェアがプログラマーからあふれてくる。現実はもっと平凡だ。仕事中のコーダーは、じっと座り、眉をひそめてスクリーンを見つめる、フラストレーションに頭をかきむしる、なにやらもぞもぞする、そして、ちょっとだけコードを書き、にっこりする、というのがふつうなのだ。「コーディングほど見ていてつまらないものはないのに、それについての本なんて書けるのかい？」とプログラマーに言われたこともあるし、マイクロソフトのプログラマー、スコット・ハンセルマンには「魅力なんてない。まったくない。座ってタイプしているだけだから」とも言われた。

彼らをじゃましてはならない。ハイテク企業のマーケティング部門には、顔を合わせた瞬間、さっと手を差し出してきてしゃべりまくる人があふれている。それがコーディング部門に行くと、ここは修道院かなにかかと思うくらい静かになる。ずらりと並んだ人は、みな、ヘッドホンをつけて自分の仕事に没頭している。頭の中は、何十行、何百行、場合によっては何千行ものコードでいっぱいだ。彼らは、この集中をじゃまされるのを極端に嫌う。そこまで集中するのが大変だからだ。肩をぽんとたたいて、「どう？　うまくいってる？」などと聞こうものなら、怒りの言葉が返ってくることも珍しくない。この一言で魔法が破れてしまい、心の中にまた城を築くのに1時間もかかったりするからだ。

さて、コードによる自動化を試してみよう。“Hello, World!” プログラムを応用し、何人もの人にあいさつできるようにするのだ。そのためには、次のように記述すればいい。

```
names = [ “Cynthia” , “Arjun” , “Derek” , “Alondra” ]
for x in names:
    print ( “Hello there, ” + x + “!” )
```

4人の名前を「リスト」化し、それをnamesという変数に保存。さらに、リストの名前をひとつずつ “Hello there, _____!” の下線部に入れ、それを表示するループを書いたわけだ。このPythonプログラムを走らせると、次のようになる。

```
Hello there, Cynthia!
Hello there, Arjun!
Hello there, Derek!
Hello there, Alondra!
```

少しおもしろくなってきたんじゃないだろうか。ちょっとしたことだが、マシンに処理させる形になったのだから。10人分の名前を入れれば、ループが10回くり返される。1万人分なら、1万回、あいさつを表示してくれる。1000万人分でも、10兆人分でも、文句も言わずにやってくれる。

コードというのは、規模の拡大が得意なのだ。正確な命令でないと動かないが、そこさえきちんとしてやれば、あきることなく、命令をくり返してくれる。何度でも、だれがユーザーでも、だ。自分が作ったロボットを世界中の人が使うというのは、感動的な光景である。だから、ソフトウェアエンジニアは、ガのように規模の拡大にむらがる。自分ひとりのためのコードや仲間のためのコードより、世界中で使ってもらえるコードを開発しようとする。自分が解決すれば、その問題は、世界中の人にとって解消されるわけだ。

ニュースフィードを開発する際、サングイらフェイスブックのエンジニアは、パーソナルなニュースサービスをイメージしていた。18世紀ヨーロッパの郷士階級では、友人・知人がなにをしているのか、事情通の使用人にまとめてもらう仕組みが使われていたが、その現代版である。サングイは、パーソナライズされた新聞と表現している。

「新卒３人で、1000万人にパーソナライズされた新聞を配ろうなんて、正気の沙汰とは思えませんよね」

コードなら、ここまで規模を拡大できるわけだ。

コーダーには、効率を突き詰めるという側面もある。命令をくり返し完璧に実行してくれるマシンが使えるからか、彼らは、同じ作業を何度も自分でするのをいやがる。非効率がとにかく嫌いで、ひどい臭いから逃げるがごとく逃げるのだ。逆に、自動化できるものはなんでも自動化しようとするし、効率を上げられると思えばその方法を採用する（サングイは、この原則を結婚にまで持ち込んだ。インドで見合いをしろと母親に言われ、同意したのだ。純粋にコンピューターサイエンス的な見方をすると、恋愛で結婚相手を選ぶのは、リソースを浪費するソートアルゴリズムだと考えることができる。それより見合いのほうがずっと効率的だ。彼女はそう考えたという。「見合いって、すばらしい方法だと思いました。エンジニアとしての私にとってすごく魅力的だったんです。実践的ですし、成功の可能性も高い、と」)。

このように最適化と規模拡大を本能的に求めるから、さまざまなあつれきが生まれるという側面もある。

フェイスブックは、我々の暮らしを、情報の非効率な伝達という問題であると考え、対処した。フェイスブックがなかったころも、私は、友だちがおもしろがってくれそうなことをいろいろしたり、考えたり、読んだりしていた。でも、それを広く知らせる手段がなかったし、友だちも、私から情報を受け取る手段を持たなかった。たまさかの電話や飲み屋、立ち話で伝えることしかできなかった。つまり、ニュースフィードとは、我々の周辺視野を惑星規模で最適化したと言ってもいいだろう。同じことがウーバーにも言える。こちらは、タクシーを呼ぶことの最適化だ。アマゾンは買い物の最適化だし、案件ごとにやってくれる人をネットでみつける「ギグ」エコノミー方式でジャストインタイムを実現する最近はやりの企業も同じである。

だが、このような動きは、昨日までの延長として今日を生きたい個人や政府やコミュニティーに強烈な頭痛をもたらす。運転手や従業員のなかには、仕事がいつ入るのかわからないギグより安定した仕事がいいと考える人もいるし、摩擦や衝突が起きにくいオンライン販売との競争に敗れ、小さな商店が閉まり、仕事が減る地域社会も困ってしまう。ニュースフィードも、とても便利だと感じるけど、ときとして、見たくないものまで見せられたり見せたくないものまで見られたりすることに気づいてしまうこともあるわけだ。

コードを使うと効率化や規模拡大が簡単にできる。だから、つい、追求したくなりがちだ。いや、ほとんど必ず追求してしまうと言ったほうがいいかもしれない。だから、プログラマーは事業の立ち上げと相性がいいし、自由主義的な考え方に傾きがちだったりもする。彼らの才能は、資本主義の中核をなすとも言える戦略、つまり、「なにかの効率を少しだけ引き上げ、そこから利益をすくい上げる」にこれ以上ないくらいぴったりはまるのだ。

同時に、ソフトウェアには、資本主義の前提をいろいろとおかしくしてしまう性質もある。ソフトウェアもモノである、なにかをしてくれるマシンであると言える。だから、所有が可能だ。同時に、ソフトウェアはスピーチのようなものであり、ほかの人々と共有が簡単にできる。実際、共有されることが多い。コーダーは、日々の仕事についてオープンに語ることが多く、なにか問題に遭遇すると、すぐ、オンラインフォーラムに書き込むし、ほかの人の問題を解決しようと何時間も使ったりする（コーダーは雇用者より職業に忠実だという調査結果が80年代に得られている）。資本主義の権化のようなシリコンバレー企業においてさえ、自分の机で仕事中に、どこぞのだれかのバグを探すのに長時間使うのがコーダーという人種なのだ。さらに、共産主義的精神に支えられたフリーソフトウェアやオープンソースソフトウェアの世界もあり、そこでは、だれでも自由に使えるソフトウェアをたくさんのコーダーが無償で作っていたりする。

シリコンバレーで富を得た自由主義者は、メディアによく取り上げられる。当然だろう。財布のひもをいくつも握っていて投資先を決めるのは彼らであり、彼らが好むのがディスラプションと呼ばれる破壊的技術だから、そういう技術の開発に資金が流れがちなのだから。だが、ふつうのコーダーの政治姿勢は意外なほど多様である。どこぞのコミューンで暮らし、財産の私有は窃盗だと主張するアナーキストと並んで仕事をしつつ、酔うと、実はトランプに投票したと言い出す男尊女卑と野心の塊から、フェミニズムを批判する罵詈雑言をレディットに毎夜書きまくっているコーダーと一緒に仲良くJavaScriptの会議に出席するカリフォルニアリベラルまでいるのだ。

コーダーの世界を広げる

実を言えば、男女同権と多様性は、この業界が抱える問題となっている。高収入の産業で女性の参画が減少している珍しい例となっているのだ。コーダーが登場したのは50年代で、そのなかには女性が少なくなかったし、世界初の「コンパイラー」を開発したグレース・ホッパーや、業界に多大な影響を与えたSmalltalkを開発したアデル・ゴールドバーグのように巨頭と言って差し支えない女性もいた。そんなわけで、女性は、1983年にコンピューターサイエンス専攻の37.1％を占めていたが、それが2010年代になると、その半分以下の17％前後まで落ち込んでしまう（就職状況もほぼ同じで、2015年の調査によると、グーグルやマイクロソフトといった有名企業の技術職に占める女性の割合は10％台後半から20％前後である）。人種の多様性も失われている。いま、スタートアップにいるのは、ほとんど白人かアジア系だ（大規模調査でも確認されている）。黒人やラテン系の割合は米国全体でも一桁だし、シリコンバレーの有力企業では1％から2％にすぎない。

なんとも皮肉な話だ。ソフトウェア業界は、昔から、能力主義の世界だ、実力だけが物を言う世界だと自負してきたのだから。そう思うのも当然だろう。ソフトウェアとはそういうものなのだから。コードは能力主義の化身だ――下手くそが書いたソフトウェアはクラッシュし、上手が書いたソフトウェアはクラッシュしない。このようにはっきり分かれるからこそ、ソフトウェアエンジニアはコーディングにのめり込むとも言える。長距離走と同じように、ややこしいコーディング問題を解決すると、自分の能力が証明された気になるのだ。手術、法律、航空宇宙などとは違い、独学のアマチュアが博士と並んで仕事ができる世界で、民主的だと感じられることも理由のひとつだろう。また、『マトリックス』のネオみたいなエリートハッカーがいる、桁違いのスピードでコードを書き、パズルを解いてしまう人がいる、それほどに優秀な仲間がいると目を輝かせて語ってくれるコーダーもたくさんいる。というわけで、神話が生まれる下地は十分すぎるほどある。成否がはっきり分かれる世界にどっぷり漬かっていれば、そこはかとない差別をつねに受けている人々がいることをまだ実感としてわかっていない白人の若者が神話を信じてしまうのは、ある意味、しかたがないのかもしれない。そういう業界であることに、自分自身、いらだったりむかついたりしている人も含め、ソフトウェアの世界は実力がすべてだ、女性やマイノリティが少ないのは、彼らの努力が足りないか、生まれながらに才能がないかだと本気で信じてしまうのも、あまりにナイーブだと思わないでもないが、無理のないことなのかもしれない。

現実はまったく違う。シリコンバレーが大好きなA/Bテストによる調査を含め、証拠ならいくらでもある。例をひとつ紹介しよう。人材紹介会社が、名前入りと名前なしの2パターンで5000通の履歴書を企業に配布した。履歴書に名前がなく、性別がわからなかったとき、書類審査を通ったのは54%が女性だったが、同じ履歴書に名前が添えられると、女性の割合は5%まで落ちてしまったという。また、テック企業で働く女性やマイノリティに話を聞けば、たいがいの場合、ちょっとしたいやがらせからはっきりしたハラスメントにいたるまで、さまざまな差別の経験談が返ってくる。ソフトウェア産業が狭く閉じた世界になった経緯を明らかにできれば、チャンスというものを考え直すきっかけになるだろうし、チャンスが広く行き渡る世の中にできるヒントも得られるだろう。

そうすることに大きなメリットもあるはずだ。文化は製品デザインを左右するからだ。MBAコースの1年目でも習うことなのだが、単一文化のチームが開発すると、大きな盲点ができてしまう。我々の暮らしに大きな影響を与えるコードも例外ではない。近年、社会に大きな影響を与えているソフトウェアのなかには、若者ばかり、白人ばかり、男性ばかりの集団が、自分たちと異なる境遇の人にどういう影響が出るのかなど考えもせずに開発したものがいくつもある。ツイッターがいじめやハラスメントの温床になっているのは、このあたりも理由のひとつである。開発にあたった若者は、オンラインでいじめられる心配などしなくてすむ人ばかりなのだ。だから、そういう問題がそのうち起き、対処しなければならなくなるとは考えていなかった。それどころか、自分たちの会社は言論自由党の言論自由派であると表現するスタッフもいたほどだ。だから、もともとハラスメント対策はほとんど講じておらず、そのうち、ツイッターはいやがらせにうってつけだとトロールや白人至上主義者が群がる事態となってしまった。

コーダーの世界を広げること――いま、ルーシ・サングイがやろうとしていることのひとつである。

初めて会ったとき、彼女はまだ35歳だったが、ハチドリ並みに代謝が激しいソフトウェアの世界では、すでに、重鎮とみなされるようになっていた。彼女は、フェイスブックに5年勤めたあと、会社を立ち上げて売却。売却先のドロップボックスでしばらくバイスプレジデントとして仕事をしたあと、サウスパーク・コモンズという次世代コーダーを育てるベンチャーを立ち上げた。事務所はサンフランシスコのサウスオブマーケット地区にあるオフィスビルで、そこは、将来について悩む若手技術者のハブとなっていた。

「サロンのようなものですね」

暑い夏の日、昼食をともにする約束で訪れた私に、彼女はそう言った。

壁には、木片を組み合わせたぎざぎざのアーチを気ままに散らしたようなアートが飾られており、壁際の長いテーブルでは、エンジニア、研究員、アントレプレナーがそこここに集まり、メールをチェックしたり、ホワイトペーパーを読んだりしている。サングイは、30人から40人くらいを口コミで集め、ここで話し合わせたり、講義を企画させたり、そんなのありかと思うようなアイデアについて議論させたりしている。似たような場所にいわゆる「アクセラレーター」があるが、そちらは、なんとかベンチャーキャピタルの興味を惹こうと、新会社を立ち上げた若者が3カ月くらい死ぬほど働くのがふつうだ。ここは違う。ここは、もっと思索的な場所で、だれも見向きもしないような新分野を検討してもらうのが目的だ。最近は、人工知能（AI）や、学習するアルゴリズムの開発という黒魔術が話題となることが多く、ここから巣立ち、グーグル・ブレインや、非営利研究組織のオープンAIに就職したメンバーがすでに6人もいる。

サウスパーク・コモンズから生まれたスタートアップのうち、6社は女性が創業したものだ。これも大きな成果である。創業者になれば、女性でも、その企業の進め方に大きな影響力を持てるし、成功の果実も手にできるからだ。サングイは、フェイスブック時代、相応の報酬をくれと強く主張しなければならなかったそうだ。

「株の持ち分をほかの人並みにするか、給与を引き上げるかしてください」

とマーク・ザッカーバーグに要求を突きつけたのだ。さらに、オタッキーな言葉で迫った。

「私としては、いろいろ作れさえすればいいんです。こういういらないことを気にせず仕事に集中したいんです。作ることだけ考えていたいんですよ。あなたにしても、私の気が散るのはありがたくないでしょう？」（報酬が男性より少ないと言っていたわけではない。当時、ほかの人がどれだけもらっていたのか、知らなかったからだ）

この主張はいかにもコーダーらしい効率の議論、心をCPUのようなものと考えた議論である。脳の処理サイクルは貴重であり、それを無駄にしたくはないでしょう？というわけだ。これにザッカーバーグも賛同。彼にとって納得の議論だったのだ。

サングイが昔フェイスブックでみつけたような未開発の分野を次世代のオタクが探す場所、それがサウスパーク・コモンズなのだろう。彼女が経験してきたようにいろいろと問題もあるが、それでもソフトウェアの世界は、ジャーナリストのダグラス・ラシュコフの簡潔な表現を借りれば「ハイ・レバレッジ・ポイント」であり、世界を動かせるほどてこが強く効く。入り口さえみつけられればなんとかなるのだ。

ソフトウェアという業界は生まれたころからずっとそうだった。コードの歴史をさかのぼり、どういう人がコーダーとなったのかを見るとわかるが、ドアが大きく開かれては次世代の人々が入ってくるということがくり返されてきた。そのたびにソフトウェアの世界は変わり、我々の暮らしも大きく影響を受けた。90年代と00年代のウェブもそうだし、その前の80年代にはパーソナルコンピューター、そのまた前の70年代と60年代には部屋いっぱいを占めるほど大きい不思議なマシンで同じことが起きた。マシンと語り合える技と論理の組み合わせが大好きな人々の物語である。

メアリー・アレン・ウィルクスのような人々の物語である。

第2章

4世代のコーダー

The Four Waves of Coders

ソフトウェアエンジニアになるつもりなど、もともと、メアリー・アレン・ウィルクスにはなかった。1950年代、メリーランド州のティーンエイジャーだった彼女は、法廷弁護士になることを夢見ており、なにごとも理路整然と突き詰めていくことで知られていた。なのに、中学生だった1951年、なぜか、大きくなったらコンピュータープログラマーになるべきだと地理の先生に言われてしまう。

彼女の反応は、「はぁ？」だった。なにを言われているのかもわからなかったのだ。コンピューターさえどういうものかよくわからないのに、プログラマーなんてわかるはずがない。念のため申し添えておくと、当時はコンピューターがようやく知られるようになったころで、ほとんどの人は、「デジタルブレイン」と呼ばれるものを見たこともなければ、どういう原理で動くのかも知らなかった。大学や政府系研究機関がデジタルコンピューターを作ったのもそのわずか10年ほど前のことだったし、当時のコンピューターは暗号解読や弾道計算を目的とした高性能電卓と言ったほうがいいくらいで、いまのとは比べるべくもないものだった。ウィルクスは、先生の言葉を頭の片隅に置きつつ、ウェルズリー大学の哲学科に進学した。

コーダーになる人

だが、卒業間近の4年後、法律は茨の道であることを思い知らされる。1959年当時、法律の世界は男女差別が激しく、女性で法廷弁護士になるのはとても難しかった。法科大学院など、受けても無駄だからあきらめろ、と、大学の先生は、こぞって反対した。「『やめとけ。まず入れない。仮に入れても、卒業は難しい。仮に卒業できても仕事に就けない』とみんなに言われました」と彼女は当時をふり返る。万々が一、仕事が得られたとしても、裁判ではなく、信託財産や不動産を扱う仕事がせいぜいで、法律系の司書か秘書といったものにしかなれない。「私がなりたかったのは法廷弁護士なんです。でも、1960年代にそれはまず無理な話でした」

そんななか、思い出したのが、中学校の先生に言われたプログラミングの件だ。大学でコンピューターについての知識も多少は得ていたし、未来を拓く鍵になるマシンだと耳にしてもいた。MITには実機がある。だから、卒業の日、両親に頼んでMITへ連れていってもらうと、採用窓口に行き、「コンピュータープログラマーの募集はありませんか？」とたずねた。

募集はあった。そして、なんと、彼女は採用された。経験皆無でも、当時は、喜んで採用してくれたのだ。

1959年当時、コンピュータープログラミングの経験がある人などほとんどいなかったからだ。まだ、一分野として確立されておらず、大学で専攻することはできなかったし、コースもないに等しい状態だった（スタンフォード大学が情報科学科を創設したのも、1965年になってからだ）。ソフトウェアの書き方がいまのような形になったのも、このころだ。コンピューターというのは、オンで「1」オフで「0」という形で1ビットを表すスイッチの集合体だ。実は、このビットがすごく多芸なのだ。ビットを並べると、2進数の数字が表せる。1101なら、10進数の13だ。論理演算も可能なので、コンピューターになにがしかの判断をさせることもできる。スイッチ1とスイッチ2の両方が「オン」のときオンになるのが「AND」ゲート、スイッチ1かスイッチ2のどちらかが「オン」ならオンになるのが「OR」ゲートである。論理ゲートをたくさんつなげば、数字の加算や減算をすばやく行ったり、複雑な推論を行うこともできる。そして、こういう2進数のマシンを簡単に扱えるようにと50年代に工夫されたのが、FortranやCOBOLといった言語である。これを使えば、英語と似ていなくもないコマンドでプログラムが書ける。ウィルクスがこの世界に足を踏み入れたのは、ちょうどこの革命が始まったころだった。

ウィルクスには強みがあった。専門が哲学だったからだ。そこで学んだ記号論理学は、ANDやORを連ねて議論や推論を組み立てていくものだ。アリストテレスの時代に考案されたやり方で、その後、ジョージ・ブールやゴットフリート・ライプニッツなどによって大きく発展した。

ウィルクスは、ほどなく、プログラミングの名手となる。最初に使ったのは、MITが早期に導入した巨大コンピューター、IBM 704である。プログラミングは、「LXA A,K」などのコマンドを駆使するアッセンブリー言語でかなりやっかいだ（このコマンドの意味は、メモリーのAという場所にある数字を、Kというインデックスレジスターにロードしろ、である）。プログラムの入力もめんどうだった。いまのコンピューターと違い、キーボードもスクリーンもないのだ。プログラムは紙に書いてタイピストに渡す。コマンドごとに1枚のパンチカードになって返ってくるので、その束をこんどはオペレーターに渡し、リーダーにかけてもらう。これでコンピューターがプログラムを実行してくれるのだが、その結果は、プリンターから出力されたメッセージという形で届く。

これだけでも大変なのに、渋滞もあった。MITのリンカーン研究所にはIBM 704が1台しかなく、1台のコンピューターが一度に実行できるプログラムはひとつだけだった。だから、プログラマーは列に並んだりぶらぶらしたりしながら順番を待たなければならない。プログラミングは聖職者のような忍耐が必要だとウィルクスは思った。コードの結果は、いいかげん待ちくたびれたころにならないと返ってこないのだ。ちなみに、IBM 704は巨大だが、別室に置かれていて見ることさえできない。そこは聖域で、プログラマーが立ち入ってマシンに触ることはまず許されない。ハードウェアの世話は、つまり、焼き切れた部品の交換に走り回るのは、テクニシャンと呼ばれる司祭の仕事である。猛烈な熱に対処しなければならないのも、コンピューターが別室に置かれていた理由のひとつだ。当時はまだ珍しく、MITでもほんの何カ所かにしか設置されていなかったエアコンを使わなければ、コンピューターそのものが熔けかねないと思うほど発熱するものだったのだ。

だから、ウィルクスは待った。プログラムが実行されてプリンターがカタカタ動き、結果を検討できる瞬間を待った。だが、望む結果が得られることはまれだった。たいがいなにかまちがえていた、計算を狂わせるバグを仕込んでしまっていたのだ。だから、コードを追い、まちがいを探す。IBM 704がどう動くのかを想像し、頭の中でコードを1行ずつ実行していく。自身、コンピューターと化すわけだ。そして、プログラムを書き換えたら、新しいパンチカードの束を作り、また、何時間も待つ。そのくり返しだ。

コードは、正確なだけではだめで、短いことも必要だった。当時のコンピューターは容量の小さなものが多く、IBM 704も、4000ワードくらいのコードまでしかメモリーにロードできなかった。当時のプログラミングは、俳句かソネットを書くようなもので、よいプログラマーとは、1単語も無駄にせず、簡潔、エレガントに書けるビットの詩人だったのだ。

「論理パズルを解くようなものでしたね。巨大で複雑な論理パズルを」

ウィルクスはそう回想している。正確でなければならないのも気に入った。きちょうめんなところがあったのだ。

「いまも、ついつい、あら探しをしてしまうんですよ。壁に掛かっている絵が少しでも傾いていると気になるんです……そういうタイプの人、いるじゃないですか」

そういうタイプは、どのあたりにいるのだろう。1960年代は、女性のことが多かった。いま聞くと驚くような話だが、1960年代、ウィルクスが働いていたMITリンカーン研究所の「キャリアプログラマー」は大半が女性だった。それどころか、当時、女性は生まれつきプログラミングに向いているとまで考えられていた。実績もあった。第2次世界大戦中、英国ブレッチリーパークで暗号解読に使われた実験的計算機を動かしていたのは女性だったし、米国で、プログラマーの先駆けとしてENIACコンピューターによる弾道計算のプログラムを組んだのも女性だった。

だが、当時も性差別があったとウィルクスは言う。60年代当時、男性がフルタイムのプログラマーにならなかったのは、みんなが注目する大事な仕事はハードウェアの構築だと考えられていたからでもある。そこにこそ挑戦に値する課題があるし、防衛予算などお金が潤沢に回されていたのもそちらだった。どうすれば、メモリーからデータを読むスピードを高められるのか。どうすれば小型化できるのか。どうすれば、発熱を抑えられるのか。解決しなければならない問題がたくさんあり、だから、MITは、高給とたくさんの休暇を餌に「研究員」としてエンジニアを雇っていた。マシンを実際にプログラミングするのは、つまり、できたハードウェアになにをすべきか伝えるのは、いまふり返ると、一段劣る仕事だと考えられていたのだろう。だから、リンカーン研究所でも、男は、大胆な新型コンピューターの開発に群がっていた。もちろん、彼らもプログラミングはできた。そうでなければ開発もできないからだ。だが、プログラミングを一生の仕事だとは思っていなかった。キャリアプログラマーは研究員ではなく、研究員のために働く人々という位置づけだったと言える。

それでも、リンカーン研究所には、男性と女性が肩を並べて働く雰囲気が比較的強くあり、知的な人に囲まれていると感じられるのがよかったとウィルクスは言う。

「オタッキーな人ばかりでした。ギークばっかり。服装もギークらしいものでしたね」(と言っても、そこは60年代のことで、女性はヒールにスカートでなければいけなかった。ただ、スーツジャケットなしのブラウス姿でもよかったという話だ)

「私は、同じグループの男性にも受け入れられていました。秘書よりずっとおもしろいと思いましたよ」

1961年、ウィルクスは、大胆な新規開発プロジェクトに参画することになった。世界初のパーソナルコンピューターと言えるLINCの設計・構築を推進するプロジェクトだ。

考案したのは、ウェズリー・クラークという若手コンピューターデザイナー。すばらしいビジョンと反抗的な態度で知られる人物で、上司に逆らったとして2回もMITを首になっている(そのたび、再雇用され、別ポジションについている)。

彼は、そのころ登場したトランジスターに注目していた。真空管と同じようにコンピューターの心臓部となる論理回路を構成できるが、消費電力が少なくて過熱しにくい、小さい、起動時間が短いなどの特長があったからだ。だから、それを使い、オフィスや実験室に置いて使えるコンピューター、世界初の「パーソナルコンピューター」を作ろうと考えた。そうすれば、各自が専用のマシンを持ち、順番待ちは不要になる。特に念頭に置いたのは生物学者。実験中に大量のデータを処理しなければならないのだが、大型コンピューターだと、実験を中断して順番待ちをしなければならない。パーソナルコンピューターがあれば、必要になったらすぐ計算を行い、実験条件を修正するなりなんなりが可能になる。キーボードとスクリーンも装備すれば、手間ばかりかかるパンチカードやプリントアウトに頼る必要がなく、プログラムに要する時間も短くできる。人間とマシンの知能的共生だ。ウィルクスは、LINCに対して「対話的なアクセス」ができると表現した。コードをタイプすれば、返事のように結果が返ってくるわけだ。

そのためには、ハードウェアに加え、そのハードウェアをユーザーが意のままに動かせるオペレーティングシステムが必要だった。しかも、生物学者が1日かそこらで学べるくらいシンプルなものが。だから、ウィルクスが呼ばれたのだ。

それから2年間、彼女らは、フローチャートを見つめ、回路がどう働くのか、マシンにどう語りかければいいのかを考えに考えたという。

「とにかくよく働きました。ジャンクフードばっかり食べながら」

最初のプロトタイプがどうにか動くようになると、実例で試験するため、クラークらは、LINCをラボからアーノルド・スターの神経学研究室になんとか移動した。スターは、音を聞いたとき、ネコの脳に流れる神経電気信号を記録しようとしていて、ネコの大脳皮質に電極を埋め込むところまではうまくできたが、どれが目的の神経電気信号なのか、判別できずにいた。

カリっという音をスピーカーから出力して電極に信号が流れるタイミングを記録し、音に対するネコの平均的な反応をLINCのスクリーンにマッピングするプログラムを、LINCプロジェクトメンバーのチャールズ・モルナーが数時間で作成。成功だった。みな、大喜びし、データが流れていくスクリーンの周りでジグを踊りまくったという。

1964年になるとウィルクスは退職し、欧州を1年間ぶらついた。帰国すると、リンカーン研究所に戻ってLINCのオペレーティングシステムを書いてくれとクラークに頼まれたが、研究所の新たな所在地、セントルイスに引っ越すのはいやだった。結局、リモートワークをすることになり、LINCが1台、ボルチモアにある彼女の両親宅に送られてきた。彼女は両親と同居していたのだ。LINCは、居間の階段脇に設置された。『2001年宇宙の旅』のHALが郊外の一軒家にやってきたというところだが、おかしな家具に見えないこともない。階段を降りたところにあるテーブルの上には背の高いキャビネットが置かれ、そこでは、磁気テープのリールが回転し、食パンとたいして変わらない大きさのコンピュータースクリーンにデータがぎらぎらと表示されている。近くに置かれた冷蔵庫くらいの箱は、トランジスターの回路で満杯だ。ウィルクスはハードウェアに挟まれた机に座ってコードを書く。いつも真夜中過ぎまで書いていた。コーダーにはそういう人が多いのだが、彼女は極端な夜型だった。

こうして、ウィルクスは、きわめて珍しい、パーソナルコンピューターを自宅に持つ人物となった。

ほどなくLINCのオペレーティングシステムを書き上げたウィルクスは、初心者にプログラムの書き方を説明するマニュアルも作成した（彼女は、この分野で草分け的存在だ。それまで初心者向けのコンピューターがないに等しかったこともあって、初心者向けのプログラミングガイドを作ろうとする人もいなかったのだ）。

ウィルクスは、ここまで、コーディング世界にどっぷり浸ってきた結果、この分野では熟練の技術者として知られるようになっていた。だから、次々と立ち上がるコンピューターメーカーのあちこちから、うちに来てくれないかと声をかけられた。

だが、彼女は、法律の仕事という当初思い描いていた夢が忘れられずにいた。

「この仕事をずっと続けるのはどうなんでしょうと思うようになったんです」

コンピューターはおもしろいが、その仕事は孤独だ。

「もっと人と関わることがしたいと思いました。フローチャートを一生眺めて暮らすのはいやだと……」

ハーバード法科大学院を受験したところ、履歴書に注目が集まったらしい。「なにやら最近話題となっているコンピューターのプログラミングをしてきた30歳の女性？　どういう人だ？」というわけだ。こうして、無事、ハーバードの法科大学院を卒業した彼女は、それから40年間、当初の夢どおり、法律の仕事をした。法廷にも立ったし、ハーバードで教えたり、ミドルセックス州検察官と仕事をしたりもした。法廷には周到に準備をして臨み、尋問では、コードの列を精査していくように可能性を一つひとつ検証する。

「いい仕事でした。あんなにいい仕事はありません」

専門のひとつは、技術法務。当然だろう。

ハッカーの誕生

いま、コーダーと言われると、『シリコンバレー』や『ミスター・ロボット』などのドラマに登場するパーカー姿の若者を思い浮かべる人が多いだろう。米国だと、インド系やアジア系も若干いるが、大半は白人だ。みな、きわめてオタッキーである。なんとなく反権威主義的な者もいれば、手っ取り早く儲けられるからコーダーになったという者もいる。

実のところ、どういう人がコーダーになるのかは、時代とともに変化している。業界の発展段階や、コンピューターの進化度合いに応じて、プログラマーもはっきり世代交代しているのだ。

メアリー・アレン・ウィルクスなど第1世代は、大きなチームの一員として仕事をした人々であり、コーディングを自分のキャリアだと考えていなかった人もいる。組織でなければコンピューターなど持つことはできず、そこで働く人でなければコンピューターに触れられなかった時代である。

次に来たのは、60年代から70年代初頭の「ハッカー」である。みずからを反逆の徒と考える人々、閉鎖的な組織からコンピューターを解放しようと考えた人々である。

この文化は、主にMITから生まれた。ウィルクスが設計に関与したリアルタイムマシンの先駆けとでも言うべき物を人工知能ラボが入手したからだ。キーボードと出力用スクリーンを装備したPDP-1などの「対話型」マシンで、日中はAI研究に携わる大学院生に占領されているが、夜は遊んでいるので、興味のある人が自由に使えたのだ。

ほどなく、いろいろな人がラボに集まるようになった。そのひとりが痩せぎすのビル・ゴスパー。数学の天才で、よく、数学や幾何学の問題を解くアルゴリズムを何時間もかけて作っていた（「Hi-Q」というペグ・ソリティア・ゲームを解くルーチンなども作っている）。もじゃもじゃの頭から湧き出るようにコードが出てくるリッキー・グリーンブラットと、インタラクティブなゲームが作れる可能性に目を輝かせたスラッグ・ラッセルもいた。ほかにも若い男——そう、男ばかりだった——が集まってくる。彼らは、朝までラボにこもって過ごした。たいてい電灯は消し、うすぼんやりとした陰極線に照らされて。

みな、自分とコンピューターからなる知的ループが回る感覚に心を奪われていた。ゴスパーの言葉を借りれば「キーボードが手元にあり、それをたたくとミリ秒で反応を返してくれるマシンがあることの快感」である（ジャーナリスト、スティーブン・レヴィの『ハッカーズ』より）。こういうものを作ってみようと考え、コーディングすると、結果がすぐに得られる。さらに、それをいじって、いじって、いじり倒す。そのたび、結果がスクリーンに表示される。新しいアイデアのコーディングを始めると、時間が止まった。「いま、太陽や月がどのあたりにあるのか気にせず、ず～っとハッキングを続けられるのは本当にすごいことだと思いました」とゴスパーは表現している。グリーンブラットなど、30時間もぶっ通しでプログラミングに没頭した結果、出席が足りなくてMITを中退するはめになってしまった（隣町でコーディングの仕事に就き、夜はAIラボで過ごす生活を続けた）。

特筆すべきは、このとき、どういうプログラムを作れとかどういうものは作っちゃいけないとか、指示する人がいなかったことだ。そういうコーダーの集団が登場したのは初めてのことだ。彼らは、なんでもいいから思いついたことをマシンにやらせた。クリエイティブだ。いろいろな周波数でスピーカーをオンオフするコードを書いて音楽を奏でさせる。チェスの手を計算するプログラムを作る（人間に勝った例もある）。ラッセルはスペースウォーを作った。世界初のグラフィカルなコンピューターゲームだ。プレイヤーふたりが宇宙船を操り、撃破し合うもので、ブラックホールも用意されていた。12万ドルのマシンでビデオゲームを動かすなど、当時のコンピューターメーカーに言わせれば、壮大な無駄遣い以外のなにものでもなかっただろう。だが、MITに集まるハッカーは、統計処理とか科学的問題の計算とか、ありきたりのことばかりの歴史からプログラミングを解放しているのだと考えていた。コーディングは、それ自体が楽しく、芸術的行為とも言えるのだ、と。

レヴィも指摘しているように、このとき、彼らは、「ハッカー倫理」なるものを生み出した。だれでもコンピューターと直接関われるようにすべきだ、そうしなければならないと、彼らは考えていた。コードは公開しなければならない、使えるものを書いたら、ほかの人にも自由に使わせてあげるべきだとも考えていた（この精神は、現実世界にも適用していた。たとえば、コンピューターの修理に必要な道具が入っているキャビネットにMITが鍵をかけたときには、ピッキングを学んで道具を「解放」している）。権威や官僚的な序列は大嫌いだった。特に、コンピューターをしまって外に出さないIBMっぽい短髪・ワイシャツ姿の人間は最悪だ。

逆に、優れたコードには称賛を惜しまない。それを書いたのがどういう人なのかなんて関係ない。12歳の子どもでも、仲間として受け入れられたりする。そんなひとり、デビッド・シルバーは14歳で学校をドロップアウトし、AIラボでハッキングにいそしんだ結果、AIラボが研究していたロボットを巧みにプログラミングできるようになった。これに眉をひそめたのがAIラボの大学院生だ。彼らは理屈好きで、知性の働きを理論的に解明することが重要だと考えており、コーディングにはあまり興味を示さなかった。シルバーは真逆だ。いかにもハッカーらしく、動くコードを作ること、優れた「ハック」、つまり、実際になにかをするプログラムを作ることしか頭になかった。

部屋の反対側に設けられたゴールまで財布を押していくようロボットをプログラミングしたときは、一悶着あったらしい。

「院生側が大騒ぎになりましてね。なにせ、なかなかうまくできないと苦労していたことなのに、ほんの何週間かごちゃごちゃやっただけの私に先を越されてしまったのですから……いつも、理論的にああだこうだと議論している院生を尻目に、私は、袖をまくって手を動かしたわけです。ハッキングの世界ではよくあることですよ」

シルバーはレヴィにこう語っている。

商業とも真逆の世界だった。コードは芸術的表現の一種だと感じていたが、著作権を主張し、そこからお金を儲けたいとは思わなかったのだ。どころか、コードはただで人にあげるもの、え、これ、どうやったんだい？と思う人にはどんどん見せてあげるものと考えていた。人は、そうやって学んでいくものだろう？と。だから、彼らの工夫や実現した偉業が世界に広がっていったのだ。このような倫理観からのちに生まれるのが、フリーでオープンソースなソフトウェアの世界、コードを公開し、だれにでも好きなように使ってもらう世界である。リチャード・ストールマンなど、このころ MIT に集っていた有名ハッカーは、みな、ソースコードを外に出さない企業に腹を立てていた。であるのに、その一部が起業し、LISP コンピューターを開発して MIT に納入したとき、コードは公開されなかった。ストールマンは烈火のごとく怒り、フリーソフトウェア運動を興すとともに、フルスペックのオペレーティングシステムの開発と、コードをチェックし、いじる権利を守る法的仕組みの作成に乗り出すことにした。ハッカーは、いわゆる政治的な人々ではない。当時、米国に吹き荒れていたベトナム戦争に関する議論とも、距離を置きがちな人が多かったほどだ。だが、ことソフトウェアに関するものなら話は別だ。特に、ストールマンのように、いやでも直面させられればなおさらだろう。

同時に、彼らは、女性をコーディングの世界から締め出し始めた世代でもある。ウィルクスのころと違い、MIT に集まるハッカーは男ばかりで、本人たちの弁によれば「毒男モード」の会話や生活が多かった上、同類以外との付き合いには興味さえなかった。この世界に身を捧げた聖職者のようなものだと自分たちのことを考えていたのだ。「彼らにとっては、セックスよりハッキングが大事だった」とレヴィも書いている。シャワーも浴びずあまりに不潔だからとグリーンブラットがYMCAからたたき出された話は有名だ。男性ハッカーがラボに泊まり込んだりしていれば、男ばかりの寮みたいな環境になるのも当然だろう。

なんでもいじってしまうハッカー文化は、重要な研究にコンピューターを使おうとしていたMIT研究員ともぶつかることがあった。一例を紹介しよう。研究員のなかに、マーガレット・ハミルトンという若手コーダーがいた。のちに、アポロの月面着陸に貢献するNASA基幹システムの開発に携わり、プログラマーとして名をはせる人物だ。MIT時代は気象のシミュレーションモデルを開発していたのだが、プログラムを走らせるとなぜか必ずクラッシュする。さんざん調べたあげくわかったのは、ハッカー連中がコンピューターのアセンブラを自分たちの目的に合わせて勝手に改変し、元に戻していなかったから、だった。ハッカーはセル・オートマトンで遊びたかった。彼女は気象の研究をしたかった。そして、ハッカー側は、自分たちの改造がほかの人にどういう影響を与えるのか、気にしていないとしか思えなかったわけだ。

ハッカー同士、仲はよかったが、自分なり他人なりの私生活を語りたがる人は少なかった。「ずっと、ロボットみたいなしゃべり方をしてきました。話し相手もロボットばかりでしたしね」とため息をつきながら語ってくれた元メンバーもいるくらいだ。

ティーンエイジャーの活躍

さて、80年代に入ると、コンピューターそのものがまた大きく変化した。どんどん安くなり、新興メーカーから大衆向けのコンピューターが登場したのだ。

1976年、西海岸のシリコンバレーでスティーブ・ウォズニアックがアップルＩを作り上げる。ふつうのテレビにつなげる画期的なコンピューターだった。スイッチを入れたらすぐコーディングにかかれる。MITハッカーと同じように、だ。他メーカーも追随し、コンピューターの価格はふつうの家庭でも買えるくらいまで低下していく。1981年、コモドールが発売したVIC - 20は300ドルだった。ウィルクスに始まった革命が、米国中産階級のウッドパネル張り地下室にまで広がった格好だ。

それなりのお金さえあれば、ティーンエイジャーでも、気づいたらプログラミングの世界に足を踏み入れていたりするようになったわけだ。そして、それこそ、ジェームス・エバーエンガムに起きたことだった。

エバーエンガムは、ペンシルバニア州のデュボアという町で育った。近くには、『恋はデジャ・ブ』という映画の舞台として知られるパンクストーニーがある。1981年、15歳のとき、彼は、友だちに引きずられてモンゴメリーワードという百貨店に行った。発売されたばかりのVIC - 20を見に行ったのだが、そんなものがどうして欲しいのか、さっぱりわからない。だが、友だちは、ずんぐりしたベージュ色のコンピューターに張り付いている。

「コンピューターなんていらんだろ？　そんなもの、なんで欲しいんだよ。なにができるって言うんだ？」

そう口をとがらせたエバーエンガムに、友だちは、「まあ、見てみろよ」と簡単なプログラムを入力した。

```
10 PRINT “ジム”
20 GOTO 10
```

プログラムを起動すると、「ジム」が並んでいく。スクリーンいっぱいになっても止まらない。エバーエンガムは、すごいと思った。

「魔法かと思いましたよ。私も、その魔法が使えるようになりたい、『絶対モノにしてやる！』って感じでした」

ここで使われたのはBASICという言語である。歴史的に見て、BASIC以上に影響力の大きいコンピューター言語はなかったと私は考えている。アマチュアに広くコンピューターの門戸を開いたからだ。ウィルクスの時代に使われていたアセンブリ言語は、ちょっとやそっとで読んだり書いたりできる代物ではない。低水準言語と呼ばれるもので、そうとうに勉強しないとどうにもならないのだ。MITにハッカーが集まるようになったころには、ふつうの英語に近い高水準言語が普及していた。研究員や数学者が計算するためのFortranやビジネス用途のCOBOLなどだ。だが、なんといってもわかりやすいのはBASICだった。1964年にダートマス大学で開発された言語で、Beginner's All-purpose Symbolic Instruction Codeの頭文字が名前の由来だ。コマンドがわりとシンプルで、初心者にもわかりやすく、使いやすいのが特徴である。

エバーエンガムの友だちが書いたプログラムは“Hello, World!”のVIC-20世代版で、マシンを手に入れたらまず試す定番の呪文である。プログラミングの経験がなくても、意味するところはすぐわかるはずだ。「10」と振られた1行目は、「ジム」という名前をプリントしろとコンピューターに指示するもの。「20」と振られた2行目は、10と振られた行に戻れという指示だ。この2行は無限にループすることになるので、コンピューターのスイッチが切られるまで、名前がくり返し出力される。たった2行だが、コンピューターの不思議な力を余すところなく示すプログラムである。言われたことを、飽くことなく、きっちりくり返してくれるのだ。機械仕掛けの精霊のように。

ティーンエイジャーが無限を実感できることはあまりない。だが、たった2行のプログラムでそれができるのだ。自分の名前がだ〜っと流れていくのを見たとき、エバーエンガムに湧き起こった感情は、『チャップマンによるホメロスとの出会い』なる詩でジョン・キーツが美しく表現してくれている。コルテスと同じように、彼も、丘を登り切った瞬間、自分の知らない可能性の海がどこまでも広がっているのを見たのだろう。

この海は、ティーンエイジャーにも簡単に渡っていけるものだった。コンピューター会社が後押ししてくれるからだ。80年代前半のコンピューターには、BASICプログラムの書き方を手取り足取り教えてくれるマニュアルがついていた（私はエバーエンガムと同年代で、このマニュアルでプログラミングを勉強した）。また、このころのコンピューターはグラフィックスや音源もそこそこ使えたので、ちょっとしたコンピューターゲームなら作ることができた。1980年代のティーンエイジャーにとってこれ以上のマタタビはなく、スペースインベーダーやパックマンといった名作アーケードゲームのパソコン版やテキストベースのアドベンチャーゲーム、『ゾーク』などが次々と作られていく（ファンフィクションなどと呼ばれる2次創作だ）。

ともかく、家庭のテレビにつなげるコンピューターの登場により、カンブリア爆発もかくやというほど世界中にハッカーが生まれた。なんでも言われたとおりにするマシンをティーンエイジャーに与え、好きにさせれば（コンピューターなんて親にはちんぷんかんぷんなのだから、そうするしかない）、無限の猿の定理を地で行く展開になる。ほどなく、10代のコーダーが、悪口雑言のかぎりを尽くすチャットボットから美しい姿を見せてくれる「セル・オートマトン」という一緒の人工生命、カジノゲーム、簡単なデータベース、会計プログラム、コンピューターミュージック、そして、種々雑多なゲームまで、あらゆるものを生み出していく。

自分もやりたい――エバーエンガムはそう渇望した。だが、家庭はいわゆる中の下で、コンピューターを買ってもらうのは無理だ。だから、アルバイトをしまくった。芝生を刈り、冬には雪かきをする。そして、ついに、母親にも少し出してもらえばVIC - 20を買えるだけのお金を用意することができた。

マシンは手に入った。次はゲームだ。だが、ゲームを買うお金がない。なんとかただで手に入れることはできないか。目をつけたのは、簡単なゲームのコードも載っているコンピューター雑誌である。コモドールも『ラン』という雑誌を出していた。そのコードを入力していると、ソフトウェアがわかるようになってくる。それではと変数の値をいじってみたら、なんと、スペースインベーダーで何百台もの砲台が使えるようになった。こうして、少しずつBASICの仕組みを理解し、自分でソフトウェアを書くようになっていった。

コンピューター雑誌には、もっとおもしろそうなものも載っていた。BBSと呼ばれる掲示板システムだ。これがあれば、モデム経由でどこかのだれかのコンピューターにアクセスし、そこの人たちと話ができるし、フリーのソフトウェアやゲームのコピーをダウンロードすることさえできる。「フリー」……文なしのティーンエイジャーにとって魅力的な一言だ。エバーエンガムは、国内各地のBBSにアクセスしてソフトウェアをダウンロードし、そこから、また、BASICについて学んでいった。だが、1カ月後、届いた電話の請求書を見て、母親が泣き出してしまう。国中に電話をかけまくった結果、500ドルもの請求になっていたのだ。BBSへのアクセスはやめろと言われた。住宅ローンの支払いより多くなっていたのだから当然だ。

はいそうですかとあきらめられる話ではない。どうするか。長距離電話のただがけができればいい。まず、いろいろと調べ、コーリングカード会社の仕組みを学ぶ。長距離電話は、1-800で始まる番号でコーリングカード会社につなぎ、続けて6桁の口座番号を入力する。つまり、6桁の番号を変えながら1-800番号に電話をかけ続ければ、使える番号にぶつかることもあるはずだ。人間にはとてもやれないが、コンピューターなら簡単だ（映画『ウォー・ゲーム』でマシュー・ブロデリック演ずる人物が同じことをコンピューターにやらせている。だから、ハッカーは、これを「ウォー・ダイアリング」と呼んでいた）。エバーエンガムは、すぐ、コモドール64のプログラムを書き、夜通し、LDXという長距離通話会社の1-800番号に電話をかけまくった。朝起きるころには、生きている長距離口座の番号がリストアップされているわけだ。もちろん、法律的に問題のあるやり方だし、それは彼もわかっていた。ただ、長距離電話の時間という形のないものは、盗んでもたいしたことないように感じていた。

なぜか、LDX社内から協力者が現れたりもした。ある日、テキサス州のハッカー仲間と電話で話したあと、「ミスター・クリーン」と名乗る人物から電話があった。LDXの社員で、おかしなアクセスがあったので発信源を確認し、エバーエンガムに連絡したのだそうだ。怒られると身構えたが、そうはならなかった。逆に、手を貸してやろうと、LDXの電話システムについて、詳しく教えてもらうことができた。特定の音を生成すれば、システムを掌握できるというのだ。さっそく、その音を生成するコモドール64プログラムを作成。のちには、マスターカードやビザカードの番号を生成するコードも書き、実際に、一度、仲間とともにテレフォンセックスで使ってみたこともあるという。
「ティーンエイジャーですからね。盗んだクレジットカードでポルノラインに電話するわけですよ。すると、折り返し、向こうから電話がかかってきます。みんなで電話会議状態ですよ……不良8人が盗んだクレジットカードで電話しているわけです。で、相手にひわいなことを言わせようとあれこれしたあと、大笑いで電話を切りました。ええ、まあ、そのくらいしかできませんでしたね」とエバーエンガムは笑う。「もちろん、完璧に少年犯罪ですよ。でも、少年犯罪をテクノロジーと組み合わせれば、人生で成功することもできるんです」
　念のため申し添えておくと、当時は、まだ、プログラマーが儲かる職業であるとの認識はなかった。いや、そういう職業があること自体、認識されていなかったと言ったほうがいいかもしれない。当時、BASICをいじり倒していた子どもは、ソフトウェアエンジニアリングという仕事があることさえ知らなかった。エバーエンガムは、いま、40代でウーバーのエンジニアをしているが、「コンピューターってなにやらおもしろそうだからもっと知りたい――そう思っていました。なぜそう思ったのかはわかりませんけど。実用性なんて、美術史と同じくらいだろうと思ってましたよ」と言うほどだったのだ。

　こうして、だれが、なぜ、コーダーになるのかが大きく変わった。ソフトウェアを作ったり、手に入れたり、公開したりする文化がティーンエイジャーの背中を押し、居間からプログラマーが生まれるようになったのだ。だが、ビデオゲームは基本的に男の子が好むものであるため、この大衆化により、コーディング世界は男主体となっていく。BBSについても同じことが言える。あちこちの人とこっそりやりとりしても、男の子ならまあいいかと大目に見てもらえたり見て見ぬふりをしてもらえたりするが、女の子はおそらく禁じられるだろう。なお、当時のBBSは、権威に逆らい、共有を是とするMITハッカー世代の倫理に染まった世界だった。エバーエンガムらティーンエイジャーは、その文化を通じてつながることの価値を学んだ。インターネットなどまだ影も形もない時代だったが、どこか遠くのだれとも知れない人とのテキストチャットですごい知識が手に入ったりすると学んだわけだ。エバーエンガムはコーディングに熱中してしまい、高校の成績は右肩下がりになっていた。当時の少年コーダーによくある話である。

「はまっちゃいましてね。コンピューターは最高の表現媒体で、これさえあれば、意志の力でなんでも望むモノが作れると思ったんです。多次元対応の絵筆ですね。なんでも私の指示に従ってくれる絵筆です」

エバーエンガムは、大人の法律が適用される18歳を前に、刑務所には入りたくないと思い、ハッキングで電話やクレジットカードを使うのはやめた。コーディングには一層のめり込み、テキストボックスやボタンなどのインターフェースをプログラムに組み込むためのオープンソースソフトウェアを作って公開するなどしはじめる。さらに、ペンシルバニア州立大学に入学し、コンピューターサイエンスを専攻したが、高校時代と同じく、授業を受けるよりハッキングしているほうがいいと悟り、さっさと退学してしまった。ところが、エバーエンガムのオープンソースソフトウェアはこの大学の技官がよく利用するものだった。だから、ちょっと前に退学した学生がその作者であると判明すると、コンピューター研究員として雇用するという話になった。この役職は学位が採用の前提だったので、特別採用の手続きを取らなければならなかったにもかかわらず、である。

「ああいうスキルがまだ珍しかった時代だったのが幸運でした。私が優秀だったからというより、私のような人がまだ珍しかったからなんですよ」

給与は年間2万3000ドル。

「いや〜、王様にでもなったように感じましたね」

90年代前半、エバーエンガムは、インターフェース関連の作品を中心に、ソフトウェアの世界で一目置かれる人物になっていた。そして、30代前半だった1995年には、世界を大きく変えることになる新製品のウィンドウズインターフェースを作る仕事に就いた。製品は、初めて世界的に普及するウェブブラウザー、ネットスケープである。弱冠24歳のコーダー、マーク・アンドリーセンに率いられた開発チームは、学生時代に学内用ブラウザーを作っていた大卒ほやほやの若者と、足場を固めるため採用されたエバーエンガムらベテランで構成されていた。仕事は半端なく忙しかった。ほかに数社がブラウザー開発を進めており、市場に一番乗りしなければならないとアンドリーセンが発破をかけていたからだ（事態を正しく把握していたと言える）。ひたすら仕事だ。疲れたら事務所の床で寝る。なんてコードを書きやがるんだと怒声が飛び交う。コンピューターが急に再起動し、そこまでの作業がふいになって限界を越えたのか、働きすぎで精神的にまいっていたプログラマーが椅子をぶん投げたこともあった。

これは、新しいやり方のソフトウェア開発だ。それまでソフトウェアは、いわゆるウォーターフォール方式で開発されていた。まずどういう製品にするのかを決め、機能をひとつずつ、詳細に記した設計文書を作る。その後、何カ月あるいは何年もかけ、コーダーが機能を作っていく。設計が一番上からコーダーまで流れ落ちてくるトップダウンのアプローチである。このころのソフトウェアはフロッピーディスクで顧客に渡すもので、アップデートや変更が難しかった。だから、バグをなくすことが特に重要だった。製品にバグがまぎれ込むと、なかなか修正できず、下手すれば、ずっとそのままになりかねないのだ。だが、ネットスケープはオンライン配布で、ダウンロードしてもらう形が基本だ。こうなると、設計の仕方から、バグを問題視すべきかどうかまでが根本的に変わってしまう。製品配布のコストがかからないに等しいなら、なんとか動く段階までできたら製品をリリースしてしまうこともできる。ほかの機能はあとで追加し、またリリースすればいいのだ。そんなことをして、バグが残らないのかって？　もちろん、バグはたくさん残るだろう。でも、顧客が気づいてメールで知らせてくれるはずだ。これは、顧客に無償で試験をしてもらうに等しい。しかも、顧客は数千人から場合によっては数百万人もいるのだ。やばいバグは、まずまちがいなく、全部みつけてもらえるだろう。

この流れに連なるのが、その10年後、マーク・ザッカーバーグがフェイスブック事務所の壁に貼る「さっと動いてどんどん打ち破れ！」なる標語である。アンドリーセンは「悪いほうがいい」と表現した。不完全だったりバグがあったりしてもソフトウェアはとりあえずリリースし、ユーザーに新しい体験をしてもらうほうが、何年もかけてじっくり開発するより、あるいは、それこそ、完璧を期して時間をかけすぎ、リリースできずに終わるよりずっといい結果を生む。巧遅は拙速に如かずといったところか。
「コードはしっちゃかめっちゃかでしたね」
エバーエンガムはこう証言している。だが、ネットスケープ社において、それは誇るべきことだった。ブラウザーがフリーズするアップデートを書くと、そのコーダーの上に大きなレモンがつるされたという。これは、いいかげんなコードでブラウザーをクラッシュさせたという不名誉な印だが、同時に、勇気を持って新しいことをトライし、その結果、ブラウザーをクラッシュさせたという名誉な印でもあるとエバーエンガムは言う。
「レモンをつるされないのもだめだし、いつもつるされてるのもだめなわけですよ。こうして、クラッシュ率がいいあんばいならほめられるという、ちょっとおもしろい文化が生まれました」
ハチドリもかくやと思うエネルギーで、ネットスケープ社は、1年間で4バージョンもブラウザーをリリースした。オンラインで情報を探す人や自分のウェブサイトを作る人が増えるのを見て、開発にあたったエンジニアは、みな、感動した。新機能を追加したらどうなるだろう、ブラウザーで電子メールを使えるようにしたらどうなるだろう、おお、みんな、どんどん使ってくれる、という感じだ。聴衆の反応を見ながら歌うライブコンサートに近いと言ってもいいだろう。
「あれほど大きな影響を与えるループに加わったのは、初めてのことでした」とエバーエンガムは言う。「ここは自分が作った機能だって、製品に自分の影が見えるわけですよ。そして、それが世界を変えていく様を見ることができる。最高のドラッグだと言えますね」
だが、夢のような時間は長続きしなかった。4年後、マイクロソフトとの競争で傷ついたり、買収され、ブラウザーを一から作り直そうとして失敗したりして、ネットスケープ社は減速していく。もうおもしろい仕事はできそうにないと感じ、エバーエンガムは退職。それから4年はつらい時期だった。ネットスケープのおかげでお金はたくさんあったが、若くして大成功した芸能人や宝くじを当てた人などと同じで、突然大金を手にした結果、周囲との関係がおかしくなってしまったのだ。そういう状況への対処という面では、コーダーもただの人である。
「家族も接し方が変わってしまいましたし、友だちも変わってしまいました。新しい友だちができて、昔からの友だちは去って行きました。なんなんだよいったいって思いましたね。みんな、なんかくれって感じなんですよ」
　女性も寄ってくるようになった。モテ期到来で楽しくはあるが、どうにも落ち着かない。それなりにハンサムな顔立ちなのだが、それまでそんな経験はなかったのだ（「お金を手にしたら、ブラッド・ピットになっちゃったんです」）。
　お金が引き起こす人間関係の問題にうんざりした彼は、5年後、大半を慈善事業に寄付したり家族に分けたりして手放してしまった。ソフトウェアには関わり続け、オンライン電話ソフトウェアを開発する会社を友人と立ち上げる。ユーザーは、主に、自宅で電話サポートの仕事をする人々だ。彼の妹もそのひとりだった。彼女は、内耳の感染症から耳の機能に障害が残り、外で働けなくなってしまっていた。だからずっと無職だったのだが、このソフトウェアが登場したおかげで電話サポートの仕事ができるようになった。そして、いろいろとスキルを身につけた結果、リモートマネージャーとして就職し、5桁の給与をもらえるようになった。
　この件で、エバーエンガムは、コードで人々の暮らしを変える方法はいろいろありうるのだと悟った。ブラウザーで派手にやることもできる。ひそかにやることもできる。世界から称賛されることはないが、だれかの人生を変えるという意味では同じく大きな力を持つ製品で。
「だれかひとりの人生を変える、何人かの人生を変える。そういうことができる。それは、私にとって、ネットスケープと同じくらい気持ちのいいことでした」
「自分自身もプログラミングし直した気分ですよ」

ウェブサイトが舞台に

そのあとしばらくは、だれでもその名を知っているような有名企業とは無縁の生活が続いた。そして、第4世代のコーダー（いまの主流派だ）に雇われる日がやってくる。ウェブと携帯電話で育った世代、プログラミングの世界にもそこから入った世代だ。

90年代半ばにウェブが広まると、コーディングの勉強がやりやすくなった。ウェブのふたを開け、その仕組みを簡単に見れるようになったからだ。ブラウザーでアクセスすると、ウェブサイトからHTMLやCSS、JavaScriptなどのコードが送られてくる。そのコードを実行すると、リストや画像、動画、クリックするボタンなど我々が目にするものになるのだが、エバーエンガムら、ネットスケープでブラウザーを開発した人々は、望めばコードが見られるようにしたほうがおもしろいと考え、ページの「ソース」を表示する機能を組み込んだ。その機能を使うと、新しいウインドウが開き、そこにページのHTMLが表示される。

こうして、世界中の人々が「ページのソースを表示」をクリックし、ウェブというクレイジーな新世界がどういう仕組みで動いているのか、のぞくようになった。コモドール64によるBASIC革命と同じようなことが、もっと大規模に、もっと広範に起きたわけだ。80年代にBASIC革命を経験したエバーエンガムらは、勉強に使うBASICコードを手に入れるだけでも、BBSからダウンロードしたりプログラムが掲載された雑誌や本を買ったりしなければならず、かなりの時間がかかった。新しいことは、ぽつりぽつりとしか学べなかった。

ウェブの登場で、新しいことを次々学べるようになった。どのウェブページにも、その構造を示すコードがあり、それを見ることができる。インターネット全体がプログラミングの独習本を収めた図書館のようなものなのだ。コードの一部を切り取って別ファイルに貼り付け、ちょっといじって、なにがどうなるのかを確認するといったこともできる。荒削りだがウェブサイトのホスティングサービスも登場していたから、いじった結果が気に入れば、それをアップロードしてオンラインに公開することもできる。BASICはプログラミングを象牙の塔から解放し、地下室にこもるティーンエイジャーに渡したわけだが、ウェブは、それを世の中の主流に押し上げたと言える。ほどなく、世界中のティーンエイジャーが自分のウェブサイトを持ち、大好きなバンドやビデオゲームについて語るようになった。奇妙きてれつなフォントやグラフィックスで飾り立てて。

そういうひとりに、マイク・クリーガーという少年がいた。ブラジルのサンパウロでミドルスクールに通っており、ビデオゲームが大好きで、BASICも少しは学んでいたという。

「夏休みは、いつも、コンピューターに向かって過ごしていました」

11歳になるころにはウェブに夢中で、友だちとふたり、HTMLをいじってばかりいたらしい。課題の読書感想文も、ウェブサイトにして提出したというから気合いが入っている。

「とにかくはまりまくってまして。『読書感想文くらい、どうしてふつうに書けないかな』と思われていたでしょうね」

でも、プログラマーになるつもりはなかった。将来の夢はジャーナリストかドキュメンタリー映画の制作で、サンパウロの政治が腐っていることを世間に訴えたいと考えていた。映画『シティ・オブ・ゴッド』の共同監督を務めたカティア・ルンドからアドバイスももらっていた。「ジャーナリズムを勉強しても無駄。映画で取り上げたいテーマについて学びなさい」と。

だが、大学入学を目前に控えた2004年夏、クリーガーは、オープンソースソフトウェアの世界にのめり込んでいく。だれでも使えるしだれでも改造していいアプリを、何百人から場合によっては何千人ものコーダーが共同で開発する世界だ。そこで、当時、大きな話題になっていたのが、メールソフトのサンダーバードである。ある夜、大好きなバンド、ウィーザーの曲を爆音で聴きながらサンダーバードについて語り合うネット掲示板を読んでいたところ、米国企業の役員が不満を書き込んでいるのをみつけた。私用と仕事用で異なる電子メールアカウントを使っているのだが、ときどき、どっちがどっちだったかよくわからなくなり、仕事のメールを私用アカウントから送ったり、私用メールを仕事のアカウントから送ったりしてしまう。どちらのアカウントなのか、色でわかるようにする機能がサンダーバードにあればいいのに、というのだ。

なぜか、興味を刺激されたとクリーガーは言う。

「がんを治療するとかそういう大それた話じゃないけど、でも、彼は困っているわけですよ」

もしかしたら、自分でもサンダーバードの新しいコード、色分けするプラグインを作れるのではないか。そう思ったクリーガーは、まず、オンラインでサンダーバード用プラグインを探して歩いた（彼は「迷宮探検」と表現している）。HTMLと同じやり方で勉強しようと思ったのだ。つまり、ほかの人がどうやっているのかを調べ、そこから学ぶわけだ。

プラグインの開発は、遅々として進まなかった。小さな部品でさえ、1週間以上もかかってしまった。メールアカウントの数を表示するだけのきわめて小さなコードだ。だが、この数字が表示された瞬間、アドレナリンがほとばしった。勢いづいたクリーガーは、それから30時間、大喜びで頭をかきむしり続けることになる。コーディングはビデオゲームに似ている、「中ボス」をいくつも倒しながら「ラスボス」に到達する感じだと彼は言う。

「なんと言うか、ゴールは、インディ・ジョーンズみたいに神殿の扉を開け、正しいシンボル四つを正しい場所にはめることなわけです。で、シンボルのひとつでも正しいところに置けたら、それはもう、やったぜって感じになりますよ」

3週間後、プラグインが完成した。これをアップロードし、不満を述べていた会社役員にメールで連絡する。相手は、ピクサーのエグゼクティブ・バイスプレジデント、グレッグ・ブランドーだった。ブランドーはとても感謝し、米国に来ることがあったら映画のプレミアに招待するよとまで言ってくれたという。米国有名企業の役員が困っていた問題を解決するというのは、ブラジルのティーンエイジャーにとって夢のような話である。（4年後、彼は、ブランドーのもとでピクサー映画『ウォーリー』の公開に関わっている）

さて、この2004年、クリーガーは、スタンフォード大学に入学し、シンボリックシステムズというちょっと変わった名前の学問を専攻する。コンピューターサイエンスと心理学、人工知能、認知科学、哲学、言語学を総合的に扱うものだ（彼がこの学科を知った経緯がまたおもしろい。オーカットというグーグルのSNSがある。米国では見向きもされなかったがブラジルでは人気のSNSで、そこに、なぜか、シンボリックシステムズのページがあり、それをクリーガーがみつけたのだ。見た瞬間、すごくおもしろそうな名前だなぁと思ったそうだ）。

スタンフォードで、クリーガーは、B・J・フォッグの講義を取った。内容は「パースエイシブコンピューティング」——ソフトウェアをどう設計したら人々の行動を変えられるか、どうしたらいい方向にもっていけるかを考える分野だ。これはいいとクリーガーは思った。マシンのプログラミングもさることながら、それを使う人の感情的な側面を考え、それをプログラミングすることに興味を惹かれていたからだ。

そして、トリスタン・ハリスという友だちとふたりで、センド・ザ・サンシャインというアプリを開発する。日当たりのいい場所にいることを検知すると、少しでも明るい気持ちになってもらうため、太陽の光を浴びている写真を曇りや雨の地域にいる友だちに送りませんかと提案するアプリだ。できはいまいちだったが、アイデアはいいねと話題になった。

「コードが書ける人ならたくさんいますが、使う人の心までちゃんと把握できる人はあまりいません」——フォッグは、のちに、クリーガーについてこう語っている。

就職先は、たくさんのウェブサイトで使われているミーボというチャットアプリの会社だった。そこで、ベテランコーダーによる「スケーリング」対応を見ることができた。リリースしたアプリがなぜか大人気になり、ものすごくたくさんの人が使い始めると、その負荷に耐えられずサイトがクラッシュしたりしかねない。そういうやばい課題への対応である。

だが、このころ彼の心は、ウェブサイトよりも、最新のコーディングフロンティア、iPhoneに惹かれていた。生まれて間もない分野で、どう使えばいいのか、まだだれもわかっていない。クリーガーは、サンダーバードのときと同じように、プラットフォームをいじったりほかの人のコードを読んだりして、どうすればうまくいくのかを学び、ちょっとした機能をいろいろと作ってみた。たとえば拡張現実アプリ。iPhoneを通じて見ると、関連情報が一緒に表示されるのだ。

「そのあたりでどういう犯罪が過去にあったのかを、風景に重ねて表示してくれるんです。ぞっとするものがありますよ。3メートル先で放火があったんだ、なんてなるんですから」

そんなある日、彼は、スタンフォード時代の友人、ケビン・システロムにサンフランシスコのコーヒーショップで偶然再会する。システロムは、こんな夜遊びをしてるんだと友だちにみせびらかす「バーブン」というサイトを作っているところだった（ふたりものちに認めているように、あまりキャッチーな名前とは思えない）。50万ドルの開発費用は調達できたが、手が足りないという。クリーガーは、おもしろそうだと、ミーボを辞めてこちらを手伝うことにした。こうして、ふたりは、カフェを転々としながらどういう機能や外観にすべきかを話し合うようになった。夜になるとふたりでコーディングを進め、さまざまな機能を作り込んでいく。いる場所を示すチェックイン機能、友だちと遊ぶ約束をする機能、友だちに会うとバーブンポイントが得られるゲーム的な機能などなどだ。その結果、ユーザーがまごつくほど多機能になってしまった。そのくせ、どの機能も使い勝手はそれなりでしかない。いわゆるフィーチャー・クリープというもので、コーダーが陥りがちな罠だ。新しいものを作るのは楽しい。マッピングアニメーション機能でも、メール対応のアラート機能でも、とにかく、追加すべき新機能を夜10時に思いつき、翌朝4時には、新しいコードをどーんと世界に公開するのは、心躍る作業だ。対して、いまある機能に磨きをかけていくのは、あまりおもしろくない。だから、どうしても、スイスアーミーナイフのようなものができてしまうのだ。バーブンのユーザー数は伸び悩んだ。

そんななか、ユーザーに人気の機能がひとつあった。写真のアップロードだ。バーブンの場合、写真を電子メールでバーブンに送ると、それをスクリプトが吸い出し、フィードに貼り付けるという仕組みになっていて、とても面倒だったにもかかわらず、である。なのに、なぜかみんな、クールなスナップを撮っては友だちに見せようとするのだ。
なぜだろうとシストロムとクリーガーは考えた。
なにがそんなに楽しいのだろう。写真共有をメインとしたアプリが少ないからじゃないだろうか。フェイスブックにも写真をアップロードする機能があるが、いろいろ流れてくるニュースフィードに紛れてしまう。目を転じると、iPhoneでは、ヒプスタマティックなどのカメラアプリが大人気になっている。フィルターで写真をレトロな雰囲気にしたり昔のポラロイドのようにしたりできるアプリだ。だが、その写真を友だちに見せる手立ては用意されていない。
こうしてふたりは、ユーザーの声なき声がなにを言おうとしているのかに気づいた。だから、バーブンの大半を捨て、写真共有に特化したものに作り替えることにした。ポップな写真にするフィルターや、コメントを添える機能も用意する。
8週間後、新しいアプリが完成した。名前もインスタグラムと改めた。「テレグラム」と70年代にはやったレトロな「インスタント」写真を組み合わせた造語である。機能はただひとつ。「あるがままの世界を別の人の目を通して見る」とふたりは表現している。

オタクからスーパーヒーローへ

私が初めて会ったとき、クリーガーとシストロムは、サウス・バイ・サウスウエストというテック会議の会場で電話を充電していた。シストロムは背が高く、どちらかというと内気なタイプで、対してクリーガーは人なつっこい笑顔が印象的な人物だ。ふたりとも、よれよれだった。
リリースから1年半、インスタグラムは大ヒットしていた。偶然成功したように見えるかもしれないが、クリーガーも指摘したように、それは、昔からのいろいろが結実した結果である。クリーガーは、何年も前からiPhoneアプリ開発のスキルを磨いていた。シストロムは昔ながらのアナログカメラが大好きで、インターンとしてグーグルで働いた時代からずっと写真アプリにはまっていた（創業間もないフェイスブックで働かないかとマーク・ザッカーバーグに誘われたが断っている）。インスタグラムが大ヒットした理由がもうひとつある。写真は世界共通の言語という点だ。言葉がわからない人をフォローしたり、そういう人にフォローされたりできるSNSはインスタグラムが初めてだった。

私が彼らに会ったころ、インスタグラムはまだ10人強の小所帯だったが、ユーザー数はすでに3000万を超えていて、毎秒60枚もの写真がアップロードされるようになっていた。

だから、コーディングが成功すると生まれる問題、スケーリングに彼らは直面していた。

ユーザーが数人のウェブソフトウェアは簡単に作れる。2千人から3千人になるといろいろ難しい。たくさんの人が同時に写真のアップロードやダウンロードをしようとすると、データベースが混乱しかねない。それが100万人になったら……マンハッタンで車の流れを管理するようなものだとクリーガーは表現している。

「いや、もう、びくびくもんでしたよ」──何年もあと、カリフォルニア州メンロパークにあるインスタグラムのオフィスで、オーダーメイドのコーヒーを用意しながら、クリーガーはこう語ってくれた。「立ち上げからしばらくは、私ともうひとりで全部を管理していたわけです。どこかで火の手があがったら、そこに行って火を消さなきゃいけない。ところが、火事が起きると渋滞が発生するんですよ。生き物かなにかみたいな感じで、なにがどうなるのかよくわからないんです。確たることなんてまったく言えません。どういう人が使うのか、完全にあなた任せですからね」

世界中からアクセスされるということは、いつでも、ネットワークトラフィックが跳ね上がる可能性があるということだ。朝には米国東海岸のユーザーが写真をアップロードし始めるし、夜中の2時には日本や韓国からのアクセスが増える。朝8時に目覚ましをセットして2時に寝ていたというが、たいがい、なにかがおかしくなって、3時に起きなきゃいけなくなったりしたらしい。

2年後、インスタグラムは、写真共有の流れは止まらないと悟ったフェイスブックに10億ドルで買収される。

さて、日当たりのいいインスタグラムのオフィスをクリーガーとふたりで歩いていると、なんと、ジェームス・エバーエンガムにばったり会ってしまった。話を聞いてみると、混乱を防止するために採用されたばかりとのこと。インスタグラムで働くコーダーも150人を超え、iPhoneアプリのグループ、アンドロイドアプリのグループ、ウェブサイト管理のグループと複数のグループに分かれて仕事をするようになっていた。人数が増えすぎて管理し切れなくなっていたのだ。少なくともクリーガーには無理で、スケールアップを何度も経験したベテランの手を借りる必要がある、混乱や暴走が起きないよう上手に組織してもらう必要があると考えたのだ。

「うちに来て3週間、会議に出たりあちこちで話を聞いたりしただけで、組織の体をなしてないって言われちゃいましたよ」とクリーガーは笑った。

「私は51歳。ここでは最年長になります。ここでは、みんな、インスタグラムのハッシュタグがプリントされたＴシャツを着てるんで、私は、インスタグランパとかなんとかプリントされたやつが欲しいですね」

プログラミングの世界は、彼がVIC-20を手にした80年代初頭からさまざまな面で大きく変わった。メアリー・アレン・ウィルクスらから、MITハッカー、エバーエンガムらティーンエイジャーの３世代は、おもしろいからプログラミングをしていた世代だ。どんなことでも、マシンにやらせるのは知的な挑戦だった。コーディングそのものにわくわくした世代なのだ。対して、クリーガーらの世代は、ネットスケープ、ヤフー、グーグルなどで大金持ちが生まれるのを見ながら、また、その社会的な影響の大きさを実感しながら育った世代である。だから、政界、法曹界、財界も相変わらずパワフルだが、社会を作り変えたいならコードを書くのが一番だと考えるのだ。『サイバーネット』や『ザ・インターネット』、『マトリックス』などの映画で革ジャンや革のコートを着た達人ハッカーを見てきた世代だというのもある。彼らにとってハッカーとは、はみ出しもののオタクではなく、ふつうの人には理解もできない力が振るえるスーパーヒーローなのだ。

この現行世代については、創造物が社会に与える副作用に悩まされることが増えている点も指摘しておきたい。

たとえばインスタグラムも、写真に新たな創造性をもたらしたと絶賛されているが、同時に、自撮りで完璧な自分を演出しようと果てしなくがんばってしまう文化を生み出していると懸念する向きも少なくない。メンタルヘルスの専門家からも、女性を中心に若者の自己肯定感を損ないつつあるとの声が上がっている。魅力的な写真をインスタグラムでよく見る女性は、気分が落ち込んだり体調を崩したりしがちだという調査結果があるのだ。

拒食症の女性からいわゆるシンスピレーションな写真がアップロードされるという問題もある（インスタグラム以外のソーシャルメディアでも同じ問題が起きている）。一種の障害なのに、それを美化するもので、医療関係者にとって悪夢のような事態だ。インスタグラム側も、2012年以降は#thinspoや#thighgapといったハッシュタグを禁止する、そういうハッシュタグの検索に対しては摂食障害治療の案内をポップアップするなどの対策を講じている。だが、この程度では、いたちごっこになるだけだ。禁止後は、#thynspoや#thygapといったハッシュタグが使われていることが調査でも確認されている。（なお、クリーガーもシストロムも、ほかのことがしたいと2018年9月にインスタグラムを去っている。エバーエンガムも、同年春、フェイスブックのブロックチェーン開発部門に移っている）

もちろん、だれかの自己肯定感を引き下げようなどとは、クリーガーもシストロムも考えていなかった。単に写真が好きで、コードをいじるのが好きで、だれもがカメラを持ち歩くようになった世界に秘められたエネルギーを解放したいと考えただけのことだ。だが、ソーシャルソフトウェアは、作り手が想像もしなかった影響力を発揮することが少なくない。作り手は、とにかく動くようにしよう（そしてスケールアップしよう）という短期目標しか頭にないことが多いというのもあるだろう。

ぶっちゃけた話、どういうコードを書くのか、なぜ書くのかという決断がお金によってゆがめられているというのも問題だ。インスタグラムが登場したころには、スタートアップによるお金の儲け方はしっかり固まっていた。ただでアプリを公開し、何百万人ものユーザーに絶え間なく使ってもらえるようにして、広告費を稼ぐのだ。インスタグラムなどもそうしたわけだが、最近はそれをうまくやりすぎている、危険なほどうまくやるようになっていると考えるプログラマーも出てきた。

たとえばトリスタン・ハリス。学生時代、クリーガーと一緒にセンド・ザ・サンシャインを作った人物で、同じくシリコンバレーでかなりの成功を収めていたが、同時に、自分も関わった作品が世間に与える影響に眉をひそめるようにもなっていた。大学を卒業後、ハリスは会社をグーグルに売却し、そこで働いた。そして、ソーシャルアプリを作る人々が、エンゲージメントを絶え間なく実現すること、つまり、使わずにいられないようにすることしか考えていないと幻滅したのだ。

「こういう会社がしているのは人々をうまく引っかけることであり、心理的な弱点を突くことでそれを実現しているんです」――彼が1843マガジンに語った言葉である。

「我々がいまいるここを中心に半径80キロメートルの範囲にいるほとんどが男、ほとんどが20歳から35歳で、ほとんどが白人というエンジニアデザイナー、50人ほどが、世界10億人が朝起きて電話を持ったとき、なにを考え、なにをするのかを決めている状況など、前代未聞のことです……ジェイン・ジェイコブズの批判を受けて都市計画が大きく変わったことがありましたが、この注目の街に警鐘を鳴らしてくれる人はいないのでしょうか」

残念ながらいないというのが彼の考えだ。仕事仲間はみな切れ者だが、自分たちのしていることが社会にどういう影響を与えるのかは眼中にない。自分に近い動きがないわけではないとして、クリーガーは、利用時間を計ったり、1日あたりの利用時間を制限したり、制限を超えたら警告が出るようにしたりできるツールが、2018年8月にインスタグラムとフェイスブックからも出されていることを指摘したが。時間管理は大事ですからねと言いつつ。

新世代のコーダーはナイアガラの滝のようにお金が流れるシリコンバレーに惹かれて集まった人々で、そのあたりをさらに気にしない。2000年代後半には、インスタグラムのような会社でフェイスブックやグーグルが買いたいと思うものを作れば、みんなで億万長者になれる、ということが世の中に知れ渡り、そこに惹かれて集まる人々が増えた。アイビーリーグのフラタニティに集まるような男の子とでも言ったらいいだろうか。そういう金儲けが目的の人々は、少し前なら、みな、ウォールストリートをめざしたはずだ。それが、2008年ごろの金融危機で行き場を失い、シリコンバレーに新天地を求めるようになったわけだ。最近増えている彼ら「ブログラマー」は（フラタニティから直接移ってくる人もいる）、コードの影響力が特に気になる人種で、はっきり言えば、知的でおもしろい仕事だとかなんだとか必ずしも考えていなかったりする。彼らにとって、ソフトウェア業界は、権力にいたる道にすぎない。だから、彼ら新人類は、全体として、シリコンバレーの文化に影響を与えても、コーディング面の貢献はあまりないと言えるだろう。

コードを作る人々がなにを考えているのかを理解したければ、彼らがひたすらしているのと同じことをしてみるといい。なにか一から作ってみるのだ。ただし、作ったりいじったり、論理で遊んだりするのを楽しむ人々がこの分野に惹かれてのめり込むわけだが、そこにとどまり、成功するのは、神経にさわるしょうもないことに耐えられる人々である。

バグだ。

第3章

絶え間ないフラストレーションと一瞬の喜び

Constant Frustration and Bursts of Joy

たまには休まないと――そう思ったデイブ・ガリノはフィジーに向かった。だが、ちょうどそのとき、バグが悪さを始めた。

よくしゃべり冗談が大好きなガリノは、コード・フォー・アメリカでディレクター兼ディベロッパーとして働くプログラマーだ。コード・フォー・アメリカというのは、世の中の役に立ちたいと思うオタクを集め、あちこちガタガタになっている政府のハイテクシステムを改修する非営利組織である。ここで紹介するのはフードスタンプのシステム。フードスタンプなどの公的支援を低所得層がオンラインで申請しやすいようにする仕事を、2013年の頭、ガリノら3人のチームがサンフランシスコ市から委託されたのが発端だ。

状況ははっきり言って最悪だった。フードスタンプのウェブサイトはぐっちゃぐちゃでわけがわからない。申請するには、あちこちに散る30ページ以上に情報を記入しなければならない。しかも、どのページも、携帯電話からのアクセスなど考慮されていない。低所得層にはたまったものではない状態だ。ネットアクセスは安い携帯電話からで、毎月のデータ通信量もごく限られているのがふつうだからだ。大きな問題を実際に引き起こしていることもわかっていた。ウェブサイトがあまりに使いにくいので、カリフォルニア州では、対象者の半分しかフードスタンプを申請していないのだ。

ガリノのチームは、事態の解決に全力で取り組んだ。

問題は、ウェブサイトを一から組み直すわけにいかないこと。そういう契約ではなかったし、そんなことをすれば、年代もののHTMLやデータベースを刷新しなければならなくなり、大変なコストがかかってしまう。

だから、巧妙なハッキングで対応することにした。使いやすいページをかぶせ、古いページを隠してしまうのだ。

まず、シンプルなウェブサイトを新しく作った。1ページのサイトで、携帯電話でもさっと表示できるものだ。ここに基本的な情報を入力してもらう。すると、ユーザーから見えない裏側で、その情報が自動実行のスクリプトに渡され、そのスクリプトがごちゃごちゃした旧サイトのあちこちに情報を入力していく。コード・フォー・アメリカのコーダーチームは、大変なところを全部処理してくれる魔法のヘルパー（デーモンと呼ばれる）を作ったのだ。申請者本人は、ややこしいところに触らなくていい。すっきりした携帯電話サイトで必要な情報を入力するだけで、あらふしぎ、申請が全部終わってしまうというわけだ。

スマートなやり方とは言えないが、目的は達せられる。

「すばらしい迷案だったと思います」——そう言って、ガリノの部下、アラン・ウイリアムスは笑った。こんがらがった昔のシステムに取り組んでいると、そのうち、それをさっとエレガントに統合したいなら、その上に泥を1層かぶせるのが一番いいとわかるのだそうだ。コーディングの世界でラッピングなどと呼ばれる戦略である。要するに、やばいシステムを箱に入れ、ふたをしてしまうわけだ。そうする以外にないからやらざるをえないケースもある。ともかく、フードスタンプについては大成功というレベルでうまくいった。アプリのリリースからほんの数週間で申請数がはっきりと増加。その後も申請はどんどん増え、2年もたたずに、このアプリ、ゲット・カルフレッシュは、カリフォルニア州政府のソフトウェアプロジェクトでこれほど役に立つものはそうないと言われるまでになった。ガリノらが誇らしく思ったことは言うまでもない。お金が欲しいのなら、ミレニアル世代がネコのGIF動画を共有するアプリでも作ったほうがよかっただろう。だが、やりがいなら、コードの糸を垂らし、赤貧に苦しむ人々を助けるほうが大きい。

だから、そういうアイデアをもうひとつ、形にすることにした。

だが、その結果、致命的なバグを仕込んでしまう。

大惨事が発生するワケ

新しいアイデアは、フードスタンプ用カードの残高確認を簡単にしようというものだった。現行のシステムは、ある番号に電話をかけ、自動応答の音声に従って番号を入力していくものだった。人として扱われている気がしないひどいシステムだ。「そんなん、くそくらえですよ」がガリノの意見である。だから、Rubyでバックエンドのコードを書き、フォーンボットを作った。ショートメッセージかオンラインフォームでカード番号を送ると、フォーンボットが残高を確認し、返信してくれる仕組みだ。このほうが、ずっとユーザーに優しい。少しでも多くの人に使ってほしいと、グーグル広告の表示もやめた。

このころ、ガリノは休みを必要としていた。彼はいつも興奮している感じで落ち着きがなく、神経質にひげをいじることが多いし、絶え間なく早口でしゃべり続けるタイプなのだが、何カ月も休みなく働いてきて、少しはリラックスできる時間が欲しいと思ったのだ。

「俺、フィジーに行ってくるわ。ノートパソコンは持って行かない。電話もだ。なにも持って行かない。のんびりぶらぶらしてくる。あとは任せる。よろしく頼むな」

いいっすね、楽しんできてくださいと、部下は彼を送り出した。

だがその数日後、部下が出勤すると、大惨事が起きていた。電話による残高確認のシステムが暴走状態になっていたのだ。

ふつうなら利用回数は1日に100回前後なのに、ほんの2～3時間で5000回も使われている。なにかおかしい。このペースだと電話料金が大変なことになるし、携帯電話のプロバイダーに回線を切られるおそれだってある。どうして、急に利用が増えたんだ？

最初に疑ったのは不正利用だ。ロシア系暴力団がフードスタンプカードで政府のお金を不正受給しているといううわさもあった。「ロシア系暴力団が我々のサービスに気づき、不正カードすべてについて残高を確認しているんじゃないか？　それしか考えられない」というわけだ。

なんといっても痛いのは、このコードを熟知しているガリノに連絡する手段がないことだ。

「みんながテンパってるのに、私ひとりのほほんとしていたわけです」とガリノは笑う。「あのシステムの仕組みは、私しか知りませんでしたからね。あのバックエンドは、私がひとりで開発したので。コードは全部、私が書いたものです。だから、みんな、『どうしよう。どうしよう。なにが起きているのかもわからない』ってなってしまったんです」

数日後、フィジーから戻ったガリノは、すぐ、バグの処理に取りかかった。目を皿のようにしてサーバーのログを確認していく。何時間もそうして、ようやく、原因をみつけることができた。

ことの発端はユーザーのミスだった。ごくふつうに残高を確認しようとしたのだが、そのとき、カード番号を入れるはずのところで、なぜか、フォーンボットサービスの番号を入れてしまったらしい。その結果、無限ループにはまってしまったのだ。

「返信先がフォーンボットになるので、フォーンボットは自分からの返信を受けて処理を行い、また自分に返信するというのをぐるぐるぐるぐるくり返してしまったわけです」

ガリノ本人も認めているように、これはコードを書いた彼のミスである。入力されたのがフォーンボット自身の電話番号でないことを確認する処理を組み込むなど簡単なことなのだから。ただ、ユーザーがそういうミスをするとは思わなかったわけだ。

「ユーザーは、びっくりするようなことをしてくれますからね」

バグは全部つぶしたと思っても、ユーザーに使ってもらうと、なにかしら出てくるものなのだ。

どういう性格がプログラミングに向くのだろうか。明らかな面がいくつかある。コーダーには、論理的・体系的に考えるのを得意とする人が多い。日がな一日、if-then ステートメントやなんとも複雑なオントロジーについて、つまり、サブグループのサブグループであるグループについて考えていなければならないのだから（哲学専攻はいいコーダーになれるようだ。キックスターターやスタートアップ、その他企業などでそういう人にたくさん会った）。物事の仕組みに強く興味を惹かれる人も多い。草分けのひとり、グレース・ホッパーは、子ども時代、中が見たくて時計を次々壊してしまい、両親から、分解・組立をするのはひとつにしなさいと言われたほどだ。

たが、ひとつだけ選べと言われたら？　この風変わりな仕事に惹かれる人がほぼ共通して持つ特質はとたずねられたら、どう答えればいいのだろうか。

胃が痛くなるようなフラストレーションにどこまでも耐えるマゾヒス

ティックとも言える能力だろう。

なぜなら、「プログラマー」とは言うものの、キーボードに向かっている時間のうち、新しいコードを書いているのはごくわずかで、ほとんどの時間はバグ探しに費やされているからだ。

では、バグとはなんだろう。バグとはコードに混じった誤りだ。具体的には、タイプミスや作りミスで、プログラムの流れを阻害してしまうものだ。そして、たいがいは、このくらいいいじゃないかと思うほど微々たるものだったりする。

ある晴れた日、私は、ブルックリンのカフェで、髪が白くなりかけたコーダー、ロブ・スペクターと会った。彼は、ノートパソコンを取り出すと、Pythonという言語で書かれた小さなコードを見せてくれた。致命的なバグがひとつあるんだと言って。見せられたコードは以下のとおりである。

```
stringo = [rsa,rsa1,lorem,text]
_output_ = “backdoor.py”
_byte_ = (_output_) + “c”
if (sys.platform.startswith(“linux”))
    if (commands.getoutput(“whoami”)) ! = “root” :
    print(“run it as root”)
    sys.exit() #exit
```

どこにバグがあるのかって？　4行目だ。4行目はifステートメントで、(sys.platform.startswith(“linux”))が「真」なら、5行目以降も実行しろという意味である。

問題は、Pythonの場合、ifの行末にはコロンが必要とされている点だ。つまり、4行目は、以下のように書かなければならなかったわけだ。

```
if (sys.platform.startswith(“linux”)):
```

コロンがひとつないだけで、プログラムは動かなくなってしまう。
「おわかりでしょうか。こういうことなんですよ」
こうしかめ面で言うと、スペクターは、ノートパソコンを閉じた。
「プログラミングの世界では、天才とまぬけは文字一重という感じなんです」
命令のどれかにちょっとしたまちがいがあっただけで、悲惨な結果になりかねない世界なのだ。クオーラやトレロといった人気アプリを含む膨大な数のウェブアプリが使っているクラウドコンピューティングシステム、アマゾンウェブサービスに大規模障害が起きたことがある。2017年初頭のある朝のことだ。3時間にわたり、たくさんのインターネットサービスがおかしくなった。サービスをなんとか復旧したあと、原因を探ったところ、システムエンジニアのひとりがコマンドをひとつ、打ちまちがえたのが原因らしいとの結論に達したという。
バグなどと呼ぶから誤解を招くという意見もある。
バグとは虫を意味する単語なので、なにやら生物的なもの、自然に生じるもののような気がしてしまう。ちなみに、この単語は、1876年、開発中の電信機器がうまく動作しないとトーマス・エジソンが愚痴った文章にも登場する（白熱灯の安定点灯に苦労していたときにも、「いまだにバグがたくさん」とノートに記している）。プログラミングの世界に登場するのは、1947年、ガが入り込んだためにハーバードのMark IIコンピューターが故障したときだ。暖を取りたかったのだと思われるが、リレーの中に潜り込んだのでリレーが動かなくなってしまったのだ。研究員は、この「バグ」を研究日誌にテープで貼り、横に「はじめてみつかったバグの実物」と記した。
実際のバグは、たまたま、偶然に生まれるものではまずない。なにかまちがえた結果であり、その責任はプログラマー自身にある。なんでも命じたとおりにしてくれるのが魔法のようなコンピューターのいいところだが、魔法によくある話で、猿の手の逸話みたいな恐怖に転じたりもする。命令がまちがっていれば、そのまちがった命令を忠実に実行してしまうのだ。
しかも、コーディング中にコマンドをおかしくしてしまう可能性なら数え切れないくらいある。単純に打ちまちがえることがある。アルゴリズムの検討が不十分ということもあるだろう。numberOfCarsという変数を参照したいのNumberOfCarsとしてしまう、つまり、小文字をひとつ大文字にしてしまうなんてまちがいもありうる。だれかが書いたコードを「ライブラリー」として利用したら、そのどこかにまちがいが混入していたなんてこともありうる。「競合」と呼ばれるタイミングの問題が発生することもある。ＡのあとにＢが起きることを前提としていたら、なぜか、Ｂが先に起きてしまい、大混乱になるといったケースだ。

文字どおり無限の可能性があるのだ。最近は、コードがどんどん大きくなり、パーツごとに違う人が書くようになっているからなおさらだ。さらに、あちこちのソフトウェアがやりとりしながら動作するが、そのやりとりにも不確定要素がある。そんな状態だから、イナゴのように地を覆い尽くす勢いでバグが増えるのも無理からぬことと言える。最近作ったプログラムの様子がどうもおかしいと思ったら、何年も前、プロジェクトが立ち上がった直後のミスが原因だったなど、コーディングから何年もたってようやくみつかるややこしいバグさえある。

スラックのエンジニアリング担当バイスプレジデント、マイケル・ロップは、こう表現している――「厳罰が即座に下る明らかなまちがいもある。なんとなく罰が当たる微妙なものもある」

実は、コーディングとは、なにかを作る作業というより直す作業と言ったほうが本質を突いていると言える。だから、コンピューター研究のパイオニアのひとり、シーモア・パパートは、「最初からきちんと動くプログラムはない」を公案として掲げていたという。

前述のスペクターも、これを痛感したひとりだ。彼は、人口800人というカンザス州の小さな町で育った。父親は工員。プログラムは、90年代前半に図書館の本で独習した。コンピューターも、高校近くの粗大ゴミ集積所をあさって部品を集め、自分で組み上げている。大学で歴史、英語、哲学を学んだあと、カーディーラーのサイトでフラッシュを使ったウェブページを作る仕事に就き、そこからのつながりで、サンフランシスコのゲーム会社でプロジェクトに参加することになった。トップレベルで仕事ができるなんて最高だと思った。子ども時代、いつかシリコンバレーの会社で働くのが夢だと祖母に語ったこともあるくらいなのだ。

現実はそんなものじゃなかった。この会社が開発していたのはサーバーソフトウェアで、そこでオンラインゲームを走らせれば、何百万人ものプレイヤーが同時に楽しく遊べるはずのものだった。だが、最初のゲームをリリースしてみると、サーバー側にバグが山ほどあることがわかったのだとスペクターは言う。

「くそまみれのサーバーでした。あんなひどいコードベースは見たことがないって感じでしたよ。同時にプレイできるのは、100人にも達していたかどうか」

当初の設計が悪すぎるとスペクターは思った。160本ものアプリケーションが23台のサーバーに散っているし、どのアプリケーションも別サーバーのメモリーを書き換えられるのだ。憎み合っていて、しかも、相手をマインドコントロールできるメンバー同士、いがみあっているのを調整しなければならないと言えば、状況が多少はわかるだろうか。

「あのデバッグは悪夢でした」

スペクターも加わってバグつぶしが始まった。たくさんつぶした。だが、エラーにエラーが重なっていたり、手を入れられない部分の奥深くに隠れていたりして、はっきりしないものも少なくない。それを直していくのは、飛行機を飛ばしながら組み立て直すようなものだった。

特にてこずったバグがひとつあった。彼らが「マジックナンバー5」と呼んだものだ。戦闘システムでよく使われるサービスがなぜか止まり、そこからドミノ倒しのようにエラーが連続して、最後はゲーム全体がクラッシュしてしまう。原因を究明しようと、コードの精査が行われた。こういうとき、コーダーは、デバッギングツールなるものを使う。これを使うと、エラーの瞬間にコードの各部分がなにをしていたのか、メモリーはどうなっていたのかなどが読み取れる。コードのあちこちに“print”ステートメントを追加し、メッセージが残るようにしたりもする。シャーロック・ホームズが現場に残された手がかりを調べるように、このメッセージをチェックしていくのだ。

ようやく、本当にようやく、バグの原因が特定できた。メモリーエラーだった。5という数字が16進数でメモリーに書かれるとき、ほかの用途に使われている部分に書き込まれていたのだ。そこまではわかったが、5というその数字がソフトウェアのどの部分から送られてくるのかは、最後までわからなかった。

「だれにもみつけられなかったんです。だれにも」

このあたりを考えると、どういう性格ならプログラミングに耐えられるのかがわかるだろう。

「現場は、あれもこれもぶっ壊れているのが基本なんです。みんな壊れてるんですよ」

そう言って、スペクターは笑った。

「プログラマーになるのは、そういう難行苦行に耐えられる人です。ある意味、狂気の世界です。少し頭がおかしくなければ、こんな仕事はしてられませんよ」

大きく複雑なソフトウェアの仕事をしたことのあるコーダーなら、みな、似たようなことを言うはずだ。そして、まちがいを絶対に許さない超厳密なマシンを相手に仕事をしていると、コーダー側もその影響を受けることになる。

その影響をつぶさに見てきたのがジェフ・アトウッドだ。彼は、2008年、友人とスタックオーバーフローを立ち上げた。とても活発なQ＆A掲示板で、困ったプログラマーが質問を投げると、すぐ回答が得られることも少なくない。ここでは、コーダーのいい面と悪い面の両方が観察できる。回答は驚くほど親切で、どこかのだれかの問題を、みな、我がことのように、真剣に解決しようとしているのがわかる。だが、質問が安易だったり、それこそ、いまいち厳密でなかったりすると、厳しいコメントが飛んでくる（初心者の質問には「それじゃなにを言っているのかわからない。もっと詳しく説明してくれ」というスポックのようなコメントが寄せられることが多い）。

どうしてそこまで手厳しくなれるのか。日がな一日コンピューターに向かって仕事をするのは、口汚く毒をまき散らしてばかりいる同僚と並んで仕事をするようなものだからではないか、というのがアトウッドの考えだ。

「毎日、くそ野郎に囲まれて仕事をしていれば、自分もそうなるものですよ。で、コンピューターというのは究極のくそ野郎ですからね。ごく小さなまちがいをしただけで、全体がうんともすんとも言わなくなったりする。『セミコロンをひとつ入れ忘れた』程度でも、ね。それだけで、たったひとつセミコロンを忘れただけで、宇宙船が火に包まれたりするわけですよ」(有名なバグを念頭に置いた発言である。NASAが惑星探査機マリナー1号を打ち上げたとき、バグのせいで予定のコースから外れ、人が住んでいるあたりに落下しそうだということが打ち上げ直後に判明したため、爆破せざるをえなくなったのだが、これは、1文字まちがっていたのが原因とされている)

「コンピューターは文句なしのくそ野郎ですよ。まったく助けてくれませんからね」——アトウッドはこう指摘する。

なにかおかしくなったとき、コンパイラーからエラーメッセージが吐き出されはするが、それがなにを意味しているのかはわからないことが多い。バグとの戦いは孤独だ。コンピューターは、なにをして欲しいのかコーダーの指示が明快に表現されるまで、爪でも切りながらつれなくそこに鎮座しているだけだ。

「プログラマーが細かいことにこだわるのは、そういうのをずっと相手にしているからです。自由を尊ぶのも、『能力主義』なのも、出どころはコンピューターなんです。そういう考え方って、人として健全とは言いがたいと私は思っています。職業病ですよ。だから、コンピュータープログラマーというと、みんな、コンピューター並みに細かいことにこだわる人というイメージが浮かぶんです。全員がそうというわけではありませんが、でも、平均すれば、たしかにそんな感じですね」

アトウッドは、4年間、スタックオーバーフローの運営に携わり、コミュニティーが荒れることなく生産的であるように力を尽くした。この努力は報われ、スタックオーバーフローはディベロッパーにとって貴重なリソースとなった。だが、四六時中コーダーの相手をした結果、アトウッドは疲れ切ってしまい、2012年、スタックオーバーフローを去ることにした。

「一歩、下がる必要がありました。奈落の底をのぞいてしまいましたからね。完璧に燃え尽きていましたし、どうにもいらついて、けんかっ早くなっていました。プログラマーなんてもううんざりだと思うようになっていたというのもあります。しかも、いろいろ、ひしひしとわかるわけで」

彼自身もそういうひとりだったからだ。内向的で、子どものころには、両親が下でパーティーをしているあいだ、いつも、自室にこもってC言語のマニュアルを読んでいたくらいだ。最近はあまりコーディングをせず、人と交わる経営や管理の仕事が増えているが。

「プログラミングをあまりしなくなったのはいいことだと思っています」——彼は、そう言ってため息をついた。

コーダーに向く人、向かない人

よくも悪くも厳密なコードを相手に悪戦苦闘し、バグによるつまずきで神経がすり減る思いをするわけだが、これがあるがゆえの報酬もある。バグをようやくつぶせた瞬間、半端ない達成感が押し寄せる。事件を解決した瞬間のシャーロック・ホームズみたいな気分が味わえるのだ。根気よく手がかりを追い、思考の輝きで犯行の現場を明るく照らして犯人を明らかにする——そういう頭脳が勝利した瞬間の気分だ。

友人のマックス・ホイットニーは、もう20年以上もプログラマーをしているが、とてもややこしいバグに初めて出会い、それを修正したときのことをいまでもよく覚えているという。彼女は、そのころ、ニューヨーク大学で働いていた。問題は、大学ウェブポータルのログインがおかしいと学生から苦情が寄せられていることだった。別人のアカウントでログインしてしまうことがあるというのだ。

すぐ近くにあるキンコーズコピーセンターのコンピューターからログインしようとしてトラブルになったという苦情が多かったので、最初は、キンコーズ側に問題があるのかとも思われた。だが、調べてみると、キャンパスに設置されたコンピューターからでも同じ問題が起きていた。つまり、原因はログインシステムそのものにある。

やっかいなことに、ログインのコードは何年も前に書かれたもので、それを書いた職員は退職してしまっていて、書いた本人にデバッグしてもらうことはできない。しかたがないので、同僚の助けを得ながらホイットニーがチェックすることになった。

他人のコードを読むのは大変だ。書き方が自分と同じことはまずないからだ。個性満載と言ったらいいだろうか。コーダーごとにスタイルがまるで違うのだ。

素数を小さい方から1万個みつけて印刷するといったごく基本的なアルゴリズムをプログラマー4人に書いてもらったら、構造も見た目も少しずつ違うものが4とおり出てくるだろう。

変数名の付け方ひとつでさえ、熱い議論になる。一方には、x = "Hello, World!" のように、とにかく短く、できれば1文字にする派がいる。コード全体がコンパクトになり、ひとめで見渡しやすくなるというのが理由だ。greetingToUser = "Hello, World!" など、意味のある変数名にする一派もいる。将来コードがおかしくなったとき、greetingToUser のような変数名ならなにを意味しているのかすぐわかるからそのほうがいい、と。

コードが長くなった場合や、たくさんのことを一気に処理するような場合には、そこでなにをしているのかをコメントとして書き入れておくべきとされている。何年かあと、そこを読み解かなければならなくなった人の参考になるように、である。だが、急いでいたりするとそういうドキュメント部分はおろそかにされがちだし、コメントが残っていても、コードの流れと論理を読み解くのは、はっきり言って、眉間に縦じわができる作業である。ちなみに、まっとうな企業であれば、コードを実戦投入する前に必ずコードレビューがある。意図したとおりに動くかはもちろん、他人に読めるものとなっているかどうかも社内で確認するのだ。

コーダーは、新たに書く時間の10倍、ソフトウェアを解読するのに使っているという人もいる。コードの書き方についてああだこうだと口を出すコーダーが多いのは、これも理由である。将来、自分がそのコードを読まなければならなくなるかもしれないからだ。

ホイットニーが直面したのが、まさにそういう状況だった。仲間とふたり、何時間もログインコードを読み、その仕組みを解き明かしていく。大昔にだれかが適当に引き回し、こんがらがったアパートの屋内配線を１本、１本、確認していくように。この部分があっちのトリガーになっていて、あっちが動くと、こっちの起動関数に飛んで……。

解決の瞬間は突然やってきた。コードの構造がしっかり頭に入った瞬間、バグが見えたのだ。

問題は、大学のネットワークとつながる瞬間にあった。学生がログインすると、そのセッションに一時的なID番号がランダムに割り振られる。その番号は、ログインした時刻を「種（シード）」として生成すればいい。だが、それでは、ふたり同時にログインしたとき困ってしまう。同じ番号が割り振られてしまうからだ。だから、アクセスしてきたコンピューターのIPアドレスも「シード」として使う。大学はたくさんのIPアドレスを使っているので、同じIPアドレスからふたり同時にログインするのはありえない。ログインコードを書いたプログラマーはそう考えたのだろう。

当時はそれで十分だった。だが、何年かあと、ニューヨーク大学もキンコーズも、ひとつかふたつのIPアドレスでたくさんのコンピューターがアクセスできる新技術を採用した。急増するインターネットの利用に対応しようとしたのだが、それが、大昔に書かれたログインシステムに影響を及ぼすとはだれも思わなかったわけだ。だが、現実には大きな影響があった。同じIPアドレスからふたり同時にログインできるようになってしまったのだ。するとセッションIDが同じになるので、どちらか一方は、どこかのだれかのアカウントでログインした状態になり、そちらの電子メールやノートが見れてしまう。

ホイットニーは、この推理を検証するコードを超特急で書いた。まちがいない。原因は確認できた。コードの改修にはもう何週間か苦労する必要があるが、謎を解くところまでは来ることができた。

この瞬間、彼女は、天にも昇る心地になった。やった、ついにやった。顔が熱くほてるほどの興奮だ。

「浮かれまくってました。私は輝ける神だ、私は輝ける神だってくり返しながら、H型に走るウォーレン・ウィーバー・ホールの廊下を行ったり来たりしたほどです」

彼女は、この喜びをじっくり味わいたかった。長続きしないことがわかっていたからだ。

「座ったら、その瞬間から、ほかに壊れている場所をまた探さなければなりませんから」

そう言って彼女はため息をついた。ニューヨーク大学では、たくさんのコードがきちんと機能している。ほとんどがそうだと言ってもいいだろう。そのなかには、彼女自身が書いたものもあるはずだ。だが、ちゃんと動いているもののことは、みな、考えない。いや、ちゃんと動いているかぎり、無視するのがふつうだ。

「実際のところ、プログラマーは、壊れてるものの相手ばかりしてるんですよ。プログラミングというのは、失敗にずっと囲まれている仕事なんです」

「プログラマーに向いているのは、ほんとにちょっとした成功に大きな喜びを感じられる人、ですね」

プログラミングの「勝利」がわくわくするのは、突然やってくるからでもある。

「コードはその状態が瞬間的に変化します。まったく動かない状態から、一瞬で、動く状態に」

こう語ってくれたのは、スラックの最高技術責任者兼共同創業者、カル・ヘンダーソンである。

このとき吹き出す喜びがあまりに甘美なので、コーダーは、一瞬であってもまた味わいたいと、胃が痛くなるようなフラストレーションにじっと耐えるのだ。

思わず興奮してしまうのは、いつ、コードがすなおになり、機能し始めるのかがまったくわからないからという面もあるのではないだろうか。バグを追っているあいだ、成功は、1日後に訪れるかもしれないし15秒後に訪れるかもしれないという状態が続く。これは、カジノとよく似ている。ラスベガスのスロットマシンで遊んでいるあいだは、いつ、当たりを引くかわからない状態が続く。この宙ぶらりんな状態こそ、人がスロットマシンにのめり込む理由だと、ナターシャ・ダウ・シュールが、カジノについて分析した本、『デザインされたギャンブル依存症』で指摘している。すごくいいことがいま起きるかもしれない、その可能性があると思うから、ついつい、それを追い続けてしまうのだ。そして、何時間も、ギャンブルの世界でゾーンと呼ばれる一種の仮死状態に陥り、ときどき当たりが訪れると脳内麻薬がどばっと放出される。自分はコーディング中毒だと述懐するコーダーが多いが、これも同じ理由なのではないかと思う。

「これを仕事にしている人やある程度長いあいだ続けている人は、問題を解決することにちょっとふつうじゃない、不健康とも言える満足感を覚えるタイプなんだと思います」とスペクターは言う。「失敗で顔をひっぱたかれてばかりいたら、うまくいったときに得られるエンドルフィンの興奮は、それはもう、そうとうにすごくなければ、痛みに見合わないじゃないですか。そのくらいすごくなきゃだめなんです。私は、いつも、これはなんかおかしいよなと思うくらいいいと感じますよ」

胃が痛むようなフラストレーションと突然の天国を行ったり来たりするため、プログラマーは、自尊心も上がったり下がったり忙しい。うまくいかないことばかりのときのプログラマーは、とにかく自虐的でうつうつとしている。でも、そのわずか1時間後には、3週間も格闘してきた問題が解決し、自信満々で俺様サイコーになっていたりする。

プログラマーのジェイコブ・ソーントンも、2年前、リアクトというJavaScriptフレームワークでポッドキャスト制作アプリのバンパーズに手を入れたとき、そういう経験をしたという。6週間、気分が最高と最低を行ったり来たりしたのだ。

「最近、コーディングをしていると、自信喪失で落ち込んだかと思うと全能の神のような気分になったりと、社会生活などとても無理と思うほど気分が揺れ動いてしまう。アパートの周りを一日中泣きながら歩き回っているか、母親に電話して30歳になるあんたの息子は（いい意味で）やりまくってるぜいと言うかのどっちという感じになってしまうんだ」

作る人と使う人の攻防

コードに不具合を仕込むのは、もちろん、プログラマー自身である。だが、その不具合を掘り起こすのはユーザーだ。あちこちクリックしたりいろいろ試したりして、不完全だった点をもらさず暴いてしまうのだ。だから、人間嫌いになってしまうプログラマーもいる。あほなユーザーが変なことさえしなければ、自分のソフトウェアはちゃんと動くのにと思ってしまうのだろう。

ユーザーはなにをするかわからない。だから、コーダーは悲観的になり、被害妄想にとりつかれたりすると、ブラウザーのファイアーフォックスを開発したひとり、ブレイク・ロスも指摘している。変化はゆっくりと進む。ソフトウェアを作るたび、それで予想もしなかったことをする人が現れるからだ。この件に関するロスの話はおもしろいので、少し長く紹介しよう。

> 話は、8歳で初めてプログラムを作ったときに始まる。「好きな色は？」とたずねてくるプログラムだ。Visual Basicの鍵に指を通し、くるくる回すアニメーションも表示される。
>
> 回答すると、その色にスクリーンが変わる。やったね。家族に自慢してやろう。
>
> と、ジョディおばさんから声が上がった。
>
> 「ねぇ、なんかおかしいわよ？ 『Color.exeがクラッシュしました』って言われてもわけわかんない」
>
> 回答を確認すると……2と入力されていた。
>
> 「え、好きな色の数を聞かれたんじゃないの？」
>
> そんなはずないじゃん……だいたい、好きな色がいくつもあるって……いや、まあ、いっか。そのくらいなんとかなる。そう考え、コードを追加して、回答として数字を入力できないようにした。
>
> このプログラムをインターネットに公開したところ、30秒で、また、クラッシュしたという連絡が入る。今度の回答は「クソ」だった。

その回答も防ぐコードを追加することはできるけど、その前に、なにが起きたのかを知りたかった。もしかして、まちがえただけのこと？　だから、そのユーザーに電子メールを送ることにした。
「なぜ？　どうして、『クソ』なんて回答、したんですか？」
「茶色だから」と返ってきた。
なんでもいいからめちゃくちゃにしたいと思う人がいるのだと悟った瞬間だ。このあとは、すべてが違って見えるようになってしまった……。
幸い、高校も無事卒業できて、だんだんと大きなことを手がけるようになった。ルネッサンス社で計量的証券投資に関わり、1992年には、デジタル共同議長としてロス・ペローの大統領選に関わる。力がつくにつれ、仕事の重要度も上がる。だが、仕事の重要度が上がるにつれ、敵もずる賢くなり、かつ、本腰を入れるようになっていく。攻撃が、毎回毎回、巧妙になっていくのだ。
そして、アップルでプロジェクトに参加するころには、いらいらしっぱなしの電波人間ができあがっていたというわけだ。

もちろん、これはお互いさまでもある。ユーザーがなにをするのか、予想するのはソフトウェア開発者の仕事だとも言える。実際そのとおりであるし、我々ユーザーが苦労するのは、想像力がなく、予想しようともしないディベロッパーが多いからだ。だが、どれほどがんばっても、ユーザーの行動や考えをすべて予想することは不可能だ。マシンの挙動は予想できたりするが、人間は気まぐれで、なにをしでかすかわかったものではない。
だから、しっかりしたソフトウェア企業は、どこも、対策を何重にも施している。ユーザーテストをじっくりやる、ユーザー千人にアルファバージョンを渡し、どこがおかしくなるかを観察する。バグだらけのプログラムを無償公開し、なにがクラッシュしたかを報告してもらって直していくネットスケープ型のルートを取るところもある。あるいはまた、銀行などの大企業が使うデータベースの開発を高額で受注したディベロッパーであれば、銀行職員にも開発に参加してもらい、人間という不可解な生き物がコードをどう使うのかを確認するとともに、顧客ニーズに合うようソフトウェアを改修していくこともあるだろう。「アジャイル」開発と呼ばれる方法だ。（「アジャイル」というのは、さっと方針転換できることを意味する言葉だが、同時に、制作チームが体を前後左右に揺らし、ユーザーニーズという予測不能な危険を回避するイメージが浮かぶ。レーザーを張り巡らせたセキュリティをニンジャがひょいひょいすり抜けていくイメージと言ってもいいだろう）

最近、大企業のソフトウェア開発では、コーダーに必ずしも発言権がないことが多い。ソフトウェアになにをさせるのか、どういう機能を持たせるのか、どのかゆいところに手を届かせるのかを決めるのは、デザイナーやユーザーインターフェースの専門家と相談してプロジェクトマネージャーが決める。設計をコーダーにやらせると、きわめてオタッキーなものができてしまう、テキストコマンドを打ち込んでコンピューターを動かせるプログラマーにしか使えないようなものができてしまう恐れがあると思っているからだ。

その背景には、好きなようにできるとき、多くのコーダーがそういうやり方を好むことがある。彼らは、コンピューターとやりとりするとき、つまり、簡単なスクリプトやツールを作ってコンピューターにちょっとしたことをやらせようとするとき、いかにもソフトウェアという感じのダイアログボックスではなく、テキストしか受け付けないスクリーンでカーソルが点滅しているコマンドラインと呼ばれるものを使いたがる。マシンと直接対話したいのだ。このほうが、はるかに効率よく、また、柔軟にコンピューターを操作し、望んだとおりのことをやらせられるという機能的な理由もある。だが、そうしていると、つい、技術に明るくないふつうのユーザーを、ある意味、見下すようになったりする。無駄のないコマンドラインに慣れてしまうと、マウスポインターに矢印にアイコンの世界、ユーザーフレンドリーな世界は、幼稚でまだるっこしく思えてしまうのだ。

「ユーザーフレンドリー」というのも、すごい表現である。ソフトウェアの設計をコーダーから奪い、人間らしい人間ならどうするのかをわかっている人に託さなければ、ソフトウェアはユーザーに優しくないものになりがちだと言っているに等しいのだから。

ともかく、ソフトウェアになにをさせるべきなのかを判断し、ユーザーから意見を集めてどういう使い勝手にすべきなのかをみつけ、その上で、コーダーに作ってもらうものを設計するのが、優れたデザイナーとプロジェクトマネージャーとユーザーインターフェース専門家がやる仕事である。プロジェクトマネージャーなら、スクリーン上でソフトウェアがどう流れ、どう動くようにすれば（かつ、その背景でどういう処理を進めれば）、ふつうのユーザーとぶつからず、連携できるのかがわからなければならない。

ひとりコンピューターと向き合い、ふつうの日常と大きく違う環境で仕事をしているコーダーは、このあたりを苦手とすることが多い。彼らにとってソフトウェアとは、作る人と使う人が心理戦をくり広げる場所なのだ。

コーダーは単線思考？

実は、多くのプログラマーが、人間の気まぐれを気にしないでよくなること、白黒のはっきりしない感情やニーズから距離を置けることをコーディングの大きな魅力だと感じていたりする。

転職してコーディングを始め、上記の理由で自分に合う仕事だと感じたという人物に、会って話を聞いたことがある。マイケルという物静かな32歳だった。もともと機械工学が専門で、原子力産業の仕事がしたいと考えていたが、ポジションの空きが少ない分野を狙ってずっと勉強するのはあまり魅力的でないと考え直し、ビルの分析を専門とするコンサルティング会社に就職することにした。調査結果を報告書にまとめるのが彼の仕事だった。

だが、この仕事には意義が見いだせなかった。現実とのつながりが感じられないのだ。モデルは複雑だし、仮定も多すぎて、なにがどうなっているのかよくわからない。自分の仕事が役に立っている気もしない。分厚い報告書を書きながら、彼は、漫画に出てくるディルバートになったように感じていた。
「会社員の仕事というものに幻滅してしまうんですよ。どうでもいいことばかりですから」――まだ涼しい春の日、マンハッタンの高架鉄道上に作られた公園、ハイラインパークを歩きながら、マイケルはこうつぶやいた。「2週間かけて報告書を書くんです。『こんなのだれも読まないぞ。読むはずないじゃないか』と思いながら」
　コーディングは大学時代に基本を習い、仕事でも多少は使ってきていた。それをもう少し勉強してみようと、仕事のあとにプログラミングをするようになったところ、とてもおもしろいとはまっていく。2016年、プログラマーに転職し、友だちとスタートアップでアプリを作ることにした。製品が失敗に終わったあとは、自分への挑戦として1日1アプリの制作を実行。祝日など、その日の大きなイベントをテーマに、毎日、アプリを作るのだ。バレンタインには、パートナーの写真からラブレターを生成するボットを書いた。クリスマスには、愛する人の写真からメッセージを生成するボットを書いた。AIで写っているものを分析し、こういうギフトを贈ったらどうですかとアマゾンのリンクを紹介するものだ（ギターを持ったミュージシャンの写真を送ると、レトロなレコードプレイヤーを勧められたりするらしい）。政治的なものも取り上げた。オピオイド麻薬が世間を騒がせたときには、近くの依存症対策サービスを紹介するアプリを作った。キング牧師の記念日には、ツイッターで罵詈雑言が飛び交うのを見て心を痛め、そういう人を叱り飛ばすボットを作ろうかと考えたが、自分が作ったマーティン・ルーサー・キング・ボットがロシア・ボットをどやしつけることになるだけかもしれないと思ってやめたという。
「病みつきになるんですよ」――ウェストビレッジのアパートで自室に向かう階段を上りながら、彼は、こう言った。部屋に入ると、地味なコートをカウチに放り、マックブックの前に座る。すぐ上には、いかにもな絵が2枚。小さな青い活字で描かれた絵で、よく見ると、『白鯨』と『戦争と平和』の文章になっている。
「だれかの問題を解決してあげるのが好きなんだとわかりました。こうすればいいんじゃないかと考え、かちゃかちゃっと組み上げると、うまくいくわけです。世の中の役に立つんですよ。そういうことができるんです」

それから何時間か、彼は、コーヒーを飲みつつ、アプリの作成に没頭していた。その日のアプリは、ハイラインパークに飾られている彫刻の写真がツイートされると、そのアーティストの情報を返すツイッターボットだ。写真の彫刻を判別できるよう画像分類AIに訓練を施し、#highlineとタグ付けされた写真をツイッターから探してくるコードを作成。アプリが完成したとき、彼は12時間もキーボードに向かいっぱなしで、背中がばりばりになっていた。机に向かっている時間は、前職よりはるかに長くなっている。

だが、コーディングには、前職で得られなかった喜びがある。ちゃんとできているという確証が得られる、そういう明快さがあるのだ。

彼の前職、コンサルタントは説得が仕事だ。議論に勝てるパワーポイントをでっちあげ、相手に納得してもらう。おえらいさんのお気に入りになり、いろいろと便宜を図ってもらわなければならない。これもまた真実であり、デール・カーネギーの影の部分と言える。

だが、自分の指示をマシンにしてもらうプログラミングでは、説得の必要がない。コードは動くか動かないかの二択だ。バグだらけの責任をコンピューターに押しつけることはできない。信頼できそうに見えるかどうかも関係ない。正しいコードになるまで修正する以外にないのだ。ソフトウェアを書けば書くほど、マイケルは、不思議な自信が沸いてくるのを感じた。役に立つスキルが身についているかどうか、あまり気にならなくなった。世の中に貢献できているかどうかも、あまり気にならなくなった。だれかの問題を解決できるプログラムが動いているのだから、そんなことはとうに証明できているのだ。

「学ぶのは大変ですが、プログラミングができるようになると、『これは私が作ったもので、ちゃんと動く』という自信が得られるんです。ちゃんとできているとかできていないとか、だれかに言われるわけじゃなくて、実際に動くモノがそこにあるわけです。コードはコンパイルを通ってちゃんと動く状態になるか、ならないか、ですから」

客観的・具体的な成果を好むのは、工学の特徴なのかもしれない。

『魂の修理工（Shop Class as Soulcraft）』で、著者マシュー・B・クロウフォードは、マイケルと似た体験を語っている。彼は、保守系シンクタンクに勤めていた。だが、専門家ばかりの世界では、ステータスが価値をもたらす。できるやつだと何人に認めてもらえるのか、どういう「口先演出」で自分の価値を守るのかが問題になるのだ。だから、やりがいが感じられないと退職した。そして、自動二輪の修理工となる。ごまかしが効かない物理学の世界であり、そこで仕事をしていると、精神的に大きな満足が得られるという。うまくやれれば、つまり、二輪をちゃんと修理できれば、コーディングと同じように、自分のスキルが証明されたことになる。本物の職人は見栄をはる必要がない。立っているビルや走っている車、点いている明かりを指さすだけでいいからだ。

プログラムが動いたとき、コーダーが感じるのと同じ客観的自信だ。同時に、これが他人を見下す変な自信の源になっているのも事実である。自分は本物の仕事をしているのに、マーケティングや営業や経営管理などの連中はえんぴつなめてるだけでなにも生み出していないと思ってしまったりするのだ（マーケティングは会社の知名度を上げているのだと言っても、コーダーは納得せず、座ったままで腕を組み、「証明できますか」とたずねるだろう）。

単線思考一辺倒のコーダーからすると、いわゆるソフトスキル系の仕事をしている人たちは、自分が有益なことをしている証拠を示せないから、いつも、パワーポイントプレゼンテーションに逃げるのだと思えてしまう。バズワードをちりばめるしかできないのだ、と。特に、大学出たてで、技術系以外の仕事の価値がまだよくわからない若手プログラマーがこういう思考に陥りがちだ。ほかの人たちも、必死になって製品を売ったり、社内調整したり、会社がばらばらにならないように努力したりしているというのに。（ベテランコーダーのチャド・ファウラーは、著書『情熱プログラマー』に、こう書いている――「若いころ、部内会議に出席し、私と直接には関係がない、実力者と言われている人が、これまた私には関係がないとしか思えない数字の表をいくつもいくつも出してしゃべるのをどんよりと眺めていたことをよく覚えている。私の周りに座っているチームメイトも、みな、ずっと車に乗りっぱなしでしびれを切らせた子どものようにもぞもぞしっぱなしである。なにが話されているのか、我々にはわからなかったし、わかりたいとも思わなかった。こんな会議は時間の無駄以外のなにものでもない、マネージャーが無能だからこんな会議に出なきゃいけなくなるんだと思っていた。いまふり返ると、我々がばかだったんだなぁと思う」）

コーディングの喜び

フロントエンドを専門とする知り合いのコーダーは、昔、絵や彫刻に凝っていたが、プログラミングを職業としてからあまり作品を作らなくなったという。理由は、プログラムが動いた瞬間の喜びが大きいから、だそうだ。「そういう満足が得られないのも、作品を作らなくなった理由のひとつなのだろうと思っています。絵を描いていても、そうか！と頭に電気がともるような瞬間は訪れませんから」――そう、突然「動き出す」瞬間は訪れないのだ。

実は、このあたり、私自身も実感したことがある。私はいま40代後半で、プログラミングは子どものころに少しかじっただけである。だが、本書の準備を進める一環としてプログラミングを少し勉強したところ、これは危ないと思ってしまった。本を書くよりプログラミングのほうが満足度が高いと感じたのだ。

例をひとつ紹介しよう。ツイッターに投稿したアーカイブリンクを集めるPythonプログラムを書こうと思ったときのことだ。私は、科学関係やハイテク関係のニュースをよくツイートするのだが、何カ月かたつと、どうしてわかりやすいところにまとめておかなかったんだろうと悔やむことが多い。だから、毎朝8時半、私のツイッターアカウントにログインし、その前24時間のツイートを集めて分析するスクリプトを作ろうと思った。だれかへの返信などは全部無視して、リンクが張られているツイートだけをリストアップし、リンクのリストに私のツイートを添えたものをメールで自分に送るスクリプトを。

ありがたいことに、大変な部分の一部はツイーピーというオープンソースのPythonコードが作られていて、それを利用すれば、ツイートからリンクのあるものを抜き出す処理がかなり楽になる。とはいえ、私ほどの初心者だと、ツイーピーを使うのも簡単ではない。ツイートを集めるコードを書いてみると、なにやらばかでかい「オブジェクト」が返ってきた。次のようなもので、フォーマットされたデータがずらりと並んでいるらしい。


```
_json={
  u' follow_request_sent' : False,
  u' has_extended_profile' : True,
  u' profile_use_background_image' : True,
  u' default_profile_image' : False,
  u' id' : 661403,
  u' profile_background_image_url_https' : u' https://pbs.
twimg.com/profile_background_images/3908828/pong.jpg' ......
```


……これが3ページも4ページも続いているのだ。想像しただけでいやになるだろう。

私がすべきなのは、この巨大オブジェクトに含まれているアイテムをひとつずつチェックし、取っておきたいURLが含まれているかどうかを調べるアルゴリズムをPythonで書く、である。いろいろとまちがえた。Pythonの基本的な文法をまちがえるなど、初心者らしいまちがいが多かった。

だが、その日のうちに目鼻はついた。必要な情報が抜けるようになったのだ。ボットをGmailアカウントに登録し、毎日、同じ時間に実行されるよう設定。そして、次のようなリンク集を受け取ることができた。

> ジェイムズ・ボールドウィンに関するJ・エドガー・フーバーのFBIファイル「ボールドウィンが倒錯者なのは有名なことだろ

う？」
http://lithub.com/a-look-inside-james-baldwins-1884-page-fbi-file/

……………………

タロットカードは、オカルトが大はやりだったパリで1781年に発明された
https://aeon.co/essays/tarot-cards-a-tool-of-cold-tricksters-or-wise-therapists

……………………

7オクターブのＤのみを使った、ピアノ単音による3時間の音楽
https://www.nytimes.com/2017/06/16/arts/music/listen-to-three-hours-of-music-from-a-single-note.html

……私は、思わず歓声を上げてしまった。

そのあと数日、私は、Pythonでツイッター用ツールをいくつも作った。一部の友だちとのやりとりを保存するボット、おもしろいと感じたツイートストームをダウンロードするボットなどなど。ふと気づくと、本の仕事がまったく進んでいない……コードを書いているほうがおもしろかったからだ。

書くことが大好きなのに、である。だから私は、25年もジャーナリストをしてきたのだ。なにかを書いて情報発信する喜びとコーディングの喜びには、同じ側面もある。無から有を作り出す喜びだ。だが、マイケルと同じく私にも、コーディングの成果は（つつましいものではあるが）、なにかを書くより客観的で具体的に感じられたのだ。

執筆したものの質は、いやになるほど主観的だ。物書きでこれに悩まされない人はいないだろう。たとえば、先月、ワイアード誌に書いた私のコラム。これはいいコラムだったのだろうか。たずねた相手によって答えは変わる。書き手として私は、すごく満足したとお答えするかもしれない。「そこそこ使える記事になった」と答えるかもしれない。あるいは、大失敗だったと答えるかもしれない。読者にたずねたり、アンケ

ート調査をしてみる手もある。ツイッターやフェイスブックでどのくらいシェアされたかを調べる、アクセスの多寡を調べるなども考えられる。だがこのようなやり方ではどのくらい人気なのかがなんとなくわかるだけで、その結果は、抽象的・哲学的な意味でコラムの質を反映していると必ずしも言えない。自分が書いたものの質や効力を客観的に測る方法はない。評判はほかの人たちがどのくらい承認してくれるかによって決まるもので、だから、とらえどころがなく、ややこしい業界に感じられてしまう。読者にどう受け止められるのだろうかと、そんなことばかりを気にしながら書くことになるのだ。

　ではコードは？　コードに疑問の余地はない。ちゃんと機能するからだ。前述のPythonスクリプトは、完成後何日たっても何カ月たっても、毎日、ツイートリストをメールしてくる。愚直なまでに従順なロボットである。最高にクリーンでエレガントなコードかと問われれば首を横に振らざるをえないが、目的を達することはできるのか、私の問題を解決してくれるのかと問われれば、完璧に、と答えることができる。だが、ジャーナリズムの世界は、それほどわかりやすくない。私が書いたワイアードコラムひとつを取り上げ、それが「機能している」かどうかと問われても答えようがない。執筆の世界は、成否に二分されるものではないからだ。

　もう一点、コーディングでは、通常、大きくむずしいタスクを小さな部分に分解することも指摘しておこう。ひとつのでっかいプログラムをが〜っと書いていくのではない。小さな塊に分け、それを書いていく。関数やモジュールと呼ばれる小さなサブルーチンだ。これをつなげて、大きなタスクを実行する。たとえば朝食の準備なら、卵を割る関数（`crackeggs()`）、トーストにバターを塗る関数（`buttertoast()`）のように手順を分解する。それらを論理的につなぐのが、朝食準備のメインプログラムである。

　コーディングは、ふつう、関数ひとつずつに集中して作業を進める。関数がひとつ完成したら、それがちゃんと機能することを確認する。全体を書くのに何日もかかるプログラムで部品ごとの確認をさぼると、そのプログラムは、まずまちがいなく走らないし、どこがまずいのかをみつけるのも困難になる。だから、ひとつずつ作っては試験するをくり返す。そして、関数がちゃんと動くと試験で確認されるたび、小さな勝利が手に入る。

その結果、前進しているという実感が得られる。ハーバードのテレサ・M・アマビール教授とスティーブン・J・クレイマー研究員の調査によると、人は、毎日、目に見えて前に進むことができて「小さな勝利の力」を感じられる仕事をしているとき、一番幸せに感じるという。なんとなくしか成果を感じられないと仕事がいやになるが、毎日、成功が実感できる瞬間があると奮い立つのだ。コーディングには、たしかに、その感覚があった。執筆では、まず感じられない。本の執筆は、霧の中、ボートをこいでいくようなものだ。そのうち目的地につけるのはわかっているが、そこまでは、どっちに行ったらいいのか迷っていらつくばかりである。

新人プログラマー向けにポッドキャストとオンラインコミュニティーを提供するコードニュービーを立ち上げ、コードランドという会議を主宰している友人、サロン・イトバレクも、プログラミングの世界に転職してきたひとりで、プログラマーになる前には、マーケティングからジャーナリズム、科学研究とさまざまな仕事を経験している。彼女も、前進の実感が欲しかったのだそうだ。また、私と同じように、ちょっとした問題の解決に麻薬的な喜びを感じたし、動かないコードが突然生き生きと動き出すのを見ることにも同じ喜びを感じたそうだ。

「小さな勝利をいくつも味わえるのがいいんだと思います。だから、コーディングは、ほかのことより満足度がずっと高いのではないかと。ちょっとした問題、たとえばバグをみつけるなど、ごく小さな問題を解決したときでも、『おお、やった！　うんうん、うまくいったじゃん。これで少しよくなったな』と思えます。だんだんと形になっていくのがわかるんです。彫刻に似ているとも言えるでしょう」

コーディングの喜びと執筆の痛みにはさまれた私は、だんだん前者に傾いていった。行き詰まったりつらいと感じたりすると、書くのをやめ、コードをいじってしまうのだ。プログラミングするのはなんでもいい。役に立ちそうになくてもいい。意味がなくてもいい。単なる実験でもいい。思ったとおりにマシンが動くのがおもしろいのだから。「素数を小さい方から六つ並べると、2、3、5、7、11、13で、6番目の素数は13である。では、1万1番目の素数はなにか」など、アルゴリズムで解くちょっとしたパズルを提供しているプロジェクト・オイラーというサイトがあるのだが、そこに行くと、すぐ、何時間も時間がたってしまう。おもしろそうなライブラリーがみつかるまで、コーディング関係のブログをあちこち読み歩くこともある（グーグルシートから情報を吸い出し、データを視覚化するJavaScriptか。おもしろそうじゃん。ちょっといじってみようかな、という具合だ）。きっちりかっちり成功を感じる瞬間が欲しい、プログラムが生きているように動き出し、してほしいと思ったとおりのことをしてくれるようになる瞬間を体験したいと思ってしまうのだ。

友人の人類学者、ガブリエラ・コールマンは、ハッカー文化の研究者だ。自身ライターであることもあり、彼女も、コーディングと執筆についておもしろい違いに気づいたという。

「ライターは壁にぶつかることがあるのに、コーダーはぶつからない。もちろん、ライターは書くのが大好きだったりするんだけど、同時に、書くのは大変だ、ついつい先延ばしにしてしまうという話もよく聞くよね。でも、プログラマーはそういうことを言わない。『コーディングに戻りたいんだけど』みたいなことを言われたりするくらいで」

もちろん、マシンという魅力的な二元論的世界には危険な面もある。純粋な論理と厳格な構造が支配していて説得に意味のない世界で暮らしていると、いつか精神も、半ばマシンのようになってしまうのだ。

第4章

コーダー気質

Among the INTJs

それは悪手だよ——ブラム・コーエンに指摘されてしまった。

時は2004年。私は、シアトル郊外にあるコーエンの自宅で、ボードゲームに向かっていた。このとき29歳のコーエンは、巨大なファイルもオンラインでさっと共有可能なビットトレントの発明者として、その前年、一躍有名になった若者だ。ビットトレントの登場で、ハリウッドとテレビ業界に衝撃が走った。なにせ、その何年か前、MP3ファイルのオンライン共有が広がって音楽業界が大打撃を受けるのを見たばかりなのだ。テレビ番組や映画のファイルは音楽ファイルよりはるかに大きく、共有に時間がかかりすぎることから、映画やテレビに被害が広がることはなかった——ビットトレントが登場するまでは。そして、テレビを「ナップスター化」するツールを作った男、コーエンの記事を書いてくれとの依頼がワイアード誌から私のところに飛び込んだというわけだ。

追求しまくることが大事

コーエンは、いかにもコーダーらしいコーダーだ。髪は肩近くまで伸ばしているし、半分そっている。グレーのシャツにはドラゴンが描かれている。

1階にある仕事場の机には、プラスチックの大きな瓶が置かれ、ルービックキューブタイプのかちゃかちゃ回して遊ぶパズルがいくつも入っている。どうすればビットトレントの動作を一段、二段、速くできるか考えるときは、いつも、このパズルをものすごい勢いで解いたりばらしたりするのだそうだ。コーエンは、パズルやゲームが大好きだ。立体パズルを自分で設計し、販売にももうすぐ乗り出すほどに。ちなみに、すぐれたパズルとは、実際は違うのにもう少しで解けそうだと思わせ続けるものだそうだ。

ボードゲームもたくさん持っていた。そのひとつが、数日前に買ったばかりというアマゾンズである。プレイヤーふたりが交互にコマをマス目に置き、動けないように相手を追い込んでいくゲームだ。対戦したところ、こてんぱんにされた。たてつづけに、だ。前のめりでボードに向かいつつ、彼は、どういうものを完璧なゲームと言うのか、自説を披露してくれた。

「いったん置いたピースが動かせるようでは、すぐれた戦略ゲームと言えない。『ここはオレの領地にする』と宣言するものなのだから。その宣言が自分にプラスとなるかマイナスとなるかは必ずしもわからない。成り行きを見守るしかないんだ。その判断は正しいかもしれないし、まちがっているかもしれない」

彼は、運に左右されず、純粋に論理で勝敗が決まるものが好きらしい。

コーエンに初めて会ったのは2002年のこと、彼が主宰した小さなハッカー会議、コードコンでだった。決まりがひとつあった。ちゃんと動くコードしか出展してはならない、だ。

「大丈夫だよとごまかしたり、出る出る詐欺のベーパーウェアにはうんざりしてるんだ。こんなことをするつもりだなんて、そんな話、どうでもいいよ。だまってやればいいじゃん」

黒のレザージャケットを着たコーエンは、舞台裏の薄汚れた長椅子に座り、身振り手振りを交えつつ、こう語ってくれた。

ちょうどドットコムバブルがはじけた直後で、彼が眉をひそめることを事業としていた会社がたくさん吹っ飛んでいた。ペットフードのオンライン販売？　フラッシュを多用したブランド服のｅモール？　そんなの、技術的な挑戦にならないじゃないかというわけだ。コーエンは6歳からずっとコーディングに携わってきた（「12歳のとき、コーディングの大会に出て優勝した――ん？　いや、優勝はしなかったな。でも、いいところまでは行ったよ」）。もう、ドットコム企業のたわごとに付き合う気はない、出荷もされないものを作るなんてこりごりというのだ。製品が形になる前に会社がつぶれた経験が何度もあるし、製品は出したがだれも使ってくれなかった経験も何度もあった。製品を世の中にちゃんと届けたい、脳みそを絞り尽くさないといけないほど大きな問題を解決したいというのが彼の望みだった。

コーエンは腕利きだ。彼とは、もう15年も、折々顔を合わせる関係が続いているのだが、本書を書くにあたり、彼と一緒に仕事をした人たちに話を聞くと、みな、彼はすごいと口をそろえたように言う。実は、コーエン本人も、である。自分の能力についても職業倫理についても、事実は事実であり、事実と違うことをどうして言わなければならないんだと考えるタイプなのだ。

もっと若かったころ、グーグルの就職面接を受けたというので、どうだったのかとたずねると、めちゃくちゃやってきたと返ってきた。結局、採用されなかったが、それでよかったんじゃないか、雇われて働きたいとは、もう、あまり思っていなかったとも。そもそも、人に指示されるのが嫌いなのだ。どの職場でも、設計の根幹に問題があるとしつこく指摘して上司に嫌われることがよくあったという。「えらそうなんだよね」と本人は肩をすくめるだけだ。

プログラマー仲間には、少しでもいいものを追求して追求して追求しまくることが大事だと訴えている。

「いつも言うんだけど、自分のコードに誇りを持たなきゃいけない。コードは何度でも見直し、考え直さなきゃ。それを見ただれかが、ああ、こいつはずっと一生懸命やってきたんだなとわかるようじゃなきゃ」

関数ひとつでも、だらだら書かれていれば、やる気のほどがわかるわけだ。

「割れ窓理論の信者だから。バグは徹底的に追ってつぶすんだ」

そんなふうだから、コーエンは仕事の中断をとても嫌う。食べるための中断さえもだ。ワイアード誌の取材で会ったときのことだが、キッチンでサンドイッチを作りながら、こんなことにこんなに時間がかかるなんてと彼は愚痴っていた。

「エネルギーを体に直接注入する方法があればいいのにと思ったりするよ。胸のバッテリーを交換するターミネーターみたいに、ね」

ビットトレントのアイデアを思いついたのは、コーダー友だちのアンドリュー・ローエンスターンと話をしているときだった。彼は、フィッシュなどライブの録画に寛容なバンドの演奏を記録し、動画をオンラインに公開するのが好きなのだが、2002年当時、1時間分の巨大な動画ファイルを共有するのは、ふつうの人にはハードルがとても高いことだった。一般家庭のインターネット回線はDSLという非対称なもので、ダウンロードの速度はそこそこ速いがアップロードはすごく遅かったのだ。だから、大きなファイルをアップロードするのはストレスで、やろうとする人はほとんどいなかった。つまり、回線の上り側はめったに使われていない。そこまで考えたとき、コーエンの頭に電灯がともった。上りは使われていない。それって「余剰能力」じゃないか。それを使う方法をみつければ、アップロードの能力を格段に大きくできるはずだ。

そのためには、たくさんの人が互いに協力する形でアップロード回線を使わなければならない。これがビットトレントの中核となったコンセプトである。

巨大なファイル（たとえば、テレビ番組サタデー・ナイト・ライブの録画ファイル）を小さな塊に分割し、たくさんの人（「ピア」と呼ぶ）に配布しておく。この録画ファイルをダウンロードしようとする人がいたら、ピアに散らしたファイルを集めるのだ。一人ひとりの上り回線は細いが、たとえば30人からファイルを集めれば合計の速度は上がり、さっとダウンロードすることができる。

口で言うのはやさしいが、そういうプロトコルの開発は難しい。一から新たに作らなければならない挑戦でもある。たとえばウェブサイトを作るのは簡単だ。HTTPプロトコルを使えばいい（ハイパーテキスト・トランスファー・プロトコル。90年代前半にリリースされたもので、信頼性が高く、普及している）。だが、既存のプロトコルではビットトレントを実現できない。インターネットの根幹に関わる要素からして作る必要があるのだ。

これだ、こういう挑戦を待っていた――コーエンは仕事をやめ、2年間、クレジットカードに頼って暮らし、ひとりでビットトレントを作り上げた。最初のリリースはテキストベースのインターフェースで使いにくく、コーダーでもなければ使えないものだった。続けて、少しはユーザーフレンドリーなビジュアルインターフェースのものを作ると、それから1年で評判が広がり、4000万人もが使うようになる。そのころには恋人のジェンナ（システム管理の仕事をしていた女性。5歳になる娘、ライリーがいる）と結婚していたコーエンは、ワシントン州ベルビューに移り、そこで、ひたすらビットトレントの改良にいそしんだ。生活費は、感謝の印としてユーザーが送ってくれる寄付金でまかなった。

ほとんどのコーダーは、1行1行書き進め、関数を一つひとつ完成させていく。そして、塊ごとに試験をくり返し、ゆっくりとプログラムを組み上げていく。2004年のコーエンは、まるで違うやり方をしていた。まずは、ただただ考える。あちこちに散るビットトレントピアのタイミングというわけのわからない問題を頭の中に思い描くのだ。それを何時間も続けていると、あるときふと、コードが湧き出してくる。そうしたら座って、まるで口述筆記のように完璧なプログラムを書き出していく（客観的に言って『アマデウス』のモーツァルトみたいなものだというのが本人の弁だ）。そのとおりだったと、3カ月の息子に母乳をあげながらキッチンに出てきたジェンナも証言している。

「一日中、家の中をあちこちうろうろしていたと思ったら、突然、コンピューターに向かうんです。すると、コードが流れるように出てくる。しかも、読めばわかるんですが、それがクリーンなコードなんですよ」――そう言うと、彼女は、コーエンの頭をやさしくなでた。「あなたってば、ほんと、自閉症のオタクだものね」

コーエンはアスペルガー症候群なのだそうだ。

そう聞いたときはびっくりした。たしかに、なにかというと一席ぶちたがるところがあるし、大げさな表現が鼻につくことも多いが、私は彼のことを気に入っていたし、ユーモアがあって魅力的な人物だと思っていたからだ。相手の気持ちもよくわかっているとしか思えない。

だが、彼によると、それは、フツーっぽくふるまう練習をしてきた成果なのだそうだ。近くのバーまで車で行く途中、そう言われた。

彼は、小学校で読解を教える教師の母親と社会主義系新聞の運営に携わる父親のもと、ニューヨークで育った（父親の新聞が早い段階で完全デジタル編集を採用したのも、コーエンが小さいころから家にコンピューターがあった理由のひとつである）。

そろそろ大人になるころ、コーエンは、自分が周りと違うらしいと気づいた。友だちとの付き合いがいまいちらしいのだ。体の動きもなんとなくぎこちない気がする。90年代初頭の当時は、まだ、アスペルガーがあまり知られていないころで、両親も、彼がアスペルガーだなどと考えもしなかったし、当然、診断を受けさせようともせず、ちょっとオタッキーな子だとしか思っていなかった。

だが、20代前半にアスペルガーの記事を読み、コーエンは、そうか、自分はアスペルガーだったんだと納得。謎が解けてすっきりした彼は、コンピューターと同じように自分の行動もハッキングすることにした。アスペルガーの本を何冊も読んだし、フツーの人々がどういうふうにやりとりしているのかを観察し、試験データのようなものを山のように集めたりもした。

「アイコンタクトを中心に、やりとりについて研究したんだ。特に、アイコンタクトの長さについて、僕以上に詳しい人はそういないと思うよ」

と言うくらいで、治療法のデバッグまでしたという。アスペルガーの治療法に関する本には、必ず、アイコンタクトが重要だと書かれているが、その長さについては触れられていないのがふつうだ。

「たから、アスペルガーとして治療を受けた人は、ここを大きく外してしまうことが多い。アイコンタクトは長さが微妙に変わるだけで大きな違いを生むのに、ね」

コーエンの場合、自分のスキルに対する確固たる自信や痛烈なユーモア、型どおりの行動をおちょくる楽しみと自閉症的行動を区別するのは難しい。

2004年に再訪した際には、妻のジェンナに笑顔でこう言われた――

「彼、『ライリー相手にケアベアゲームで8連勝か9連勝中だよ』とか言うんですよ。そういうときは『すごいわね。メダルの授与式でもやる？』って聞いてあげたりします。でも、ブラムは、勝っておごらず、負けて腐らずのスポーツマンシップも、娘にちゃんと教えてるんです」

コーエンは、にこにこしながらそれを聞いていた。そして、学校でかけっこをした娘が、勝ち負けはないと先生に言われたとき「勝ち負けはもちろんあるよ。ただ、だれが勝ったのか、口にしちゃいけないんだ」と教えた話をしてくれた。

三つの特徴とそれへの反論

1960年代に入ると、プログラマーを大量採用する会社が増えた。部屋をひとつ占めるくらいのコンピューターを買い、いろいろな数字の計算、給与計算、業績予想などに使う会社が増えたからだ。こうしてふつうの会社でたくさんのプログラマーが働くようになり、なんかちょっと違う連中だという認識が会社上層部に広がっていく。

当時の会社員は、肩をすくめることはあっても郷に入っては郷に従い、グレーのスーツを着て階級組織で自分の役割をこなすのがふつうだった。ウィリアム・H・ホワイトが『組織のなかの人間』で指摘しているように「精神的にも肉体的にも自宅を離れ、組織人として生きることを受け入れた中産階級の人々」だったからだ。自分は会社の一部であると考え、指示にはおとなしく従う。実質的に集産主義者と言ってもいいだろう。だが、コーダーという仕事に惹かれる人々は違う。型にはまらない変人で、組織になじまないのだ。

心理学者のダリス・ペリーとウイリアム・キャノンが1966年に書いた論文から一節を紹介しよう。

「会計士や内科医、エンジニアなら、どういう仕事をするものなのかだれでも知っているが、コンピュータープログラミングと言われても、まだ比較的新しい仕事なので、ほとんどの人は聞いたことさえないか、せいぜい、なんとなくこんなものというくらいの印象しか持っていない」

この新種族について詳しく調べるため、キャノンとペリーは、男性プログラマー1378人を対象に職業評価を行い、彼らの興味関心や情熱がどこにあるのかを調べた。

その結果、際立つ特徴が三つみつかった。

ひとつめは、問題解決にとても熱心であること。「どんな問題でも必死で答えを探すし、数学的なものから機械的なものまで、どのようなパズルでもなんとしても解こうとする」のだ。とはいえ、これは、当時の管理職にとって、驚くことでもなかったはずだ。あのころは、まだ、コーディングを教える大学が少なかったので、新入社員の論理能力やパターン認識能力を計ってコーダーとする人を選んでいた。ネイサン・エンスメンジャーが『コンピューターボーイの時代がやってくる（The Computer Boys Take Over)』で指摘しているように、すでに、パズル好きを選ぶようになっていたし、女性より男性を雇うようになっていたのだ。IBMが当時流していた広告を紹介しよう。「電子の巨人に命令する男にならないか？」と題するもので、「きちょうめんで、チェスやブリッジ、アナグラムなどのゲームが好きな方……」を求めるとされていた。

ふたつめは、新しいことを学ぶのが好きで、くり返しの多い単調な仕事は嫌いであること。

「研究的なことを好む。また、場合によってはリスキーなものも含め、変化に富む作業を好む傾向があり、同時に、ルーチンや決まり切ったことは避けようとする」

みっつめは、コーダーは社交性に欠ける非組織人なのではないかという管理職の懸念に直結するものだった。

「人付き合いを嫌う。他人との関係を深めようとする行動を嫌う。人より物に興味を惹かれる人が多い」――容赦のない表現である。

この特徴は、男性に限るものではなく、女性にもその傾向が見られた。293人の女性プログラマーを対象に同じ調査を行ったところ、プログラマーでない人とふたつの点で違っている、「数学的なことに強い興味がある一方、人に対する興味がない。特に、ほかの人を助けるような行為に興味を示さない」ことがわかったそうだ。

さて、こうして、60年代末には、プログラマーとは扱いにくい連中だというイメージが米国管理職に定着する。業界アナリスト、リチャード・ブランドンのように、言うことを聞かせにくい人種を積極的に採用するのは危険だと言う人もいた。そうでなくともコーダーは若者が中心で、権威に反抗する60年代カウンターカルチャーの洗礼を受けてきた世代なのだ。管理職では扱えない重要な機械をそんな彼らに任せたら、増長するに決まっている、と（ブランドンは「過度に自立した」社員になると表現している）。プログラマーは自己中心的であることが多く、若干神経質で、統合失調症に近かったりするし、個性が強く、慣習を無視して、ひげ、サンダルなどだらしのない装いをすることもはっきり多いとブランドンは指摘している。

このあと、プログラマーは社会性がなく無作法であるとの報告書が次から次へと出てくるようになった。1971年のある報告書には、「技術的なスキルはすばらしいが、それ以外の面では職業人と言いがたい」とまで書かれている。70年代も研究は続き、半ばには、心理学者P・H・バーンズが、コーダーは「物静か、控えめ、独立独歩、自信満々、内向的、論理的、分析的」であり、「パートナーにはコンピューターを選びがち」として人付き合いを避けがちだとの結果を発表している。

1976年には、コンピューターの研究者ジョセフ・ワイゼンバウムから、プログラマーはマシンばかりを相手にしているせいで共感能力を失いつつあるという意見も提出された。ワイゼンバウムは60年代からMITで仕事をしてきた人物で、AIラボもそれなりに訪れており、そこで、だらしなく、かぐわしいことも多い原初ハッカー世代を見ている。彼の著書『コンピュータ・パワー──人工知能と人間の理性』から有名な一節を紹介しよう。AIラボは回復見込みのない中毒患者の巣窟で、人間性と無縁の世界だったそうだ。

> ……だらしない身なりの聡明な若者が何人も、コンピューターに向かって座っている。その目は落ちくぼんでいるがぎらぎらと輝いており、腕は緊張し、指はいまにもボタンやキーをたたこうとしている。すごい集中力だ。転がるさいころを見るギャンブラーを彷彿とさせる。そこまで彫像化していないときは、たいがいテーブルに座り、そこに散るコンピューターのプリントアウトを食い入るように読んでいる。秘教の経典であるかのような気迫だ。彼らは、ぶっ倒れるまで、20時間も30時間もぶっつづけで作業したりする。食べるのも（食べる場合にはと言うべきか）そこでだったりする。コーヒー、コーラにサンドイッチ。寝るのも、プリントアウトが散らばるあたりに置かれた簡易ベッドなどだ。服はしわくちゃ、顔は洗っていないしひげもそっていない。髪もくしさえ入れていない。自分の体や自分たちがいる世界にまるで無頓着であることがよくわかる。これがコンピューターマニア、コンパルシブプログラマーであ

る……

付き合いが悪い、内向的、言葉がきつい、指示に従わない――オタッキーなコーダーの評価は、70年代からほとんど変わっていない。私が知るプログラマーは、難しい人種だとの評価に対し、まあ、そうだねと軽く肩をすくめる人が多い。逆に一種の勲章だと考える人もいれば、礼儀なんてめんどくさいし、そう思われているならかえって都合がいいと考える人もいる。だが、このようなステレオタイプに本当は眉をひそめるコーダーが多いのも事実だ。

「プログラマーはコミュ障だ、失敬だと、どうしてけなされなければならないのでしょう」

友人のヒラリー・メイソンは、そう口をとがらせた。彼女がニューヨークに創設した機械学習の会社、ファスト・フォワード・ラボを訪れたときのことだ。ほとんどの人にとってコンピューターは不可思議でちょっと怖いものだが、我々はそれをなんなく扱っている、だからそんなことを言われるんだとおかんむりである。

「プログラマーの特徴と言われて私の頭に浮かぶのは、技術に通じていることによる自信があることですね。手の中にあるこのデバイスがなにをしているものなのか、実際にわかっているという自信です」

彼女はデータサイエンティスト草分けのひとりであり、同時にとてもオタッキーな人物である。初めて会ったのはもうずいぶんと前のことなのだが、そのとき、彼女は、小さなシェルスクリプトをたくさん書いて、自分の代理にしたてたとうれしそうに語ってくれた。もっと大事なことに時間を使いたいので、「これ、試験に出ますか？」という学生からの問い合わせなど、どうでもいい電子メールの返信をやってくれるプログラムを各種書いたというのだ。だが同時に、ブルックリンのハッカースペースや、学生によるハッカソンを行うハックNYなど、新人の育成につながる組織をいろいろと立ち上げたり、立ち上げを支援するなど、人と人をつなぐ仕事も積極的に進めている。

さて、前述の反論だが、これは、いかにもデータサイエンティストらしいと言える。コーダー人口は世界中で増えており、ひとつのステレオタイプで全体をとらえられるはずがない、これほど人が増えたら共通する性格などありえないというのだ。

プログラマー人口は爆発的に増えている。キャノンとペリーが調査を始めた当時、職業プログラマーは全米で10万人にすぎなかった。そのあと70年代から80年代は、むしろ均質化が進んだ時代だ。草創期の女性がいなくなり、ひたすらキーを打ちまくる男性ばかりという感じになった。登場したてのホームコンピューターでBASICを書きまくったティーンエイジャーは、取りつかれたように量をこなすことでスキルをものにした世代であり、オタク度の高い人ばかりが集まっていたと言える。儲かる仕事かどうかはまだわかっておらず、お金を目的に入ってくる人はまずいなかった。

「どのくらいの価値が認められる仕事なのか、まったくわかりませんでしたね」

46歳のベテランコーダー、デイビッド・ビルも、サンフランシスコで夕食をともにしつつ、そう語ってくれた。そして、当時はどういう人がコンピューター業界に入ってきていたのかも教えてくれた。「論理的に考える人ですね。論理性とか合理性の面で話があわず、高校とかそういうところの仲間とうまくいかなくなるほど論理的に考えてしまう人。合理性を最優先に考えない人とつきあったり、論理的に考えないから話がいろいろおかしくなるのを見たりするとフラストレーションを感じる人」だそうだ。

90年代に入ると、爆走スタートアップが急増し、コーダーにとって不機嫌の種がひとつ増える。殺人的な忙しさだ。1994年にネットスケープ社がブラウザーをリリースするころ、社内は、猛烈なスピードで働きすぎるほど働く文化が定着していて、他人を気遣う余裕などない状態だった。当時25歳で、ネットスケープの開発に参加してたジェイミー・ザウィンスキーは、こう、当時をふり返る。

「最初は、ほんとにめちゃくちゃでしたよ。とにかくひどいんです。キュービクルにもたれて『なんだよ、これ。くそみたいなコード書きやがって。なにやってんだよ』とか言うんですよ。言われた方は、ぶつぶつぶつぶつ、ぶつぶつぶつぶつ言いながら手を動かし、直ったぞ！と言い返すわけです」

大学出たての若者が大半で、不要なことはなるべく省くほうがいいという文化が育っていった。軍隊もそうだが、相手の感情を気遣うとスローダウンしがちというわけだ。

ザウィンスキー自身は、仕事のしすぎで手と手首を痛めてしまい、何年間も苦しむことになってしまった。少しでも痛みが和らげばと、はり治療から手首のサポーターまで、さまざまな方法を試したそうだ。

それでも、この文化にはいい面もあると彼は言う。

「遠回しな物言いなど不要なのは、いいことだと言えます。でも、いまふり返ると、もう少し敬意を払い合ったほうがよかったかもしれないなとも思います」

前出のロブ・スペクターがコーディングの世界に転職して間もない90年代から00年代前半くらいは、どう感じるかなんてどうでもいい、俺たちはコードの良し悪しを論じてるんだという文化がまだ基本だったという。

「PHPで困っている問題があったので、コーダーがよく使うIRCのチャットでたずねてみたことがあるんですよ。そのとき最初に返ってきたのが『まぬけでなくなろうってやってみたかい？　どうだい？　大馬鹿者でなくなろうってやってみたかい？』ですよ。私がプログラミングの勉強を始めたころは、敵意むき出しなところがありました。とにかくいじわるで。みんな、根性がねじ曲がってて、なにか教えてくれる人なんていませんでした」

その後変わったのは人数だ。米国内だけでも、90年代末から00年代初めにかけて急増し、いまは400万人以上になっている。そして、その結果、さまざまなタイプの人がこの仕事をするようになった。

特に、急速に伸びている「フロントエンド」はその傾向が強い。フロントエンドとはHTML、JavaScript、CSSなど、ブラウザーでなにがどう見えてどう動くのかを決めるコードの世界、アプリの見える範囲で論理がどう流れるのかを決めるコードの世界である。レイアウト面が担当、つまり、紙に印刷する雑誌でゴージャスなレイアウトをデザインするのと似た仕事なので、それまでとはまるで違うタイプのコーダーが求められがちだ。

対してバックエンドと呼ばれる部分は、ブログ記事を保存しておくデータベースやブラウザーとページのデータをやりとりするサーバーソフトウェアなど、ユーザーから見えないところで動く。ウェブの配管みたいなものだ。バックエンドを担当するのは、データ構造について熱く語ったり、処理が一番速いのはどの言語なのかを議論するタイプである。人付き合いをしたがらないタイプ、どうすれば二分木探索をミリ秒単位で高速化できるのか、バブルソートはなぜだめなのかをオンラインで熱く語り、行列ソートのアルゴリズムを知的に味わいつくすのに血道を上げるタイプと言ってもいいだろう。

フロントエンドのエンジニアもオタクであることはまちがいない。ブラウザーやスマホのディスプレイでアプリがきちんと動くようコーディングするのは心が折れそうなほど複雑な作業で、コンピューターサイエンスを専門としてきた人々が主体となっている。だが、ここは、独習組が多いのも特徴である。若いころ、友だちがやっているバンドのウェブサイトを作ったり、好きなアニメを語るページを作ったり、心の内をさらけ出す日記のサイトを作ったりと、楽しいものや変わったものをオンラインで生み出すのが好きで、そちらからこの世界に入ってきた人たちだ。興味の中心は、かっこよく見せたり、挑発したり、斬新に見えるようにしたりすること。最初はシンプルなHTMLでページを作っていたが、ある日、CSSでスタイルを変えればページの見え方が大きく変わると気づいたり、JavaScriptがわかるようになれば、悪口雑言をランダムに生成するプログラムが作れると気づいたりしたわけだ。マシンを思いどおりに動かすのがおもしろくてコーディングを勉強したのではなく、なにかおもしろいものや便利なものを作り、ほかの人に見せたり使ったりしてもらえるからコーディングを勉強した人たちと言ってもいいだろう。

フロントエンドのコーダーは違う？

サラ・ドラスナーも、そういう道でコーディングに足を踏み入れたひとりだ。

専攻は美術で、大学を卒業した2000年代初め、イラストレーターとしてシカゴのフィールド自然史博物館に就職した。百科事典用にヘビやトカゲなどのイラストを描くのが仕事だった。意外かもしれないが、博物館には、手書きのイラストレーターでなければできない仕事がたくさんある。虫などの標本をカメラで大写しにしようとしても、一番上や下にしかピントが合わず、それ以外の部分はぼけてしまう。だから、イラストとして描くほかに方法がないのだ。

だが、数年後、標本の上から下まで一度に撮影できる機能を持つカメラが導入された。イラストレーターはお払い箱である。そして、ドラスナーは、ウェブサイトは作れるかとたずねられることになる。

「できます」と彼女はうそをつき、家に帰るとHTMLを必死で勉強した。意外なほどやさしかった。魅力的なページの作成には、美術の世界で培った審美眼が大いに役立つのだ。だが、結局、その数年後には退職し、ギリシャのとある島にある大学で美術を教えることにする。ギリシャ滞在中も、暇があると「たわいもないウェブサイト」を作っていた。そして、さすがに薄給に耐えられず帰国すると、ウェブスキルを武器にオンラインデザイン事務所に就職。締め付けの厳しい職場だったという。

「ひとつのコーディングにかかった時間がある週は12分で、次の週は14分だったら、なぜなんだと言われるんですよ。めちゃくちゃな職場でしたね。トイレに行くのさえ、タイムカードを押せと言うんですから。でも、力はすごい勢いでつきました」

フロントエンドデザインでは、スピーディに仕事をこなして新しいテクニックを学び続けることが重要である。フロントエンドは、突然、がらっと変わったりするからだ。バックエンドのコードはゆっくりとしか変化しない。たとえば、給与計算用に構築したデータベースを変更するのは難しいことが多いし、下手をすれば大惨事になりかねない。だから、なるべく手をつけないようにする。だが、サイトのフロントエンドは、ある日突然、クライアントの要望で作り変えることになったりする。新しいナビゲーションを導入してほしいとか、コードを最適化し、さっとロードできて、さくさく動くようにしてほしいとか言われたりするのだ。グーグルがクロームブラウザーをアップデートした結果、ウェブサイトの表示がおかしくなってしまい、フロントエンドのコードを全部書き換えなければならなくなることもある。ともかく、苦労してサイトのデザイン変更を終えたと思ったら、また全部やり直してくれと言われることも、フロントエンドデザイナーにはよくあることなのだ。塗り直しが終わったら、すぐ、次の塗り直しを始めないといけないゴールデンゲートブリッジと同じだとドラスナーは笑う。

だが、フロントエンドのコーダーが別種となる最大の理由は、また別にある。ユーザーのことをじっくり考えなければならない点だ。ページを前にしたとき、ユーザーにはなにが見えるのか、なには理解できてなには理解できないのか。ページをどうデザインすれば、適切なところに目が行くのかなど、心理的な側面も考えなければならない。バックエンドコーダーが気にするのは信頼性であり、どうすればビットをすばやく移動できるのかだ。フロントエンドコーダーはそのあたりも気にしつつ、ユーザーの目や手を上手に誘導しなければならない。

人を楽しませるとともに誘導するコードを作るこの仕事は、美的側面と論理的側面を併せ持つもので、ドラスナーにうってつけだった。イラストレーターとプログラマーは、求められる性格もかなり重なっている。細かなところまでないがしろにせず、精度を追求せずにいられない性格だ。仕事のリズムも似ていた。彼女は、仕事が終わって帰宅したあと、夜9時から夜中の1時まで第2シフトに入る――薄暗い室内でひとりソファに座っていると、雑念がすべて消え、コードがあふれてくるのだ。

彼女は、仕事を始めると、まったくと言っていいほど周りが見えなくなる。

「どんなことでもやめるのが難しいんです。昔のボスなんて、30時間かかるものはサラに任せろって、よく冗談で言ってたほどに。私、注意欠陥障害の逆で、長時間かかるものでないと集中できないんです」

ドラスナーは、SVG グラフィックスという分野のエキスパートとして名をはせることになる。SVG グラフィックスというのは、こっちの角にこの大きさの円を描き、その下にこの大きさの長方形を描き……という具合にいろいろなものの形を指定してブラウザーに絵を描かせるものだ。アニメーションにすることもできる。

数学で絵を描くんですと言う彼女は、このテクニックを解説した本がベストセラーになったのをきっかけに会社をやめ、世界中で SVG グラフィックスの講演やワークショップをする生活に入った。私が初めて彼女に会ったのもそんなデモのひとつで、真っ赤に髪を染めた彼女が、きらきらと目を輝かせるプログラマーを前に、さまざまなコードを次から次へとプロジェクターで紹介しているところだった。

ドラスナーは、無愛想でぴりぴりしているオタクといろいろな意味でかけ離れた存在だと思う。教えることが日課で、ツイッターでは、いつも、コーダーを励ましまくっている（「すごいじゃない」「すばらしい」「みんなが作っているものを見ていると、なんかちょっとみじめな思いがしてくるわ。生き生きしていて、ね。ほんとに。別に酔ってるわけじゃないからね」などなど）。昔の同僚からも話を聞こうと不動産取引のウェブサイト、トゥルーリアも訪れたのだが、「すんばらしい人ですよ」など、そこでも彼女は絶賛されていた。

このようにエネルギーがほとばしるような女性なのだが、ドラスナー本人は、自分を内向的だと言う。ひとりにならないとエネルギーが充電できないし、仕事はひとり静かにしたいタイプだというのだ。ウーバーからお声がかかりオフィスを訪問したときには、広い部屋に長いピクニックベンチが置かれ、そこにエンジニアが並んで座っているのを見てぞっとして断ったそうだ。

「ここでは働けません。1行だって書ける気がしません。ありえません。人がこんなにいるところでは無理です」

ドラスナーは、プログラミングに没頭すると、本当に周りが見えなくなってしまう。それこそ、同じくソフトウェアエンジニアの夫にノートパソコンを閉じられでもしないと、コードの改良を中断してベッドに行くのも難しかったりするほどだ。ふたりがまだ恋人どうしだった2015年夏、朝食時に、あとでゴールデンゲートパークまで散歩に行こうという話になった。だが彼女は、ややこしいSVGコードのバグ取りにやっきで、迎えにきた彼を追い返してしまう。あと5分、5分だけと言って。5分後に彼が戻ると、今度は、あ、もうちょっと待って、これだけなんとかしちゃうからと言う。こんな感じのやりとりが何度もくり返されたらしい。

最後はなかば無理矢理やめさせるしかなかったというが、これは彼にとってむしろ幸運だったのかもしれない。公園に着くと、彼は、指輪を差し出し、プロポーズした。コーディングが気になってしかたがなかった彼女は、ためらうそぶりもなかったそうだ。

エンジニアと非エンジニアの関係

少し時をさかのぼるが、1985年、ジーン・ホーランズが『シリコン症候群（The Silicon Syndrome）』なる本を出版した。コンピューターエンジニアと彼らを愛する人々のガイドブックだ。ホーランズは心理学が専門で、企業にコーチングを提供している。本書は、シリコンバレーで働く夫婦（この時代のことなので、大半は夫がエンジニアである）に取材して書かれたものだ。

「奥さんから『彼、コンピューターに座りっぱなしなんですよ』とか『私よりプリント基板と一緒のほうがいいみたいで』などと言われるたび、ああ、シリコン症候群なんだなと思った」――本書の一節である。

エンジニアと非エンジニアの関係は、相性最悪だと彼女は書いている。

「考え方や感じ方が違いすぎてコミュニケーションがうまく取れない。片方は中国語しかわからず、もう片方はフランス語しかわからないようなもの。相手の言っていることが理解できない。なにか提案するのもうまくできないし、自分をアピールするのも難しい」

「ブリキの木こりにも心はある」と題された章さえある。
　この本を読んだとき、私は、うわべをなでただけだし一面的にすぎると感じた。私が知っている範囲でも、幸せに暮らしているコーダー夫婦やコーダーカップルがたくさんいたからだ。だが、詳しく話を聞いてみると、その多くが、この本には共感を覚える、ブリキの木こりというのはさすがに言い過ぎでも、プログラマーと付き合うなら、エンジニアリング的な考え方に四六時中さらされる覚悟が必要だと語ってくれた。
　そのひとり、ジェニファー・8・リーの話を紹介しよう。いま42歳の投資家で、サンフランシスコにあるユニコード絵文字サブコミティーの副会長も務めている人物だ。彼女は、いままで付き合ってきた半分くらいがプログラマーで、彼らに惹かれるのは育ちが原因だろうとのことだった。
「父が内気なエンジニアで、人付き合いが苦手だったんです。典型的なファザコンですね。だから、人付き合いが苦手で、なにかというと数字が出てくるエンジニアタイプが好きなんですよ。それがなにか？」
　リー自身もプログラミングをかじったことはあるが、それを仕事にしたいとは思わなかったという。人と関わるのが好きで、ずっとスクリーンとにらめっこしているのは性に合わないのだ。だからテクノロジー記者となり、その鋭い観察眼を生かしてニューヨークタイムズ紙にシリコンバレーの記事を書いている。
「あの人たちは、頼りがいがあるんですよ」
　さすがはルールどおりに動くシステムを作る人々、というところだろうか。
「いい夫になりますし、いい父親になります。多少の欠点には目をつぶってもいいかと思うくらいに」
　ふだんの生活でも、整理やシステム化に力を発揮してくれる。コーダーと旅すると、テトリスでブロックを組むように、きっちり、荷物をSUVのトランクに積んでくれる（しかも、よく使うものはちゃんと一番上に置かれている。よく使うデータを「キャッシュ」してすばやくアクセスできるようにするのと同じだ。そういうの、大好きなんですよと彼女は笑った）。

感情がないわけではない。むしろ逆だ。グーグルの3人目となったエンジニア、クレイグ・シルバースタインとも付き合ったことがあるが、彼は、女友だちの恋の悩みを親身に聞くことにかけてリーより上手だったという。リーと別れたのも、リーとでは、自分が望む幸せな家庭を築ける自信が持てなかったかららしい。ただ、なぜと問うたリーに、理由を並べて説明したというかららしいと言えるだろう。「しかも、大事なものから順に、ね」とリーは笑った。なお、その4番目は、「リーが携帯などをいじっている時間が長すぎる」だったそうだ（それはそうでしょうねと彼女も認めている）。

私が話を聞いたとき、リーは、プログラマーの彼氏と別れてまだ日が浅いころだった。彼は、長い黒髪、黒い瞳のうっとりするほど魅力的な男性だったという。「でも、アスペルガー系なの。それって、最悪の組み合わせよ。まるっきりバルカン人なんだもの。しかも、そこに誇りさえ持ってる。バルカンって呼ばれたら気を悪くする人がけっこういると思うけど、でも、彼は、自分がバルカンであることに誇りを持っていた。スポックみたいであることに喜びを見いだしていたの」

彼女も30代半ばとなり、そろそろ子どもが欲しいと思ったので、8歳年下の彼にどう思うかたずねたところ、よくわからないという答えが返ってきたそうだ。というわけで、1年たらずの付き合いに終わってしまったらしい。それはしかたないことだと彼女は言う。20代後半では、長い付き合いの経験が少なく、相手が運命の人かどうか見極めるのは難しい、比べる対象があまりないのだから、だそうである。

これはよくあるタイプの問題で、ゲーム理論では「秘書問題」と呼ばれるよく知られたジレンマの一種である。秘書問題とは、候補者を順番に面接し、秘書を採用するものだ。だれかを採用したら、そこで面接も終わりにするので、次に面接するはずだった人のほうがよかったとしてもそれはわからない。解答も有名で、最良の候補者を選べる確率は37%であることがわかっている。秘書の採用ならまあいいかと思えるリスクかもしれないが、数学的な考え方を好むコーダーが一生の相手を選ぶとなると、もっと確実に選びたいと思ってしまう数字である。逆に、秘書なりパートナーなりを選べずにいると、それはそれで、長い間迷いに迷ったあげく、最良ではない相手を選ばなければならなくなったり、それこそ、結局、パートナーを選べずに終わったりしかねない。だから、恋愛については、みな、勢いで決めがちなのだ。論理のみで決めるより悩むことも少なく、実践的だと言える。恋愛を工学的に最適化するのはきわめて難しい。このときの彼も、いろいろと数字を挙げて考えた結果、データが足らないから別れるという決断にいたってしまった。

こういう考え方をするから人間関係がうまくいかなかったりするというのは、コーダー自身も気づいていることが多い。もやもやっとした感情的問題に論理で対抗しようとしておかしくなった経験ならあると、決まり悪そうに語ってくれたりするのだ。マイクロソフトのコーダーで、ソフトウェア関連のブログやポッドキャストで有名なスコット・ハンセルマンもそのひとりだ。結婚20年の妻モーは、技術にまるで関心のない看護師。

「ギークとノーマル――異人種と結婚したようなものです」とハンセルマンは言う。

「私は、世界的に有名なコーダーなわけですよ。でも、そんなの、家内には関係ありません」

付き合い始めたころは、彼女の機嫌が悪くなるたび、その原因を解決しようとしたそうだ。

「ウチに来て、今日はこんなことがあった、あんなことがあったと言うんです。彼女の仕事はよくわかりませんが、でも、彼女のことは大切に思っていますからね。なんとかしてあげたいと思うんです。だから、『同僚との関係がうまくいかないのは、これとかこれとかこれとかが原因だろう』って言うんですけど、そうすると、『うるさい。そんなことたずねてない。だまって聞いてればいいの』って言われちゃうんですよ。しかたないから『わかった。じゃ、だまって、1日20分、きみの話を聞くよ』ってことなるわけです」(この手の組み合わせでは、なぜか、20分聞くという話になりがちである)

ハンセルマンは、実は、感情の知能指数と言われるEQが高い。昔からスタンダップコメディが得意だし、早口で自虐ネタのジョークを連発したりする。技術の世界では、プログラミングに参入しにくいと言われている人々を増やそうとエネルギッシュに活動してもいる。であるにもかかわらず、ごく簡単な論理も合理性も妻には通じないと感じるたび、むっとするそうだ。たとえば、自宅からモーの姉妹の家までどう走るのが一番速いか、何カ月も議論したことがあるという。モーは信号の少ないコースがいい、そのほうが速いと主張。対して彼は、そんなことは絶対にない、GPSで両方のコースを確認し、信号の少ないほうが距離は27キロメートルも長くなるという十分な証拠を得た、と言い返したらしい。この話を聞いたのはそれから何カ月もたってからだったが、論理がまるで通じないんだからと、彼は、改めて腹を立てていた。

ハンセルマンは根がエンジニアなので、相手がどう受け取るかとか考えず、思ったことをそのまま口にしてしまい、いらぬ波風を立てたりする。ふたりのポッドキャストによると、南アフリカに住むモーの兄弟を訪れたときもそうだったという。塗り替えたばかりだと黄色のキッチンに通されると「黄色ねぇ。変な色だね」と、あまりに失礼なことを言い放ったとモーはため息をついた。

「正直な感想を言ってあげるねということなんでしょうけど、でも、相手は、『アメリカからはるばるやってきてそれかい。失敬なヤツだ』としか思わないわけで……」

これは、ずばずば言うことが尊重される環境でずっと過ごしている副作用だと彼女は考えている。

「毎日、8時間も9時間も、場合によっては10時間も12時間も、自分と同じように考えるエンジニアと仕事をしているのだから、そこから離れるときは、少し解凍してやらないと、ふつうの社会になじむのは難しいでしょう」

そのとおりだと彼も認めている。彼は自宅オフィスで、（スカイプで取材をしたときには）ワイドスクリーンのモニターとさまざまな機器に囲まれて仕事をしていた。仕事が終わると、モーがしていることに、いちいち、なにか言うらしい。たとえば夕食の準備をしているなら、「それが今日の晩飯？　そういうふうに料理するの？　油はそれで足りるの？」という具合だ。まるで、オタクな仕事仲間と言い争っているかのように。本人も、飯や肉もコードレビューのモードで見ちゃうみたいと言うくらいで、自覚はあるらしい。

モーによると、コーディングは精神状態の調整時間が必要な仕事なのだそうだ。集中して厳密に進める必要があるので、頭の切り替えが難しい。コードがなかなか頭から離れないわけだ。

この意見には、スコットも賛同している。長時間の潜水を終えるときに似ていると言えばいいだろうか。エンジニアや技術者にとって潜水病のようなもので、少しずつふつうの状態に慣らさないといけないわけだ。

「フロー」状態こそ至上

潜水は言い得て妙な比喩で、多くのプログラマーが似たような話をしてくれた。普段から、ぶっきらぼうだったり、どこか変だったり、論理を振りかざしてばっかりだったりするわけではなく、ただ、コーディングに取りかかると、非人間的なロボットになってしまうだけなのだ、と。

精神にすさまじい重圧がかかるからだろう。デバッグとは、何行かのコードを眺め、それがどうしてまちがっているのだろうと考えるだけでできる作業ではない。たいがいは、絡み合ったシステム全体について考えなければならない。何十、何百とあるモジュール同士がさまざまなデータをやりとりしている中で、目の前の数行が、他のモジュールとどうやりとりするのかを考えなければならない。ある関数からスタートし、その関数が関係している他のコードを確認していく。その関数がどの部分と関係しているのかを読み解いていくのだ。少しずつ、少しずつ、何重にも入れ子になった関係を頭の中に描いていく。そして最後に、複雑怪奇な論理を導入する。すると、ピタゴラ装置がどうなるのか、このボールがあのドミノを倒し、それがこのスイッチを入れてこっちのライトをつけるという具合に流れがわかるのだ。あるいは、夜、空高く舞い上がると、街全体の姿を見ることができる、どことどこがどうつながっているのかがわかると言ってもいいだろう。ここまで来なければプログラマーの仕事は始まらない。機構のどこをどう変えたらどうなるのか、ここまで来ないと理解できないからだ。そして、ここまで来るには何分もかかるのがふつうだし、問題がややこしいと何時間もかかる場合もありうる。

逆に、そこまで行ってしまえば、最高だ。脳内にプログラムをきっちりセットした状態でコーディングするのは、とても楽しい。心理学者ミハイ・チクセントミハイが提唱した「フロー」状態、すなわち「なんらかの活動に没頭している」状態だからだ。自我が消える。時間の感覚もなくなる。ジャズのように、動きも考えも、ひとつ前のものから必然として次が導き出されて続いていく。どっぷり浸り、自分のスキルを最高に活用することができる。

だが、この状態はもろい。ほんのちょっとジャマが入っただけで、細心の注意で組み上げたイメージが雲散霧消してしまう。だから、コーダーは、ゾーンに入っているとき声をかけられたりすると烈火のごとく怒る。ガラスの格子を頭の中に構築し、それが壊れないようにそ〜っと、そ〜っと作業を進めているのに、電子メールを送ったんだけど、見てくれたかいなんて言われたら台無しである。

「妻も子どもも、自室でコーディングをしている私に声をかけてはいけないとわかっています。そんなことをしたら、いつもとまったく違う反応が返ってくる、と」

ソーシャルネットワークの開発を担当しているコーダーの言葉である。トランス状態が壊れてあぜんとしてしまい、冷たく、きつい反応になってしまうのだ。在宅で仕事をしているコーダーは、同じ問題に悩まされることが多い。コンピュータービジョンの開発に携わっているコーダーも、論理だけでものを考えがちで、白黒はっきりさせたがることが多いと語ってくれた。仕事中に声をかけられると、つい、はい・いいえで答えられる質問にしてくれないかと返してしまう、仕事中でなければ人当たりのいい方だと思うのに、だそうだ。コーディングをしている間は人が変わってしまう。そうとうの覚悟がなければ、仕事中に声をかけるな、ということだ。

だから、プログラマーは、仕事中、他人の干渉を受けにくくする手立てをいろいろと講じる。少しでも気が散りにくくなるように、だ。ノイズキャンセリング型のヘッドホンをつける、難しい部分は、電話やメッセージもなく、政治ニュースの通知もなくなる夜にやる、などするのだ。

必死で「フロー」状態を保とうとするのは、もちろん、プログラミングに限られた話ではない。身も心も浸りきらなければならない仕事はいずれもそうで、みな、世捨て人のようになり、声をかけられたりするのを極端に嫌う。訴訟準備中の弁護士しかり、手術前の外科医しかり、アーティストしかりである。頭の中に別の世界を作らなければならない小説家もそうで、昔から、仙人かと思うほどひとりになりたがる人種として有名である。たとえば、ジョナサン・フランゼンは、インターネットがあると気が散るからと、コンピューターからWi-Fiカードを取り外し、イーサネットポートも接着剤で埋めてしまうというし、スティーヴン・キングは、外の世界が目に入って集中が切れるといやだと窓にシェードをかけてしまうという。

コーダーは、芸術家に通じる性分の持ち主だとも言える。60年代から70年代にかけ、企業の管理職が不安を感じたのはそのせいだろう。エンジニアにはエンジニアらしい論理的な言動を期待し、プログラマーもその期待には応えたわけだが、同時に、彼らは、創造的なトランス状態がドアのノックで壊される前に『クーブラ・カーン』を書き上げようと詩人コールリッジばりの行動も見せたからだ。コーダーの仕事は、空想の世界という意味でとてもロマンチックなのだ。19世紀の小説家、メアリー・シェリーやバイロン卿とコーダーを引き合わせたら、きっと、殺風景な岩の岬にぽつんと立つ小屋で仕事をするのが一番だと意見が一致することだろう。実際、『クーブラ・カーン』に登場する詩人の様子は、「みな、声をあげるだろう。気をつけろ！　気をつけろ！と。／眼はぎらつき、髪は逆巻いている。」と、コーディング時のトランス状態にそっくりだ。

社会科学と工学を学び、グーグルでユーザー体験担当ディレクターをしている友人のエリザベス・チャーチルによると、コーダーは、会議に出席していても、心はどこか別の世界で戦っていることが多いという。
「そういう、コーディングに没頭している人たちは、話しかけても、心ここにあらざるという感じなんですよ。そういうときは、深呼吸させ、こっち側に呼び戻す必要があります。そうすれば、1日かふつかくらいあとには現実に戻ってきて、いま、取りかかっているアーキテクチャーの話をしてくれるんです」

プログラマーは、それこそ、ごくわずかな体の動きというレベルについても「フロー」を保てるツールを好みがちだ。たとえば、手をキーボードから離さなければならないからと、マウスを嫌うといった具合に。ピアノのふたについたノブをときどき回してくれと頼まれたピアニストと同じように、そのちょっとした動きにいらつくわけだ。だから、カットやペースト、移動など、文字キーに指を置いた状態でほぼすべての操作ができるテキストエディター、Vimが人気になったりする。Vimでは、矢印キーさえ使う必要がない。矢印キーに手を動かすためにはちらっとキーボードを見る必要があるが、それは無駄な動きで集中が切れてしまう可能性が高いというわけだ。友人のコーダー、サロン・イトバレクも、駆け出しのころ、Vimを学ばざるをえなかったという。先輩が全員Vimユーザーで、Vimを使わないのはもぐりだなどと言われたのだ。だから、がまんして使うことにした。最初はどうにも使いにくく、マウスや矢印キーを使いたいと思ってばかりだった。だが、３週間もたつと、動きが体になじみ、マシンと一体化してサイボーグにでもなったような感覚を覚えたという。
「キーボードと一体化するんです。そして、思考の流れが途切れる瞬間がなくなるんです」
　コーダーはホワイトカラーに分類されるが、集中してどっぷり浸る必要があることから、ホワイトカラーのリズムと相性が悪い。ポール・グレアムは、これを作り手のスケジュール対管理者のスケジュールという対立だと表現している。管理者は、人と会うのが仕事だと言ってもいい。物事がスムーズに進むように、１時間を単位にスケジュールをたて、次々と人に会っていく。だから、つい、午後1時に来て進捗を報告しろとコーダーに求めてしまう。コーダー側から見ると、そんなことは、フロー状態を長時間続けられる可能性をなくしてしまう言語道断の要求だ。グレアムは次のように書いている。
「ちょっとした面談があるだけで、1日が台無しになることもある。少なくとも、午前中か午後の半日は使い物にならなくなってしまう。それだけじゃない。午後が使えないとわかっていると、午前中も、ややこしいことは避けがちになる。そこまで気にしなくてもと思われるだろうが、でも、なにかを作る人ならわかってくれるだろう。終日予定がなく、自由に使えると思えるときのほうがやる気が出るはずだし、逆に言えば、なにか予定があるとやる気がいまいち出ないはずだ。そして、意欲的なプロジェクトとは、自分の能力をぎりぎりまで発揮しなければならないものを指すわけで。士気が少し落ちただけで、全部だめになりかねない」

ましてや、突然のミーティングなどもってのほかだ。集中して仕事を続けられると思っていた時間をじゃまされると、まずまちがいなく、冷たく、いらついた対応になる。

じゃまされたときのコーダーほど、コーダーらしいコーダーはいないとも言えるのだ。

コーダーのメンタルヘルス

コーダーはうつが多いのか？

この本を書いているとき、たくさんの人にそうたずねられた。コーダーからも、だ。仲間に、うつうつとしている人、不安に悩まされている人、そう病の人などがたくさんいるというのだ。メンタルを病んで自殺した知人がいることも少なくない。テレビドラマ『ミスター・ロボット』の主人公エリオットは内気でいわゆる社会不安障害を抱えており、そのあたりをモルヒネで紛らわせている人物だが、自分も同じだと感じるコーダーもいる。コーディングにはメンタルヘルスの問題がつきものなのだろうか。昔から、なぜか、作家や詩人にはそういう人が多いと言われているし、コーダーも、同じくらいそういう人が多いとは言えるかもしれない。あるいは、ひとりで長時間ストレスに耐えなければならないため、そういう傾向のある人が発症しやすいということなのかもしれない。

この問題について、グレッグ・ボーガスに話を聞いた。

メンタルヘルスの苦労を語る人物として業界でよく知られた人物である。牧師の子として米国中西部で育った彼は、ティーンエイジャーのころ独学でコーディングを学び、大学の情報科学科に進学した。だが、学生生活はうまくいかなかった。すでにかなりのところまで学んでいたので、課題が難しいということはなかった。であるのに、課題が出せない。提出が何週間も遅れ、自分はだめだと思うようになってしまった。心配した友だちが様子を見に来てくれても、しわくちゃの毛布に隠れて出てこない。このころは、毎日16時間くらいも寝てばかりいたらしい。

彼は近くに住んでいたので、カフェでお昼を食べながら話を聞くことにした。背が高く、赤みがかかったひげを蓄えていて、話し方は穏やかだった。

「意識のない時間がいちばん幸せだったんです。現実と向き合う必要がありませんからね。だから、なるべく長い時間、そういう状態でいようとしていました」

グレッグほど頭がいい人間にも、グレッグほどぐうたらな人間にも会ったことがないというのが友だちの評価である。

そんな彼だが、クリエイティブなエネルギーにあふれ、ぐうたらと反対の極にいることもあった。そうなると、ソフトウェアのアイデアが次から次へと浮かび、このアプリを公開してお金ががばがば入ってきたらどうしようなどと思いつつ、何日もぶっつづけでコーディングする。だが、アプリの公開までこぎ着けたことはない。いつも１日か２日で勢いがなくなり、ベッドに戻ってしまうからだ。大学は５年であきらめ、あちこちでコーディングの仕事をするようになった。いつも、最初はいい仕事をするが、何カ月かたつとずるずると遅れはじめる。部屋代や光熱水道費の支払いもちゃんとせず、電気を止められたりするので、ルームメイトとも、いつも険悪になってしまう。

25歳のころ、ボーガスは、さすがになにかがおかしいと思った。「先延ばし癖」をインターネットで検索したところ、ADHDの症状に当てはまるようだったので、セラピストの診断を受けることにした。

「まちがいありません。ADHDですね。これ以上ないくらいに」

双極Ⅱ型障害も併発しているという。

ADHDの薬が処方された。その薬を飲んで15分もすると、びっくりするほど世界が変わった。マジか、みんなはこんなふうに感じているのかと思ったほどだ。双極性障害は認めたくなくて治療にも後ろ向きだったが、治療を始めてみると、ずいぶんと暮らしやすくなった。気分がふさいで苦労することはあるが、昔ほど生活が乱れることはない。その後、トゥイリオに就職。電話やSMSの機能をアプリに搭載できる製品を作っている会社である。肩書きは「エバンジェリスト」で、トゥイリオ製品の使い方を会議やハッカソンで説明するのが仕事だ。そして、メンタルヘルスの苦労も会議で語るようになった。

苦労しているのは彼だけではなかった。講演が終わると、自分もうつや双極性障害などで苦労していると話をしに来る人が、毎回、何人もいるのだ。ということは、ディベロッパーは、メンタルヘルスで苦労する人がふつうより多いのかもしれない。

メンタルヘルスに伴う不適応行動のうち、社会的な孤立や不規則な睡眠、さらには、世界を変えてやるとか自分はルールに従わなくていいといった大それた考えなどは、この業界ではむしろ評価されるものだったりするとボーガスは指摘している。

「そういう若者がコーディングに出会うと、ここはいい、落ち着くと思うんじゃないでしょうか。我々ディベロッパーは、ちょっと変わっていて社会になじめない人や友だちのいない人も受け入れますからね。生活が不規則でも問題ありません。適当な時間に出社して、夜中の2時までとか、仕事が終わるまでとか、ぶっ続けで作業をするコーダーも珍しくありませんからね」

実際、最近は、社会でも会社でも、そういうものだとみなされるようになっている。テレビでも映画でも、夜中にひとり、モニターの明かりに照らされて座るコーダーが描かれるし、スタートアップの物語では、三日三晩キーボードをたたき続けるプログラマーが英雄として描かれたりする。そういう人を受け入れるどころか、思いきり持ち上げることまでしているのだ。そういう仕事をしていたら、問題を抱えていると認めにくいのではないだろうか。

「ディベロッパーは、いちばん頭がいいのは自分である、知的なパフォーマンスなら負けない、がアイデンティティの核になっていたりします。対して、メンタルを病んでいると言うのは、自分の頭は正しく働いていないと言うに等しいわけです。『お金を払ってもらってるコレ、ちゃんと働いてないんですよ』なんて、上司に言えるわけ、ありませんよね」

とげとげしいメンタルを和らげる薬も、プログラマーにとっては必ずしもありがたいものではなく、使いたがらない人もいる。創造性が落ちるんじゃないか、わっと先が見渡せる瞬間がなくなるんじゃないか、極限まで集中することができなくなるんじゃないかと心配してしまうのだ。実際、そういう傾向はあるとボーガスは言う。だが、それ以上のメリットもあるそうだ。

「薬を使うとアイデアの生まれるスピードは落ちるかもしれませんが、そのアイデアを実現する力は桁違いに高まります。仕事を完遂できるようになるんです」

理解のある職場で働ける自分は幸運だとボーガスは言う。業界全体は悲惨で、才能のある若手を無理としか言いようのないやり方で使いつぶしている。週60時間のデスマーチが何週間も続いたりする。日の光を浴びることがない。家族や友人・知人と会うこともできない。心を病むきっかけばかりで、過去にメンタルを病んだ人なら絶対近づくなと医者にアドバイスされる環境である。健康な人でもぼろぼろになりかねない仕事環境なのだ。

カフェのあと、ボーガスの部屋へ行くことになった。明るい春の日だった。お日さまの光が気持ちいい、こういう時間をもっと持たないといけないんだとボーガスはご機嫌である。

部屋に入ると、イヌが膝に乗る。ここで、ボーガスは、トゥイリオの活用例として作ったものを見せてくれた。大きな赤いボタンをイヌが押すと、カメラが起動し、写真とテキストが送られてくるものだ。「イヌのセルフィーですよ」とボーガスは笑う。展示会の講演でも大受けしたそうだ。その講演が終わったあとも、コーダーが何人か、メンタルの相談に来たという。

メソジスト派牧師の家に生まれたからか、ボーガス自身も、修道士のようなところがある。その証拠に、彼の部屋には、超小型ミニコンピューター、ラズベリーパイの隣にC・S・ルイスの『ナルニア国物語』が並んでいる。

「敬虔なエバンジェリストなら、コミュニティーの役に立ちたいと思うのが当然ですよ」

いまの仕事は、彼にとって、二重の意味で天職なのだろう。

第5章

効率カルト

The Cult of Efficiency

新しい恋人がかなりの変人だとシェリーが気づいたのは、一緒に旅行に出てからだった。

シェリーは、セルフレームのめがねをかけ、はにかむような笑顔がかわいい女性だ。彼女がジェイソン・ホーに出会ったのは、仕事仲間の紹介だった。ホーはすらりと背が高く、ちゃめっ気あふれる若者で、社長兼プログラマーとしてサンフランシスコで働いていた。

そのホーから、ふたりで4週間の日本旅行に誘われたとき、シェリーは迷った。それだけ一緒にいれば関係は深まるだろう。だが、親しくなればいやな面も見えてしまうかもしれない。同じ部屋で寝るのも心配だった。だが、最後は、思い切って一緒に行くことにした。

ホーは、一風変わった旅行の計画をたてていた。ラーメンが大好きなので、旅の目的は東京のラーメン屋を1軒でも多く巡ること。

そのためにアプリまで用意していた。有名ラーメン店をリストアップしてグーグルマップに入力し、どう動けば効率的に巡れるか、経路を最適化するコードを書いたのだ。大学などで必ず学ぶ有名アルゴリズムで、彼は、いつも、こういうやり方で生活のあれこれを最適化しているという。シェリーにすればまさかと思うような話だが、実際、地図をスマホで見せられれば信じないわけにもいかない。評価も、詳しくメモしていくという。

すごい、ちょっとふつうじゃないくらいに――シェリーはそう思った。

なんでもかんでも最適化

ホーは、知識が豊富だし冗談もうまいしで、旅行はとても楽しかった。マス席でビールを飲みながら相撲を観戦したり、建物を見て歩いたり、ふれあい動物園に行ったりもした。

ホーは自動化が大好きだった。プログラミングは、ジョージア州メイコンに住んでいた子ども時代、テキサス・インスツルメンツ社のTI-89電卓で学んだ。マニュアルを眺めていたある日、TI-89でBASICが使えることに気づいたのだ。ピクセル単位で絵も描ける。つまり、友だちが自分のTI電卓で遊べるテレビゲームも作れるのだ。これは衝撃的だった。彼にとっての“Hello, World!”だったのだ。それから数カ月をかけ、任天堂ゲームボーイの『ゼルダの伝説』を移植。問題があった。ゼルダのグラフィックスはグレーだが、TI電卓はまっ黒いピクセルしか表示できない。だから、1秒に何回もピクセルをオンオフすることで白と黒を混ぜ、グレーに見えるようにした。Javaも独習し、Javaでゲームを作るクラブを学校に作ったりもした。

その後、ジョージア工科大学の情報科学学科に進学。だが、カリキュラムは無味乾燥でつまらないと感じた。抽象的なアルゴリズムの概念はおもしろかったが、くり返しの作業をどうすればコンピューターにやらせられるのかに興味を惹かれていたからだ。

同じことをくり返すとすぐ飽きてしまう彼は、大学という仕組み自体、効率が悪いと考えるようになった。あちこちの大学に同じような講座があり、同じことを教えているし、同じ問題に遭遇する。であるのに、場所が違うから、学生同士、相談することができない。だから、カブーン・ドット・コムを作った。テーマ別の質疑応答を学生ができるサイトだ。シリコンバレーの投資家も一部興味を示してくれたが、どうすれば学生が上質の質疑応答をしてくれるのかという文化的問題が解決できずうまくいかなかった。ホーはコーダーで、スケールアップに耐えられるエレガントな構造のサイトにすることしか考えていなかった。だが、投稿がなければ人は集まらない。であるのに、コンテンツという大事な雪玉を大きくしていく方法はわからない。

だから、カブーン・ドット・コムを閉鎖し、卒業間近であったこともあり、グーグルなど数社の面接に臨んだ。だが、どうにも気乗りがしない。雇われるのは違うと思った。価値の創造という観点から考えると、会社員は最悪の選択に感じられるのだ。安定した給与はもらえる。だが、労働が生み出した価値は、ほとんど全部、雇い主に持っていかれる。自分には、なんでも作れるスキルがある。魔法の力があるのだ。その力を注ぐなにかさえあれば……。

そんな想いを抱え、ホーはメイコンに帰省。実家は小児科医で、父親とふたり、タイムレコーダー2台を買いに行くことになった。仕事を始める時と終える時にカードを差し込むと、始業時刻と終業時刻が記録される機械だ。1台300ドルだった。ホーは思った……ちょっと待て、みんな、こんな機械に紙を差し込み、あとで手集計しているのか、石器時代かよ、と。こんな機械がいまも使われているなんて信じられない。携帯で出退勤を記録すれば就業時間が自動計算されるウェブサイトくらい、簡単に作れるのに。だから、タイムレコーダーは買うな、僕が作るからと父親に告げた。

制作は3日で終わった。医院で使ってもらうと評判もすごくいい。紙に記録するより効率的で、それまで父親が何時間もかけていた集計作業も必要ないし、計算をまちがって給与が減ってしまう恐れもない。これは売れる、カブーンと違い、現実の問題を解決する製品だとホーは思った。だから、見た目を工夫してから、クロックスポットという名前でウェブサイトを公開した。

4カ月後には契約者が現れた。小さな法律事務所だった。ジョージア工科大学の図書館でコーディングしていたホーは椅子から飛び上がりそうになるほど驚き、オレのソフトウェアに月18.95ドル払ってくれる人が現れたよと、つい、隣にいた友だちに声をかけてしまったという。数カ月後、クリーニング店に在宅介護の訪問派遣サービス会社、バーミンガム市当局と顧客が増え、売上は月1万ドルに達していた。それから2年間、コードをしっかりデバッグしたおかげで稼働はスムーズになり、運営に手間もほとんどかからない。売上はかなりのものなのに、フロリダ州の人に在宅・パートタイムでカスタマーサービスをしてもらうほかは、自分一人で切り回せるほどだ。

ホーとシェリーに話を聞いたのは夕飯時、もちろん、サンフランシスコのラーメン店で、である。ホーは、週に数時間しか働いていないと言っていたし、シェリーも、月20時間働いていると彼は言うけど、そんなに働いているとはとても思えないと言っていた。ホーは旅行に出ていることが多く、クロックスポットがダウンしたのをエベレスト登山のベースキャンプから修復したこともあるという。

付き合って2年、ホーはなんでも最適化したがる人なんだとシェリーは痛感しているそうだ。家を買うときも、なんとなく見て歩いてどうしようかなと考えるのではなく、場所、価格、近隣に関するさまざまな数字など、サンフランシスコの物件に関する情報を入れたら長期的な資産価値を予測してくれるソフトウェアを作っている（そして、このプログラムが一押しとした物件を買い、いま、そこに住んでいる）。買い物もきらいだし、毎朝、なにを着ようか悩むのもいやだからと、同じＴシャツとカーキパンツを何十組も買い込んでいる。体重が気になったときは、最適化の極みだとボディビルディングを始め、レストランにもはかりを持ち込んで食べ物の重さを量ったり、通り道に金属の棒が渡してあればそこで懸垂をする、大きなゴミ箱をみかけたらその一端を持ち上げるなど、生活のすみずみにまで運動を組み込んだりした。

食べたものは、すべて、表計算ソフトで管理してたんですよとシェリーに言われ、ホーがちょっと恥ずかしそうにスマホを見せてくれた。ワキシーメイズ60グラム＝210キロカロリーなど、1日3500キロカロリーに達するトレーニング食が成分にいたるまで記録されていた。効果はあったらしい。トレーニング2年で作り上げた肩メロンを披露し、カリフォルニアのアマチュアボディビルディング大会で2位に入賞したのだ。そのころの写真も見せてもらった。体脂肪率は7％くらいだったらしい。薄くオイルを塗り、肌着だけで窓辺に立つ彼は、ギリシャの彫像かと思う姿だった。だが、そう言うと、彼は肩をすくめた。筋骨隆々になるのは気持ちのいいものだが、そこまでしたのは、むしろ、それが可能かどうかを確かめてみたかったからだというのだ。また、ウエイトトレーニングのコミュニティーにプログラマーは彼以外いなかったが、彼らが体を作るアプローチはとてもハッカー的だったそうだ。

別の表も見せてくれた。人生の指針のようなものだ。努力が最大の効果を発揮することにのみ時間を使いたいと考えたので、「起業」や「コーディング」から「ギター」「スタークラフト」「買い物」「友だちや家族と一緒に過ごす」まで16種類の活動をリストアップし、それぞれについて、独習可能か、習熟可能か、人生のさまざまな側面に影響があるかなどの面から評価してみたのだそうだ。「コーディング」と「起業」はあらゆる側面が「○」、「友だちや家族と一緒に過ごす」という人付き合い的な項目は、「人生のさまざまな側面に影響がある」には「○」が付けられているが、「習熟可能か」は「もしかすれば」と記されている、という具合だ。

プログラマーは効率にこだわる。この特徴は、私が知るコーダー全員に共通している。政治的な信条や社交性、文化背景、持ち物などほかの側面は人によって大きく異なるが、摩擦の削減に成功するとうれしい、なにかの動きを速くする方法や手作業をなくす方法の検討に目を輝かせるなど、なにかの効率を一段高めることには、みな、大きな喜びを感じるのだ。

効率にこだわるのは、コーダーの専売特許ではない。エンジニアや発明家も、そういう人ばかりだ。ホーの表はちょっとふつうじゃないと感じられるが、ベンジャミン・フランクリンを思い出させるものであることも事実だ。フランクリンは、暮らしの最適化にこだわったエンジニアリングの天才である。たとえば、目が悪くて近くも遠くも見えなかったのでめがねを2本持ち歩いていたが、いちいちかけかえるのが面倒になり、遠く用と近く用を半分に切って接着し、遠近両用めがねを発明した。また、暖を取りやすくするため、金属製の本体に効率よく蓄熱できるストーブを発明するなどもしている（生き物にとって大事な森を守れると宣伝したらしい）。

フランクリンは、物理的なもの以外も最適化しようとした。倫理や道徳といった側面も記録し、少しでも改善しようとしたのだ。そのために、彼は、「勤勉。時間を無駄にしない。常に有益なことをする。不要なことはやめる」や「倹約。自分や他人に有益なもの以外にお金を使わない。つまり、無駄をなくす」など、13種類の「善行」をリストアップし、それと曜日を表にして、毎日、どのくらい善行ができたのかを記録した（清教徒らしく鉛筆で）。いまも使われているフランクリンプランナーを取り上げたとき、雑誌『ザ・バフラー』がいみじくも書いたように、これは、「健全であると同時にかなりおかしく、いかにもアメリカ人という感じ」である。そして、いかにもエンジニアらしいやり方でもある。どう見てもいかれているのに称賛に値するほど効率と秩序にこだわるのは、エンジニアリングの基本とも言えるのだ。

工業化が進んだ20世紀初頭、日常的なあれこれの自動化はよいことだと考えられており、エンジニアのチャールズ・ハーマニーが1904年に語ったように、発明家とは「単調でわずらわしい作業から救ってくれる人」だった。

機械工なら、無駄や摩擦を目の敵にするのが当たり前だ。昔、近くにオートバイ修理のエンジニアがいたことがあるが、彼は、少しでもおかしなノイズに気づくと、エンジンをばらして徹底的に直していた。ノイズは、その分、エネルギーを無駄にしていることになるからと言って。

科学的管理法とも呼ばれるテーラー主義を考案したフレデリック・ウインスロー・テーラーは、成果が最大になるように工員を配置すべきであり、まっとうな管理もせず効率の悪い動かし方をするのは最低だと批判していた。また、彼の仕事仲間であるフランク・ギルブレスは、れんがの積み方からボタンのかけ方にいたるまでどのようなことでも無駄な動きをなくすことにこだわっていたし、同じくエンジニアのその妻も、イチゴショートを作るのに必要な歩数を281歩から45歩まで削減できるキッチンを設計したらしい（『ベター・ホームズ・マニュアル（Better Homes Manual）』にそう記されている）。

そうした効率向上を、いろいろな意味で、一番かなえてくれるのがコンピューターだと言える。

理由は、もちろん、くり返しの自動化が簡単にできるからだ。スクリプトを書いて走らせれば、壊れるか電池が切れるかするまでくり返してくれる。

人間の弱いところに強いというのも特徴だ。同じ作業をくり返すと、人間はだんだんと飽きて雑になっていく。実行の時刻や間隔を指定されても、ついうっかり忘れたりする。未来にすることを覚えておく能力は認知心理学で「展望記憶」と呼ばれるもので、人間は悲しくなるほどここが弱い。だから、昔から、メモやカレンダーに頼ってきたのだ。対してコンピューターは時計仕掛けであり、毎日毎日、決まった時間に同じことをまちがいなくくり返すことができる。

たとえばUNIXオペレーティングシステムには、クロン（cron）というコマンドがある。伝説的なコーダー、ケン・トンプソンが70年代に組み込んだスケジュール実行のコマンドで、指定したタスクを指定した時刻にくり返し実行してくれる（「時間」という意味のギリシャ語が語源らしい）。だから、コーダーの世界では、くり返し作業を「クロンジョブ」と呼ぶし、彼らは、そういうちょっとしたデーモンを何十も走らせていることが多い。そうしておけば、なにも考えなくても、毎日、さまざまなタスクが実行されるからだ。コンピューターは有能な時間奴隷なのだ。

要するに、コーダーは、みな、ほぼ同じことを考えるようになるわけだ。つまり、①同じことをくり返したり毎日同じ時間にするのは面倒だし、自分にできるとは思えない、対して、②机に鎮座しているマシンなら、同じことを言われたとおりきっちり、何度でもくり返してくれる、だから、③可能なかぎりなんでも自動化しよう、である。

プログラマーは、たいがい、ティーンエイジャー時代にこう考えるようになる。人生には反復作業がいやになるほどあふれていると気づくからだ。遊びさえも例外ではない。

キックスターターのプログラムを開発したディベロッパーの片割れ、ランス・アイビーは、実際、ティーンエイジャー時代、オンラインのアドベンチャーゲームで遊んでいたときにそう気づいたそうだ。アドベンチャーゲームでは、キャラクターのレベルを上げるため、おもしろくもないタスクをくり返さなければならない。同じ道具をくり返し使ったり同じ本をくり返し読んだりしなければならないのである。うんざりだ。ランスはそう考えた。同じコマンドをくり返しタイプするなど面倒だ。だから、薬効のあるハーブをみつけて洞窟に隠す作業を無限にくり返し、ハイディングスキルを高めていくスクリプトを作成した（このスクリプトは、ある意味、うまく動きすぎたらしい。「あるとき、切り忘れて寝たら、翌日、壁がクッションで覆われた部屋にキャラクターが入れられていました。みんな、最初は話しかけてくれたみたいなんですが、私はそこにいないわけで。おかしくなったと心配されたようです」）。

学校もくり返しに満ちている。たとえばかけ算や割り算の練習では、途中の手順まで書いて先生に見せなければならない。それは面倒だと、ブラッド・フィッツパトリックは（ライブジャーナルというブログサイトを生み出したコーダーだ）、高校時代、この宿題を自動化するプログラムを作成した。問題を入力すると、途中経過と答えを計算してくれるものだ。

「1ページ10問ずつくらいあるんですが、それをコンピューターに打ち込み、結果を書き写すことにしたんです。化学で出された電子軌道の課題も同じようにしていました」

これはズルだろうか。ある意味、そうだろう。だが、細かなステップに分解してプログラミングするためには、割り算について深く考え、理解する必要がある。ブラッドも、割り算を理解すべきという考えに反対したわけではない。ただ、同じ作業をくり返すのは面倒だと思っただけだ。

だが、ほかの学生の作業を自動化するのはグレーゾーンだろう。そういう体験を知り合いのコーダー、フレッド・ベンソンが語ってくれた。学生時代、解析学の課題をテキサス・インスツルメンツの電卓で計算するプログラムを作ったところ、コピーをくれと何人もの友だちに頼まれたそうだ。でも、友だちはプログラムを利用するだけで、なにも学ばず過ごすことになってしまった。なにかを簡単にできるようにすると、ほかの人々が物事と向き合う姿勢まで変えてしまうというソフトウェアの倫理的問題を経験したわけだ。ニコラス・カーが『オートメーション・バカ』で指摘しているとおり、人は本質的になまけ者であり、楽な道が提供されるとそちらに行ってしまう。そして、ずっとあとになってから、その代償としてスキルを手放してしまった、あるいは、解析学の例のように、なにも学ばずに終わってしまったと気づくのである。それがわかっていても、暮らしの雑事を減らしてくれるツールがプログラマーから次々提供される状況にあらがうのは難しい。

くり返しを嫌うコーダーの習性をよく理解しているひとり、プログラミング言語のPerlを開発したコーダー兼言語学者、ラリー・ウォールは、共著のPerl本に、なまけ者であることこそプログラマーの基礎であると書いている。もちろんコーディングをなまけるわけではなく、くり返しをなまけたくて、そのためなら自動化をするなまけ者である。

> 全体の手間を省くためなら手間を惜しまない性格だ。それがあるから、ほかの人にも有益な省力化プログラムを書きもすれば、いろいろな質問に答えなくていいようにプログラムの説明文書も作る。

それが性格なら、日常生活もそういうふうになるのが当たり前だ。透視能力みたいなもので、スイッチを切ることは難しい。
「私が知るエンジニアも、暮らしのあちこちに非効率をついみつけてしまう人ばかりです」と、サンフランシスコ在住のコーダー、クリスティーナも指摘している。「それこそ、飛行機の搭乗手続きとかにでも、です。しょうもないことが気になってしまい、『そんなのだめだよ。もっといいやり方があるよ』と思ってしまうんです」
実際、歩道はこう歩いたほうがいい、交差点はこう渡ったほうがいいと、そのへんの人に教えたくなることさえあるという。
「どんなものでも、必ず、現状に不満を抱いてしまうんですよ」
このような考え方を「計算論的思考」と表現した人がいる。情報科学科の教授で、コロンビア大学データサイエンス研究所を率いるジャネット・ウィングだ。自分を取り巻く世界に隠された仕組みを見る力、我々の暮らしを左右するルールやデザインに気づく力と言ってもいい。それがあると、つい、だめなところが目についてしまう。彼女自身も例外ではない。
「たとえばランチブッフェ。ついつい、並びが気になるんです。ナイフやフォークをなんかで包んだものって、最初に置かれているじゃないですか。あれなんか、気になって気になってどうしようもありません。だって、それじゃ、料理を取る皿と一緒にナイフやフォークも持ってなきゃいけないじゃないですか。カトラリーは最後に置かなきゃ。ブッフェとは料理などが一列に並べられたものであり、であれば、ちゃんと考えて並べてもらわないと困ります。でないと、行ったり来たりしなければならなくなってしまいます」
こういう最適化ならコーダーでなくても理解できるだろうが、コーダーにはごく自然なこと、むしろいやでも気づいてしまうことだったりする。

家事嫌いの人ならわかるだろうが、調理、配膳、片付けの作業はハッカーを特にいらつかせるらしい。プログラマーのスティーブ・フィリップスは、子どものころ、夕食の片付けを手伝うたび、皿をふくロボットが欲しいと思っていたそうだ。

「水切り棚からお皿を1枚取り、ふいてしまって、水切り棚からお皿を1枚取り、ふいてしまってって、for ループじゃないんだから、さ。まじでいやになるって思ってました」

最適化は、人間関係にまで及ぶ。あいさつをする、雑談する、パートナーの愚痴を聞くなど、ほかの人と関わるときは、一対一で向き合う必要がある。スローダウンして相手と向き合わなければ、感情的に関わることなどできない。本質的に非効率なのだ。ところが、そういう面を不得意とするコーダーや、自分はそういうことを超越していると思うコーダー、あきらめてしまっているコーダーは、つい、それも自動化しようと考えてしまう。すごいのはすごかったりするが、それは違うだろうと思ってしまうようなやり方で。

そういう日常生活の自動化についてコーダーが語り合っているスレッドがクオーラにある。そこには、なんでメッセージを送ってくれないのと友だちや家族に言われるので、「だれそれさん、おはよう／こんにちは／こんばんは。電話をしようしようと思ってはいるんだけど、さ」に始まり、「調子はどうだい／来月には帰るつもりだ／来週、きみが暇なときにでも話をしよう」などと続く文を適当に作ってランダムに送るスクリプトを作ったというコーダーがいたりする。夜9時にまだ仕事をしていたら「今日は遅くなる」というメッセージをパートナーに送るスクリプトを書いたというロシアのコーダーの話も紹介されている。もちろん、適当に選んだ理由も添えて、だ。このコーダーは、カフェインが少ない中サイズのラテが41秒後にできるよう、会社のラテマシンを遠隔操作するプログラムも作っている（41秒は、机からマシンまで行くのにかかる時間である）。サンフランシスコのハッカソンで、名言のオンラインデータベースから集めた愛の言葉をパートナーに送るアプリを中年コーダーに見せられたこともある。「彼女のことを考える時間がないとき（相手としては女性を想定しているわけだ）、このアプリが代わりに相手をしてくれるわけです」とどや顔をされたということは、それがどれほどおかしなことかわかっていないのだろう。

気持ちを和らげたり、気にかけてもらっていると思ってもらうには、「最近、どうしてる？」とか「ひどい天気だねぇ」とか「今晩、なにか予定、ある？」など、感情に訴えるあいさつが大事だと、昔から、言語学者や心理学者は指摘している。ところが、コーダーは、それこそがギアのスムーズな回転を妨げる砂のようなものだと考える人が多い。テック企業数社を渡り歩いてきたベテランコーダー、クリス・ソープが語ってくれたのも、そんなコーダーの話だった。

「すごく優秀なエンジニアで、なんでもどうすればいいのかわかっているタイプの人でした。ところが、彼、会議で我々がジョークを言い合っているのは時間の無駄だってすごく腹を立てたんです。20人が集まって5分も笑ってるなんてもってのほかだ、仕事中だろうというのです。なんでジョークなんて言うんだ？　みんな笑ってるけど、でも、時間の無駄以外のなにものでもないだろう……5分かける20で、1時間半以上もの人時が無駄になるんだって」

デジタルコンピューター生みの親のひとり、コンラート・ツーゼも、コンピューター利用の影響は深く浸透する、「コンピューターが人のようになる危険性より、人がコンピューターのようになる危険性のほうがはるかに大きい」と警鐘を鳴らしている。

最適化、自動化の罠

この最適化したい病、私もかかってしまった。コーディングの勉強をすればするほど、日々のちょっとした非効率が目につき、すごく気になるようになったのだ。

たとえば、本書の執筆中、私は、オンラインの類語辞典をずいぶん使った（それをどう判断するのかはお任せする）。有益なのだが、反応が遅く、結果が表示されるのに2秒から3秒もかかってしまう。

いらいらしながら待つのをくり返すより、コマンドラインから類語辞典を引くコードを書いたほうがいいんじゃないだろうか——そう考え、コマンドで直接引けるオンライン類語辞典を探すことにした。そして、ビッグヒュージラボが類語辞典のAPIを提供していること、1日千回までは無料で使えることを発見した。というわけで、ある朝、Pythonでコマンドラインアプリを作成。単語を入力すると、黒い画面に緑の文字で同意語や反意語が表示されるだけのシンプルなものだ。無味乾燥と言ってもいい。だが速い。ユーザーを追跡する仕組みにじゃまされないので、エンターをたたくとミリ秒後には結果が得られるのだ。

このスクリプトで節約できた時間は……それほど多くない。執筆中、1時間に平均2回検索し、かつ、このアプリで毎回2秒が節約できるとしても、1年で1時間くらいしか節約できない。休みが増えると言えるほどの時間ではない。

それでも。ソフトウェアの性能はミリ秒単位で計れるわけで、検索1回あたり2000ミリ秒も節約できると言ってもいい。こう表現すると、「2秒」よりずっとすごい気がする。いずれにせよ、反応が早いのは気持ちがいい。結果がさっと表示されるのを見るたび、スクリプト完成時の満足感がよみがえる。効率という麻薬を味わえるのだ。いい気分になるのも当然だろう。（さまざまなソフトウェア企業が確認していることなのだが、ミリ秒の違いは、マシンにとってはもちろん、人間心理にとっても大きな意味を持っている。人間はせっかちだからだ。たとえば、グーグルによると、検索結果を返すのが100ミリ秒から400ミリ秒遅れると、多少ながら、はっきりと検索回数が減るそうだ）

それから何カ月か、私は、そういう気分を味わえる機会を探していた。あれこれダウンロードするのに整理ができずデスクトップ画面がぐちゃぐちゃになってしまいがちなので、それを整理するクロンジョブを作った。ユーチューブ動画の自動翻訳テキストをよくダウンロードするのだが、その整形を手作業でやるのは面倒なので、自動整形のスクリプトを書いた。宿題がアップロードされるのをコンピューターの前で待たなければならないと小学生の息子がぶうぶう言うので（アップロードされる時間が決まっていないので、リロードキーをたたきながら待つことになる)、数分ごとにチェックし、宿題がアップロードされたら知らせてくれるボットを書いてやった。掃除をしているとニューヨークタイムズ紙が読めないのが困りものだと気づいたときには（掃除中はナショナルパブリックラジオを聞く人もいるが、私が欲しいのは、情報だけがぎっしり詰まったニュースなのだ)、一晩をかけて読み上げのウェブアプリを作った。記事を選んで登録しておくと、掃除や皿洗いをしているあいだ、人工的な声ではあるけど読み上げてくれるアプリだ（読み手も選べる。私の好みは「アイルランド系男性」である)。

うまくいったものばかりではなく、逆効果だったものさえあった。思っていたより自動化が難しく、自動化のソフトウェアを書くより手でやってしまったほうが早かったなんてことになったりするのだ。

たとえば、テープ起こしを外注したら、だれの言葉であるかの印がついていなかったとき。それなら、段落の頭に「質問」「回答」を順番に挿入するPythonスクリプトを書けばいいと思ったのが失敗だった。こういう原稿は一定の様式になっているのがふつうなのだが、このときのものは変則的だったし、いろいろまちがえたりもしたので、15分もあれば書けると思ったスクリプトに1時間も費やすことになってしまった。最後はなんとか仕上げることができたが、手作業なら数分で整理できたことの自動化に1時間もかかってしまったのだ。効率化が聞いてあきれる結果である。

ただ、自動化しようとあれこれやるのは……楽しかった。手作業で整理するよりずっと楽しかった。自動化は、チェスかパズルをしているような気になるのだ。なにかまちがえて「しまった」と思う瞬間さえ、発見の喜びに満ちている。手作業でやれば数分で終えられたわけだが、その数分は退屈な時間となる。アルゴリズムをいじくり回した1時間は無駄と言えばたしかに無駄だったが、知的好奇心が刺激される時間だった。

これこそ、多くのプログラマーがはまる罠だ。いろいろな人に話を聞けば聞くほど、似たような話が出てくる。ある技術会議で会ったプロジェクトマネージャーが語ってくれた部下の話など、その最たるものだと言えるだろう。
「データベースの移行を頼んだんです。そのためには、まず、手作業でデータを整理するという面倒なことをしなければなりません」
整理自体は、半日もあれば終わるはずだった。また、1回やればそれで終わる仕事で、何回もくり返すようなものではない。だが、担当者は、手作業をえんえんくり返す退屈な仕事で半日をつぶすのはいやだと思った。だから自動化しようとして最適化の罠にはまった。ヘッドホンをつけて自分のキュービクルにこもり、ひたすら仕事をした。2週間後にマネージャーが進捗を確認すると（「管理者失格ですね。2～3日おきにはチェックすべきでした」とマネージャーは苦笑いした）、移行はまったくと言っていいほど進んでおらず、担当者は、まだ、最初のステップであるデータ整理の自動化ツールの作成と改良に没頭していた。単調な仕事3時間を避けるためのツールに半月を費やしたわけだ。
「おかげでスケジュールは遅れまくりになりました。でも、担当者は、すんげーツールができたぞって胸を張るんです。無益としか言いようがないのに、得意満面だったんですよ」
そう言うと、マネージャーは大きくため息をついた。

「簡潔こそが智慧の心臓」

コーダーが最適化にこだわるのは、彼らの責任とばかりは言えない。むしろ、マシンがそういうものだから、マシンは効率が大きな意味を持つことが多いからだと言える。
ソフトウェアは、書き方によっては非効率になる。いい加減な書き方をすれば、必要以上のRAMを使ったりする。ソートも、書き方によって、すごく時間がかかることがありうる。10人で100個の箱を車から屋内に運ぶ作業を考えてみよう。車の箱を1個持って屋内に運ぶのをくり返すのが一番簡単なやり方だが、これは、一番時間がかかるやり方でもある。100回往復しなければならないからだ。それより、車と家のあいだに10人が並び、バケツリレーのように荷物を受け渡したほうが効率的だ。

コードも同じである。右も左もまだわからない新人は（私のことだ)、シンプルでわかりやすい書き方で関数を作る。荷物運びなら、10人それぞれに荷物を持って往復させるやり方だ。だが、経験豊富な有能プログラマーは、もっと速く処理できるやり方に気づく。関数コール1回あたり20ミリ秒が節約されるなど、非効率なものより高速なアルゴリズムを実装できるのだ。処理速度が遅くても、数人しか使わないなら問題はなにもない。だがもし、使う人が急に数千人やそれこそ数百万人に膨れ上がったら？　非効率なコードでは破綻しかねない。

それこそ、キックスターターの人気が高まったときランス・アイビーが経験したことだった。

創設から3年たった2012年、キックスターターでは、100万ドルの資金調達に成功するプロジェクトが出始めた。たとえば有名テレビゲームデザイナー、ティム・シェーファーの『ブロークンエイジ』などだ。シェーファーがもともとめざした額は40万ドルだったが、予想以上の人気で、募集開始から24時間もたたないうちに100万ドル近い支援が集まった。シェーファーの会社も、支援が増えていくのを見て興奮する社員の様子をストリーミングするなど、興奮をあおる。そして、熱狂したたくさんのファンが、総額が99万9999ドルから100万ドルに変わる瞬間を見ようと、シェーファーのキックスターターページにアクセスしたりリロードをくり返したりした。

これは、当時のキックスターターにとって大きな問題となる状況だった。みな、キックスターターの歴史的瞬間を祝おうとストリーミングしてくれたわけだが、キックスターターのコードはそこまでの負荷に耐えられるほど最適化されていなかったからだ。開発チームが小さく、ほかの課題で手一杯だったというのもある。「すごい熱気に包まれ、みんな、ページをくり返しリロードしてましたからね」とアイビーは苦笑いしたが、ユーザーがそういう行動に走ることがあるとはだれも予想しなかったというのもある。だから、プロジェクトページに工夫を凝らす手間は取らなかった。そんなことが問題になるとは思わなかったのだ。だがその予想は外れ、大きな問題となった。たくさんの人がひとつのページに集まった結果DoS攻撃と同じことになった、トラフィックの集中でサーバーが止まってしまったのだ。しかも、何度もくり返し、である。

幸い、それを問題視するユーザーはいなかった。どころか、当時は、「キックスターターを倒す」のは、プロジェクト大成功の印で誇るべきことだとみなされた。だが、世の中、寛容な人ばかりではない、だから、大人気のプロジェクトひとつで資源を食い尽くすことがないよう、キックスターターのページを最適化しなければならないとアイビーは考えた。たとえば、プロジェクトのページを開いているだけで支援総額が更新されていくコードにするなどの工夫が考えられる。こうすれば、ページのリロードをくり返さなくても総額が増えていく様子を確認できる。そのほかにもさまざまな改良をくり返し加え、当面はこれで大丈夫というレベルのコードを整備していった。こういう作業を専門用語で「リファクタリング」と呼ぶ。

リファクタリングとは、編集のようなものだ。メールや原稿、記事などを書くとき、とりあえず書き上げた段階では、まだ、無駄も多ければなにが言いたいのかわかりにくかったりする。アイデアを書くことはできたが、同じ話が何度も出てきたり回りくどかったり、考えそのものがはっきりしていなかったりするのだ。この段階はそれでいい。この段階の目的はとりあえず書くことであって完璧に仕上げることではない、仕上げはあとでやればいいのだから。そして、そういうぐずぐずのアイデアや文章をブラッシュアップしていく作業が編集である。編集では、実質的な意味のないところをそぎ落とし、引き締まった文章にしていく。編集を加えると、つまり、読み返し、整えていくと、文章は必ず短くなる。だから、ブレーズ・パスカルは、「今日は時間がなかったので手紙が長くなってしまいました」とわびたのだ（パスカルは短くエレガントな証明を愛する数学者であり、このあたりはよくわかっていたはずだ）。シェークスピアも「簡潔こそが智慧の心臓」と含蓄のある表現で同じことを語っている。

これはプログラミングにも言える。基本的に、コードは短いほうがいい。理由はいろいろあるが、ひとつには、行数が少ないほどバグ混入の可能性が低くなることが挙げられる。逆に山盛りのスパゲッティコードでは、どこにバグがあってもおかしくない。短く引き締まったコードなら、なにをしようとしているのかも、なにをすることはないのかも明快だ。ほっそりした白樺の林のように見通しがいいと言えばいいだろうか。

C++プログラミング言語の開発や後進の指導で知られるビャーネ・ストラウストラップによると、政治学科の1年生が専門用語だらけの評論を書きがちであるように、新人プログラマーは長く、複雑なコードを書きがちだそうだ。

「学生のプログラムは、私のの2倍から3倍にも達するのがふつうです。私はそんなに長いコードを書きません。私のコードのほうが信頼性も高いし、たいがいは処理も速いし、エラーのチェックもしやすいのですが、サイズは、半分から1/3くらいなのです」

その違いはどこから生まれるのかたずねると、経験だと返ってきた。経験の浅いプログラマーは、すぐコンピューターの前に座り、コードを書き始めてしまう。プログラムを書いている時間の長さが生産性だと勘違いしているからだ。それが、経験を積むと、まず、コードで処理するタスクについて深く考えるようになる。また、実際のプログラミングも、パターン認識ですんなり進んだりする。似たような行列ソート問題を過去に経験していて、エレガントな処理方法がわかっているからだ。

逆もまた真なり、である。長く、複雑な関数があったら、まずまちがいなく効率化できる。その際は、同じコードになっている部分を探し、くり返しをなくす処理をすることが多い。“Don't Repeat Yourself（くり返しを避けろ）”の頭文字を取ったDRYがコーディングの金言になっているくらいだ。

ハイテク分野では、2015年現在、グーグルのサービスを支えるコードは20億行に達しているなど、ソフトウェアベースの大きさが話題になったりする。そのため、大きいことはいいことだ、行数が多いほどすごい結果が生まれる、だから、夢中でタイピングしてコードを増やしていくコーダーに価値があると思われがちだ。だが実際のところ、優秀なプログラマーとはコードベースを小さくする人、アプリのジャンク

DNAであるくり返しを上手に省く人だ。ジンハオ・ヤンというエンジニアも、フェイスブックで仕事をした3年間を総括したところ、コードベースを小さくしていたことがわかったと語ってくれた。
「39万1973行を追加し、50万9793行を削除していました。プログラミングの時間を年1000時間とすると、差し引き、時間あたり39行を減らしていたことになります」
　コードは、ある意味、詩のようなところがある。詩は、切り詰めた先に力が生まれることの多い形式である。コーダー兼アントレプレナーのマット・ウォードの言葉を紹介しよう。
「よく練られた詩は、一語一語に意味と目的が込められている。全体に細心の注意が払われている。詩人は、ぴったりの言葉を探して何時間も苦しんだり、新鮮な目でチェックできるように数日離れたりする」
　モダニズム勃興期の英詩は、特に、簡潔であることを重んじ、エズラ・パウンドの「地下鉄駅で（In the Station of the Metro)」など、簡潔な俳句を参考として、先駆的現代詩がいくつも生まれている。

　　人の群れに浮かび上がるはいくつもの顔
　　黒く濡れたる大枝の花弁のように

「たった2行で、パウンドは、情景を鮮やかに描き出した。味わい深く、学者や批評家が群がるほどのものを。効率とはこういうものを指すのだ」とウォードは絶賛している。パウンドは、短詩を詠むのも上手だが、ほかの人が書いた詩のリファクタリングも巧みだった。叙事詩『荒地』の草稿をT・S・エリオットから示されたときには、ペンを取り出すと1000行近くあったものを434行まで容赦なく切り詰め、ゆるゆるだったものをキレッキレにしたという。余談ながら、エリオットは、「Il Miglior Fabbro」(「名人」を意味するイタリア語）という詩をパウンドに捧げている。
　プログラマーがコードの効率について語るときに使うのは、美的な言葉や感覚的な言葉だ。構成がしっかりした効率的なコードは「クリーン」とか「美しい」「エレガント」などと表現される。目を楽しませる視覚芸術について使われる言葉だ。逆に、ぐちゃぐちゃで保守しづらく、動作が遅いコードは、腐ったものから立ち上る悪臭に例えられる。「くさいコードだ」などの言い方は昔からされていたはずだが、それが業界用語として定着したのは90年代末、マーチン・ファウラーとケント・ベックという有名コーダーふたりがリファクタリングに関する本で悲惨なコードの特徴を表現するのに使ったときだろう。このときベックは娘が生まれたばかりで、いつもと違うにおいがしていたからか、「臭い」を提案し、「コードの悪臭」という章題が生まれたらしい。そして、この言葉は業界全体に普及した。いま、スタックオーバーフローなどコーダーのフォーラムで「臭」を検索すると、悪臭で困っている、だれか消毒を手伝ってくれないかという嘆き節が山のようにみつかる。（最近は、学術分野にも普及しており、悲惨なコードが書かれる理由を研究した「コードから悪臭が漂う場合とその理由」などという論文もあったりする。ちなみに、この論文では、「作業量が膨大でリリースまで余裕がなく、強いプレッシャーがかかったディベロッパーは、臭いの元を仕込んでしまうことが多い」と、長時間労働や短納期などがやり玉に挙げられている）

このように目に関する表現から鼻に関する表現になるのはおもしろいし、また、そこからいろいろなことがわかると思う。優れたコードのいいところは目に見えるものであり、また、時計塔や吊り橋、モジリアーニの作品といった美しい構造物のように、その前に立つと歓声を上げてしまうようなものなのだ。工夫を称賛する、巧みに作られていると感動するものだと言ってもいい。対して悪性のコードは臭いに例えられるわけで、腐った魚や牛乳など有機物の世界になるわけだ。目には見えないが、どこかおかしなところがあるはずと感じる世界だ。倫理や規範の世界であるとも言える。実際、気に入らない着想や政略も悪臭に例えられがちであることも、最近の研究で確認されている。

プログラマーのブライアン・キャントリルによると、バグを修正するとき、コーダーは、あらゆる状況に対応できるクリーンなやり方を好むという。時間が足りないとかバグがややこしすぎるとかの理由でそれが無理な場合には、しかたがないので、障害の原因として特定できたエッジケース4種に対応するコードを書き、これ以外にエッジケースがありませんようにと祈る力業で解決する。これでも問題は解決できたことになるのだが、コーダーにとっては恥ずかしいことこの上ないものであり、「ひどい」「いまいましい」「不格好」などの自虐的な言葉がコメントに書かれていることが多い。非効率なコードを書くと、心に傷を負ってしまうのだ。

食事は5分で

しばらく前、私は、すごくシンプルな夕食をとった。ソイレントのボトル1本だ。

ボトルのふたを開け、大きめのグラスに注ぐ。白っぽいソイレントはとろりとしており、コーダーの友だちから聞いていたとおり、ゆるめのホットケーキ生地という感じだった。友だちは、味もそんな感じだと言っていたが、こちらもそのとおりだった。ともかく、食事は5分で終わった。これが、完璧に最適化された完全栄養食、ソイレントの売りだ。

ソイレントは、2013年、プログラマー、ロブ・ラインハート（当時25歳）が開発したものだ。ラインハートは友だちふたりとスタートアップを立ち上げ、Yコンビネーターから17万ドルの資金を得て、携帯電話基地局のアンテナを安価に構築する技術を開発しようとした。この事業は失敗に終わったが、そのとき、ラインハートは、日々の暮らしに潜む問題について深く考えることになった。食事だ。

自分は毎日、2時間ほども食事に費やしているが、それは時間の無駄だとラインハートは考えた。彼のブログにはこう書かれている。

「朝食には卵料理を作り、昼は外食で、夜はケサディーヤかパスタ、バーガーを作ることが多い。家で食べれば、食後に皿を洗ってふく作業もしなければならない。買い物もしなければならない」

栄養補給という観点から考えると、調理は非効率だ。必要な栄養を混ぜて液状にしておければそのほうがいい。そう考えたラインハートは、インターネットでいろいろ調べるとあれこれ試作し、ほどなく、ソイレントを作り上げた。そして、ソイレントだけの生活を始める。ルームメイトはみな心配したが、1カ月が特になにごともなく過ぎた。どころか、むしろ健康になったらしい。「肌のつやはよくなったし、歯は白くなったし、髪は増えたし、ふけは出なくなった」というのが本人の弁だ。

しかも、食事に使っていた時間は、すべて、ほかのことに活用できるようになった。

「毎晩、翌日の準備に5分かかるが、食事そのものは秒単位で終わる。桁違いの改善で大満足だ。皿洗いができなくて残念とは思わないしね。キッチンそのものをなくしてもいいくらいだ。電気を食う冷蔵庫もいらない。掃除もしなくてよくなるし、食べ物が傷むのを心配する必要もなくなるし、空間は広がるし。水道さえあればいいんだから」

ふつうの食事を全否定しているわけではない。

「インスタグラムを見ればわかるけど、食事は人生で大きな位置を占めている。芸術にもなりうるし、気晴らしにもなる。科学にもお祝いにも、ロマンスにも、あるいは、友だちと会う口実にもなる。面倒なだけのことが多いけど、ね」

コーダーはソイレントを歓迎した。ラインハートが書いたソイレントの記事はあちこちのハッカーサイトが取り上げたし、製品化のクラウドファンディングは2時間で目標額に達した。スタートアップで働くプログラマーから、ソイレントを買い置きしていると聞くことも多い。14時間もぶっ続けでコーディングするなど時間を忘れて働き続けるのはシリコンバレーの風土病であり、そのフロー状態を壊さないためには、体の動きが少ない分、デリバリーピザを頼んで食べるよりどろりとした液体を一瓶飲むほうがいいというのだ。ユーザーはプログラマーだけではない。海底油田の掘削設備で働く人や建設現場の監督、通勤が長い人、そして、食事の時間を節約したいと考える人にも広がっている。

ソイレントは、効率に対するソフトウェアエンジニアのこだわりが形を変えたものだと言える。どんなことでもスピードアップしたい、摩擦を減らしたいという世界観が習い性となった人が到達するところなのだ。暮らしのあらゆる側面をテーラー主義で見直す、すべてを科学的に管理しようとする世界と言ってもいい。コミュニケーションも仕事も買い物も、すべて、もっと速く、もっと速くという世界だ。アマゾンの成功も、暮らしを瞬間的な喜びの連続に変えることが原動力だとディレクターを務めるコンピューターエンジニア、ルーヒー・サリカヤは述べている。

「買い物をするときであれ、朝一の会議に遅れないように車を運転するときであれ、目標に向けた歩みを妨げるものは、すべて、摩擦です。アマゾンは、その摩擦を減らす、できればなくす工夫をひたすらしてきました。1クリック注文しかり、Amazonプライムしかり、アマゾンGoしかりです」

最近、オンデマンドサービスが爆発的に増えているのも、効率最優先の世の中になったからだ。2010年代半ば、日々の雑事を最適化するアプリが次々と登場した。ワシオ（服を洗濯してくれる）、ハンディ（部屋を掃除してくれる）、インスタカート（近所のスーパーから品物を届けてくれる）、さらには、タスクラビット（ほぼなんでも代行してくれる）などが挙げられる。

テック企業が集まる場所（サンフランシスコ）に新卒男子を山ほど集め、最適化のツールとスタートアップの資金を与えると、こういう雑事代行アプリがぞろぞろできる。彼らは、学生寮や実家の利便性を手に入れるにはどうすればいいか、黙って座れば食事が出てくるし、片付けもしなくていいし、どこかに行きたいときは車で送ってもらえる、そんな生活をするにはどうすればいいかと考えるからだ。マザー・ジョーンズ誌の編集長を務めている友人、クララ・ジェフェリーがツイートしたように、シリコンバレーのスタートアップにはママを作りたい連中があふれているわけだ。コーディングの歴史を考えれば、そうであるのもうなずける。

もちろん、なかには、新卒のおぼっちゃん以外にまで人気が広がるものもある。余裕のある人々を中心に、お金を払ってでも面倒な雑事をしなくてすむならそのほうがいいと考える人も少なくない。ウーバーが大成功したのは、タクシーの呼び止め方を変えたからだ。ウーバー登場まで、タクシー側は乗りたい客がどこにいるかわからず、客側は、タクシーがどこにいるかわからないわけで、歯ぎしりしたくなるほど非効率だった。

だが、最適化には副作用がつきもので、勝者と敗者が生まれてしまう。ウーバーの登場により、街中のタクシーは大幅に増えた。乗りたい人にとってはすばらしいことだが、運転手にとっては話が違い、競争激化で十分に稼げなくなりつつある（たとえばニューヨーク市内を見ると、2018年現在、いわゆるタクシーは1万3578台しかいないのに、配車サービスで呼べる車は8万台に達している）。

ウーバーやリフトなら完全出来高払いで運転手ができるので、こづかい稼ぎがしたい人には好都合だ。だが、暮らしの基盤となる仕事として運転手をしたいと考える人にとっては悪いニュース以外のなにものでもない。特に移民は、大都市で比較的簡単に始められる仕事として運転を選ぶことが多く、NBCのニュースで「ウーバーとリフトの参入で業界は悲惨なことになってしまいました」というナイジェリア人ナムディ・ウワジーの言葉が紹介されたことからもわかるように、大きな影響を受けている。2017年の時点で、すでに、配車サービスで仕事がおかしくなり、運転手で生計が維持できなくなったとして、何人もの運転手が自殺しているほどだ。

フェイスブックの大失敗（その2）

最適化を進めた結果、思わぬ副作用が生まれ、プログラマー自身がびっくりしたりうろたえたりすることもありうる。

フェイスブックで「いいね！」ボタンを開発したエンジニアが経験したように。

2007年、フェイスブックでは、もっと盛り上げるにはどうしたらいいかが話題になっていた。

デザイナーのリア・パールマンは、こう考えた。友達の記事に気の利いたコメントを返すのが大変で、だから、みな、あまり書けずにいるのではないか。また、特に言いたいことはないけどなにか一言残したいときには「すごーい！」などと書くので、タイムラインがとっちらかってしまうのではないか。だったら、友達の投稿にうなずくようなことがもっと簡単にできればいい、そういうことが1クリックでできる効率的な方法があればいい。そうしたら、やりとりが活発になるんじゃないだろうか、と。(パールマンは、「承認をいっぱいもらい損ねているんじゃないかと思っちゃうんですよね」と講演で語り、笑いを取ったこともある)

グーグルでGチャットの開発に携わったあとフェイスブックに来たコーダー、ジャスティン・ローゼンスタインも、似たようなことを考えていた。話にうなずくみたいに、手間がほとんどかからないようにしたらどうなるだろう、と。(ウェブメディアのザ・リンガーにも、「負担が少ない道筋である種のやりとりができれば状況が変わると思う」と語っている)

それはよさそうだと賛同も得られ、記事の横に「すてきだね」ボタンをつけることになった。それをクリックすると、信任票を簡単に投じられるわけだ。フェイスブックにとっても便利な機能である。どういう記事をクリックしたのかがわかるので、そのユーザーのニュースフィードに表示すべき記事を精度よく判断できるようになるからだ(赤ちゃんの写真で「すてきだね」ボタンをよく押すなら、そういう写真を増やすという具合に)。コンテンツの好みを示すデータが増えれば、広告をユーザーごとにカスタマイズすることも可能で、広告を出稿する人々にとってもありがたい機能だ。

パールマン、ローゼンスタインらは、一晩でプロトタイプを完成。朝6時には、荒削りながら、社内の実験用アカウントで「すてきだね」ボタンが使えるようになった。ザッカーバーグは、当初、乗り気でなかったが、社内の評判は上々だった。開発は続けられ、ボタンの名前は「すてきだね」から「いいね!」に変わり、アイコンは、青地にサムズアップという、よく知られたいまのものとなった。そして、2009年2月9日に公開されると、フェイスブックでも特に利用の多い機能となる。累計クリック回数は、すでに1兆回を超えている。

「いいね!」は、ローゼンスタインやパールマンが期待したとおりの効果を発揮してくれた。さっと効率よく承認や支持を示せるようになり、肯定的な反応が増えたのだ。

だが、同時に、中毒性があるらしいことも判明する。

理由は、いいね！がいくつついたかが記事ごとに示されるからだ。だから、みな、その数字が気になってしかたがない。写真を投稿すると、そのページのリロードをくり返し、いいね！の数が増えていくのを見てしまう。また、電子メールを書いている途中や友だちと話をしている途中に、つい、フェイスブックを開いて自分の人気を確認してしまうなど、注意力の研究で注目される内的割り込みの要因になってしまったのだ。

アントレプレナーのラミート・チャウラは、次のように指摘している。

「現代版コカインである。依存症なんだ。禁断症状も出ている。麻薬中毒で、1回打つだけで本当におかしくなってしまう」

心理学者に相談していれば、この事態も予想できたはずだ。報酬の評価基準がひとつだけだと、みな、あの手この手でその数字を押し上げるようになると、社会心理学者のドナルド・キャンベルが70年代に指摘している（「キャンベルの法則」と呼ばれている）。つまり、いいね！ボタンの登場で、フェイスブックへの投稿も変化した。たくさんのいいね！がつくようにと、みな、かっこいい写真や極端で物議を醸しそうな主張、爆発的な感情、クリックベイトなど、ほかの人が思わず反応してしまう写真や記事を投稿するようになったのだ。

フェイスブックによるユーザーのトラッキングが強化されるという副作用も生じた。いいね！が人気を博するとウェブサイトにいいね！ボタンを付けるコードが公開され、どのニュースサイトにもいいね！ボタンが付くようになった。このコードには、情報をひそかに収集する機能がある。フェイスブックにログインした状態で閲覧すると、いいね！ボタンをクリックしなくても、そのページを閲覧したことがフェイスブックに通知されるのだ。いいね！が人気となったおかげで、ウェブ全体について、ユーザーがどこをどうサーフィンしているのか、フェイスブックは調べられるようになった。

数年後、ローゼンスタインもパールマンもフェイスブックを退職した。ローゼンスタインはプロジェクト管理サービス、アサナを立ち上げ、パールマンは複数の会社を立ち上げ、アーティストとしてのキャリアを追求している。そして、ふたりとも、次第に、いいね！ボタンの副作用が気になるようになったという。

ローゼンスタインは「自分が作ったものだというのに、はまってしまったりするんですよ」とウェブメディアのザ・バージに語っているが、実際、SNSの通知（「まやかしの喜びをもたらす明るい音」と彼は呼んでいる）が気になってしかたがなくなる経験もしているし、1日2617回も触るほど我々はスマホに取りつかれていると知って心を痛めたりもしている。

パールマンも、いいね！による承認を追い求める人々の姿に心配を募らせている。ダークなSFテレビ番組『ブラック・ミラー』の『ノーズダイブ』を見たときには、心からぞっとしたそうだ。このエピソードは、人々が互いを評価し合う世界に住む若い女性が主人公だ。そんな世界なので、彼女は、低い評価をもらってしまわないようにと、いつも、明るく健康的な写真を公開したり（表情は、鏡でくり返し練習している）、対応してくれたお店の担当者を持ち上げまくったりしている。なんとも寒々しい作り物の世界だ。

フェイスブックを確認するのも同じことだと背筋に冷たいものを感じ、パールマンは、ニュースフィードをブロックするソフトウェアをインストールしたそうだ（ニュースフィードの代わりに、「規律による心の解放なくして真の自由なし」という哲学者モーティマー・J・アドラーの格言など、さまざまな自制の言葉をランダムに表示してくれるブラウザーのプラグインだ）。

「ついチェックしては、落ち込むんです。通知があってもなくても、心の底からいい気分になることはできません。なんにせよ、本当の意味で求めるものが得られることはないのです」

ローゼンスタインも、ソーシャルメディアとは距離を置くべきだとの結論に達した。ガーディアン紙によると、彼は、レディットなどのサイトはブロックしたし、スナップチャットは使うのをやめたし、新しいアプリを携帯電話にダウンロードできないようにペアレンタルコントロールの設定さえもしたという。

パスワードはアシスタントに預けてある。スローダウンのテクニックにも使い道はあるということだ。

第6章

10倍、ロックスター、そして、能力主義なる神話

10X, Rock Stars, and the Myth of Meritocracy

コーディングの世界で、マックス・レブチンは、偉人のひとりに数えられている。

レブチンは、猛烈な勢いでプログラミングを進め、ほぼ独力でペイパルを生み出したプログラマーである。出身はソビエト連邦ウクライナで、子どもだった80年代にコンピューターをいじる楽しみを覚えたという。ユダヤ人で迫害を受けていたため、1991年には、家族でウクライナからシカゴに逃亡。そんなわけで貧しかったが、息子には好きなことをさせてやりたいと、両親は、コンピューターを手に入れてくれた。レブチンはイリノイ大学情報科学科に進学し、そこで、マーク・アンドリーセンのことを知る。ネットスケープブラウザーの開発に携わって大成功し、数年前、ミリオネアとなった先輩である。レブチンは引っ込み思案だったが、スタートアップというものには強く心を惹かれた。そして、学生時代に会社を三つも創業。最後の会社が10万ドルで売れたので、持ち物をまとめると（大半は電子機器だった）、仲間数人とトラックでシリコンバレーに向かった。

あふれ出るコード

シリコンバレーに着くと、友だちのところに転がりこんだ。そして、たまたま、スタンフォード大学で行われたピーター・ティールの講演を聞きに行った。政治的自由に関する講演だ。ティールは大学で哲学を学んだあとウォールストリートで働くなどした弁護士で、自由至上の熱烈な自由主義者だった。話がおもしろいと思ったレブチンはティールに会い、温めているソフトウェアのアイデアを売り込むことにした。当時はパームパイロットなどの携帯情報端末がもてはやされていたが、そこに搭載されている非力なチップでも使える暗号プログラムを書いていたのだ。ふたりは、それをもとに、パームパイロット同士あるいはそれこそオンラインで送金するソフトウェアを作ることにした。ペイパルである。

学生時代、レブチンはコードの激泉と言われ、何日も休まずプログラミングをすることで知られていた。ペイパルの開発でも同じように仕事をしたし、暗号関連のエミュレーターをたくさん書いた経験もあったので、パームパイロット用ペイパルのプロトタイプはひとりで作り上げることができた。450万ドルの資金を調達することになったときには、PR用のデモンストレーションとして、投資家のお金、300万ドルをパームパイロットからパームパイロットへ、デジタル的に送金してしてもらうアイデアが浮上。送金したように見えるだけのモックアップを使うことも検討したが、『Founders at Work 33のスタートアップストーリー』によると、それはなんとしても避けたい、「万が一にもクラッシュしたら取り返しがつかない。切腹ものだ」とレブチンは考えたそうだ。

彼は、部下ふたりとともに、5昼夜、ほぼぶっ続けでコーディングを進めた。そのときの様子は、『Founders at Work』に詳しい。レブチン本人は、まったく眠らなかったそうだ。

「尋常じゃないマラソンでした」

作業が終わったのは、デモ開始予定の1時間前だった。デモはバックスというレストランで行い、たくさんの記者が見守るなか、パームパイロットからパームパイロットへ300万ドルが無事、送金された。このレストランでレブチンはオムレツを頼んだが、食べる前に寝落ちしてしまう。

「気づいたらだれもいませんでした。横にオムレツだけが置かれていて。みんな、帰ってしまったんです。寝たままにしてくれたんですね」

ペイパルが成長していく過程でも、彼は、すさまじい勢いで仕事をした。一例として、不正利用との戦いを紹介しよう。

ペイパルが普及すると、お金を不正に引き出される事例が増え、月に1000万ドル以上が失われるようになってしまった。このままのペースで増えれば、ほどなく、利益を全部持っていかれ、会社が立ちゆかなくなる。世界の終わりが来てしまう。そう考えたレブチンは、部下とともに、対応に乗り出した。不眠不休のハッカーモード発動である。

シャワーを浴びる時間も惜しい。臭いがきつく、周りが迷惑するほどになると、事務所でさっとシャワーを浴び、会社のロゴが入ったTシャツを新しいものに替える。ジャーナリストのサラ・レイシーは、「マックスの忙しさは、住むというほど住んでいないパロアルトのアパートに積み上がる汚れたTシャツの枚数で測ることができる」と表現している（『1回目は運、2回目は実力（Once You're Lucky, Twice You're Good)』)。

創意工夫の才は相変わらずだった。文字列をゆがめて、人間なら読めるがボットには読めないものとして認証に利用する方法の実用化にも貢献したし、膨大な数の決済をチェックしなければならない不正検出の担当者を支援するツールも開発した（うれし涙を流した担当者もいたらしい)。競合他社が不正利用で次々と倒れるなか、ペイパルは、レブチンが施した不正対策のおかげで生きのびることができた。

優れたソフトウェア、高い持久力、正気の沙汰と言いがたい長時間労働などを通じ、ペイパルの人々は、能力主義のシリコンバレーでトップクラスだとの自負を抱くようになる。2000年代に入ってドットコム・バブルがはじけたとき、苦しくなるハイテク企業が多いなかでペイパルは成長を続けた。株式も公開できたし、イーベイに15億ドルで買収され、創業者の懐には大金が転がりこんだ。だから、バイスプレジデントのキース・ラボイスは、ジャーナリストのエミリー・チャンに、ペイパル以上に能力が認められた好例はないと語ったのだ。

「シリコンバレーにコネのある人などいませんでした……そんなはみ出し者が、5年で大物になったんです。我々は、だれも口を利いてくれない馬の骨だったんです」

経営コンサルタントからCOOとしてペイパルに加わったデビッド・サックスも、「能力主義なるものがどこかにあるとしたら、シリコンバレー以外にありません」と、ニューヨークタイムズ紙に語っている。十分に優秀なら成功できる、というわけだ。

ロックスター。ニンジャ。ジーニアス。テクノロジーの分野では、昔から、ソフトウェア開発者のなかには優秀という言葉では表せないほど優秀な人がいる、それこそ、オリンピック選手並みのすごい人がいると言われてきた。

これが大衆文化の世界に取り入れられ、コーディングと言えば、ほぼ必ず、レブチンのように常軌を逸した仕事ぶりでデジタル宮殿を現出させる孤独な天才が描かれるようになった。夜を徹したハッキングはユング心理学で元型と呼ばれるものになったと言ってもいい。たとえば映画『ソーシャル・ネットワーク』では、冒頭、ジェシー・アイゼンバーグ演じるマーク・ザッカーバーグが、一晩中キーボードをたたき続け、ハーバード女子学生の容姿を比べるアプリを開発する。テレビ番組『シリコンバレー』では、会社がテッククランチで大敗を喫すると思われたとき、そのスタートアップを立ち上げたコーダー、リチャードに名案が浮かび、やはり一晩で、圧縮アルゴリズムを根本的に書き換え、性能を2倍近くまで引き上げてライバルをたたきのめす。同じくテレビ番組の『ホルト・アンド・キャッチ・ファイア　制御不能な夢と野心』では、キャメロン・ハウというハッカーが、グーグルのページランクをモデルとしたアルゴリズムを友だちの会社のために開発する。完成したのは、その会社のソフトウェア部門を率いる人間でさえ、なにがどうなっているのかわからないほど高度なプログラムだった。キャメロンはそれほど優秀だったのだ。

こういう傑出したプログラマーはお話の中にのみ存在するわけではなく、現実世界にも、10倍プログラマーと呼ばれる人がいる。名前から明らかだが、桁違いに優秀で、平均的なプログラミング小僧の何倍もの実績を挙げるプログラマーである。

この起源は、1966年までさかのぼることができる。この年、システム・ディベロップメント・コーポレーションから、ハル・サックマン以下3人の連名で「オンラインおよびオフラインのプログラミングパフォーマンスを比較する試行研究」なるホワイトペーパーが発表された。コーディングは、コンピューターに向かってするのがいいのか、それとも紙に書くほうがいいのかという、よく議論になっていた点を解明するのが目的だった。60年代当時、自分専用のコンピューターを持つ人は少なく、プログラミングは基本的に「オフライン」で行われていた。コードを手で書いたら、キーパンチャーに渡してパンチカード化し、それをオペレーターに渡して実行してもらう形式だ。実行には時間がかかり、結果が返ってくるまで、何時間も待たなければならないことも少なくなかった。だが、60年代半ばには、コーダー自身がリアルタイムに操作できる対話型のオンラインシステムが登場する。このシステムでは、キーボードからコードを入力すれば、すぐ、結果を確認することができる。

当然だが、コーダーはオンラインシステムを好んだ。反応がすぐ返ってくるほうが楽しいし、生産性も上がると感じられたからだ。だが高価なオンラインシステムを導入して引き合うのか――会社としては気になるところである。だから、比較実験をしてみた。プログラマーをふたつに分け、片方には昔ながらのオフライン方式でコードの作成・デバッグをしてもらい、もう片方には新しいオンラインモードを使ってもらう。そして、プログラム作成の時間やデバッグの時間、コードの長さ、処理速度など、さまざまな面からパフォーマンスを測定するのだ。結果はオンライン方式の圧勝だった。マシンと自由に対話できるほうが格段に優れていたのだ。

予想外の結果も得られた。経験豊富なコーダーばかりだというのに、能力に大きな開きがあったのだ。優れたコーダーの力は平均をはるかに上回っていたし、劣ったコーダーとは比べものにならないレベルだった。

迷路探索プログラムの作成・デバッグでは、所要時間に25倍ほどもの違いがあった。代数学の問題を解くコードでも同様に、作成で16倍、デバッグで28倍もの違いがあった。しかも、優秀な人が作ったソフトウェアは処理速度も速く、たとえば迷路探索の速度は13倍もの違いがあった。ホワイトペーパーには、マザーグースの替え歌も記されている。

優れたプログラマーは、
びっくりするほど優秀だ。
逆に劣ったプログラマーは、
ぞっとするほどお粗末だ。

結論は、コーダーのスキルは人によって桁違いだ、である。

この研究については、たくさんの問題が指摘されている。なかでも、標本数が少なすぎて結果が偶然に左右されているおそれがあり、全体も同じと考えてよいかどうかわからない点が大きな問題である。

だが、批判が大勢を占めるようにはならなかった。コンピューター業界の人々にとって、10倍違うというのは納得できる話だった、コンピューターの隣で仕事をし、コーディングするハッカーを見てきた人々は、それはそうだろうと思う経験をしていたからだ。60年代から70年代の当時であっても、なぜなのかはわからないが、まるで、マシンを観察する目がひとつ、余分についているかのように、人間業とは思えないスピードでみごとにソフトウェアを作り、デバッグしてしまうコーダーが一部にいることは、現場の常識となっていた（サックマンらの研究を「信頼性がきわめて低い」とまで批判していた人でさえ、優秀なコーダーはまったく足りない、そういう意味では、プログラミングと創造的な仕事に違いはないに等しいと指摘している）。そのうち、ほかの研究者からも、達人の存在を示すデータが次々と出てくるようになった。たとえば54人のコーダーに対して試験を行ったところ、最低と最高は8倍から13倍も違いがあったというデータが、ソフトウェアのマネージャー、ビル・カーティスから提出されたりしたし、コンピューター雑誌のインフォシステムズには、「モンゴル遊牧民対スーパープログラマー」と題して、プログラミングの世界は凡夫の群れを花形ヒーローが従えるスターシステムだとする記事が掲載されたりした。

定着したのは、おそらく1975年、ソフトウェアプロジェクトの管理という黒魔術の本、『人月の神話—狼人間を撃つ銀の弾はない』によってである。本書で著者フレデリック・ブルックスは、「プログラマーによって生産性が大きく違い、有能な人と無能な人がいることは、昔からよく知られた現場の常識である。だが、実際に測定した結果は、予想をはるかに超えるものだった」と、サックマンらの発見を認める書き方をしている。さらに、そういうことなのであれば、優秀な人だけ集めれば世界一のコーディングチームを作れるはずだとも指摘している。コーダーが200人いて、そのうちスターと言えるのが25人だけなら、残り175人の兵隊はお払い箱にして、ロックスター25人だけで仕事をすればいい、と。

コーディングは肉体労働の一種であるかのように扱われているとの指摘もある。スピードアップしたければ人間を増やせばいい、小麦の収穫スピードを倍増したければ作業員を倍増すればいいという具合に。だが、コーディングとは物事を深く理解しなければできない仕事であり、むしろ詩作に近いとさえ言える。人を増やすだけでは意味がない。解決策はたくさんの人がひたいに汗すれば生まれるのではなく、問題をしっかり理解した人の頭に明かりがともることで生まれるからだ。組織的に見ると、コーディングは、ドブさらいの対極にある仕事だ。難しい仕事だからとコーダーを大量投入すれば、会議やコミュニケーションなどの無駄が増え、事態を悪化させるのが落ちである。これをブルックスは、「ソフトウェアプロジェクトが遅れているからと人員を増やせば、遅れが増大する」と表現している。

ほどなく、この話は、まずまずのプログラマーではなく、ちょっと優秀なプログラマーでもなく、真の名手を採用しなければならない理由として、世界中で引用されるようになった。高額の報酬や大学キャンパス並みに充実した優待策で、有名大学を優秀な成績で卒業する学生を引き寄せたり活気あふれるスタートアップから人材を引き抜くなど、90年代に始まりいまに続く人材争奪戦の大義名分となったのだ。「10倍」というのが、論理、データ、精度を旨とするハイテク業界のイメージにぴったりで、また、よかった。ほかにもスターシステムとなっている業界はあるかもしれないが、凡人とスターの能力差を計測した数字が実際にあるというのが。

「優秀な旋盤工は平凡な旋盤工の数倍も給与をもらえる。対して、優秀なプログラマーは平凡なプログラマーの1万倍も価値がある」

ビル・ゲイツの言葉である。

パフォーマンス10倍の腕利き？

テクノロジー業界の上層部では、コーディングは実力が大きく物を言う世界だと考える人が特に多い。能力がふつうの10倍もある人などいるのかとベンチャーキャピタリストやアントレプレナーにたずねると、いる、まちがいなくいると即答が返ってくる。

レブチンがあこがれたネットスケープ社の共同創業者、マーク・アンドリーセンは、おそらく千倍に達するだろうとまで言っている。

「過去50年間に作られたすばらしいソフトウェアは、ひとりかふたりで開発したものばかりだと言えます。300人のチームで開発したものなんて、まずもってありません。ひとりかふたりのチームがせいぜいなんです」

そのとおりで、少人数のものがずらりと並ぶ。フォトショップは兄弟ふたりが開発した。1975年にマイクロソフト立ち上げの原動力となったBASICは、ビル・ゲイツと中高で一緒だったポール・アレン、そして、ハーバード大学1年生のモンテ・ダビドフが数週間で作り上げたものだ。世界に大きな影響を与えたブログツールのライブジャーナルは、ブラッド・フィッツパトリックがひとりで開発した。グーグルの元となった画期的な検索アルゴリズムは、ラリー・ペイジとサーゲイ・ブリンの学生ふたりの手によるものだし、ユーチューブは3人、スナップチャットも3人だ（コードそのものはボビー・マーフィーひとりが開発した）。ビットトレントはブラム・コーエンがひとりで開発したし、ビットコインは「サトシ・ナカモト」と称する人物の作とされている。ファーストパーソン・シューティングゲームという数十億ドル規模の業界が生まれる元となった3Dグラフィックスエンジンも、ジョン・カーマックがひとりで開発したものだ。

ごく少数の人が特大の成果を挙げられるのは、一風変わったアプリを試作する場合、ひとり、ふたりでやったほうが効率的に心に城を築けるからだとアンドリーセンは言う。10倍の生産性をたたき出せるのは、ゾーンに入り、そこにとどまれる人、複雑なアーキテクチャーを思い描く力がある人というわけだ。

「そういう人がずっと起きていられたら、すごいところまで行けるでしょう。限界は、起きていられる時間なんです。2時間かけてあれこれを頭の中で整理したあと、そのレベルで働ける時間が10時間なのか12時間なのか14時間なのかということですから」
　10倍ものパフォーマンスを発揮できる人はシステム思考が得意で、コンピュータープロセッサーの中を電流がどう流れるのかから、タッチスクリーンでボタンに触れたときどのくらいの時間で反応が返ってくるのかにいたるまで、技術のあらゆる側面に強く興味を惹かれるのだという。
「好奇心と意欲、理解したいという強い想い、でしょうか。システムの働きに理解できない部分があるのは、彼らにとって、がまんのならないことなのです」
　だから、そういう人はスタートアップに集まる。いま、なにもないだけに、自分ならこんなことができると誇示できるからだ。対して、大企業では、もっとゆっくり仕事を進めなければならないことが多い。何年も前、あるいは、それこそ何十年も前から使ってきたコードなど、過去の遺産があるし、物事がきちんと処理されることに重きを置く顧客がいる。そういうところでは、「どんどん作る」よりそれなりに動いているシステムのバグをじっくり、そっと修正することが大事になる。アンドリーセンは90年代初頭、インターンとしてIBMで働いたことがあるのだが、そのとき、きびしく言われたことがあるという。「コードは1日10行。10行書いて、テストして、デバッグして、説明を書く。10行以上でも以下でもだめ。1日10行書かないのは怠慢だ。1日10行以上書くのは無謀だ」である。
　パフォーマンス10倍の腕利きはまちがいなくいるし、その存在が全体の生産性を左右することもあると証言するベテランコーダーも少なくない。たとえば、フォグクリーク・ソフトウェアの共同創業者、ジョエル・スポルスキのブログ記事にもそういうことが書かれている。無料で使える電子メールサービスのジュノにいたころ、ジル・マクファーレンというバグチェッカーがいたそうだ。「彼女は、ほかのテスター4人合わせた数の3倍もバグをみつけていた。でまかせじゃない。実際に数えたのだから。彼女の生産性は、平均的なテスターの12倍以上もあったんだ。そんな彼女が辞めると聞いたときには、『彼女が月曜と火曜だけでも来てくれるなら、残りのQAチームはいらない』とCEOに電子メールを送ってしまったよ」

コードの世界に天才的な人がいることは驚きでもなんでもなく、物事を深く理解しなければならない分野には傑出した人が必ず出てくるものだと、有名なスタートアップアクセラレーター、Yコンビネーターを率いるサム・アルトマンも指摘している。

「ほかの分野では、あまり、びっくりされたりしないように思います。10倍優秀な物理学者はまちがいなくいるし、そういう人にはノーベル賞が贈られるわけで、みんな、そういうものだと思っています。10倍優秀な作家もいて、そういう人の本はニューヨークタイムズ紙のベストセラーリストでトップに輝くわけです」

コンピューターサイエンスの教育に携わっている人々には、コードを学び始めたばかりの段階でも10倍優秀な子はわかるらしい。とある調査では、「しっかり学べば、ほぼだれでも、コンピューターサイエンスでいい成績を収められる」という質問肢に対し、教員の77%がノーと回答したという。才能の有無が大きいというのだ。

2017年、私は、ドロップボックスを訪れ、その創業者、ドリュー・ヒューストンに話を聞いた。彼も、10倍優秀なコーダーのひとりと言える。小さなころからプログラミングに親しみ、MITに進学。趣味で、オンラインポーカーが強いボットを作ったこともある。USBドライブを挿したまま忘れることが多いのにいらだち、MIT卒業後、コンピューターのファイルをサーバーに自動バックアップするシステムを自作。これがドロップボックスのプロトタイプとなった。ほかの人にとっても便利だろうと考え、Yコンビネーターの資金を得てドロップボックスを創設したのだ。2018年末現在の時価総額は100億ドル前後に達している。

ドロップボックスは、ミュージックスタジオが社内にあり、ドラムやギター、アンプなどを自由に使って気分転換ができる。そこに置かれたソファに座り、ヒューストンは、10倍優秀な人材をみつけ、採用できたことも成功の要因だと語ってくれた。そういう人たちは、1万時間の努力をして、珍しいエラーメッセージもすべて見ているし、トラブル解決の方法も時間をかけて磨いてきてもいる。経験豊富なのだ。修行で身につく、氏より育ちが基本だが、必要な資質というものも存在する、プログラミングが大好きでついつい打ち込んでしまう情熱もなければならないというのがヒューストンの考えだ——「問題に向かうとき、そういう勢いがないといけないのです」

特に優秀な部下のひとりを紹介してもらった。エンジニアリング部門を率いるベン・ニューハウス、28歳だ（のちに独立する）。ヒューストンと同じく、彼も、学生時代になかなかのコードを開発した経験がある。スタンフォード大学に通いつつ、イェルプでインターンをしていたときのことだ。iPhoneに内蔵されているコンパスとGPSを利用すれば、周囲の世界にiPhoneが応答するアプリが作れると彼は気づいた。そして、エナジードリンクのレッドブルを1ケースも飲みつつ徹夜でコーディングし（あるあるである）、iPhoneをかざすと、あたりのお店にかぶさるようにイェルプのレビューが表示される拡張現実アプリを作り上げた。

ドロップボックスでは、社内で問題視されていた事態への対処を担当した。そのころは、ハードドライブ全体をドロップボックスでバックアップし、アカウントにも300GBとか400GBとかも写真や動画、文書などをため込むユーザーが増えていた。そんなユーザーがノートパソコンを買い換えるにあたり、それまでのようにいかついやつはいやだ、超軽量のマックブック・エアがいいと思ったとしよう。ところが、そういう軽量マシンはハードドライブの容量が小さく、128GBしかなかったりする。こうなると大変だ。ドロップボックスのクラウドに保存してある400GBをそのままコピーするのは不可能で、どのファイルをコピーするか考え、一つひとつ手作業でコピーしなければならない。これでは、なんのためにドロップボックスを使っているのかわからない。

同期だけで万事OKとうたっているドロップボックスとしては、根幹に関わる大事である。だから、なんとかしようとずいぶん前から努力していたが、どうにもできずにいた。

ニューハウスはこの問題が気になった。絶対になにかいい手があるはずだと思ったのだ。

数カ月後、チャンスが巡ってきた。恒例の社内ハッカソンが開かれ、

1週間、完全に休業して新規アイデアを試せるようになったのだ。ニューハウスはこのバックアップ問題についていろいろと考え、アンチウイルスソフトウェアのやり方を参考にしたらどうだろうと思いついた。

ファイルを開こうとするたび、アンチウイルスソフトウェアがミニフィルターを適用し、コンテンツの安全性を確認してくれる。ドロップボックスも同じようにすればいいのだ。ファイルを開こうとすると、そのたび、クラウドから引っ張ってきてファイルを開き、編集後は、また、クラウドに保存する。タイムラグを感じないくらいすばやくこの処理ができれば、マックブック・エア本体に保存されているかのようにドロップボックスに置かれたファイルを使うことができる。

簡単に聞こえるが、実際にやるのは難しい。「カーネル」と呼ばれるオペレーティングシステムの一番深いところ、中核部分で動くコードが必要で、脳外科手術並みの繊細さが要求される。下手なやり方をすると、たくさんのユーザーに脳卒中が起き、ドロップボックスにバックアップされた情報を壊してしまうことも考えられる。

「カーネルをいじるのは、とても難しく、危ないことなんです。失敗したら、すべてが台無しになってしまいますから」

だから、そこまでの大手術はしないほうがいいとそれまで考えられていた。

「不可能だという意見が大勢を占めていました」と、同じくドロップボックスエンジニアのジェイミー・ターナーも証言している。

ニューハウスは、自宅にこもり、ノートパソコンを猛烈にたたき続けた。そして、1週間でデモができるところまでコーディングを進めることに成功する。これがヒューストンに認められ、6人チームで開発が進められた。この機能は、最初、社内向けにひっそりと導入されたのだが、それでなにかが変わったとは感じられなかったとターナーは言う。気づいたのは、妻が新調したマックブックにドロップボックスの設定をしたときだったという。ファイルが大量で同期に48時間ほどかかると思ったのにほんの数分で処理が終わり、なにが起きた？とびっくりしたとき、ようやく、スマートシンクがオンになっているとのメッセージに気づいたのだ。

スマートシンクは、その後、近年有数の機能アップグレードとして大きな話題となる。

これこそ、ヒューストンが探している規格外の創造性である。そういう創造性を発揮できる人がひとりいれば、10人が束になっても物にできないアイデアを実現することができる。

「何時間こもっても、私に交響曲の作曲はできません。デザイナーを10人集めても100人集めても、ジョニー・アイブひとりにかないません」

優秀だがクズ？

プログラミングは意志の力のみが物を言う才能の世界で、桁違いの能力差が存在するとコーダーは考えがちだが、そうなるのは、ある意味、当たり前である。

なにせ、毎日、実感することばかりなのだ。コンピューターに怒ってもしかたないし、どやしつけたらテストの結果がまっとうになるなんてこともない。プログラマーのメレディス・L・パターソンが2014年に書いたエッセイから一節を紹介しよう。

「ルートシェル相手に口論しても意味がない。相手によってコードが対応を変えることなどありえない。コードが自分の価値を決めるのであって、逆はありえないのだ」

ふつうの人はできる振りをしたり言い逃れをしたり、言いくるめようとしたりするが、プログラマーは走るコードに敬意を払う。それ以上でもそれ以下でもない。フェイスブックを上場したとき、マーク・ザッカーバーグが書いたオープンレターの一節を紹介しよう。

「ハッカーというのは、新しいアイデアがうまくいきそうかとかどう作るのが一番いいかとかを何日も議論するより、とりあえず作ってみて、どのあたりがうまくいくのかを確かめてみる人種です。だから、フェイスブックでは『論よりコード』とよく言うのです……また、とてもオープンで能力主義というのも、ハッカーの文化です。一番大事なのはアイデアやその実現であり、それを推進しているのがだれであるとか、その人が部下をたくさん抱えているとかは関係ないと考えるのです」
　プログラミングには、もうひとついい点があるとコーダーは言う。独学で、高学歴の人間と肩を並べられる工学分野はこれだけだ、と。ミドルスクール時代に独学でプログラミングを学び、大学院で情報科学の博士号を得たあと、会社をいくつも創業したコーダー、ジョアンナ・ブルーワーもそう考えるひとりだ。
「科学・技術・工学・数学、いわゆるSTEMの世界で、博士号を持っているような人が完全に自学自習の人と肩を並べる分野は、コンピューターサイエンスしかないでしょう。すばらしい特徴です」
　一方、能力主義の根底には自画自賛の側面も否定できないと言うコーダーも少なくない。
　新入社員のころや高校などでは人付き合いのうまさで序列が決まりがちだが、そんな時代に、引っ込み思案で決まりの悪い思いばかりをしてきたら、プログラミングは客観的な世界であるとの考えに惹かれるのも無理はないだろう。たとえば、ハイ・パフォーマンス・コンピューティングの博士号を持ち、スタンフォード大学で教壇に立っているシンシア・リーは、1990年代から2000年代、コーダーとしてスタートアップで働いていたが、周囲には、若いころ、仲間はずれにされているとかわかってもらえないとか思っていた人がたくさんいて、みな、ここは、そういう口先人間がちやほやされるとは限らない世界だと大喜びしていたという。
「我々がいた技術世界では、切れ者っぽい印象の人やスーツ姿の人には疑いの目が向けられがちでした。いわば敵側ですからね。1980年代の青春映画を観ればわかりますが、当時の高校で人気だったタイプです。対して、我々は、オタクの楽園を作っていたのですから」
　クオーラとピンタレストで怒濤（どとう）の成果を挙げたことで知られるトレイシー・チョウも、同じように考えているという。ピンタレストの共同創業者、ベン・シルバーマンが究極のロックスターだと語ったプログラマーである。
「ソフトウェアの成功者は、ほかの分野で成功してきた人とタイプが違うと思います。また、ここでは、自分の力で成功したと思えないと、成功した実感が得られないのではないでしょうか」

プログラミングというものは、門外漢にとってはまずまちがいなくわかりづらいし、同じ仕事をしている人にとってもわかりやすいとは限らない。だから、適当なことを言っても通りやすいのだとトレイシーは言う。

「コードはほとんどの人にとってわかりにくかったり隠れたところで動いていたりするのも一因でしょう。表に出ていても、たいがい、なにがどうなっているのかわかりませんし。ですから、『能力次第の世界、わかる人にはわかる世界なんだよ』と言っておけばなんとなくそんなものかと思ってもらえたりするのです」

だれでも中を見たりいじったりできるようにコードをオンラインで公開するオープンソースソフトウェアの世界は、特に能力主義の色彩が濃いとされている。自分の貢献を成果として受け入れてもらえるよう競うことになるからだ（お金はもらわないことが多い）。

実例として、オープンソース関連で一番有名な成功物語となったオペレーティングシステム、GNU（グヌー）/Linux（リナックス）（たいていは、単に「Linux」と呼ばれる）について見てみよう。コンピューターを動かす基本のオペレーティングシステムである点はウィンドウズやMacOSと同じだが、無償で使えること、2500万行ほどもあるコードをだれでも自由にダウンロードして中を見られることなどは大きく違う。Linuxの起源は1991年。フィンランドの大学生リーナス・トーバルズが、あくまで趣味として、オペレーティングシステムのカーネルを自作してみようと思ったのだ。オンラインで公開したとき本人も書いているように、大がかりなプロの作品にするつもりなどなかった。だから、シンプルなカーネルができたとき、ほかのハッカーが見られるようにソースコードを公開した。

そして、雪だるま式の拡張が始まった。世界各地のプログラマーから機能追加の提案コードやバグの修正提案などが届くようになったのだ。よさげな提案は採用。こうして、何百人、何千人もの貢献により、Linuxは、機能がどんどん強化されていった。スタイルの異なるコーダーがよってたかっていじってもコードがぐちゃぐちゃにならないようにするため、トーバルズは、「ギット」なるものを開発する（いま、幅広いコーダーに活用されているソフトウェアだ)。ギットを使うと、だれかの貢献を組み込むことも簡単にできるし、その結果、動作がおかしくなったりしたら、元に戻すことも簡単にできる。

一部ファンが主張していることなのだが、いまのオープンソースは、メリットの市場競争といった感じになっている。多くのコーダーがよいと認め、これなら我々のプロジェクトに組み込んでもいいんじゃないかとなるのはだれのアイデアなのか、それを競っているわけだ。オープンソースとはメリットの純度を高める蒸留だと言ってもいいだろう。Linuxにおいて、トーバルズは、役に立つしよくできていると思った貢献のみをLinuxのコードベースに取り込む「善意の独裁者」の役割を果たしている。貢献の敷居はきわめて低い。Linuxのソースコードをダウンロードし、そこに手を加えて(ギットを使って変更すれば、木構造で改変場所がわかる)、こういう改変をしてみたんだけどどうだろうとコア・コントリビューターに送るだけでいい。優れた改変だと判断されれば採用され、世界中で使われるようになるわけだ。実際にはもう少しややこしかったりするが、基本的にはそんな感じである。

2016年、ポートランドにトーバルズを訪ねたとき、次のように言われた。

「手元に自分の木があって、好きなようにできるわけです。クレイジーなことを試し、それがうまくいって、かつ、それが実はクレイジーでもなんでもないんだとわかれば、見てくれよとその木を公開すればいいのです。それがすごくいいものだったら、いろんな人が採用してくれます」

私が会いに行ったころのトーバルズは、もう、自分でコードを書くことがほとんどない状態になっていた。ケーブルやいろいろな道具(スキューバダイビングが趣味で、ダイビング用のソフトウェアも作っている)が転がる自宅の小さなオフィスに座り、毎日、送られてくるコードのチェックをする、いわば、大賢者としてソフトウェアを判断するのが仕事になっていたのだ。ちなみに、彼のところまで到達するには、まず、メンテナーと呼ばれる人々による審査を通らなければならない。メンテナーとは中核となる貢献者のことで、自発的にLinuxのコードをたくさん書いたり他人のコードを評価したりして、やる気があるとトーバルズや他のメンテナーに認められた人々だ。ここに入れれば、かなりの実力者ということになる。Linuxはコンピューティング分野で広く使われており、インテル、レッドハット、サムスンなどのテック企業には、Linuxへの貢献を業務の一環とする社員やそれが専門の社員までいるようになっている。だから、Linux貢献者の中核と認められるのは、履歴書の売りにもなるほどのことだ。

有名オープンソースプロジェクトに対する貢献はキャリアアップにつながることが多い。だから、たくさんのコーダーが貢献しようとする。週末の趣味として作ったプロジェクトをオープンソースとしてギットハブなどのサイトに公開するコーダーが多いのも同じ理由だ。自分の仕事を見てもらえるのもうれしいし、自分用に作ったツールをほかの人が使ってくれるのもうれしい。さらに、ほかの人々のコードを見て、どう作っているのかを知るのは勉強になる。生態系の一員としてそういう義務があると感じるコーダーも少なくない。自分のコードをオープンソースとして公開したり、ほかの人々のプロジェクトに貢献したりという形で、受けた恩を返しているというのだ。取材したコーダーは、全員が、仕事でオープンソースのコードを大量に活用していると言っても過言ではないし、高額の仕事にオープンソースのコードが使われているのも当たり前のことと言える。

つまりオープンソースとは、いかに心を揺さぶるかのアダム・スミス的競争とカール・マルクスが喜びそうな共産主義的気風とが混然一体となってモチベーションを生み出しているわけだ。そして、それを支えているのが、コードはうそをつかない、つまり、コードが優れていれば、仲間にはわかるし、そういうコードは受け入れられるという理想である。

「口からでまかせには、みな、眉をひそめるものなのです」とトーバルズは言う。

たしかによさげである。だが、スーパーヒーロー級の人材を中心とした世界は、実際のところ、ぐちゃぐちゃになりがちだし、生産性も思ったほど上がらなかったりする。ソフトウェアアーキテクト、ジョナサン・ソローザノ＝ハミルトンの体験談を紹介しよう。

話の主人公は、彼と同じ会社で働いていた自称ロックスタープログラマーである。ソローザノ＝ハミルトンのブログでは、リックという名で呼ばれている。リックは「困ったら彼に聞け。そうすれば、ホワイトボードに解決策をさっと書いてくれる」と社内でうわさされるほど優秀で、ヘッドアーキテクトとしてプロジェクトの設計に携わりつつ、エースプログラマーとしてコードを書きまくっていた。彼のおかげで苦境を脱したことも数え切れないくらいあった。

そんなことをくり返した結果、彼は、自分なしにはなにごともうまくいかない、自分のスキルがすべてを左右すると思うようになったらしい。自分はコーディングのスーパースターである、10倍優秀な人材で凡人とは格が違う、と。そして、あれもこれも背負いこんでいく。

だが、リックが頑張っても、プロジェクトは遅れていく。ある程度以上大きなプロジェクトは、いかに優秀でもひとりでどうにかできるはずがないのだ。丸1年遅れた時点で、もう2年はかかるほどの遅れだ。リックはヒーローになろうと必死に働いた。上司も、彼の好きにさせていたようだ。当時の状況をソローザノ＝ハミルトンは次のように書いている。

「リックはコードを書きまくっていました。毎日12時間、休みなく仕事をしていたのです。この状況を打開できるのはリックしかいないと、みんな、思っていました。息をひそめ、ずたぼろのプロジェクトをなんとかまとめる魔法のような解決策をリックが思いついてくれるのをじっと待っていたのです」

だが、リックは、過労でいらつき、内にこもるようになっていく。

このあたりで、事態を打開できないかとソローザノ＝ハミルトンに声がかかった。まずはリックに会って話を聞いたが、「あんたなんかに、オレの作ったものが理解できるはずがない。オレはアルバート・アインシュタインで、あんたらみんなはサルで、泥をこねるしか能がないんだから」と取り付く島もない。

コードを確認すると、これが、スタイルが独特な上、コメントなどがなく、本人以外に手を入れられそうにないものだった。だから、関係者全員が一緒に作る形で一から製品を作り直すことにした。リックはそれも拒絶。休まず仕事を続けるし、ほかの人が書き換えたところを元に戻したり、周りをさげすむようなことを言ったりした。事態は悪化の一途である。

結局、彼は首にするしかなかった。すると事態は好転した。残った社員が協力し、シンプルな製品を開発。最終的には、サイズも複雑さも20%以上削減することができた。つまり、発注元にとって読みやすいし理解しやすく、また、保守もしやすくなったということだ。スーパーヒーローなんていらなかったわけだ。しかも、開発期間はわずかに6カ月強である。

「リックほどのプログラマーはいませんでした。なんでも自分で作ろうとする鬼才はいなかったのです。その結果、生産性はかつてないほど高くなりました」

ソローザノ＝ハミルトンは、こう結んでいる。

これは、能力主義の悪い面がもろに出た例だと言える。優秀だがいやなやつ、つまり、自分はかけがえのない人材だと思い込んだプログラマーが生まれてしまうことがあるのだ。そういう人が威張りちらすと、ほかの優秀な人が逃げてしまうし、残念なことに、いまいち使い物にならない製品ができてしまったりする。すべてがその人の頭の中にしまわれているからだ。そもそも、社内を混乱させる性格では、たとえ優秀であってもどうにもならないというのが正直なところだろう。

優秀だがクズとしか言いようのない人と仕事をして大変だった話は、ほかにもたくさんのコーダーが語ってくれた。Yコンビネーターに採用されたとある企業が雇ったロシアのコーダーもそういう人物だった。いい仕事をするのだが、どんな具合だとあいさつされるたび、「こんなところは大嫌いだ」と返すのだ。理由は「ほかの連中の仕事がひどすぎるから」だそうだ。とにかくお山の大将でねと上司はため息交じりだった。アプリの作成によく活用されるコードライブラリー、リアクトに詳しいツイッターのプログラマー、ボニー・アイゼンマンは、ロックスターコーダーという神話があるから話がおかしくなるのだと言う。

優秀だがいやなやつが必ず役に立つとも限らない。たしかに、難問を解決してくれて短期的に助かるかもしれないが、全体の士気にやっかいな後遺症が残る。いやなやつの相手はしたくないと、ほかの優秀な人材が逃げてしまうのだ。IBMのベテランコーダー、グラディ・ブーチも、すごく優秀なのに周囲と協力できず、日の目を見る製品が作れないプログラマーを何人も見てきたそうだ。

リックのような人材が本当に10倍優秀で、10倍のソフトウェアを書けるのだとしても、つまり、ふつうの10倍のスピードで書けるのだとしても、そこから生まれるのは「技術的負債」であることが多い。急ぎすぎてあちらもこちらもめちゃくちゃになったものしか生まれないのだ。手の早いコーダーは、たいてい、手っ取り早いやり方ばかりを採用するし、そのコードはつぎはぎだらけで、その後、だれかがじっくりこつこつクリーンアップしてやらなければならない。ディベロッパーの友人、マックス・ホイットニーの言葉を紹介しよう。

「10倍優秀なエンジニアというのは、実は、生産性が10倍の人ではないのです。本当のところ、そう言われる人は、同僚の仕事を10倍に増やしているんです。これ、実は、ネットで読んだ話なんですけどね。ともかく、氷山の水面から出ている部分みたいなものなんです。光り輝いてきれいなんですが、その裏には技術的負債が山のように積み上がっているわけです」

アンドリーセンも語っていたが、コーダーがスタートアップを立ち上げたがるのは、そうすればどんどん前に進めるからだ。だがその場合も、ある程度のユーザーを捕まえられるくらいには機能するがコードベースはぐちゃぐちゃで、根気よくクリーンアップして混乱を収めてくれるプログラマーが必要になったりする。

トレイシー・チョウは、ピンタレストで、バックエンドの大幅な改修を担当した。そのためにコードベースの検証を進めていたとき、検索が必ず2回行われるという変な動作に気づいた。なにかがおかしい。調べてみると、検索を実行するコードがなぜか2回、コピーペーストされていた。ピンタレストの立ち上げ期に、だれかが拙速な仕事をしたわけだ。その1行を削除するだけで、検索の効率は倍増した。このように、

10倍優秀というのは、コードを書くことより、むしろ、他人の失敗を修正することに発揮される能力だったりする。

多様性に欠ける？

話題になることは少ないが、10倍優秀神話の問題として、若い白人男性にしか許されない行為を神格化してしまうことも挙げられる。

臭いがひどすぎるとシャワーに引っぱって行かれるまで、シャワーも浴びず不潔なまま、ぼさぼさの頭でキーボードをたたき続ける話をすでに紹介した。ウィキメディア財団を7年近くも運営しているスー・ガードナーも指摘しているが、そんなこと、女性に許されるはずがない。

周期的に氾濫するカンザス川の洪水予測をとある会議で発表した女子学生の話を紹介しよう。有名なPythonディベロッパーのジェイコブ・カプラン＝モスに聞いた話だ。彼女は、PythonからPostgreSQL、GeoDjangoとさまざまな言語とツールを駆使して分析を行っていた。すごい学生だと思ったカプラン＝モスがうちで仕事をしないかと声をかけたが、彼女は、自分は本当のプログラマーじゃないからと尻込みしたという。

これこそ、コーディングのロックスターを崇拝する風潮の弊害だというのがカプラン＝モスの考えだ。客観的に見れば、衛星データを分析するシステムを自分で組み上げたこの学生は優秀としか言いようがない。にもかかわらず、ぼさぼさ髪の薄汚い格好でキーボードと半ば融合しているような人間が真のコーダーであるという業界神話を信じてしまっている。この神話において、プログラミングに問題なのは、どういう人物であるかであってなにをするかではないということだ。

最近は、能力主義というシリコンバレーの理想を見直す動きもある。たとえばペイパル。ここは、レブチンをはじめとする有能で熱心なディベロッパー、デザイナー、マーケターが大勢、必死で働く職場だった。ほかの決済システムが次々つぶれていく中、ペイパルは存続した。そして、草創期の社員は、みな、お金と影響力を手に入れた。ここから生まれたたくさんのミリオネアはまとめて「ペイパルマフィア」などと呼ばれているし、彼らは、その後、フェイスブックやウーバーなどの次世代テック企業に投資するなどしてその影響力をさらに伸ばしている。

だが、『ブロトピア（Brotopia）』でエミリー・チャンも指摘しているが、創業期の人々が言うほどペイパルは能力主義でなかったし、ほかのスタートアップも、多くは、それほどでもなかった。そもそも、ペイパルは、能力のみで採用・不採用を決めていたわけではない。それどころか、ティールが著書『ゼロ・トゥ・ワン』に書いているように、レブチンもティールも、自分に似た人を選んでいた、似たような人の集団になるようにしていた。学校や友だちのネットワークを通じて、政府に疑いの目を向ける若いギークを集めたのだ。

「類は友を呼ぶという感じだった。みな、SFが大好きで『クリプトノミコン』は必読書だったし、共産主義的なスタートレックより資本主義的なスター・ウォーズを好んでいた。なかでも大事な共通点は、みな、政府ではなく個人が管理する形のデジタル通貨を生み出したいと考えていたところだ。社員の見た目や出身国がどうであっても会社の運営に支障は出ないが、集まっている人の志が同じでないのは困る」

つまり、理念としては、どういう国のどういう社会階層の出身であってもかまわなかったわけだが、現実には、ごく狭い範囲から採用し、ほぼ、高学歴の白人男性ばかりとなったわけだ。団結力がすごく強いチームをさっと作れる現実的なやり方だったとは言えるかもしれないが、才能だけが物を言う能力主義のやり方でなかったのはまちがいない。

技術は能力だけが物を言う世界だという考えがまやかしにすぎないのは、どういう素性の人がスタートアップを立ち上げているのかを見るとよくわかる。アントレプレナーに一番共通している特徴は裕福な家の出身であると、とある調査で明らかにされている。なにかあっても大丈夫と思えればリスクも取りやすいわけで、ある意味、当然のことだろう。さらに、「資金が調達できる人」を見ると、経歴がもっと似てくる。ベンチャーキャピタルのトップ5からシリーズＡの資金を得たシリコンバレー創業者は80％近くが有力テック企業の元社員か、スタンフォード大学、ハーバード大学、MITの卒業生なのだ（ロイター調べ）。これは、コネもカネもないがすばらしいアイデアを持ち、社会の片隅で目だけぎらつかせている理想主義者が報われるシステムというより、経済学者のロバート・フランクが勝者総取り方式と呼んでいるシステムに近いだろう。早い段階で成功すれば幸運が続くわけだ。そして、その結果、それが各個人の力なのだという神話が生まれる。

富裕層出身の人は、たいがい、富を成功の一因と認めたがらない。それがテッキーで、コードが実行可能であるか否か以外気にもしてくれないサーバーを相手に、気が遠くなるほどの時間、髪をかきむしりながら、数え切れないバグをつぶしてきたとなればなおさらである。ものすごくがんばった、そして、ものすごい成功を手に入れた。両方とも事実だが、強調されるのは前者だ。特に、急成長して大成功する会社に、幸運にも早い段階で加わった人は、前者に目を向けがちである。

「早くにグーグルに入り、5000万ドルを手にすると、『オレは優秀だからね。カネが手にできなかった連中は、オレほど優秀じゃなかったってことさ』と言いたがるのです。経済価値は偶然の産物だなどと、だれも思いたくないんです」――シリコンバレー企業をいくつも渡り歩いてきたベテラン、ジョシュ・レヴィも、こう指摘している。

チャンも語ってくれたように、ペイパルは大成功したが、たまたまうまくいっただけで、一歩まちがえれば詰んでいたはずだ。資金調達が何カ月か遅ければドットコム・バブルの崩壊に巻き込まれ、投資家にお金を出してもらうことなどできなかっただろう。だが、運がよかっただけなのだとしても、「孤高の天才」の物語を求めて私のようなジャーナリストが取材に来ると、つい、神話化して語ってしまうものだと、フェイスブックで広告技術を担当していたアントニオ・ガルシア・マルチネスは、著書『サルたちの狂宴』で皮肉っている。

「わけもわからずもがいているうちに大当たりを引いただけであっても、自信満々のビジョナリーが得るべくして勝利を得たという話になる。天才と呼ばれ、その気になってしまうのだ」

オープンソースの世界でさえ、よく見ると、必ずしも能力主義とは言えないことがわかる。そもそも、ボランティアに費やせる時間がたっぷりあることが前提なのだから。言い換えれば、時間持ちの若者に有利であり、コーディングの才能はあるがいろいろと責任やしがらみの多い人には不利な世界なのだ。
「能力主義を信奉する人は『ギットハブがあるから履歴書はいらない』と言うのですが、採用候補者にシングルマザーがいないと驚くんです。趣味のプロジェクトにさく時間なんて、シングルマザーにあるはずがないのに」
こう指摘するのは、オープンソースのブラウザー、ファイヤーフォックスの元ゼネラルマネージャー、ジョナサン・ナイチンゲールである。彼によると、ファイヤーフォックスも例外ではないそうだ。ファイヤーフォックスを提供する会社、モジラは創業メンバーに女性がひとりいるにもかかわらず、能力主義の結果、彼のような人ばかりになっているというのだ。ギットハブが行った調査でも、性別は95%が男性、3%が女性、1%がノンバイナリーと回答している。正確な数字はわかっていないが、オープンソースプロジェクトの女性比率は10%前後かそれ以下とする調査や予想が多い。
加えて、多くの女性が、オープンソースの会議でハラスメントを受ける、ぼろかすに言われるなどの経験をしている。オンラインでも、Linuxなどのプロジェクトに参加すると、あざけりの言葉をぶつけられることを覚悟しなければならない。トーバルズの不興を買ったりしたら大変だ。昔から、まぬけだと思った相手には、「きみ、死んでよ。そのほうが世の中のためだよ」とか「うるさい！」など、怒り満載の電子メールを送る人として有名なのだ。念のため申し添えておくと、男性より女性にきつくあたるといったことはないとの分析結果もある。ともかく、そのような言動はLinuxコミュニティーにとって問題であるとトーバルズ本人も認めるところとなり、2018年9月、「どうすればほかの人々の感情を理解し、適切な対応が取れるのかを学んでくる」と書いて、善意の独裁者の座から少なくとも当面は降りることになった。
このようなプロジェクトや、創業期のペイパルなどシリコンバレースタートアップに女性やマイノリティが少ないのは能力主義によるものだ、この分野に女性は向いていないからだ、と言う人もいるかもしれない。一部のコーダーには、実際、そう言われた。一言で回答するなら、それは違う、である。詳しくは、次章「消えたENIACガール」を読んでほしい。

自由主義者が多い？

コーダーやテッキーは、少なくとも米国の場合、自由主義者寄りだと言われている。ここで自由主義者とは、自分の運命は自分で切り開くものである、政府の規制は基本的に自由を抑制するものである、優秀な人が努力すれば報われる仕組みとしたほうが社会はよくなると考える人、といった程度の意味合いである。

なぜか。まず、有名なテック企業CEOが極端な自由主義者で、彼らが、ボンド映画に出てくるネコを抱いた悪役のような捉え方をされていることが挙げられるだろう。その代表格がピーター・ティール。彼は「重税」をきらい、既存権力の手が届かない海上に浮遊都市を建設することさえ考えたというし、「自由と民主主義は相いれない」と言い切ったことでも知られている。ウーバーの元CEO、トラビス・カラニックも、マハロというサイトのQ&Aで、カリフォルニアは富裕層の利権にたかって暮らす倫理的に残念な人々の州だと語ったりしている。

「ちょっとおもしろい統計をみつけた。カリフォルニア州は、税金の50%を14万1000人が払っているそうだ（州の人口は3000万人）。また、先日、『肩をすくめるアトラス』を読んだんだけど、そのとき思ってしまった。14万1000人の富裕層がストライキをしたらカリフォルニア州は終わるじゃないかって……これも、ろくでもない行政サービスの費用をまかなおうと増税を続けるわけにはいかない理由だ」

だが実は、政府資金でイノベーションをじっくり醸成してきたから米国産業のいまがあるわけで、テクノロジー分野に自由主義者が多いのは、あまりと言えばあまりの皮肉だろう。たとえば、マイクロチップが登場したころ、軍が大量に買い付けていなければ、産業自体が死産に終わっていた可能性が高い。リレーショナルデータベースや暗号化技術、さらにはインターネットプロトコルでさえも、基礎的な部分は連邦政府の資金で開発が進められたものだ。いまのAIについては、カナダ政府の貢献が大きい。ディープラーニングが世界的に軽視されていたころ、何年にもわたり公立大学を通じて税金を大量投入し、その研究を推進したのだ。R&D誌の調査でも、1971年から2006年に起きた重要イノベーションのうち、88%が連邦政府の資金を活用していたとの結果が出ている。いずれも、自由市場では十分な資金が得られなかったわけだ。政府が長期にわたってじっくり開発を進めたから、いま、我々は携帯電話からカラニックのウーバーを呼ぶことができるのである。

であるにもかかわらず、一部コーダーは自由主義的なことを言い続けている。最近、話題になっているのはブロックチェーンだ。現ナマを刷っている中央銀行に管理されない通貨にしたいと設計されたビットコインや、サービス契約が履行されるとデジタルキャッシュが自動的に送られるため当事者間のみでスムーズに商取引が行える、弁護士の出番さえなくなると言われているイーサリアムなどで使われている技術である。この暗号通貨に関わる人々を調査したところ、27%が自分を自由主義者だと回答した。これは、ピュー・リサーチ・センターによる社会全体の調査で得られた数字の倍以上である。

コーダーと自由主義者がかなり重なっているのは当たり前のようにも思える。どちらも、原理原則と理屈の世界に住んでいるからだ。若い男性が多い点も似ている。彼らは現実世界のややこしい前例や不正をあまり経験しておらず、そんなものは関係ないとにっこり笑って無視しがちだ。ネットスケープ社のコーダー、ジェイミー・ザウィンスキーも「80年代から90年代、プログラミングの世界には、友だちが少ない人、かっちりしたシステムを好む人、問題を解決することを好む人が多かったと思う。ナイーブな考え方だがそこにコーダーが惹かれるのはわかる。理詰めでなければ自由主義に意味はないからだ」と語ってくれた。

70年代からプログラミングに携わってきたグーグルのピーター・ノーヴィグのように、自由主義的な考え方になるのはコーダーが比較的裕福だからだと考える人もいる。

「プログラマーをなりわいとしている人は、みな、特に不満のない生活が送れているので、『政府なんてじゃまなだけだ。なくても私は困らない。ほかの人も同じだろう』と考え、自由主義に惹かれがちなんじゃないでしょうか」

性差別の問題が浮上した際には、有名テック企業の社員だけが匿名でやりとりするアプリ、ブラインドに、社会正義についてテッキーが話し合う状況をなげく投稿が相次いだ。たとえば次のような具合だ。

「シリコンバレーをオタクやギークの世界に戻すことはできないのだろうか。そういう世界だから、私はグーグルに就職し、米国に来たというのに。この業界は我々みたいな人間にとって安全な居場所だったのに、いまは、いろいろとややこしくなってしまった」

このようにシリコンバレーは自由主義者が多いと言われているが、実は、必ずしもそうではないというデータもある。

スタンフォード大学の研究者ふたりとジャーナリストがこの点に着目し、おもしろい結果を得ている。投票や献金において、シリコンバレー人は、民主党を選ぶ傾向がきわめて強いというのだ。たとえば2016年の大統領選挙では、有名テック企業社員の献金額はヒラリー・クリントンがドナルド・トランプの60倍に達していた。また、トランプの勝利が確定すると、悲嘆に暮れる人がたくさんいたという（これは、私も自分の目で確認している）。

この研究では、政治志向のデータを得るため、ハイテク企業の創業者やCEO、700人近くにアンケート調査を行った。調査には、「政府機能が防衛と警察のみで、国民は自由に稼ぐことができる国に住みたい」という自由主義者の理想にどのくらい賛同するかという設問もあった。

この設問に賛同したのは23.5％にとどまったという。これは、小さな政府をめざす共和党支持者の平均（62.5％）に比べてきわめて低い数字で、民主党支持者の平均（43.8％）にさえ達しない。つまり、ハイテク企業の創業者や経営者は、自由主義の基本理念に対する賛意が民主党支持者に比べても低いわけだ。また、「通商政策は米国より諸外国を優先すべきである」に44％が賛同するなどグローバリストの傾向がきわめて強いことも判明した。税負担が増えるにもかかわらず政府がすべてまかなう単一支払者制の健康保険制度を82％が支持する、貧困層を対象とした制度に連邦政府がお金を出すことを75％が支持するなど、税金と公共事業による富の再分配という昔ながらの制度を支持する傾向も強い。同性同士の結婚も大多数が賛同しているし、銃規制も82%が支持している。「要するに、テクノロジー業界のアントレプレナーが自由主義者というのはまちがいである」、むしろ、昔からカリフォルニアに多い左派思想の持ち主と言うべきだと報告書は結論づけている。

ただし、企業に対する規制だけは話が別である。

テクノロジー業界のアントレプレナーは、事業のやり方に政府が口を出すことを忌み嫌う。採用や解雇に関する規制も大嫌いだし、労働組合などの影響も小さく抑えたいと考えている。82%は、現状、解雇が難しすぎる、もっと簡単に解雇できるようにすべきだと考えている。また、ふつうの人より、企業行動に対して倫理的判断を下さない傾向がはるかに強い。需要が増えるとウーバーの料金がはね上がるとか、祝日に花の値段が急上昇するなど、実例を挙げて「サージプライシング」についてたずねたところ、どちらもまったく問題ないと90%以上が回答している。これは、民主党支持者とも共和党支持者とも大きく異なる回答だ(ウーバーのサージプライシングについて適切だと回答したのは民主党支持者の43%、共和党支持者の51%であり、花のサージプライシングには、61%と58%が反対すると回答した)。

ハイテク企業の創業者やCEOは、税金と公共事業による富の再分配や公民権については民主党寄りのリベラルでありながら、企業規制については共和党寄りという不思議な立場を取っていることになる。

「わかりやすい構図にはなっていないのです」

こう言うのは、スタンフォード大学で政治経済学を教えるネイル・マルホトラ教授である(前述の調査を行った3人のひとりでもある)。

ハイテク企業の創業者などは、まず、資本主義経済にはあちこち割れ目があり、そこから底辺に滑り落ちてしまう人がいる、しかも、そういう亀裂でふつうの人の暮らしがめちゃくちゃになってしまうことがあると考える人々だと言える。同時に、そういう亀裂を全力で作ろうとしている人々だとも言える。アマゾンの台頭で小さな商店が減ってしまったこと、ウーバーをはじめとするオンデマンドサービスの台頭でギグと呼ばれる不安定な働き方が増えたこと、オートメーションの普及で法務アシスタントなどの職業がなくなってしまったことなどを見れば明らかだろう。それでも、才能や功績やイノベーションはわずかでも制限してはならない、少なくとも、彼らが才能や功績やイノベーションだと考えるものは制限してはならないと考えている。だから、そういう亀裂が生まれてもみんながなんとか生きられるように再分配政策を支持することでバランスを取っているわけだ。テクノロジー会議では国民皆保険やベーシックインカムに好意的な意見が表明されることが多いが、その理由はこのあたりにある。税制を通じて富の一部を再分配することには賛同するが、その富をどう集めるのか、そのやり方に口出しされるのは嫌うと言ってもいいだろう。基本的に、社会にとってなにが一番いいのか自分たちは知っている、技術者でもある哲学者、イアン・ボゴストの言葉を借りれば「我々を信頼してくれ」と言っているに等しい。自分たちの政治的力を保つのにも、所得再分配を旨とする福祉国家主義的視点は大事である。わずか1%しかいない超絶富裕層からおこぼれをもらう労働者がテクノロジーの巨人に対抗できるほどの力を持つことはありえないからだ。

要するに、いわゆる追いはぎ成金のデジタル時代版だ。19世紀末、アンドリュー・カーネギーのような人々は、図書館などの公共財に気前よくお金を出した。いくら出すのかを決めるのが自分であるかぎり、団結して地位向上を図ろうとした労働者をたたきのめすことができるかぎり、だが。テクノロジーのエリートは努力と才能でいまの地位に上り詰めたものであり、その判断に疑問を投げかけるのは不謹慎だと見られているわけだ。

だが、実を言えば、10倍優秀と言われるほどのコーダーほど、テクノロジー業界のヒーローとしてあがめられることに居心地の悪さを感じていたりする。

ドロップボックスを独力で開発したコーダー、ベン・ニューハウスもそんなひとりで、自分は特別でもなんでもない、単にすごく恵まれていただけだと語ってくれた。キーボードをたたき続けるイメージどおりのことをしてプロトタイプを作り上げた。それはまちがいのない事実である。だが、そのプロトタイプに肉付けし、デバッグし、テストして製品化するには、ふつうの人にも使えるやり方にするには、ドロップボックスのエンジニアやデザイナーが大勢よってたかって何カ月も地道な作業をする必要があった。そもそも、生まれつきに見えるプログラミングの才能も、いわゆる1万時間の法則によって得たものであることが多い。コードを書いて、書いて、書いて、書いて、そうするうちに少しずつうまくなり、トップクラスまで上り詰めただけのことなのだ。

もうひとつ、ニューハウスにも指摘された点がある。ソロで実用的なコーディングをするのは難しく、ほとんどは人間関係が大きく物を言うチームスポーツであるという点だ。

ドロップボックスが最近完成させた巨大プロジェクトを例として紹介しよう。パーソナルなクラウドストレージを自社で用意する話である。ドロップボックスでは、アマゾンのクラウドを借り、そこに文書を保存してきた。だが、規模の拡大とともにコストや効率、カスタマイズなどの面で問題が起きるようになってしまった。だから、自社クラウドのコードを書くという遠大なプロジェクトをスタートすることにした。文書を失うことなく何千台ものハードドライブを同期し、全体がひとつであるかのように動かせなければならない。ロックスター級のコーダーがふたり必要だった。

人材はふたりとも社内で調達できた。ひとりはジェームス・カウリング。話がうまい長身のオーストラリア人で、MITで修士号と博士号を取得している。専門は高分散システムで、修士課程の学生だったときヒューストンに見いだされ、ドロップボックスに就職した。もうひとりはジェイミー・ターナー。熊のようなひげ面のコーダーで、まじめな顔で冗談を飛ばす人物だ。UCLAの英語科に通っていたが中退してコーディングの仕事に就き、いろいろ経験した後、ドロップボックスに転職した。

「ジェイミーは大学を中退したあと、スタートアップで経験を積んできたんですよ」

こう紹介したカウリングに、ターナーが

「考えるより先に動いてしまいましてね」

と補足してくれた。

スタートしたプロジェクトは、10倍優秀なヒーローが活躍する低級なハッカー映画という感じだった。6週間でシステム中核部分を書き換えるという目標を掲げると、残り時間をカウントダウンする時計まで準備し、毎日16時間働いた。夜11時からは気分転換の時間で、スタジオに行って楽器を演奏する。

「1カ月半、ほとんど寝なかったように思います」

とカウリングが言えば、

「私なんて、子どもたちの名前が思い出せなくなったりしましたよ」

とターナーも言う。

「逆に、子どもたちがあなたの名前を忘れているわよ」

と突っ込んだのは、エンジニアリング部門のディレクターをしていたジェシカ・マクケラーである。長いあいだ没頭しすぎて、プロジェクト終了後、日常業務への復帰に苦労したという話もある。いつもなにをしていたのかわからなくなってしまったのだ。ともかく、動くコードができた。クラウドの作成には成功したのだ。

だが、これは、キーボードをたたきまくって得た初戦勝利にすぎない。簡単な部分とも言える。ニューハウスも指摘しているように、このあと、もっと多くのエンジニアに参加してもらい、安定して動くまで試験・改良を丁寧にくり返していく過程が必要である。多くの人が長期にわたってじっくり向き合い、コードの隅々まで熟知していく過程が。この段階におけるカウリングとターナーの役割は、なぜそういうコードにしたのか、設計の原理を明確に説明することだ。自分たちが「バスにひかれても」システムは存続できるように、とターナーは表現している。

「英雄を尊ぶ文化では、勇者として働くだけで報われます。ですが、実際には、それを英雄的行為でなくすところまでが仕事なのです」

ご飯を食べながら詳しく話を聞いたのだが、ニューハウスと同じようにふたりとも、10倍優秀うんぬんには否定的だった。

「ロックスターエンジニアっていうの、きらいなんですよね」

カウリングは渋い顔だ。コーディングができる人はたくさんいるし、プロトタイプを作れる人もたくさんいる。でも、ソフトウェア企業にとって一番大事なのはコーディングじゃないというのだ。もっと次元の高い話、どういうシステムを構築すべきなのかを決めること、なにがしたいのか、なにをしたらいけないのか、また、顧客はなにを必要としているのか、なにを必要としていないのか、さらには、どういうアーキテクチャーを採用するのか、プロジェクトをどう進めるのかを決めることが大事なのだ、と。

「プログラマーというのはレンガ積みの職人みたいなものです。我々はコードを書く職人なんです。高層ビルを作るとき言うのは『世界最高のレンガ職人を探してこい』じゃなくて、『建築家と、チームとして働ける人材を集めろ』でしょう」

翌日、カウリングの仕事場を見せてもらった。机の脇には大きなホワイトボードが置かれ、クラウドシステムを構成する各部のフローチャートがたくさん描かれていた。このホワイトボードにコーダーとデザイナー、プロジェクトマネージャーが集まり、ある部分がほかの部分とどうやりとりするのか、iPhone用ドロップボックスアプリからどういう形でクラウドのファイルを要求すればいいのか、サーバーからなにをどう返せばいいのかなどをじっくり話し合うのだ。

「コーダーはコーディングばかりしているものと思われがちですが、実際には、会議をしている時間が長いんですよね」とカウリングは笑うと、大げさな身振りでマーカーとホワイトボードを見せてくれた。

「こんなことばっかりしてるんですよ。ここに座って、なにをすべきか議論してばかりなんです」

ニューハウスもそのとおりと同意するとともに、優秀なコーダーの悲哀を語ってくれた。コーディングがうまい人は、たいがい、大型プロジェクトの巨大アーキテクチャーを正確に思い描くことも、それを小さな部分に分割することも、さらには、チームメンバーの士気を高めて各部分を作ってもらうこともうまいものだ。ということは、うまくなればなるほど、実際にコードを書くことは減ってしまう。物作りが大好きでプログラミングの世界に来たというのに、優秀だとマネージャーになり、ほかの人が楽しいことをするのを助けるばかりになってしまう。訴訟ができると思っていた弁護士みたいなものだとニューハウスは笑った。

クレイジーなアイデアが優る

10倍優秀なコーダーはすごいものを生み出せる。

では、1倍優秀だったら？　1/100倍だったら？

おもしろい例を紹介しよう。「あなたが出会ったなかで最悪のプログラマーです」と自己紹介してくれたデニス・クローリーである。

90年代半ば、クローリーは、テクノロジーと文化が大好きな20代の若者だった。怪しげなバーに通い、浴びるように音楽を聴く。仕事はテクノロジー業界を志した。だが、どうにもコーディングが学べない。

「シラキュース大学でコンピューターサイエンスを学ぼうとしたんですよ。まずは入門コースを取ったんですが、まるでだめでした。コンパイルが通るレベルさえ書けないんですから」

変数の割り当ても関数の呼び出しも、全部、わけがわからない。結局、あきらめるしかなかった。一応、簡単なウェブページがいじれるくらいにはなったが。

「インターネットに画像を公開するくらいしかできるようになりませんでした」

卒業後、クローリーはニューヨークに移り、ジュピター・コミュニケーションズに就職した。仕事は、テック企業から話を聞いて市場調査の報告書を作る、だ。物作りに関わりたい、横から眺めて記事を書くだけなんてつまらない――そんなことを思いながら、夜は、友だちとバーやクラブを巡った。そして、登場して間もないショートメッセージで、いま、どこでなにをしているのかを教え合う。だが、当時のショートメッセージは同じキャリアの携帯電話間でしか送れない不便なものだった。だから、親しい友だちだけでなく、友だちの友だちなど、ほかのネットワークを使っている人にもつながれるツールを作りたいとクローリーは思った。ハリー・ポッターに出てくる忍びの地図、ホグワーツのどこにだれがいるのかわかる魔法のアイテムのようなやつだ。

「ソフトウェアには魔法の力みたいなものがあったりするわけですよ。スーパーヒーローなら、壁や曲がり角の向こうが見えたりするじゃないですか」

ニューヨークのバーを友だちが飲み歩いている様子を知ることができたら、きっと、いままでとは違うものが見える、千鳥足の後を追うこともできるし、それこそ、2ブロック先のクラブに同僚がいると携帯電話で確認できたら直接会うことだってできる——そう考えたのだ。

1999年、彼は、一大決心をすると、Active Server Pages（ASP）というプログラミング言語の分厚いマニュアルを同僚から借りることにした。そして、それから2年間、試行錯誤を続けると、コードをなんとか動かせるようになった。とりあえずシティガイドを作ってみてから、もともとの目的、携帯電話間で通知をやりとりするサーバーを作った。なんとか動くというレベルでひどいできだったと本人は言うが、ソフトウェアでなにができるのかはなんとなくわかったし、パームパイロット用シティガイドを作る会社、ビンディゴに転職するきっかけにもなった。

最低限のプログラミングはできるようになっていたが、クローリーの腕は、そのころまだ、ドが付くほどの下手だった。それでもビンディゴでは、お粗末ながらテキストメッセージの通知が送れるアプリを独力で作ったのはすごいと評価され、C++を教えてもらえることになった。だが、何カ月も成果らしい成果が挙がらない。結局、向いていないと判断され、首になってしまう。しかも、そのころ、ドットコム・バブルがはじけ、インターネット業界そのものがほぼ消し飛んでしまった。仕事もなく暇だったこともあり、クローリーは、前に作った位置連動型アプリのプロトタイプを改良することにした。MITメディアラボで学位を取ることも考えたが、コーディングスキルがなさすぎて入れてもらえなかった。もうひとつ、受験を考えていた先がニューヨーク大学の双方向通信プログラムだ。風変わりなテクノロジー機器が作れる教育をアーティストやテクノロジー分野に転身したい人などに与える社会人向けのハイテクプログラムである。

見学に行ったクローリーは、とにかく驚いた。離れていてもハグができるマシン、アルゴリズムで詩を作り、それを吐き出す小型プリンター、ダンスのスタイルに合わせてLEDの光るパターンが変わる靴など、みな、奇妙きてれつなものを作っているのだ。コーディングはつまみ食いのレベルで、作りたいものを作るのにどうしても必要なことしか学ばない。切れ端を集めて貼り合わせ、目的に合わせて少しいじったらコンパイルしてしまう。
「エレガントなコードを書こうとか思わないの？」
　そうたずねると、
「細かいことはわかんない。動けばいいんだよ」
　と笑顔が返ってきた。同類だ——クローリーはそう感じた。ソフトウェアの最適化など気にせず、ただ、おもしろいと思うものを作る人ばかりだったのだ。
　クローリーは、2002年、双方向通信プログラムに入学し、アレックス・レイナートと友だちになる。そして、ふたりで例のプロトタイプをPHPで書き直し、学生仲間に公開した。IF文が千行くらいあるだけと本人も言っているように反復コマンドを山のように書き並べただけでコード的に特筆すべきものではなかったが、確実に動くコードだった。ふたりは、その後も改良を重ね、2004年、ドッジボールという名前で一般に公開した。
　このサービスには、1年ほどで新しもの好きのユーザーが数千人もついた。少しずつ新機能も追加した。たとえば「お気に」5人をリストアップしておき、メッセージを送りやすくする機能。出会い系アプリのティンダーと同じような機能だとも言えるだろう（実際、ドッジボールで知り合った相手と付き合うようになった人もいる）。そして、最近の若者はハイテクを活用して自分が実際どこにいるのかを公開するようになっているらしいなどと世の中で取り沙汰されるようになる。ここまで何年もの時間がかかってしまったが、いわゆる「チェックイン」機能が誕生したのだ。
　2004年秋にはグーグル上層部の目にとまり、クローリーとそのパートナー、レイナートは、ニューヨークのタイムズスクエアにあるグーグルの事務所に招待された。最初はグーグルのシニアエンジニアによる面接である。ふたりのスキルレベルを確認するのだ。その後、ドッジボールのコードそのものについて質を評価する。
　面接は、笑うしかないほど話がかみ合わなかった。世界トップクラスと最底辺のエンジニアでは、文化が違いすぎるのだ。面接する側には、トルコ出身で、当時、グーグル傘下で展開されていたソーシャルネットワーク、オーカットを開発したオーカット・ブユコッテンなどがいた。

面接では、まず、エンジニアリングパズルを解くように求められた。グーグルの入社試験問題として有名なもので、スタンフォード大学やハーバード大学でコンピューターサイエンスを学んだ人ならだれでも解けるはずの問題ばかりだ。たとえば、ローワーイーストサイドで鍵を落としたとして、どういう経路で探せば同じ道を2回通ることなく鍵をみつけられるか、どういうアルゴリズムを使えばそういう経路が探せるか、という問題などだ。

「わかりません。なにをどうしたらいいのか、見当もつきません。プログラミングを正式に勉強したこと、ないんです」

クローリーはこう答えたという。

そんなやりとりが何問か続いたあと、ドッジボールそのものに関する質問に移ったが、ここでも話がかみ合わないこと、はなはだしかった。

「運用コストは？」

「1999です」

「だいたい月2000ドルですか」

「いえ、19ドル99セントです」

という具合なのだ。

その後、何カ月かやりとりして、グーグルはドッジボールのコードを精査した。ほとんど全員がびっくりしていたとクローリーは言う。

「我々のPHPコードを見ると、みんな、これはクレイジーだって言うんですが、天才数学者の映画『ビューティフル・マインド』みたいな意味のクレイジーじゃなくて、あほの極みというほうのクレイジーなんです。少なくとも、そう感じられました」

クローリーは、このとき、書き散らしたようなプログラムで効率も悪いひどいものだとわかってはいるんだと抗弁したらしい。

「学校でちゃんと学んできたプログラマーから見ればあきれるようなものだったと思うんです。でも、私にしてみれば、ほかにどうすればよかったのかわからない、これしかやり方がわからなかったんだからって感じなわけです」

いろいろあったが、最後は、自分たちがしたことに敬意を払ってもらえたとクローリーは言う。彼らより優秀なコーダーなら、それこそ何千人もいる。こういうものをコーディングしろと言われれば、そのだれであっても、すばらしいものを作り上げるだろう。ソートのアルゴリズムを最適化し、処理時間をいまの150ミリ秒から15ミリ秒に短縮することだってできるはずだ。10倍優秀なコーダーなら速度を10倍に引き上げるなど朝飯前だろう。だが、クローリーには、それに匹敵する力があった。いや、それ以上かもしれない。ドッジボールの元となったクレイジーなアイデアである。ふつうの人と違う視点から世界を見る力があり、入り組んだ魅力的な街でバーをはしごし、その足跡を友だちと共有するのは楽しいと気づいたのだ。エンジニアとしては1倍以下かもしれないが、それでも、いま、多くの人が日々利用しているチェックインという機能を生み出したのは彼なのだ。

クローリーは、いま、フォースクエア社を経営している。お昼時にフォースクエアのカフェテリアを訪れると、クローリーが桁違いに優秀なエンジニアに囲まれていたりする。フォースクエアでは、折々、昔のドッジボールコードが社内メッセージに流される。言葉を失うほどひどいコードだが、それを見るたび、すばらしいアイデアを思いつくことにこそ価値があるのだと思い出してほしいというのがクローリーの願いである。

一風変わったおもしろいことを初めて実現できさえすれば、世界一優秀なエンジニアであるかどうかなどどうでもいいんだとクローリーは笑顔で語ってくれた。

「ぼろぼろだけど、でも、使わずにいられない、ならね」

第７章

消えたENIACガール

The ENIAC Girls Vanish

プログラミングが女性に優しくないことが多いのは、なぜなのだろうか。

このことを、15年間、コーダーとして働きながら考えてきた女性がいる。そのケイト・ヒューストンは、スコットランドで全寮制の学校に通っていたころハッキングにめざめ、コンピューターサイエンスを学ぼうとエディンバラの大学に進学。当然の成り行きとして、そこで、これは男の世界だという現実に直面した。学科に女性がほとんどいなかったのだ。でもめげなかった。モトローラ携帯電話用アプリに浮動小数点演算を実装するというインターン時に与えられた課題など、頭がくらくらするほどの挑戦が楽しくてしかたがなかったからだ。2011年には大学を中退してグーグルに就職し、グーグルドキュメントやグーグルプラスなどを携帯電話やタブレットのアプリにする仕事を始めた。

グーグルが「進んだ」職場？

包容力と多様性に富んでいると上層部が語ることもあり、グーグルは、「進んだ」職場だと思われた。ところが、実際は、冷たく、上から目線の人が多いし、女性にコーディングは無理だと信じている人さえもいた。写真を撮る必要があり、アンドロイド端末にハードドライブをマウントする方法をたずねたら、コードと一緒に「2年前、インターンだったときに書いたものだけど……」といらない一言が付いてきたりするのだ（ちなみに、この返事が返ってくる前に、なにをどうすればいいのか、彼女は自分で解決していた)。同僚が書いたコードの品定めをするとともに、どうすればもっとよくなるか、改善の提案をするはずのコードレビューでも、ヒューストンのときは、どうでもいい細かなあらをいちいち指摘されるし、僕なら違うやり方でやるなと苦々しげに言われたりする（しかも、しかたなく試してみると、彼らが言うやり方ではうまくいかなかったりする)。なにかと言いがかりをつけてくるし、コードレビューではいつもけんか腰の同僚に対し、いくらなんでもひどすぎると、上司が、ヒューストンとふたりきりになってはならない、また、ヒュ―ストンに対するメールは自分にもコピーを送れと命じてくれたことさえある。
「実は、いつものことなので、そういうものだと思うようになっていたんですが、それはおかしいと上司が言ってくれたんです」
お説教ばかりを受けて育ったので、最近は、自分も同じようなことをしているかもしれないと心配しているそうだ。
「私のコードレビューはかなり厳しいかもしれません。でも、私は、そういうコードレビューしか知らないんですよ」
それでも、プログラミング自体はおもしろいと思った。仕事は、当時、会社が売りにしていた製品、グーグルプラス用モバイルインターフェースの作成だ。同僚の大半は丁寧かつ対等に接してくれる。だから、なるべくほかの人たちは見ないようにした。それでも、びっくりするコメントが折々飛び出してくる。「女性はコードなんて書かず台所にいるべきだ」と友だちの女性社員が言われたり、彼女自身も「女性が好きなのはかわいいモノであってコーディングじゃないんだよね」と言われたりするのだ。出社すると、ヒューストン担当のコードを同僚が書いていたり(「少しでも楽にしてあげられればと思って、ね」)、このプロジェクトはきみ向きではないからと女性が外されたりなど、きみのためと言いながら、その実、後ろから刺すようなこともよくあった。
ヒューストンはプログラミングに不向きかといえば、客観的な基準に照らすかぎり、そうとは思えない。だから、上司の評価は高い。だが、「ここはきみがいるべき場所だと思わないんだよね」という若手同僚がかもす空気が真綿で首を絞めるようにまとわりつく。グーグルエンジニアは女性が15%しかいないと言われれば、彼らは、それは性差だろうと切り捨てるはずだ。グーグルは能力主義を掲げており、最高の人材しか雇わない。その結果、女性が少なくなったのなら、女性には、生まれながらに論理的思考力や根性が足りないということだろう、と。
掛け値なしのハラスメントもあった。ヒューストンを「ヤリマン」と呼んだ社員がいたので会社に苦情を申し立て、対応はしてもらったが、真剣味が感じられなかったなんてこともあった。技術会議に向かう機内で別会社のエンジニアに痴漢行為をされたこともあり、「機内エンターテイメントの一種みたいな扱いでした」とヒューストンは憤慨する。若い女性インターンが来るとつきまとうグーグルコーダーもいて、彼に近づくなというメモが女性社員に回覧されたこともある。
「トイレでだれかが泣いているなんて日常茶飯事でしたし、私も、週に1回はトイレで泣いていました」
　そこから一歩進み、週に1日は在宅勤務ができる仕事を探したこともあるそうだ。そうすれば泣くところを人に見られずにすむ、が理由である。
「私にとって、仕事で泣くのは当たり前のことだったので、どうせなら、それがやりやすい環境がいいと思ったのです」
　もちろん、自虐ネタである。
「どうせ泣くならトイレよりソファがいい。化粧品があれば、後始末もやりやすいし」
　入社して3年がたち、中堅にさしかかったころ、軽んじられるのに嫌気がさしたヒューストンは、グーグルを退職。ブログ用の人気オープンソースソフトウェア、ワードプレスを使ってブログが書けるアプリを作っているオートマティック社に移ると、モバイル開発部門のトップに就任した。私が話を聞いたのはその1年後だ。彼女は、25人の部下を束ねる立場でさわやかな空気を満喫していた。彼女を引っぱったのは共同創業者のマット・マレンウェッグで、同社上層部には女性がたくさんいる。オープンソースのワードプレスを扱っていることもあり、グーグルほど知ったかぶりが幅を利かせる文化でもない。女性をあばずれと呼ぶ社員もいない。
「私は、ただただ、コードを書くのが好きなんですよ」
　そう言う彼女の顔は、晴れやかでもあり悲しそうでもあった。
　猛烈なプレッシャーにさらされる専門職はいろいろあるが、そのなかでコンピューターのプログラミングは異端だと言える。ほかの分野は、ここ数十年で、女性比率が大きく高まっているのだ。たとえば、弁護士の場合、1960年の3%から2013年には33%まで増えている。同じ時期に、内科医・外科医は、7%から36%まで増えている。科学や技術の世界も同じで、生物学者は28%から53%まで、化学者は8%から39%まで増えている。

コンピュータープログラミングは大きな例外だ。1960年、計算処理や数理の分野で働く専門職は27%が女性だった（米国政府の統計では計算処理と数理がひとまとめになっている）。この数字は、その後さらに上昇するが、1990年の35%をピークに減少に転じ、2013年には26%となってしまう。1960年よりも少なくなってしまったのだ。ほかの技術分野はほぼ一様に女性が増えているというのに、である。なぜ、プログラミングだけが逆行しているのか、女性が追い出されているのか。次は、そのあたりを検討してみよう。

実は、女性が切り開いてきた

けっこう有名な話なのだが、世界初のコンピュータープログラマーはエイダ・ラブレスという女性だ。ビクトリア朝時代の英国で数学者として活躍した彼女は、解析機関なるものの開発を進めていた発明家、チャールズ・バベッジと出会う。解析機関とは蒸気の力で金属製のギアが動く機械だが、現代のコンピューターにつながるもので、ループも実行できればデータの記憶もできた。ラブレスのすごいところは、バベッジすら気づいていなかったすさまじいまでの可能性をコンピューターに見いだした点だ。コンピューター自身が命令やメモリーを書き換えられるのであれば、単なる計算機以上のものになりうると気づいたのだ。この考えが正しいことを証明するため、ラブレスは、史上初と言われるコンピュータープログラムを書いた。解析機関でベルヌーイ数を計算するアルゴリズムである。

このプログラムにはバグがあった。また、「歴史が証明してくれると思いますが、私の頭は異才と言うべきほどのものです」と手紙に書いているし、加えて推論能力がすごく高いと述べるなど（別の手紙には「そう知っている人がいないだけで、私のしなやかな頭脳には、活力と能力が未開発のまま眠っている」とも書いている）、自身の才気に対して揺るぎない自信をラブレスは有していた。どちらも、コーダーあるあるである。ともかく、コンピュータープログラマーが大きな力を発揮する日がいつか来ると、彼女は、気づいていた。「数字の隊列が音楽に合わせて進軍する、美しく統制された軍隊」を指揮する情報の専制君主になる日が来る、と。ただ残念なことに、バベッジの解析機関は完成にいたらず、ラブレスは、自身のコードが実行されるところを見ることなく36歳でこの世を去ってしまった。

電子計算機の時代が実際に到来した1940年代にも、女性が中心にいた。ジャネット・アバテの『ジェンダーの記録（Recoding Gender）』にも記されているように、当時、コンピューターの世界を牛耳っていたのは男性だったが、難しく、だからこそ功労が認められるのはハードウェアの作成であると考え、彼らはそちらに注力していた。米国初のプログラム可能なデジタルコンピューター、ENIACは、真空管2万本以上、抵抗7万個以上で構成された総重量30トンにおよぶ巨大なものだった。これほどの仕掛けがちゃんと機能するところまで開発すること、それこそ、男がやるべき仕事だと考えられていたのだ。対して、マシンにどう命令すればいいのかを考えるプログラミングはつまらない仕事で、秘書にでもやらせておけばいいと考えられていた。当時、計算をえんえんくり返すつまらない仕事は女性が担当だった。ENIACが登場する前、IBMなどの電子作表機が計算に使われていた。図体はでかいのに加算と減算しかできない代物だったが、その程度でも給与計算などにはとても便利だったからだ。勤務時間などを示す穴をパンチカードに開け、それを作表機にかけると、合計した数字が得られる。とにかくうるさいし、手間ばかりかかっておもしろくもなんともない仕事で、パンチカードのオペレーターは女性が多かった。

だからだろう、ENIACが登場したとき、プログラミングはパンチカードの作成みたいなものであるとして（少なくとも、中核の男性陣はそう考え）、女性に任せることになった。そして、キャサリン・マクナルティ、ジーン・ジェニングス、エリザベス・スナイダー、マーリン・ウェスコフ、フランシス・ビラ、ルース・リクターマンと女性ばかりのプログラマーチームが生まれた。のちに言う「ENIACガール」である。プログラムでなにをするかは男性陣が決め、コードの仕様を記す。それが実行できるようにマシンをプログラムする作業、つまり、マシン内部に入るなどして配線をつなぎ替える作業はENIACガールが担当した。毎回、試行錯誤が続く世界初の仕事である。だが、そのおかげで、ENIACガールは、マシンを開発した男性陣以上に深くENIACを理解することができた。

「おかげで、どの真空管がおかしくなっているのかまでわかるようになりました」とENIACガールのひとり、ジェニングスが語っている。「私たちは、使い方についても機械についてもよく理解していたので、不具合を突きとめるのが、エンジニア以上とは言わないまでも、同じくらいには得意になりました」

コーディングの手法もいろいろと開発した。たとえば、動きがおかしいプログラムをデバッグするとき、実行を中断する「ブレークポイント」が設定できればいいと思いついたのはスナイダーだ。このアイデアはENIACに実装されたし、いまにいたるまで、デバッグの重要なツールとして使われている。ENIACガールは、書いただけで動くプログラムなどありえないと世界に先駆けて痛感したコーダーであり、熟練のデバッガーでもあったのだ。

ENIACが世の中にお披露目された1946年の出来事を紹介しよう。デモとしてミサイルの弾道計算を行うことになり、そのプログラミングはジェニングスとスナイダーに任された。何週間も必死で働いてなんとか動くところまでこぎ着けたが、やっかいなバグがひとつ残ってしまった。着弾しても弾道計算が終わらないのだ。問題は、デモの前夜、スナイダーのひらめきで解決される。翌朝、ENIAC内部のスイッチをひとつ切り替えたところ、無事、バグが解消された。

このときのスナイダーについては、ジェニングスも、「ベティは、寝ているときでも、ふつうの人が起きているとき以上に論理的な思考ができるのでしょう」と称賛している。

草分けとしてこれほどのことをしたというのに、その貢献は認められなかった。ENIACのお披露目はいまも語り継がれているほどの重大事だったわけだが、そのとき、女性の貢献はまったく語られなかったのだ。コーディングとはその程度のものでしかない、女性の仕事など取るに足らないものであると考えられていたからだ。

戦後、コーディングの中心が軍から民間に移り、プログラマーの需要が急増するとともに、わけのわからない数字が並ぶマシンコードを書くのは大変すぎるとして、もっと簡単にコーディングできる方法を模索する動きが生じた。ここでもパイオニアとして活躍したのは女性である。コンパイラーを開発したのだ。コンパイラーというのは、英語のような言語でプログラミングができるようにするものだ。英語によく似た言語で人間がコードを書けば、それをコンピューターが理解できる1と0の羅列に変換してくれるものと思えばいい。前出のグレース・ホッパーは、この分野で特筆すべき才能を発揮した。世界初のコンパイラーを開発したのは彼女だとも言われているし、ビジネスが専門で技術はさっぱりという人に向けてFLOW-MATICという言語を開発してもいる。のちには、企業社会に広く普及するCOBOLの開発にも参画してもいる。なお、チームメンバーのひとり、ジーン・サメットは、その後何十年にもわたりCOBOLの活用に貢献することになる（「どんな人でもコンピューターと対話できるようにする」のが夢だったという）。Fortranの最適化を進め、のちに、初の女性IBMフェローになったフラン・アレンという人物もいる。このように、女性は、プログラミング言語の種類やスタイルを大幅に増やし、コーディングの大衆化を最前線で推進した立役者なのである。

1950年代から60年代にかけて激増したコーディングの仕事は、女性がきわめて参入しやすいものだった。このころはどうすればいいのかまだわかっておらず、男性が有利になる理由もなかったのだ。実際、当時の企業は、やっきになって、どういう人材がコーディングに向いているのかを明らかにしようとした。結果は、論理的に考えられる、数学が得意である、細かなことまでおろそかにしない、だった。これは、むしろ女性に有利な条件であり、昔から編み物や織物など細かいことを余暇にたしなんできた女性こそ、コーディングに向いていると言う企業経営者も少なくなかった（1968年発行の『コンピューターを仕事にする（Your Career in Computers）』には、本を参考に料理するのが好きな人はいいプログラマーになれると書かれている）。このころコーダーの採用では簡単なパターン認識テストが行われるのがふつうで、女性は合格することが多かった。採用されるとオンザジョブでトレーニングが行われる。だから、男性にせよ女性にせよ、素人であっても問題なかった(「コンピューターなんてわからないって？　大丈夫、ちゃんと教えてあげるから（有給で)」という広告が打たれたりしていた)。女性の採用に熱心だったIBMなど、「マイ・フェア・レディ」と題したパンフレットを作ったほどだ。電機メーカー、イングリッシュ・エレクトリック社の広告では、ボブヘアの女性がペンをくわえている写真に「イングリッシュ・エレクトリックのコンピューター、レオのトッププログラマーにはおしとやかな人がいます」というキャプションが付されていた。

当時の人材不足は深刻で、黒人女性さえも採用の対象になることがあった。たとえばグウェン・ブレイスウェイト。彼女はトロントに住む若い黒人女性で、夫は白人だったが、人種差別のせいで部屋を借りることができなかった。つまり家を買うしか道はなく、ということは、彼女も働かなければならない。ブレイスウェイトは、データ処理の求人広告を出していた会社に行き、コーディング資質のテストを受けさせてもらった（白人ばかりの会社で、テストをしてもらうだけでも大変だった)。結果は上位1%以内。そんなはずはない、なにかズルをしたんだろうとスーパーバイザーがいじわるな質問をあれこれする一幕もあったが、彼女はそれも楽々とパス。これは本物だと採用されることになった。こうして、ブレイスウェイトは、カナダの女性コーダーの草分けとなり、大型プロジェクトをいくつも率いて保険会社へのコンピューター導入を推進した。

「私は運がよかった。私が女性でも黒人でも、コンピューターは気にしないから。ふつう、女性はいろいろと苦労するものなのよ」

彼女は、のちに息子にこう述懐したという。

プログラミングに従事する女性が増えたことをうけ、1967年には、コスモポリタン誌が「コンピューターガール」なる特集記事を組むにいたった。新たなフロンティアで、年2万ドル（いまのお金で14万ドル）もの高給が支払われるなどと紹介する記事で、宇宙船エンタープライズ号のブリッジかと思うようなコンピューターに向かう女性の写真が何枚も添えられていた。

コーディングは、女性が活躍できる数少ない専門職となった。60年代、外科、法律、機械工学など、厚遇される専門職に女性が就くのは不可能に近かったが、プログラミングは例外で、4人にひとりと信じられないほど女性の比率が高かった。当時は、大学で数学を学んでも、せいぜい高校で数学を教えるか保険会社で機械的な計算をくり返すかくらいしか選択肢がなかった時代で、バージニア工科大学科学技術社会学科のジャネット・アバテ教授が指摘しているように、女性にとっては状況がたいへんに厳しく、「プログラミング以外、なにができるというの？」と言いたくなるような状態だった。

アバテ教授の研究報告には、エルシー・シャットという起業した女性コーダーの例が登場する。彼女は学生時代にプログラミングを学び、夏休みになるとアバディーン性能試験場で軍関係の仕事をしていた。1953年には、軍需メーカーのレイセオン社にコーダーとして就職する。プログラミングは女性の仕事だと思い込んでいたので、男女がほぼ半々の職場にとても驚いたそうだ。そして、子どもができたのを機に退職。そして、子どもがいると再就職が難しいという現実に直面した。50年代から60年代は女性コーダーがもてはやされた時代だが、子なしが条件だったのだ。いくら優秀でも、非常勤などで時短勤務をさせてもらえるところなどない。それならと、シャットは、注文を受けて企業向けコードを書くコンピュテーションズ社を立ち上げた。仕事は、自宅で子どもの面倒を見ている母親に、夜、してもらう。未経験者なら教育もする。コンピューターはタイムシェアリングだ。シャットは次のように語っている。

「始めてみたら、これが私の使命だと思うようになりました。能力があっていい仕事ができるのに、短時間の働き口がなくて困っている女性に仕事を提供することが、です」

この働き方はビジネスウィーク誌に取り上げられ、「数学と子育ての両立」と題する記事になり、赤ん坊が眠るゆりかごの向こうで「妊婦プログラマー」がコードを書いているところが写真で紹介された。

だが、60年代末から70年代に入ると、男性比率が高まっていく。歴史学者のネイサン・エンスメンジャーが記しているように、プログラミングは大事であるとの認識が企業内に広がり、プロジェクトが大型化したことからコーダーも管理職とする必要が生まれたが、そういう大事な役職に女性を就けるわけにはいかないと考えられたからだ。専門的な職業として認知されるようになったとも言える。「だれにでもできる」から、学位や資格を必要とするものになっていったのだが、当時は、どちらも女性が持っていることは少なかった。人事が考えるコーダーのイメージも、人付き合いが下手な内向的人物で、身だしなみも乱れがちという男性的なものになりつつあった。コーダーの給与が上がり、ENIAC時代のように秘書にでもやらせる仕事という感じではなくなったことも大きい。社会学の世界で昔から言われているように、ある分野の給与が上昇し、世間的にも認められる仕事になると、以前は鼻であしらっていた男がなだれ込み、女性を押しのけるものなのだ。

UNIX システムの管理者から歴史学者に転じ、英国で起きた同じ変化を研究したマリー・ヒックスは次のように指摘している――「技術力と出世が必ずしも比例しないというのが大きな問題のひとつなのです。管理能力が求められるわけです」

70年代、有能な女性コーダーは、みな、この変化をひしひしと感じたはずだ。IBM のフラン・アレンも、女性コーダーが減っていった、職業として確立されるにつれ基本的に女性が歩みにくい道になってしまった、とアバテ教授に語っている。専門家の世界やコンパイラーなど一部の分野については、有能な女性が活躍できる場が残されていたが、大部分は巨大なガラスの天井で覆われてしまったのだ。アレン自身は最後まで生き残り、2000年代、IBM が誇る人工知能、ワトソンの前身となったスーパーコンピューター、ブルージーンの開発に携わるなどしている。

1984年以降、状況が一変

転換点は1984年だと言えるだろう。ここを境に、コンピューターサイエンスの学位を取得する女性が減り始めたのだ。

1984年までの10年間は、男性も女性もプログラミングに興味を持つ人が増えていた。1974年の調査では、コーディングという仕事に興味があると回答した人数に男女で違いがなかった。大学の情報科学科に進学する人数は男性のほうが多かったが（女子学生の比率は16.4%にすぎなかった）、進路として興味を持っていたという意味では女性も同じだったのだ。その証拠に、70年代後半から80年代初頭にかけ、コンピューターサイエンスに進学する女性はうなぎ登りに増え、1983年秋からの年度では、37.1%を占めるにいたった。わずか10年で比率が倍増したのだ。

だが、これを境に比率は減少に転じ、90年代は右肩下がりが続いたし、2010年には、ピークの半分に満たない17.6%となってしまった。

なぜだろう。どうして、これほど激しく、急な変化が起きたのだろうか。

ひとつには、子どもでもプログラミングを学べる状況が生まれたことが挙げられる。70年代末から80年代にかけてパーソナルコンピューターが登場した結果、情報科学科への進学者が変化したのだ。

1984年まで、進学してくる学生は、コンピューターに触ったこともない者ばかりだった。コンピューターの実物を見たこともない、と言ったほうが正確かもしれない。当時のコンピューターは高価で、会社か研究所にでも行かなければ見られない珍しいものだったからだ。そのため、学生は、みな、横並びのよーいドンでプログラミングを学んだ。肩を並べて“Hello, World!”プログラムを書いたのだ。

ところが、70年代末から80年代にかけ、コモドール64やTRS-80など、第1世代のパーソナルコンピューターが登場し、状況が一変した。中高生が自宅でコンピューターをいじり、forループやifステートメント、データ構造など、プログラミングの基本コンセプトをじっくり学べるようになったわけだ。そして、80年代半ばには、そういう学生が進学してくるようになった。プログラミングの経験が豊富にあり、入門編の講座などいまさらというレベルだったりするわけだが、そういう学生はほとんどが男だった。これは、女子学生の比率が低い理由を調べた大学教員が確認した事実である。

調査を行った教員の片割れは、カーネギーメロン大学情報科学科の副学科長、アラン・フィッシャーである。1988年に情報科学科を創設したが、それから90年代初頭にかけ、女子学生の比率が10%に達しない状態が続いていた。女子学生を増やしたいと考えたフィッシャーは、社会科学科の研究員、ジェーン・マーゴリス（現在はUCLA大学院教育情報学科で主任研究員をしている）の協力を得て、1994年、その原因を探ることにした。ふたりは、1995年から1999年の4年間、情報科学科の学生、男女合わせて100人に聞き取り調査を行い、その結果をまとめて『クラブハウスを開け放て（Unlocking the Clubhouse)』という共著にまとめている。

豊富な経験を持って入学してくるティーンエイジャーは、大半が男だった。コンピューターに触れる機会が男女で大きく違うのだ。親が買ってくれたと回答した男子学生は女子の倍以上だった。コンピューター1台を家族で共用する場合も、娘の部屋ではなく息子の部屋に置く親が多い。また、父親は、息子とだと一緒にBASICのマニュアルを読み、コーディングのやり方を学んだり、息子の背中を押したりしがちだが、それを娘とすることは少ない。

これは大きな発見だったとマーゴリスは語ってくれた。ほぼ全員、父親は兄や弟のほうばかり向いていて、女子学生は、なかなかかまってもらえなかったと回答したのだ。また、母親が自宅のコンピューターをいじることは少なく、女の子は、内心では興味を惹かれていても、その空気を読んでコンピューターから距離を置きがちだった。いかにも、である。それまで何十年も、いや、おそらくは何百年も、男の子は機械、女の子は友だちとお人形でおままごとへと、親は、誘導してきたのだ。それとなくにせよはっきりとにせよ、そういう男の子らしさ、女の子らしさへと。であれば、新しい技術が登場しても誘導のパターンが変わらないのが当たり前というものだろう。

学校でも、コンピューターは男の子のものだというメッセージがそこここに見られる。体力勝負の苦労から逃げられる世界が欲しいこともあり、コンピューター好きな男の子は集まってクラブを作る。このクラブは、助け合いのネットワークとしても機能するが、そういう集まりは、そのつもりがあろうがなかろうが、排他的になりがちだ。80年代に行われた研究で明らかにされたように、女の子はもちろん、黒人やラテン系の子どもも小馬鹿にするようになるのだ。女の子同士の目という問題もある。男の子より女の子のほうが、なにかにのめり込んだとき冷たい目で見られがちだ。男の子もからかわれたりするが、それでも、フットボールや車、コンピューターなど、なにかにのめり込むこと自体は、男の子にとってむしろいいことであるとされている。対して女の子は、それはよくないことだというプレッシャーが親からも周囲からもかかる。コーディングはのめり込まなければうまくなれないというのに、である。

このような理由から、一部の男子学生はプログラミングの基礎ができているのに対し、女性やマイノリティはほぼ全員が初心者という具合にカーネギーメロン大学の新入生がはっきりふたつに分かれる状況が生まれたわけだ。文化のちがいによる分裂である。その結果、女子学生と、さらには、未経験で入学した男子学生は、自分の能力に疑いを抱くことになる。どうすればいいのだろうか。

マーゴリスの調査で学生も教職員も語っているのだが、まず最初は、コンピューターをいじり倒してこなかったのに、なぜ、こんなところに来てしまったのだろうと考えてしまうのだそうだ。そして、ステレオタイプが生まれる。真のプログラマーとはずっとコンピュータースクリーンに向かっていてモニター焼けができている人である、ずっと向かっているほどコンピューターが好きでなければならない、毎日毎日朝から晩までそうしていなければ真のプログラマーではない、という具合に。実際のところ、ステレオタイプどおりのハッカーは男にもそうはいない。たいがいはほかに趣味を持っているし、友だちと遊んだりもする。それなりにバランスの取れた人生を送っているのだ。男の場合はそれがふつうなのに、これが女性になると、同じくバランスの取れた人生を送りたいと口にしたとたん、そんな気構えじゃだめだと言われてしまう。いわゆる二重基準である。経験豊富な男子学生が、未経験の女子学生について、なにもわかっていない、才能がないんだろうなどと聞こえよがしに語ったりする問題もある。クラスで質問しても、女子学生は、そんなのわかりきってるだろうなどと言われたりする。その結果、たくさんの女子学生が自信を失い、1年くらいで中退していく。黒人やラテン系の学生も状況はほぼ同じで大学入学前のプログラミング経験がなく、中退率は50%に達する(ただし、入学者数が4人とごく少なかったので統計的に一般化するのは難しいとマーゴリスは指摘している)。

注目すべき点は、中退するかとどまるかの決断がコーディングの才能と無関係に行われているとしか思えないところだ。中退した女子学生の成績はたいがいよかったのだ。トップクラスなのに中退してしまった学生もいる。逆に、とどまる決断をした女子学生は、3年生あたりで経験者に追いついてしまう。大学教育には経験による差を埋める力があると言ってもいいだろう。中学生や高校生の時代にBASICをいじっていればクールなスキルを山ほど身につけることができる。だが、大学は学ぶスピードが速く、初心者も経験者も、同じくらいのコーディング知識とソフトウェア作成能力を身につけて卒業することになるわけだ。

意外な結果である。ハッカーだった子どもはそのままリードを保つと考えるのが一般的だ。カーネギーメロン大学もそう考えたので、入学選考で経験者を優先していた。だが、その前提自体がまちがっていた、大学レベルでさえ、経験の有無でどうこう言えないことがわかったわけだ。

高校におけるプログラミングの文化が排他的で女性を差別するものだったからといって、ハッカー少年だけを責めるわけにはいかない。彼らはコーディングが好きでのめり込んでいただけであり、差別にもっと敏感であるべき周りの大人が、そういう男中心の文化を容認していたのだから。プログラミング世界の開拓に女性が大きな貢献をしてきたという事実が片隅に押しやられてしまったのも、80年代の女性にとって、自分たちが属していい世界なのだと思いにくい一因だったと言えるだろう。しかも、世間的には、男の世界というイメージばかりなのだ。『ナーズの復讐』、『ときめきサイエンス』、『トロン』、『ウォー・ゲーム』などハリウッド映画に登場するハッカーは、ほぼ必ず若い白人男性だ(アジア系のこともある)。コンピューター世界の大きな入り口、テレビゲームは、男の子向けが多い。このころ、プログラマーの世間的イメージは、大きく、白人男性に傾いていったのだ。

女性自身、技術は不得意だと思う人が多いという点も考えなければならない。スタンフォード大学科学技術社会学科の大学院生だったリリー・イラニも、情報科学科の学生を対象に同様の調査を行い、コンピューターによる問題解決の自信がどのくらいあるのかをたずねたところ、はっきりと性差が存在した。調査対象の成績に男女で違いはなかったのに（もちろん、本人たちはそれを知らない）、自己評価は10点満点に対して女子学生が7.7、男子学生が8.4だったのだ。自分はほかの学生より自信があると思うかないと思うかという問いに対する回答は、性差がもっと大きかった。女子は0.5ポイント自分のほうが自信がないと回答したのに対し、男子は、1/6ポイント自分のほうが自信があると回答したのだ。成績に違いはないのに男子のほうが自信を持っているし、自分は真のコーダーであると感じており、女子はその逆だったわけだ。

男は、いじること自体が楽しいからソフトウェアをいじる人が多いのに対し、女は、世界に貢献する手段となりうるからコーディングはすばらしいと考える人が多いという好みの問題もある。これは、各種の調査研究でも確認されていることだ。マーゴリスらがカーネギーメロン大学で行った調査でも、女性は、ずっと一生、コンピューターの前に座り続けるのはぞっとしないと回答する人が多かった。これも、情報科学の女子学生が2年次終了までに中退しがちな理由のひとつである。学びはじめの学生なのだからしかたがない面もあるのだが、そこまでは、実際になにかをするわけではなく、ひたすら、アルゴリズムの書き方やデータ構造の取り扱い方などを学ぶばかりだからだ。言い換えれば、「いじる」ばかりなのだ。もちろん、男子のなかにも、抽象的なコーディングばかりで趣味や友だち付き合いが少なくなるのはいやだという学生もいた。それでも、キーボードにずっと張り付いていられなければ真のコーダーではないというのは、男子よりも女子に厳しい神話なのだ。

そんななか、がんばって続けると、事態は逆転する。スタンフォード大学でもカーネギーメロン大学でも、学部の後半では、チームを組んでアプリを作るようになる。スタンフォード大学では、新たにJavaも学ぶ。ここで、男女が逆転する。横並びで新言語を学ぶわけで、意識や自信の違いによる影響は小さくなる。さらに、チームで働くとなれば、プロジェクトを管理したりほかの人と協力したりする能力が重要になるわけで、こちらも横並びのスタートに近い。プロジェクトの失敗はみんなの失敗となるので、参加者は仲間とならざるをえないという面もある。ここまで達すると、女子学生は自信レベルが急上昇する。水を得た魚のようになるのだ。

ただ、ここまで生き残れる人は少ない。カーネギーメロン大学では、せいぜい半分というところだった。

1984年以降、情報科学から女性を追い出す役割を果たした力がもうひとつある。定員の問題だ。

プログラミングが大人気となり、それが裏目に出た格好だ。情報科学科には入学希望者が殺到したが、教えられる人が足りない。民間の給与がどんどん上がっていて優秀な教員がそちらに流れてしまうのだから、事態は悪化こそすれ改善しない。80年代にウェルズリー大学とハーバード大学でコンピューターサイエンスを教え、その後スタンフォード大学に移籍したエリック・ロバーツも、民間の給与がいいからと、誘いを5人続けて断られた経験があるそうだ（彼は、現在、ポートランドのリード・カレッジで教壇に立っている）。

大学はどう対処したか。学生を減らす方向に動いた。間引き用の科目を履修しないと情報科学科が専攻できない大学もあった。この科目を履修すると課題が山ほど与えられるし、どんどん先に進むので、聞いただけでわかる人でないとまずついていけない。教員側が忙しすぎることもあって、宿題に対するサポートもなかったりする。自分でなんとかできないやつに用はないという感じである。1年生は一般教養を履修するが、情報科学科に進学するには、一般教養で優れた成績を収めなければならない（バークレーのように、平均4.0とオールAが求められたところもある）。大学以前にコーディングを経験していなければここでふるい落とされる可能性が高い。つまり、男ばかり、白人ばかりを取るシステムになったのだ。

こういうフィルターが前段に設けられるたびに女性の参入が難しくなったとロバーツも証言している。加えて、たくさんの学生を間引いたということは、競争心が特に旺盛で、自信喪失など経験したことのない学生を選んだに等しいのではないか、とも。
「女の子は競争が激しく敗者がはっきりすることのあまりない状況を好むよう、社会的に刷り込みがなされているので、この段階で逃げ出しがちになってしまいます」
定員の問題は、男女両方に降りかかり、数年で、情報科学科の学位取得数は40％も減少した。90年代半ばには事態が落ち着き、情報科学科の学生数も増加に転じるが、そのころには、どういう人がコーディング向きなのかというイメージができてしまっていて、男ばかりが志望するようになっていた。興味を示す女性は大きく減り、それが70年代末から80年代のレベルに戻ることはなかった。そのため、20人のクラスに女子学生は5人もいないくらいと、場違いなところに来たと感じてしまいがちな状況だった。
女子学生の減少に伴い、情報科学科は男性ホルモンのみなぎる世界になっていった。当時、プログラミングのクラスで女子学生がどういう扱いを受けていたのかをまとめた報告書がある。エレン・スパータスというコンピューター研究員が書いたものだ。電気工学の学生にしておくのはもったいないほどの美人だと女子学生に言う教授やコンピューターの壁紙をヌード写真にするのはやめてほしいという要望にナチかアヤトラ・ホメイニの検閲かよとかみつく男子学生（カーネギーメロン大学における実例）など、女性は劣っていると考え、笑いものにする男の姿がいろいろと報告されている。MITで行われた同様の調査でも、「男子に比べて女子はいまいちだよね」と語るなど女子学生は凡庸だと考える男子学生がいるなど、同じようなことが指摘されている。どのくらいかわいいと思うか本人を前に品定めをしたり、女の子がふたりとも同じ研究室というのは不公平だ、みんなで分け合うべきだという発言があったりと、ロッカールームかと思うような言動が研究室でなされてもいたらしい。「結婚するのに学位はいらないだろ？」と言われた女子学生もいる。授業中に質問があって手を挙げても、先生には無視されるしほかの学生はかまわず話をするしと取り合ってもらえない。消極的すぎると言われるが、ではと積極的になり、ほかの学生の意見に疑問を呈したり否定したりすると、「今日はやけにつっかかるじゃん。アノ日かい？」などと言われたりする。肩をなでたり胸をもむなど、手を出してくる者さえいる。

締め出される少数派

情報科学科から女子学生が逃げ出せば、職場も、だんだんと白人男性ばかりになっていく。労働統計局のデータによると、2017年、米国では、コンピュータープログラマー、ソフトウェア開発者、ウェブ開発者に分類される労働者の女性比率は約20％だった。データベース管理者と統計担当者といった技術職も含めれば、この数字はもう少し大きく、25.5％になる。同じ区分けで黒人は6％と8.7％、ラテン系も似たような数字で（6％と7.3％）、いずれも、上記以外の民間における割合の半分か半分強にすぎない（データUSAの統計では2016年の黒人コーダー比率が4.7％とされているなど、実際にはもっと少ないかもしれない証拠もある）。シリコンバレーの有名テック企業は、この数字がもっと小さかったりする。たとえば、リコード誌は、グーグルの場合、技術職に占める女性の割合は20％、黒人とヒスパニックは、それぞれ、わずかに1％と3％であると推定している。フェイスブックも似たような数字で、ツイッターは15％、2％、4％という具合だ。

自分と同じような人がこれほど少ないと、出社したとき、白人ばかりの僧院に押し入るような錯覚を覚えがちだ。話を聞いたコーダーは、全員、平等に扱ってくれる同僚やマネージャーがいると語ってくれたが、同時に、ほぼ全員が、それとなくだったりあからさまにだったりという違いはあるにせよ、女性をはじめとするマイノリティは技術力が劣る、白人男性に匹敵する技術力は持ちえないと考える業界人に対して自分の力を証明する戦いを毎日くり返さなければならないと証言してもいる。

ステファニー・ハルバートもそういうひとりである。数学が大好きで小さなころからグラフィックスにはまっているし、「C++が大好き。マシンに近い低水準なところがいい」と言うほどのコンピューターオタクである。ゲームデザインで人気のツールを作るユニティ社などを渡り歩いたベテランで、フェイスブックではVRヘッドセット、オキュラスリフトの開発に携わり、そのデモをリリースするため必死で働いた経験もある。彼女は、なじられることなど慣れっこで、気にしなくなったと語ってくれた。

そういう経験なら数え切れないほどあるそうだ。女性の頭は数学に向いていないと言われる。それこそ、尊敬している業界重鎮の方々からも言われる。仕事関係でささいなことでも知らなかったりすると、「数学は得意なんじゃなかったのかい」など、男性の同業者に突っかかられる。あからさまなセクハラをされたこともあり、職場環境が悪いと人事部に訴えたが、まともに取り合ってもらえなかった（これも女性コーダーからよく聞く話である）。

そんなこんなの末、彼女は、バイノミアルというスタートアップを立ち上げることにした。グラフィックスの「テクスチャー」を圧縮するツールの会社で、パートナーは、彼女と同じくグラフィックス計算を愛するリッチ・ゲルドリッチである。独立した結果、上司にいらぬじゃまをされることはなくなった。だが、女性にテッキーはいないという世間の常識から完全に逃れることはできなかった。営業に行くと彼女はマーケティング担当だと思われ、「あなたひとりで、よくこれほどの製品を作れましたね」とゲルドリッチが言われたりするのだ。それでも、自分の会社を立ち上げたおかげで、うっぷんが晴れたこともあるそうだ。最初に就職した会社では、最高技術責任者から「向いていない仕事をするのは時間の無駄だよ」と言われたのだが、最近、そこの社員から、処理速度をなんとか高めたいので彼女が開発したテクスチャー圧縮コードを使わせてくれと依頼されているというのだ。売るかどうかはまだ決めかねている、「どうせなら、最高の圧縮ソフトは女性を差別しない人に使ってほしいと思いますからね」と彼女は笑った。

女性コーダーはお飾り的PR担当だと思われたりする。黒人やラテン系のプログラマーなら、警備員や清掃員だ。2017年に話を聞いたスラックのビルド＆リリースエンジニア、エリカ・ベイカーもそういう経験があるそうだ。アフリカ系アメリカ人のベイカーは、子どものころにQBASICとハイパーカードを独習し、グーグルのアトランタ事業所に就職。そこで、「彼氏にいつも殴られてるんだろ？」など人種差別の言葉を投げつけられたという。その後、マウンテンビューの本社に異動となったが、そこでは、契約社員に警備員だと勘違いされたり、社員に秘書だと勘違いされたりした。技術力を高める研修を受けたいと希望してもかなえられず、白人が次々受講するのを眺めているしかなかったりもした。とはいえ、悪いことばかりではなかったそうだ。手助けしたり教えたりしてくれる人もいたし、契約社員の件に気づいて大丈夫かと声をかけてくれた管理職もいた。だが、グーグルは社員の大半にとって最高の職場だけれど、自分のようなマイノリティにとっては必ずしもいいところではないと思い知らされ、2015年に退職する。転職先は、シリコンバレーにしてはマイノリティが多めのスラック社である（スラックの場合、世界全体では女性が技術職の34.3％を占めている。米国のみを見ると、人種的・民族的な少数派が12.8％で性的なマイノリティ、LGBTQが8.3％となっている。ベイカーは、スラック社ののち、パトレオン社のシニアエンジニアリングマネージャーに転身している）。

技術の世界では、LGBTQに対するハラスメントもひどいものがある。社会的影響力を専門とするケイパー研究所が、自己都合で退職した技術職に理由をたずねたところ、LGBTQの24％が、職場ではずかしめを受けたからと回答したという。いじめにあったことがある率も20％と、調査対象グループのなかで一番高かった（いじめが退職を決断した理由のひとつだと回答した人の割合は64％に達している）。

マイノリティだからといって、まともに取り合ってもらえないとは限らない。本書のためにたくさんのコーダーに話を聞いたが、そのなかに、少数ながら、職場でそういう問題に直面したことはないと語ってくれた女性がいる。

暗号化の世界で有名な専門家、ヤン・ジュは、ブレイブというウェブブラウザーの開発に携わっていたが、そういうことは特になかったという。

「そのあたり、私が気づかないだけかもしれませんが」

もちろん、差別のうわさはよく聞くし、知り合いから聞く話は信じられないものが多いが、大げさに言われているとも思わないそうだ。

話題になるのは派手なハラスメントや攻撃だが、実は、白い目で見られたり心ない言葉を投げかけられたりすることのほうが大きな問題だと多くのコーダーが指摘している。ギロチンで首を落とされるより、小さな傷を千個も負わされて死ぬことのほうが多いのだ。これは、各種調査でも確認されている。ある調査では、エンジニア248人のパフォーマンスレビューを分析した結果、女性は否定的なフィードバックを得る可能性が高い、一方男性は、否定的な話がなく建設的なフィードバックのみを得ることが多いと判明している。技術系ヘッドハンティングのスピーク・ウイズ・ア・ギーク社が履歴書5000通を複数社に送った実験の結果も興味深い。性別がわからない名前にしておくと女性の54％に連絡があったが、性別がわかる名前にしておくと5％にしか連絡が来なかったというのだ。名前以外の履歴や情報に違いはないというのに、である。

コーディングの仕事から女性を閉め出している要因がもうひとつある。スタートアップでよく言われる「文化的相性」だ。スタートアップの場合、少人数が狭いところにこもって長時間働くのがふつうだ。となれば当然だが、創業メンバーとよく似た人を採用しがちである。とある女性コーダーは、シリコンバレーの会社からお声がかかり、創業者と3回も会ったのに、毎回バーで楽しく飲むばかりだったという。仕事の話はいっさいなし。わけがわからず、採用の面接はしてもらえないのだろうかとシリコンバレーに詳しい友だちにたずねた。回答は、飲みに行ったんだろ？　それが面接さ、だった。一緒に遊べる相手かどうかを見るのがシリコンバレー流というのだ。私の取材でも、ハーバードやスタンフォード、MITなど、大学時代の友だちを連れてくるという回答が多かった。

「軽いノリの文化というやつですよ」とスー・ガードナーは表現している。彼女は、ウィキメディア財団事務長を務めた経験から女性コーダーが少ない理由に興味を抱き、直接の聞き取りも含めて1400人以上の女性コーダーを対象に調査を行った。そして、90年代に男性が主流となったあと、いまは、男が多いから男が増える状況になっていると確信したそうだ。責任者のほとんどが白人男性なので、採用も、そういう人になりがちなのだ。自分と同じように歩き、自分と同じように話す人しか認めないと言ってもいいだろう。たとえば、コーダーの採用では、ホワイトボードチャレンジなる課題が出されることが多い。資料なしでソートのアルゴリズムなどをホワイトボードに書かせるのだ。こんな試験では、実際に仕事ができるかどうかなどわかるはずがない。ただ、アイビーリーグに属するような有名大学の授業ではこういうことがよく行われるので、わずか数年前に大学を卒業した採用担当者にとってなじみがあり、つい、使ってしまうのだろう。

ベンチャーキャピタルの獲得でも同じことが起きている。過去、投資して成功した相手と似た人に資金を提供しがちなのだ。実はこれは「パターンマッチング」なる業界用語ができているほどよくあることだったりする。ともかく、ベンチャーキャピタリストは80年代から00年代初めに財をなした人々でほぼ全員が白人男性であり、自分が若かったころに見た目も行動も似ているアントレプレナーを好みがちだ。有力ベンチャーキャピタリストのジョン・ドーアなど、そうはっきり語っていたりもする。2008年のことだ。

「テクノロジー系アントレプレナーですごいなと思う連中は、ハーバードやスタンフォードを中退した白人男性で、友だち付き合いに時間をまったく割かないオタク、というイメージかな。グーグルなんかもそうだったわけだけれど、そういう手合いが来てくれると、投資を決めやすいんだ」

私の取材にガードナーは次のように語ってくれた。

「女性が排除されているわけじゃないんです。若い独身の白人男性以外、全員が排除されていると言うべき状況なんですよ」

女性の参入を妨げる理由としては、こういうちょっとした好みの問題やあまり取り上げられもしないひそかなジャブが多いのだが、明確な性差別や、男ばかりの集まりでならまだしもと言いたくなる話を耳にすることも少なくない。

有名テック企業の事務所で暴力を振るわれた女性コーダーがいる。プレゼンテーションにポルノを使いたがるコーダーが多い（スライドにポルノ画像を使ったRuby on Rails（ルビー オン レイルズ）のコーダーが有名）。なにをしているのか、女の子にも説明しやすいから新しいリリースはすごいと講演で語ったUbuntu（ウブントゥ）のリードコーダーがいる。データベースクエリーのセミナーで、クエリー最適化の実例として、以下のように「エロさ」による女性のランキングを取り上げたコーダーもいる。

```
WHERE sex= ‘F’ AND hotness > 0 ORDER BY age LIMIT 10
```

フェイスブックでクライアントソリューションマネージャーをしている女性がビットコインのミートアップに顔を出したところ、「きみ、ビットコインって聞いたこともないんじゃないのかい」「女性って、だいたい、効率とか有効性とか気にしないものだからね」と言いたい放題を言ってきたミートアップリーダーもいるそうだ（触ってきた参加者もいたらしい）。

さらに、こういう話をオンラインですると、脅しやハラスメントの対象になったりする。グーグルでエンジニアをしていたこともあるケリー・エリスのように、ハラスメント体験をリツイートしたら、さらにひどいことをされるなんてこともある（「それ拡散するといくらもらえるんだ？」というツイートも投げかけられた。このツイートは、のちに削除されている）。

テクノロジー系スタートアップのなかには、フラタニティのハウスかと言いたくなるようなことをするところもある。たとえば訴訟沙汰になったアップロードVR社では、ベッドが置かれた部屋を「倒錯部屋」と呼んでいたり、コーディングに集中できるようにちょっと抜いてくるわとマネージャーがトイレに行くなどしたとされている。

00年代半ばはいわゆるブログラマーが登場した時代であり、それも、スタートアップがフラタニティ化した一因だと言えるだろう。ブログラマーとは、男子学生しか入れないフラタニティでブラザーと呼び合い親交を深めていたタイプのコーダーで（ブラザー＋プログラマーの造語）、それまで主流だった、マシンに親近感を抱くタイプとは大きく異なる。フラタニティ的な職場は、落書きだらけでビール樽が置かれているフェイスブックの事務所など、90年代末から00年代初めにかけてもあちこちにあった。このトレンドは、2008年の世界金融危機後に加速（テッキーの実感、だそうだ）。銀行は多くが引き締めにかかり、投資銀行も、お酒大好きで陽気なアイビーリーグ出身の若者が手っ取り早くお金を手にできる道とは言いがたくなってしまったからだ。そうなれば、一攫千金が狙える別の産業に行くしかない。ばかばかしいコンセプトのスタートアップに投資資金がどんどん流れ込むシリコンバレーのソフトウェア産業だ。（ドットコム・バブルの90年代にも小規模ながら同様の動きが存在し、マディソン・アベニューで広告やマーケティングの世界に身を投じていたはずの人が、大勢、スタートアップに流れた）

前出のエリック・ロバーツも、金融危機後、その手の男子学生をクラスで見かけるようになったと証言している。まちがいなくお金が手に入る道に進むことが最優先というタイプで、共通するのは、自信にことかかない点だけ。ソフトウェアに対する興味は、すごくある人もいればまったくない人もいた。

「情報科学が大嫌いなのに専攻する学生がたくさんいたのには困りました。彼らは、金持ちになる道だから来ているわけです。ビリオネアになるためならたいへんな仕事でも必死でやるぞということなんでしょうけど、それって、例の金融危機の前によく見たやつですよね。あのあと、みんな、どこに行ったのでしょう。コンピューティングしかないじゃないですか」

ブログラマーが流入してきたころ、中堅の女性コーダーは、逆に、シリコンバレーにいてもいいことはないと退散しつつあった。スー・ガードナーの調査でも、多くの女性がほぼ同じ不満を語ったそうだ。仕事を始めたばかりのころは、性差別など特に気にならなかった。プログラミングが大好きだったし、前途に希望を持っていたし、仕事がおもしろくてしかたなかったからだ。だが、年月を重ねるうちに、みな、すり減ってしまった。昇進はするが、メンターになってくれる人はいないに等しい。2/3もの女性がハラスメントを自分で経験したり横で見たりしたことがあるというし(テクノロジー分野で働く女性を対象とした別の調査、アテナ・ファクターにも同じ報告がある)、1/3が、男性同僚のほうが上司の受けもよければ引き立ててもらっていると語っている。こういう女性が退職するのは子どもが生まれたときだとよく言われるが、ガードナーの調査結果は異なっていて、チャンスの面でも待遇の面でも、自分と同じか劣っている男性がえこひいきされるのに嫌気がさした、が多かった。

さらに、えらくなるほどハラスメントがひどくなるという問題もある。自分の会社を立ち上げ、投資家の96%を男性が占めるベンチャーキャピタルの世界と付き合わなければならなくなると最悪だ。女性が出資を求めると、投資家からセックスのお誘いがきたりするのだ。みずからベンチャーキャピタリストになった女性もいるが、彼女らが見る世界はありえないほどけがらわしいらしい。たとえば、クライナー・パーキンス・コーフィールド・アンド・バイヤーズを通じて投資をしているテクノロジー企業のCEOらとプライベートジェットで移動したとき、エレン・パオの面前で展開された会話はひどいものだったという。ポルノ女優のジェナ・ジェイムソンに会ったことがあるとCEOが自慢し、続けて、どういうタイプの風俗嬢が好きか同乗者にたずねたのだ(上司のテッドは、白人、特に東欧系が好きだと答えたと、パオは著書に記している)。

そんなわけで、女性コーダーはどんどん退散しつつある。胸くその悪い思いが続くし、それがよくなるどころか、悪化したりする。だから、退場という形で自分の意志を示すことにしたのだ。とはいえ、コーディングを捨てるわけではない。ソフトウェア企業以外の場所で、自分でプログラミングをしながらほかのコーダーを管理する技術職を探すのだ。活躍の場は、医薬や法律の会社、政府機関など、さまざまな分野にある。共通するのはただ一点、シリコンバレーではないことだ。

「みんなこぞって『全部、ちゃんとやったのに』と感じていることに驚きました。みんな、ただただ怒ってるんですよ」

取材時、ガードナーはこう語ってくれた。

「もっと引き立ててほしかったとか、もっと指導してほしかったとか、そういう話じゃありません。みんな、むかついてるんです。まっとうにプログラミングをさせてもらえないから退散するんです。市場価値の高いスキルを持つ熟練の専門家で引く手あまただから退散するんです。『もういい。私の価値を認めてくれるところをみつけてそこに行く』という感じなんです」

予想外の展開としか言いようがない。昔は、性差別の激しい法律などの分野に比べて成功のチャンスが大きいからとソフトウェアに女性が群がったわけだ。だが、いま、状況は真逆である。ソフトウェアは後進的な男の世界になってしまった。

画一化が生む不都合

テクノロジーが白人男性の世界になって、なにか不都合はあるのだろうか。心を鬼にして検討するなら、興味深い疑問だと言えるだろう。すぐ思いつく回答はふたつ。ひとつは、もちろんある、経済機会の問題がある、だ。Yコンビネーター主催のジェンダーに関するラウンドテーブルで女性エンジニアが語ったように、人類の半分がある種の仕事に就けるか否か、おもしろくて実入りがよく、社会的にも認められていて、実際、多くの人が就きたいと願っている仕事に就けるか否かという問題なのである。

実は、コーディング以外の世界にとってもこれは問題だ。だれが作るかで作られる製品も変わってくる。一部の人だけがソフトウェアやハードウェアを作ると、そういう人がいいと思うものが生まれがちで、その他の人にとってはいらないものだったり、それこそ、下手に使うと大惨事になるものだったりしかねない。

実際、仮想現実のマジックリープ社でそんな問題が起きた例がある。VRヘッドセットの開発を必死で進め、ようやく完成したと思ったら、女性には使いづらい、ポニーテールだとヘッドバンドが当たって痛い、小型コンピューターをベルトに付けろというけど女性はベルトをしないことが多いと女性スタッフに指摘されたというのだ。ちなみに、この件は、指摘がすべて無視された、性差別である、との訴えが起こされる事態にいたっている。

コメディアン兼ライターの友人、ヘザー・ゴールドも指摘しているのだが、グーグルやアップルがビデオチャットに採用しているユーザーインターフェースもひどい。話している人の顔が大きくなるのだ。実際に集まって行う会議では、白人がしゃべり続け、みんなは黙って聞くだけになりがちなのがよく問題になる。このユーザーインターフェースでは、その問題が悪化してしまう。

ツイッターもいい例だろう。男性ばかりで開発していたツイッターでは、暴言や誹謗中傷の問題が広がっていると認識するのに何年もかかってしまった。たぶん、実感することがなかったのだろう。男性は、ソーシャルネットワークで脅しやハラスメントの対象になりにくいからだ。一昔前の00年代初頭に誕生したブログをよく書いた女性が少しでもチームにいたら、女性の場合、ごくふつうのことを書いただけでいやがらせやハラスメントを受けがちだ、だから、対策を講じておくべきだという意見が出たかもしれない（社会問題に詳しいライター、ローリー・ペニーなど、「インターネットにおける意見の表明は、ミニスカートみたいなものらしい」と茶化したことがあるほどだ）。そういう警告があれば、昔、フリッカーなどがしたように、暴言を減らす機能を用意したり、常識的な行動をするようユーザーに促す努力をしたりしたかもしれない。実際にはそうせず、野蛮なユーザーがはびこるのを許してしまった——ネオナチが好き勝手をするレベルまで、だ。

2016年には、ハラスメントに甘いぐずぐずのシステムであることが経済面でも足を引っぱる事態となった。成長が止まってしまったので身売りを検討したが、買ってくれるところがみつからない。ディズニーも買収を検討したが、ボストングローブ紙によると、ツイッターではいじめや脅しなどが横行しており、家庭的なディズニーのイメージが悪化する恐れがあるとして見送ったという。

その少し前、ツイッターのCEOを辞任したディック・コストロも、悪口雑言など問題でもなんでもないというCEO時代の意見を撤回した。

「時計の針を2010年まで戻し、ツイッターで許される言動はどこまでなのかをはっきりと打ち出して暴言をなくすことができればいいのにと思います」

警告してくれる人が身内にいれば、そう苦労することなく、そういう対策もできたかもしれない。

2017年夏、女性コーダーが少ないのは生物学的な理由によるとする文書を、シニアソフトウェアエンジニアのジェイムス・ダモア（28歳）が書いて公開した。

アンチフェミニズムな話はだいたいそうなるのだが、この件も、すぐ、大変な騒ぎとなった。ダモアはグーグルの社員で、グーグルは、少なくとも公式には、性差別は問題であるとの立場を取っている。だから、それと気づかず狭量な表現を使うなどの「潜在的偏見」について学ぶセミナーを社内で開催したり、会議で女性蔑視の表現が使われたらマネージャーが注意することになっていたりする。だからといって、技術系の女性社員が特に増えてはいないのだが（実効を上げるには、口先だけでなく、実際にたくさんの女性を雇う必要がある）、ともかく、そういうことにはなっているのだ。

これは、現実に目をつぶり、ポリティカルコレクトネスを装っているだけだというのがダモアの主張だった。社内掲示板に投稿したその文書、「グーグルのイデオロギーエコーチェンバー」において、男女格差は文化的なものばかりではないと訴えたのだ。

彼の主張をざっと紹介しよう。まず、進化による適合の結果、認識力の面でも生物学的にも男性のほうがコーダーに向いている。また、研究でも確認されているように、男女を比べると女性のほうが不安になりやすく、負けん気も弱い傾向がある、だから、競争の激しいグーグルで勝ち残るのは難しい。それでも、「協調性の発露を許す」など、そのような特性を受け入れる方向に会社の文化を変える、つまり、テクノロジーのストレスを減らすことで、女性に寄り添うことは可能だ。だが、グーグルが女性やマイノリティの雇用を増やしてきた結果、逆差別が生まれてしまった。と、こんなところだろうか。

公表された文書を何度か読み返してみたが、彼が言いたいことは、「コーディング世界全体の男女比は生物学的な理由で決まっている」に集約されると思う。

ダモアは、負けん気が強く人付き合いが下手で、プログラミングにのめり込んでいる男性というタイプだと自認している。取材はマウンテンビューにある彼のアパートで行った。子ども時代はチェス競技にはまり、その後はゲーム理論や進化論、物理学にのめり込んだそうだ。大人になって高機能性自閉症と診断され、だからシステム的なものが大好きなのだと納得した。ケンブリッジ大学の発達精神病理学教授で臨床心理を専門とするサイモン・バロン＝コーエンの研究成果も詳しく勉強した。教授によると、男性の脳はテストステロンの分泌がとても多くて体系化の能力が高く、モノに興味を惹かれるようにできているのに対し、女性の脳は、人に興味を惹かれるようにできているという。ちなみに、ダモアは情報科学が専攻ではなく、大学でシステム生物学を学んでいたときアルゴリズムの本を読み、いろいろ作っているうちにグーグルのコードコンテストで優勝したという経歴である。グーグルでは検索インフラストラクチャーの仕事をしている。

ダモアとしては、女性を男性より下の扱いにしろと言いたいわけではない。口の悪い男性コーダーというのは男性の同僚に対してもきつい言い方で厳しいことを言うものだし、後輩が先輩を追い越したり、他人のアイデアを横取りしたりもよくあることだ。だれにでも起きることで、ただ、男はにぶくてそのあたり気にしないだけなのだ。要するに、プログラミングの現場は男性的な文化であり、女性は、ある意味、生まれながらになじみにくいだけというのがダモアの見方である。

「性的な偏見といったものがあることを否定はしません。ただ、それだけじゃないってことです」

性差別の話を職場でするのは、女性にとってマイナスになりうるともダモアは考えている。

「自分に不利な構造であると口にするほどやる気がそがれることはないと思います」

テクノロジー業界に性差別がはびこっているのは明らかで、そういう話はいたるところに転がっている、私自身も数え切れないくらい耳にしてきたと指摘したが、ダモアは、そのかなりの部分はメディアの誇張だと思うと切り捨て、性差別なら男も受けている、男は暴力的だと思われているし、危険な炭鉱やごみ収集などの仕事は男に押しつけられていると切り返してきた。

こうしてダモアの話を聞いていると、男性の権利を守る活動家のウェブサイトを読んでいるような気分になってくる。男性に対する差別は、女性に対するものと同じか、もっとひどいというわけだ。

仮に女性コーダーが少ないのは生物学的な理由によるのだとして、では、アフリカ系やラテン系のコーダーが少ないのも同じ理由からかとたずねてみた。こちらは生物学的な問題ではなく、むしろ文化的な問題だろうというのが彼の意見だった。その証拠に、アフリカ系でも教育熱心なアジア系の家庭で育てば優秀になる。つまり、男女差は生物学的理由が根本にあるが、人種差は違うというわけだ。

ダモアの文書は社外に流出し（社員のだれかが流したのだろう）、その直後、グーグルは彼を首にした。また、CEOのサンダー・ピチャイは、「一部社員が生物学的な理由から仕事に向いていないとでもいうような話は非常識で容認できない」として、性別で評価する人は雇えないと記した電子メールを社員に配信した。グーグルエンジニアだったヨナタン・ズンガーも指摘しているが、ダモアをチームに入れるのをマネージャーがためらうようになるという問題もある。女性は生物学的にプログラミングに向いていないと信じるダモアにコードをレビューされるなど、まちがいなく、女性コーダーにはぞっとしない手続きとなるからだ。

だが、このように考えるのはダモアだけではない。グーグルでも、社内掲示板に彼を支持する書き込みがいくつもあった。私が取材した女性コーダーは、ほぼ全員が、ダモアと同じ研究を引き合いに、それを拡大解釈して男性と女性の役割は自然の摂理ではっきり決まっているのだと言われた経験があるとのことだった。前述のケリー・エリスもそのひとりで、セクハラ体験をツイートしたときには、それは進化の結果にすぎない、「進化には何十万年という歴史がある。基本的に卵子の提供者として女を見るように男はできているのだ」と書かれた電子メールをもらったという。

　コーディングに男が多いのは生物学的理由によると信じたいであろうことはよくわかる。すごく便利な考え方なのだ。そう信じさえすれば、すべて、いまのままでいいことになる。白人男性が社会的・文化的に有利な扱いを受けているわけではない、ほかの人に比べてしっかり背中を押してもらったとか、こちらに導いてもらったとか、いろいろ教えてもらったとか、そういうことはなかった、つまり、成功はあくまで才能と努力のたまものなのだと考えることができる。これが事実でない証拠ならいくらでもあるのだが。

「プログラマーというのは、自分は合理的で客観的だと強く信じている人種です」

　こう言うのは、さまざまなスタートアップの立ち上げに関わり、高性能計算の大家として、いま、スタンフォード大学情報科学科で教鞭を執るシンシア・リーである。

「自分に盲点などないと思っているから、彼らは、偏見の部分が巨大な盲点になってしまっているのです」

　彼女は、多くの女性がダモアの文書に腹を立てたのはなぜか、その理由を雑誌VOXの評論で説明し、「テクノロジー業界の女性の言葉に耳を傾ければ、テクノロジー業界の男性にも、このマニフェストが乾期の茂みにマッチを投げ入れるようなものであることがわかるだろう」と指摘している。女性は、生物学的にどうこうというこの手の話を、毎日、飽き飽きするほど聞かされているのだ。

　実はダモアが正しく、米国で女性コーダーが少ないのは生物学的な理由によるということはあるのだろうか。

　答えは、ない、だ。たくさんの科学者が性差をまじめに研究しているが、なにを選ぶか、どういう能力を持つかを決めるほどの力は生物学的なあれこれにないという。たしかに、たとえば、専門職の女性や学生が自信不足の傾向にあることは、心理学的な研究でも確認されている。だが、認知や言動の男女差は見いだせてもごくわずかで、それが人生やキャリアパスをこれほど大きく変えると考えるのは無理がある。むしろ、そういう生体信号が文化的フィードバックで増幅され、人生を変えるほどの決断や選考につながると考えるべきだろう。遺伝にのみ原因が求められる部分はごく小さいし、科学的にはあやしいと言わざるをえない。それこそ、テクノロジー業界の現場のそこここでにぶく燐光を発している性差別、種類豊富な実例がしっかり記録されている性差別とは比べものにならないレベルだ。

実際のところ、女性が生物学的理由からコーディングに向かない（かつ興味を惹かれない）気質になるのだとすれば、プログラミングの幕が開けた時代にあれほど活躍できたことが説明できなくなってしまう。当時のプログラミングは、いまよりもっと大変だったのだから。前例のない分野であり、2進数や16進数で数学的問題を解かなければならない。ややこしいバグがあってもインターネットのフォーラムでたずねることもできない。頼れるのは自分の頭だけ。知恵熱が出そうなくらい考えて難問を解かなければならない。

女性が、生物学的理由から、コーディング世界の競争に耐えられないほど神経過敏になっているのであれば、世界的に同じくらいの男女比になるはずという問題もある。

現実はそうなっていない。たとえばインドでは、情報科学科学生の40%を女性が占めている。インドは女性がコーダーになりにくい国なのに、である。男性と女性で行動規範が大きく異なり、たとえば、女子学生は8時が門限で、夜遅くまでラボに残ることさえできなかったりする。調査でこの点を確認した社会科学者ロリ・バーマは、米国との文化的違いも発見している。情報科学に進むにあたり、親の後押しがしっかりあるのだ。米国では、父親がコンピューターの話をするのは息子とばかりだったりするが、インドではこの点に男女差があまりなく、男の兄弟のほうが多くコンピューターに触れさせてもらったと回答したのは女性の12%にすぎなかった。インドの街中はセクハラの嵐で、室内でするコーディングは女性にとって安全な仕事だという認識もある。要するに、インドでは、女性のコーダーはごくふつうの存在なのだ。

マレーシアも似たような状況で、たとえば、米国で情報科学科の女子学生比率がどん底だった2001年、クアラルンプールにある国立マラヤ大学で女性は情報科学科学部生の52%、博士課程の39%を占めていた。

このような国際的比較は、シリコンバレーが大好きなA/Bテストの一種だと言ってもいいだろう。つまり、米国でテクノロジー業界に女性が少ない理由を端的に述べれば、生物学的問題ではなく文化的な問題だ、になる。

コンピューティングが男の世界というのは、世界的なイメージじゃないとバーマは語ってくれた。付け加えれば、まったくの逆が言えてしまうことも、生物学的・進化論的な説明がいかにだめかを示してくれるだろう。つまり、進化の歴史を見れば、女性のほうがコーディングに向いていると言うこともできるのだ。なにせ、何百年も採集を担当してきたし、細かな目配りで家庭内を切り回してきたし、編み物だって織物だってしてきたのだ。であれば、ややこしいことをしっかりこなさなければできないコーディングに向いていると言えるだろう。実際、すでに紹介したように、50年代から60年代にかけ、だから女性はプログラミングに向いていると企業経営者は考えていたのだ（1968年、「男性より女性のほうがプログラマーに向いていることもある。頭がよく、かつ、刺しゅうができるほどの忍耐力を持つ女性などはすごく適任だと思う」と言ったコンピューター企業のトップもいる）。

女性は生物学的にコーダーになるのが自然だ、いや、違う――どちらにせよ、結論さえ決めれば、そこにいたる進化の物語を作るなど簡単だ（プログラミングになにが必要かも、そこに合わせて適当に決めることができる）。だから、現代社会の複雑な現象を生物学や進化論で説明するのはまずいのだ。

遺伝か環境かのこの議論からなにかが言えるとしたら、それは、常識のように語られる才能の物語にはすさまじいばかりの力があるということだろう。昔、女性は生まれながらのコーダーだとされ、能力主義における勝ち組だった。それが、80年代に入ると、まったく違う話が常識になったわけだ。

能力主義（メリトクラシー）という言葉の由来も、実は、なかなかのものである。英国の政治家マイケル・ヤングが『メリトクラシー』なる小説で初めて用いた言葉だが、これは、IQテストの成績で個人の価値を決めようという政府の方針に対する痛烈な皮肉として作られた言葉なのだ。のちに皮肉な側面が抜け落ち、字義どおりの意味に使われるようになり、ヤング本人が大いに失望したという落ちもついている。

自分の専門分野が完全な能力主義であると信じると、ひどい副作用があることも確認されている。生まれながらの才能がなければ成功できないと言われている分野では、女性やアフリカ系アメリカ人は成果をあまり挙げられないとわかったのだ。認知科学者サラ＝ジェーン・レスリーによる研究で、分子生物学や神経科学など、努力とチームワークと忍耐が物を言うと思われている分野では、どちらもすばらしい成果を挙げているのに、数学や哲学など、天才でなければだめだと関係者が自認している分野ではそうなっていないと統計から明らかになったという。ほかにも、同様の研究が存在する。MITとインディアナ大学の共同研究で、「会社の中核的価値」のひとつが能力主義である会社とそうでない会社を仮定し、経営経験のあるMBA候補生に仮想経営させる実験を行った。男性社員と女性社員の仮想勤務評定を与え、ボーナスの査定をさせるのだが、実は、評定自体は両者とも同一の高評価であるにもかかわらず、能力主義の会社では男性社員が12％も多くボーナスをもらう結果になった。なぜか。能力主義だとすると、うちに秘めた偏見に基づいて行動してもいい気になる、つまり、天才は男に多いという文化的イメージが想起されるのだろうと実験を行った研究者は推測している。

多様性をもたらす改革が必要

女性がコーディングから追われる流れの逆転は可能なのだろうか。

前述のカーネギーメロン大学情報科学科、アラン・フィッシャー副学科長が試したことがある。ジェーン・マーゴリスとの共同研究で得られたすばらしい成果をもとに、自信を失うループから初学者を救うことを目的とした改革をいくつも進めたのだ。

初学者は、大学に入って周りを見渡したとき、ティーン時代からハッカーをしてきた自信満々のクラスメートに追いつくなど無理なのではないかと考えてしまい、中退への道を歩き始める。だから、まずは、経験の有無でクラス分けをしてみた。ハッキングの経験がある学生とこれから学ぶ学生を分け、カリキュラムも少し変えれば、時間にも余裕を持たせて追いつけるようにしたのだ。チューター制度も創設。全学生が対象だが、特に恩恵が大きいのは初学者だ。このような仕組みを活用して1年生から2年生を抜けられれば、それ以降、対等になることは調査で明らかとなっている。

コードが現実世界にどう影響するのかも、入門編で紹介するようにした。プログラミングのイメージが、実用性が見えないアルゴリズムの羅列とはならないようにしよう、人々の暮らしを変えるソフトウェアを作るとはどういうことなのか、そのイメージを持ってもらおうというわけだ。90年代はソーシャルメディアどころかウェブさえもまだ登場しておらず、日々の暮らしにコードがどう影響するのか、簡単にわかるものではなかったからだ。

教員側の意識も変わった。カーネギーメロン大学はハッカーを優遇してきたとフィッシャーも指摘しているように、それまでは、経験者は生まれながらの才能がある新入生だとなんとなく考えることが多かった。だがそれは、経験と資質を混同していただけでまちがいだったとわかった。だから、経験者の後押しも従来どおり行うが、初心者もどんどん才能が伸びていく可能性があり、だから、その背中も押さなければならないとなった。そうして期待されれば、学生側も応えることになる。どういう学生が伸びるのか、教員側も幅広い視点を持つ必要があるのだとフィッシャーは言う。

学内の改革と並行し、レノア・ブルーム教授を中心に、学外のコミュニティーと協力して情報科学を学ぶ女性をサポートする仕組みも作っていった。女子学生が活躍しているところがほかの学生からも見えるようにするわけだ。入学者選抜も変わり、経験者の極端な優遇がなくなった。

これさえやれば事態が改善する特効薬などないとフィッシャーは言

う。

実現すべきは良循環だ。経験のあまりない人も受け入れるプログラムにすれば、そういう人が入ってくる。そうすれば、教員も、初学者はどう伸びていくのか、初学者をどう教えればいいのかがわかるようになる。

カーネギーメロン大学の改革は功を奏した。劇的に、だ。わずか数年で女子学生の入学が7%から42%まで急増したし、卒業率も男子学生並みになった。米国の平均などはるかに超え、過去最高をも更新。このうわさが広まると、他大学も同様の試みを始めた。たとえばハーベイ・マッド大学は、2006年、まったくの初心者を対象にプログラミング入門のコースを新設するとともに、Java入門コースの名前を「計算機による理工学課題の独創的解決」に変更した。マリア・クラウエ学長も言うように、コーディングでなにをしているのかがよくわかる名前である。改革は、必ずしもスムーズだったわけではない。マッド大学はカリキュラムが厳しいことで知られており、初心者ではなかなかついて行けない。それでも、2018年には情報科学科卒業生の54%が女性だったことからわかるように、最終的には改革に成功している。

社会全体の文化も変わりつつある。近年、コーディングに興味を示す女性が全米で増えているのだ。情報科学を専攻するつもりの女子学生は80年代半ばから25年ほども減少が続いていたが、2012年、ついに底を打ち、上昇に転じた。

なぜ、こうなったのだろうか。ひとつには、女性がコーディングから離れたのはなぜかが全米で話題となったことが挙げられる。ブラックガールズコードやコードニュービーなど、マイノリティのテッキーに職業訓練を提供し、そちらに進むよう背中を押す組織が増えたことも挙げられるだろう。80年代や90年代の法曹界と同じように、コーディングも経済的に魅力的な仕事だとみなされるようになったこともある。おもしろくて高給が取れる仕事だとの認識が広がったわけだ。

もうひとつ、微妙な変化として、職業としてのコーディングに対する評価が変わりつつあることも要因だろう。ソフトウェアは世界を侵食したと言える。つまり、だれかに手を貸したければ、プログラミングが効果的だ、「てこが効きやすいところ」（評論家ダグラス・ラシュコフの表現）となったわけだ。インスタグラムとスナップチャットとiPhoneが暮らしの縦糸と横糸になったいまの時代なら、コーダーになっても、現実から遠く離れた場所でだれとも付き合わずひとり孤独に仕事をすることにはまずならない。女性を含め、クリエイティブなこと、芸術的なことがしたい人は、これまでコードを敬遠してきた。この状況は大きく変わったと研究でも確認されている。

「情報科学の分野には、いま、クリエイティブな女性が増えています」と指摘するのは、性別も含めどういう学生がSTEM分野を選ぶのか、あるいは選ばないのかを長年にわたりデータで追ってきたUCLA教育学部のリンダ・サックス教授である。その背景には、ここ10年ほどでオンラインのスクールや費用が割安な「ブートキャンプ」、初心者向けのミートアップグループなどが登場し、それらを活用すれば、大学でなくてもプログラミングを学べるようになったことがある。

「いまは週末にアプリを作ることができますが、これは、80年代や90年代にはなかった状況です。コーディングは、少なくとも表面上、社会的なものとなりました」

スタンフォード大学情報科学科卒の研究者、リリー・イラニもこう指摘している。

シリコンバレー企業に多いフラタニティのハウス的な文化についても、多少、揺り戻しが起きている。

たとえば、2017年2月、プログラマーのスーザン・ファウラーが「ウーバーで過ごしたとってもとっても奇妙な一年をふり返って」なるブログ記事を書き、その職場文化に一石を投じた。ウーバーはマッチョ文化で有名な会社だ。優秀な同僚と猛烈な勢いで仕事をするのは、ファウラーにとっても楽しかったし、多少の時間をひねりだしてマイクロサービスのプログラミングに関する本も書けた（本はベストセラーになった）。だが、ハラスメントの横行には往生した。入社してわりとすぐ、上司からチャットでセックスに誘われたので人事部や経営幹部に通報したが、その上司は成績優秀であり、また、そういう苦情が来たのも初めてであることから、叱責と警告以上はできかねると言われてしまった。

だが、これは事実と異なるらしいことがわかっていく。同じ社員に同じことをされ、同じことを訴えたという女性社員がほかに何人もいたのだ。このことも人事に訴えると、同じ経験をしたという女性社員の電子メールアドレスを教えろという要求が返ってきた。女性社員が共謀しているとでも言いたいのだろうか。性別や人種によってはコーディングの仕事に向かない人もいるという言葉もあった。ファウラーは、その1週間後くらいに退職。そして、前述のブログを書いた。もちろん、シリコンバレーの性差別を取り上げるブログ記事がひとつ増えたところで、なにかが変わると思っていたわけではない。

現実は違った。ゴッドビュー（神の視点）という社内ツールを悪用して元カノをストーキングする、私立探偵に追いかけ回させるぞと幹部が女性ジャーナリストを脅すなど、ウーバー社員の行動はひどすぎると、何年も前からメディアに取り上げられてきたからだ。そんな話ばかりで、これじゃすごいもの（ウーバー）じゃなくておっぱい星人（ブーバー）だとCEOのトラビス・カラニックがなげいたほどだ。ファウラーの物語は、しっかりと描かれているし、人事部による不公正な取り扱いもたくさん並べられていて、なんとも恥さらしなものとなっていた。さらに、らくだの背を折る最後のわらでもあった。この少しあと、カラニックは失脚。さらに、500スタートアップスを立ち上げたデイブ・マクルーアやベンチャーキャピタリストのクリス・サッカ、ジャスティン・カルドベックなど有力投資家からハラスメントを受けた、セックスを求められたといった話が女性のコーダーやアントレプレナーから次々と出てきた。氷に割れ目が広がるような感じだ。

改革は始まったばかりだ。たくさんのコーダーや専門家に取材したが、みな、業界に多様性をもたらす改革のアイデアならたくさんあると、ある意味、あきらめの境地で語ってくれた。文化にそぐう・そぐわないで採用を決めない。アイビーリーグ以外からの採用を増やす。採用試験でアルゴリズムチャレンジを課さない。エリカ・ベイカーなどは、次のように指摘している。

「採りたい候補者のイメージに合わせた採用試験になっているのです。グーグルならスタンフォード大学の卒業生ですね。あそこの場合、それを前提に会社全体ができているので、スタンフォード大学の大学院みたいな雰囲気になってしまっています」

特に重要なのは、いやがらせをすれば罰される、あるいは首を切られる、を業界の常識とすることだろう。

スー・ガードナーは、多様な人材にテクノロジー分野で活躍してほしいと願っているが、その反面、若い女性に参入を勧めるのは道義的にどうなのだろうと心配しているそうだ。期待に満ちて参入し、しばらくは活躍するが、状況が変わらないかぎり、そのうち打ちのめされることになるからだ。

「正直なところ、多様な人を呼び込むだけならできるんです。でも、上のほうの状況を変えられなければ、みな、道半ばで壁にぶつかることになります」

いま現在、この業界に参入したいと考える若者はたくさんいるし、その経歴は多様だ。みな、能力主義というテクノロジー業界のイメージに憧れている。それこそ、彼らが望むものなのだ。いままで、多くの産業から排除され、さまざまなチャンスをただ指をくわえて見ているしかなかった人々以上に真の能力主義を求める人はいないと言えるだろう。ハッカー倫理で動く業界。どういう人間なのかは関係なく、コードの質のみで判断される業界。理想郷だ。プログラミングが、本当に、よく言われるような世界なのであれば、ずっと虐げられてきた人々が集まってくるはずだ。だから、80年代、いじめの対象になりがちなオタク少年にとってすばらしい場所、彼らの興味や知性が認められる初めての場所となったのだ。

2017年夏、ニューヨークで開催されたテッククランチのハッカソンをのぞいてみた。コーダーとデザイナーが750人も集まり、24時間でなにを作れるのかを競うコンテストだ。できたものは、日曜日の昼、エレベーターピッチで審判にお披露目する。おじいちゃんやおばあちゃんの機嫌を認識してくれるロボットのインスタグラミーや、食品ロスを減らすアプリのウエイスト・ノットなどが登場した。参加者は、ほとんどが、近隣のハイテク企業で働くコーダーか、近隣大学の情報科学科に通う学生だ。

優勝したのは、ニュージャージー州から来た女子高生3人のグループだった。24時間で作り上げたのはリバイブという仮想現実アプリで、子どもにいくつかのゲームで遊んでもらい、IBMのAI、ワトソンでゲーム中の感情的な動きを確認することで、ADHDかどうかを判別しようというものだ。3人は優勝賞金5000ドルの巨大な小切手を表彰式で渡されたあと、控え室の椅子に倒れ込んだ。前日からノンストップでコーディングしてきたわけで、疲れ切っていたのだ。

「カフェイン漬けですよ」と苦笑したのは16歳のソーミャ・パタパティだ。青いTシャツには、「世界をハックするのはだれ？（WHO HACK THE WORLD?）　女の子よ（GIRLS）」と書かれている。24時間であれほどのことができるとは自分たちも思っていなかったそうだ。17歳のアクシャヤ・ディーニッシュは、次のように語ってくれた。

「あのアプリがあれば、ADHDを簡単にみつけられます。ふつうなら診断に6カ月から9カ月もかかりますし、費用も何千ドルとすごいことになります。それが、あのアプリを使えば、デジタルですばやくできるのです」

女子高生がテッククランチの勝者になったのは、なかなかないすばらしいことだと3人ともわかっていた。もうひとりのメンバー、アムルヤ・バラクリシュナンは、成功したのは、3人それぞれがハッカソン的な経験を十分に積んでいたからだろうと指摘した。パタパティなど、コンピューターサイエンスのイベントに25回以上も参加してきたというのだ。そうやって、体当たりでソフトウェアの作り方を学んだのだそうだ。学校の授業でも多少は習ったが、その内容は、無償のオンラインコースやハッカソンで学んだことに比べると微々たるものだった。

「ハッカソンに初めて参加したときは、もう、怖くて怖くてどうしようもありませんでした。子どもが80人集まっていたんですが、そのうち女の子は5人しかいないし、私は、たぶん、一番年下でしたから」

でも、何回か参加すると、自信がついたそうだ。

ディーニッシュとバラクリシュナンは、学校の授業でプログラミングを勉強し、高校2年生の一大行事、ジュニアプロムをぶっちしてテッククランチに来たという。

「ハッカソンに出られるなら、パーティーなんて、ですよ」

とディーニッシュは笑った。

褐色の肌をした若い女性がこういう場に出れば、いやでも注目を集めることになる。いい話ばかりではなかったとバラクリシュナンは言う。

「『ハッカソンで優勝したんだ。女の子は得だね。なんといっても珍しいからね』みたいなことをずいぶん言われました」

優勝の報がオンラインに流れたときには、もっと辛らつなコメントが寄せられたという。

「かなりの数のエンジニアから、『女の子だから、だろうね。それしか考えられないよ』といったコメントがありました」

もちろん、いいこともあって、ハッカソンが初心者も歓迎してくれるとわかったのはうれしかったという。みな、学びたい、いろいろ試してみたいという想いを持って集まっていて、熱心に情報交換をする。プロも含め、さまざまな意味で対等だと感じられるやりとりが展開されるのだ。

「ハッカソンの文化も集まる人々もすごくすてきだと思いました」

とパタパティは言う。

「私のように特別なリソースを持たない人にとっては、入門に最高の場だと思います。ハッカソンがなければ、私がなにか学べることはなかったでしょう」

３人は、全員、大学で情報科学を専門にしたいと考えている。その努力はきっと報われる、ひと味違う力を手にできると感じている。脳力を頼りに前進するのを楽しみにしている。最後はバラクリシュナンの言葉を紹介しよう。

「それがテクノロジーというものだと思います。年齢も性別も関係ない。どういう人間であるかなんて関係ない。だれにとっても、自分にどれほどのものが作れるかなんて、わかるはずがないのです」

第8章

ハッカー、クラッカー、自由の戦士

Hackers, Crackers, and Freedom Fighters

「ほかの人に聞かれることなく話をしたいとき、ありますよね。そういうときはこれです」

縦横ともに小さな体に山羊ひげの33歳、スティーブ・フィリップスは、そう言うと、ノートパソコンを見せてくれた。そこにあったのは彼の最新作、リープチャット・ドット・オーグだ。そこにアクセスすると、自分専用のプライベートチャットルームが手に入る。そのURLを送った相手以外は入れない部屋だ。

「しかも、すべてが暗号化されるので、やりとりを盗み見ることはだれにもできません」

フィリップスは誇らしげだ。

私は、クライブという名前でログインしてみた。

「ユーザー名も暗号化されているんですよ」

そう指摘したのは、フィリップスの友だちで開発に協力したA・J・バーンケンである。

なぜ、そんなことをするのか。いまのインターネットは常に監視されているのだが、そのなかで、警察や公安などの厳しい目をかいくぐりたい活動家など、プライバシーが守られる小島が欲しい人々の願いをかなえるためだ。オープンソースなので、技術力さえあれば、だれでもリープチャットサーバーを立ち上げることができる。フィリップス自身もサーバーを立ち上げ、世界に公開している。すべてが暗号化されているということは、フィリップスやバーンケンでさえ、リープチャット・ドット・オーグでどういう話がされているのか、知るすべがない。ユーザーのIPアドレスも記録されない。ログも当然暗号化されているし、90日しか保存されない。そこでなにが行われているのか、記録のコピーをよこせと法の執行機関に求められても、提出できるものはなにもない。暗号化ですべてがちんぷんかんぷんになっており、なにも読み取れないのだ。

「いまはフェイスブックなどを使っている活動家が多いのですが、ああいうところは、記録がずっと残りますし、そこにだれがアクセスしたのかも記録されています」

フィリップスはスラックでデリケートな政治問題の話し合いに誘われ

たことが何度もあるが、そこも暗号化されていなかったという。
「使ってみてわかりました。あれは便利です。つまり、同じように簡単で便利だけど安全なツールがあればいいんです」

ハッカーとサイファーパンク

取材したのは金曜夜のサンフランシスコで、フィリップスは、プライバシーを重視するハッカーの集まりを開いていた。場所はノイズブリッジというハッカースペースで、はんだ付けから溶接までこなすハードウェア改造マニアからお金をかけずにプログラミングの勉強がしたい新人コーダーまで、さまざまな人が集まる場として有名なところだ。LEDの巨大な壁があり、この日は、生命の進化などをシミュレーションするライフゲームが表示されていた。また、あたりには70年代の古いPCが転がっていたり、工業用ミシンがあったり、行列や関数で埋め尽くされたホワイトボードがあったりする。

フィリップスは、毎週、ここでサイファーパンクのコード書き（Cypherpunks Write Code）というハッカソンを開いている。当局にのぞき見されることなくオンラインで話ができるソフトウェアを書くための集まりだ。人気の匿名通信ソフトウェア、トーアを書き換え、高速化しようとノートパソコンで作業をしている人物がいる。その隣では、ジェン・ヘルスビーがセキュアドロップのインターフェースの改良に励んでいる（セキュアドロップとは、匿名で安全に内部告発できるようにとニューヨークタイムズ紙やニュースサイトのインターセプトなどが採用しているソフトウェアだ）。ティーン時代、仲間と企業ウェブサイトへの侵入を試みた話をしているエジプト出身のコーダーもいた。
「ぼくらにはとても無理だってすぐにわかってね。あきらめたよ」
「クラッカーだったんかい」

白髭もじゃもじゃの男が横から突っ込む。70年代、パンチカードのFortranでプログラミングを勉強した古参だ。エジプト出身のコーダーは、ちょっと困った顔でうなずいた。

ここでは、用語がきちんと使い分けられている。ハッカーは、本来の意味でしか使わない。つまり、興味本位でシステムをいじり、新しいことや変わったことをさせたり、場合によっては弱点をみつけたりするが、基本的に法律は守る正義の味方タイプである。対してクラッカーは、個人的な利益や犯罪を目的にシステムに侵入する者を指す。（ここに集まる人々は、一般にもマスメディアでも、ハッカーと違法行為が同一視されるようになっている現状に心を痛めていた）

ではサイファーパンクとは？　ここに集まる人々、全員が支持するタイプだ。昔のサイバーパンクに、暗号コードの作成や解読を意味するサイファーを組み合わせた造語である。主流に属さずDIYでなんでもやってしまおうとするなど、私としては、パンクロックのパンクが隠し味に入っていると言いたいところだ。市民の自由を守るためにハッキングをする。やりとりのデジタル化が進みつつあるなかで、サイファーパンクは、市民の自由や自主性を守るには暗号技術が欠かせないと考えているわけだ。

サイファーパンクはどこから生まれてきたのだろうか。コーディングのスキルが高く、中央集権構造が大嫌いな層からだ。

フィリップスも、最初からサイファーパンクだったわけではない。ちなみに彼の性格は明るく人なつっこいが、意外に強烈なところもあり、打ち込むものにはとことん打ち込む。

「私が一番価値を置いているのは、人が持つすばらしく、偉大な性質です。すごいことを実現しようとだれもしない状況は悲しいですし、それでは有意義なことなんてほとんど起きなくなってしまうでしょう」

こう語ってくれたフィリップスの生活は、修道士かと思ってしまうほどのものだ。住まいはノイズブリッジ近くの狭いアパートだし、生活費もぎりぎりまで切り詰めている。いずれも、フリーランスのコーダーとして稼がなければならない額を減らし、稼ぐ仕事に使う時間を少なくするためである。こうして作った時間は、哲学とサイファーパンク系コーディングに使うのだ。何年か前、彼のアパートを訪れた友人は、物があまりになくて驚いたそうだ。

「きれいに整えられたベッドマットがひとつ、床に置かれていたほか、こまごました物が入れられたタンスがひとつとテイクアウト容器の大山がひとつあるだけ。ほかはなにもないんですよ」

テイクアウトしてくるのは、チキンブリトーなどの簡素なものばかりだ。ティーンエイジャー時代、広告や大衆文化の影響でジャンクフードばかり食べるようになっていると思うようになり、以来、簡素ながら、ある意味厳格な食事を続けているのだそうだ。

「このほうが合理的だと思ったんですよ。世間体なんかを気にして体がおかしくなるのは避けたい、と。おふくろにはいやがられた時期もありますけどね。私が作る料理じゃだめなの？って感じで」

そう言う彼は、一緒に食事をしたとき、

「ホスファチジルコリンにレシチンにビタミンB群にマルチビタミンに魚油っと」

と言いながら、さまざまなビタミン剤をずらりと並べて見せてくれた。元気にやれているらしいので、少なくとも彼の場合、それで特に問題はないのだろう。

サイファーパンクになったのは、わりと最近のことだ。フィリップスはカリフォルニア州バカビルの中産階級に生まれ、父親は消防士、母親はフィットネストレーナー兼教師である。子ども時代にはGNU/Linuxをいじり、大学では哲学と数学を学んだ。

人生の意味や善行の意味を議論するなどはオタクの道徳観を直撃するもので、哲学に大きな力と意義を感じた。ただ、残念なことに、哲学的議論はあいまいにすぎる、もっと論理的ですきのない議論をしなければならないとも思った。結局、学生時代は、「実行可能な哲学」なるものを作ってすごすことになった。哲学的命題を小さなPythonコードの形で記述して走らせると、「多種多様なエラーを自動的に発見する」、「信条体系の論理的一貫性を確認する」などができるシステムだ。こうして、「哲学に革命を起こす」が人生の目標となった。

だが、それでは食えない。だから、大学卒業後はコーディングを仕事にした。そのうちサンタバーバラのハッカースペースに出入りするようになり、そこでさまざまな人に会う。そのひとりが、ある日、コードを学びたいと訪れたバーンケン（当時16歳）だ。そして、ふたりでスタートアップをいくつも立ち上げた。フィリップスは起業にも強く惹かれ、Yコンビネーターのトップ、サム・アルトマンのオンラインビデオをむさぼるように勉強したほか、シリコンバレー有数の自由主義者、ピーター・ティールが書いた事業構築の本、『ゼロ・トゥ・ワン』も吸収した。

「ピーター・ティールが書いた起業の本はすばらしい。ちょっと改善するのではだめ、本質的に改善しなければならないというのが響きました。ただ、ピーター・ティールの名前は出さないことも少なくないんです。彼の政治信条はきらいですから」

イデオロギーについては、支持政党を6年間で5回も変えるなど、自分に合うところを探してさまよい歩いてきたそうだ。学生時代には、無政府主義や自由主義をかじったこともある。こちらに傾倒するのは頭のいい人が多くて好感が持てたし、中央集権だと、権力の乱用が起きがちだという点にも同意だ。だが、政府をなくすのは無理があるとしか思えない。

「政府の暴走はまずいわけです。でも、健康管理はどうすればいいんだ、なんてことになるじゃないですか。そんなとき、自由主義者のロン・ポールあたりは『教会に行けば助けてくれるよ』ですからね。バカは休み休み言ってくれと思いますよ」

最終的には、「小さな政府を求める社会主義」に落ち着いた。つまり、保健制度などの人道的にどうしても必要となるもののみを提供し、それ以外には鼻を突っ込まない政府を求める立場である。

だが、現実はそちらに向かっていない。逆に、国民の暮らしに政府が鼻を突っ込む方向に動いている。2013年には、国家安全保障局が米国における電話の通話もチャットのメッセージもすべて傍受しているし、グーグルやヤフーのサービスもすべてチェックしているとの告発がエドワード・スノーデンからあった。フィリップスは、このニュースを聞いて背筋が凍った。同時に、自分にもできることがありそうだと感じた。暗号処理の歴史も学んでいたし、ふつうの人にも簡単に使え、オンラインでプライバシーを保つことができるツールが必要だと、トーアプロジェクトを立ち上げた人々やウィキリークスのジュリアン・アサンジが語るビデオも見ていたからだ。

これこそ、人生をかけるに足ることだろう。

「彼らが言うとおり、下着姿でここに座り、世界を変えるソフトウェアを書くことができるのです。個人の自由を守るソフトウェア、特にプライバシーの権利を守れるソフトウェアを」

スタートアップは何社も立ち上げてきたが、残念ながら成功したものはない。だから、ソフトウェアのコンサルティングというスタート地点に戻ることにした。一方、生活費はぎりぎりまで切り詰め、なるべく多くの時間をサイファーパンクのプロジェクトに注ぐことにした。そして、盗み見できないように暗号化した状態で、URL をブラウザー間で同期したりサーバーに公開したりできるコードなど、プライバシー重視のソフトウェアを生み出していく。

2017年、フィリップスは、バレット・ブラウンが釈放されたことをワイアード誌で知った。ブラウンは政府に透明性を求める活動家で、2010年に大胆なクラウドソーシング型ジャーナリズムのプロジェクトを立ち上げたことで知られている。いわゆるハクティビストの集団、アノニマスが購入したものやリークされたものなど、政府やハイテク企業の極秘資料を集めてウィキに保存し、それを、世界に散るボランティアの助けを借りて分析、報告書にまとめるプロジェクトだ。それが FBI に目を付けられ、逮捕・収監されてしまった。罪状は、ユーチューブ動画で FBI のエージェントを脅迫した（動画を公開したのはドラッグの禁断症状によるが、内容自体は真実だという）、盗難クレジットカードがリストアップされているウェブサイトの URL が記載された文書を公開した（単純なミスである、仕事データの URL だと思っていたそうだ）、司法を妨害した、である。ちなみに、URL の容疑はのちに取り下げられている。ともかく、ブラウンは収監され、獄中からニュースサイトのインターセプトで連載記事を書いて、全米雑誌賞を受賞したりした。その彼が釈放され、ワイアードに語った今後の活動は、活動家がオンラインで協力し、クラウドソーシングで調査などが行えるソフトウェアを開発する、だった。逮捕前と違うのは、のぞき見されないようにしっかり暗号化を施す点だ。市民参加の直通回線にしようというわけだ。

フィリップスは大喜びした。それこそ、彼が書きたかったコードだからだ。実際、バーンケンと作ってきたもの、つまり、リープチャットのプロトタイプとなるURL隠蔽ソフトウェアは、そちらを向いている。ダラスに飛んでブラウンに会い、協力を申し出ると、ボランティアのサイファーパンクを集め、パスーアンス・プロジェクトを立ち上げた。政治活動がしたいと考える市民にプライバシー重視のソフトウェアを提供するのだ。活動家からジャーナリスト、紛争地域で活動する非政府組織まで、さまざまな人の役に立つはずだ。

「文字どおり、10億人からのプライバシーを守ることができるわけです」

フィリップスは胸を張る。

プライバシー重視で権威を嫌う理由

なぜ、サイファーパンクはプライバシーを気にかけ権威を嫌うのか、コーダーも多くがそうであるのか、その理由は、歴史をふり返ることで示そう。

この傾向は、かなり昔から見られる。70年代、政府や企業など、体制側とコーダーがぶつかった事件がいくつもあった。いずれも、争点はプライバシーであり透明性だった。大企業も政府も自分の秘密は秘密として隠しておきたいが、ふつうの人々がなにをしているのかはのぞけるようにしておきたいと考える。ハッカーは逆で、ふつうの人々のプライバシーは守られるべきだし、権力側は秘密を公開すべきだと考える。

両者の文化がぶつかったのは、第１世代のハッカーが大学のマシンで楽しく遊びはじめた60年代から70年代のMITにおいてだった。このころのハッカーは、オープンであることを重視した。優れたアルゴリズムやちょっとしたコードを書いたら、みんなに公開する。自分のコードをほかの人に見せたり、逆に、ほかの人のコードを見せてもらったりしなければ、学ぶことさえ満足にできなかったからだ。

「使いたい人には、だれにでもプログラムを渡しました。人類全体の知という位置づけだったのです」

MIT ハッカー中核のひとり、リチャード・ストールマンは、のちにこう語っている。実際のところ、MIT のコーダーは共産社会主義に傾倒しており、作者の名前さえコードに記さないのがふつうだった。

「コードに名前を記すのはおこがましいことだと思っていました」

そう当時について語ってくれたのは、1980年に MIT のラボに入ったブリュースター・ケールである。

「すべては、マシンを作るための行為でしたから。コミュニティープロジェクトだったんですよ」

ハッカー一人ひとりは個人主義的で、それぞれ、自分が一番だと思っていたりした。だが、コーディングは、知の倉庫を作る行為である、コンピューターになにかすごいことをさせよう、それがみんなのためであると考え、そこに向けて全員が突き進む集団的努力という位置づけだった。考案したアルゴリズムに所有権を主張するのは、かけ算という概念に所有権を主張したり、それこそ、憲法で保障された民主主義という概念や韻を踏むという概念に所有権を主張したりするようなものだと考えられていた。

当時 MIT で活躍していたハッカーにとって、試してみたいのにマシンや技術に触れられないのはがまんならないことだった。だから、規則で禁じられれば破る。いつもどおり真夜中にハッキングをしていてコンピューターがおかしくなったとき、日中、仕事に使っているスタッフが修復ツールに鍵をかけていたら、マスターキーを作ってでも必要なものを手に入れてしまう。

「ドアが閉まっているというだけでハッカーは憤慨するし、そこに鍵がかかっていたりしたら激怒する」

スティーブン・レヴィは、著書『ハッカーズ』で MIT コーダーをこう描写している。

「情報はコンピューター内でするするっと伝えられなければならないし、ソフトウェアは自由に配布できなければならない。それと同じように、世界がどう動いているのか、その仕組みを発見し、改善したいという願いに役立つかもしれないファイルやツールには自由にアクセスできなければならないのだと、ハッカーは考えていた。作る、試す、直すなどに必要なものがあったら、所有権という概念など気にもしないのだ」

ここから生まれた画期的な考え方が、フリーソフトウェアやリブレソフトウェアと言われるものだ。発祥は、MITのコンピューターを便利にするソフトウェアを学生ハッカーが山のように書いてきたことに大学側が気づいた80年代の初めごろである。これはお金になると気づいた人もいて、このソフトウェアの使用許諾をくれとの話がコンピューター関係の営利企業、シンボリックス社からあり、MITはこれを承諾。その後、シンボリックスはコードに手を入れ、修正や機能強化を進めたのだが、新機能はすべて非公開とされた。イノベーションを公開し、次世代のプログラマーが学べるようにはしてくれなかったのだ。

これにいらだったストールマンは、MITを辞め、一般公的使用許諾（GPL）という新しい考え方のライセンス方式を考案する。

自分の成果は自由に使ってもらっていいと考える公共心あふれるハッカーが電子メールのプログラムを作り、GPLで公開したとしよう。その場合、プログラムをダウンロードすればソースコードを見ることもできるし、改変もできる。改変したものを配布することもできる。ただし、条件がひとつだけある。コードを改変し、それを配布する際は、改変箇所にもGPLを適用しなければならない、である。改変部分を非公開とすることはできない。改修したものを製品として販売し、儲けるのはかまわない（フリーソフトウェアとは、言論の自由（フリー・スピーチ）のフリーであって、無料（フリー）のビールのフリーではないとストールマンは表現している）。改変したソースコードは公開して、だれでも自由に見たり、改変を重ねたり、また、再配布したりできるようにしなければならない。このループは永久に続く。法的な取り扱いもバイラルにするのがGPLだと言ってもいいだろう。最初にフリーでオープンなソフトウェアとされたものは、ループを何回くり返してもフリーでオープンなままであり、そこに付け加えられた成果もまた、フリーでオープンとなるわけだ。

オープン性、透明性、統制管理性という名の下に挑戦状をたたきつけた形だ。言いたいことは、中を見せてもらえないソフトウェアを信じるなかれ、である。こうして、オープンであることに価値を見いだすプログラマーと、コードを社外秘にしたい企業とのあいだに深い文化的溝が生じた。

80年代に入ると、衝突の第2波が生じる。システムに侵入するハッカーをFBIが取り締まるようになったのだ。

このころ、BASICが使える安い家庭用コンピューターが登場し、ティーンエイジャーがモデム経由で遠くのコンピューターシステムにアクセスするようになった。ふつうは、ほかのコーダーが運営するディスカッションフォーラムの掲示板などにアクセスし、そこでノウハウや情報を交換したりするのだが、なかには、大企業や電話会社のコンピューターシステムに不正アクセスするスリルを楽しむ野心的なハッカーもいた。不正アクセスに成功すれば、パワフルなコンピューターを意のままに操れる。家のテレビにつないだコモドール64ではBASICしか使えないが、たとえばC言語といった言語でプログラムしたりできるようになるのだ。

「自宅にあるのよりパワフルなコンピューターを使ってみたいと思うんですよ」

80年代にファイバー・オプティックという名前で活動していたハッカー、マーク・アベネは、CNETの取材に対してこう語っている。

「ふつうなら手が届かないハイテクに触れてみたいと思うんですよ。それを理解したい、それをプログラムできるようになりたい、と」

だが、そういうアクセスはデジタル的な不法侵入であり、違法な行為である。アベネのグループ、マスターズ・オブ・ディセプションでは、クラッキングに成功したパスワードを共有していた（ゴミをあさってパスワードのメモをみつけるという昔ながらの方法も使っていた）。なかでも電話システムの改変に関する情報を熱心に集め、共有していた。

ここに連邦当局が介入。サイバースペースという新たな世界が無法地帯になることを電話会社も政府も恐れたのだ。こうして、マスターズ・オブ・ディセプションに取り締まりが入り、アベネは21歳で1年近くも牢に入ることになった。この刑は実際に犯した罪に対して重すぎる、侵入はしたが、システムに損傷を与えてもいなければデータを盗んでもいないのだから、という意見も聞かれた。たぶん、米国で一番有名なハッカーだったのがアベネにとって不幸だったのだろう。新人類は、なにがしたくてモデムを武器にオンライン世界をさまよっているのかなど、あちこちのメディアに登場していたのだ。キーボードをたたきまくるがきんちょにやられっぱなしというイメージに困った政府にとっては、かっこうの標的だったと言えよう。判決も、「世の中に正しいメッセージを発信する必要があります」で始まっていた。

90年代に入るころには、クラッキングは違法であり、相応の処罰を覚悟しなければならないという意識が広がった。許可なくシステムにアクセスすれば、連邦の手入れを受けかねないわけだ。では、分をわきまえ、他人のシステムに押し入らず、便利なコードを書いているだけなら、放っておいてもらえるのだろうか。

実は、必ずしもそうとは言えない。次なる戦いは、暗号のコードそのものについてだった。ある種のソフトウェアは書くだけで違法にしようとする政府との戦いである。

暗号や著作権を巡る熾烈な戦い

どういう人なら暗号を書いたり使ったりしていいのか。この点を巡っては数々の争いが起こり、暗号戦争などと呼ばれている。

フェイスブックや電子メールの世界となったいま、オンラインでなにをしているのか追跡されていることは広く知られている。だが、70年代から80年代はオンラインになる人が少なく、デジタルプライバシーが大きな話題になることはなかった。いまのような状況を最初に予測し、警鐘を鳴らしたのは、コンピューターの研究員やコーダーだった。当時から電子メールで連絡を取り合ったり、ファイルをやりとりしたりしていたからだ。新しいやり方は楽しいし便利だったが、電子メールもディスカッションフォーラムもデジタルの足跡が残ってしまう。文字による会話は、サーバー上に何年も残る。下手すれば永久に残る。これが社会全体に普及したらなにが起きるのだろうか。

そう心配したひとりが、コンピューター科学者ホイット・ディフィーだ。彼は、1970年代の初めには、もう、フェイスブックやアマゾンやグーグルハングアウトのようなものの登場を予想していたと2013年に語っている。

「妻に言ったんですよ。実際に会ったこともない人と仲良くなる世界がもうすぐ来るよって」

当時もデジタルメッセージを暗号化する技術はいろいろあったが、いずれもまだまだのレベルだった。送り手と受け手、両者が同じ「鍵」を持っていなければならないという大きな欠点があったからだ。たとえば、ニューヨークからウィスコンシンまで、秘密の電子メールを暗号化して送るとしよう。そのためには、まず、暗号を解くための鍵を送らなければならない。だが、鍵はなくしてしまうことも考えられるし、盗まれることだってありうる。ギリシャ時代から知られている問題だ。鍵が漏れてしまえば、暗号は解読されてしまう。つまり、仲間内で安全にメッセージをやりとりできるようにとすばらしい暗号化のルーチンを作っても、鍵が漏れたらおしまいで、プライバシーを保つことはできないのだ。

だが、1976年、ディフィーとその同僚のふたりがすごい方法を思いつく。公開鍵・秘密鍵による暗号である。このやり方では、ユーザーごとに鍵がふたつ割り振られる。だれでも見られるように公開する鍵と、個々人が秘匿する秘密鍵だ。送信時には、受信者が公開している鍵で暗号化する。そうすると、数学的処理の関係から、このメッセージを復号できるのは受信者のみとなる。画期的だ。だれでも解読不能に近いコードを使ってオンラインでやりとりすることが可能になるのだ。この考えを世界に発表したのはディフィーらが最初だった。実は英国政府でも同様の仕組みが考案されていたが、そちらは機密情報として秘匿されていたからだ。

この発見に渋い顔をしたのが、米国連邦政府だ。それまでは国家安全保障局（NSA）が暗号世界の顔役で、暗号やその解読といえばNSAという状況だったし、その状態を保ちたいと考えていたからだ。研究者やコーダーが強力な暗号を検討するなどもってのほかだ。NSA局長のボビー・インマン中将は、暗号技術の公開かつ無制限な討議は、国の通信情報収集能力に深刻な損傷をもたらすおそれがあるとの声明を発表。本音は、強力な暗号を一般に使えるようにはしたくない、である。

「この技術が普及すれば、極小規模のテロリスト集団や犯罪者などが完璧な情報セキュリティを手に入れてしまう可能性があると考えたのです」

と、当時について、元NSA顧問弁護士のスチュワート・ベイカーも証言している。

暗号技術の拡散防止に使えそうな法律がひとつあった。国の分類では、NSAでさえも破れないほど強力な暗号は軍需品であり、軍需品は、連邦政府の許可なく国外に持ち出すことが禁じられているのだ。暗号ソフトウェアの開発は止められないが、開発したコードを国外にまで公開したら違法行為になる。たとえば強力な暗号を電子メールでドイツに送ったら、送り手は武器商人とみなされる。解読不能なコードの普及を恐れたNSAは、強力な暗号を戦車やミサイルと同列に扱うことにしたのだ。

学術系の人々は激怒した。彼らにしてみれば、コードとはマシンに語りかける言葉であり、印刷したり、印刷したものをほかのコーダーに見せたりできるのが当たり前だからだ。暗号コードの売り先を制限したり、それを見せる相手を制限したりするなど、言論の抑圧に等しい。コンピューター科学者ダニエル・バーンスタインのように、米国憲法修正第一条に定められた権利の侵害であると訴えを起こした人も出た。

実際には、このような法律があってもなにかできるわけではなく、NSAの心配はどんどん現実になっていく。コードの拡散を制限するなど無理なことなのだ。

ディフィーの提唱した概念を実装した最初のソフトウェアはプリティ・グッド・プライバシー（PGP）というもので、フィル・ジマーマンというハッカーが開発した。すぐ、コピーがオンラインに出回り、ほどなく世界中に広がっていく。例の法律に基づいた調査も行われたが、ジマーマン本人はコードの配布に関わっていなかった（それどころか、オンラインになることもめったになく、配布していたのは別のハッカーだった。調査は何年かで打ち切られた。理由は公開されていない)。

もう、なにをしても後の祭りだ。NSA が解読できないソフトウェアを開発できるし、それを世界に配布することもできると証明されたのだから。

暗号技術の政治的側面に惹かれ、サブカルチャーが生まれた。サイファーパンクを自称するハッカーや思想家がオンラインのそこここに登場したのだ。体制側の検閲から守られた言論が大好きなごりごりの自由主義者が多い(個人の先制防御という意味で、暗号技術は銃に等しいと評したティム・メイなど)。無政府資本主義者も多かった。最終的にビットコインにつながる系譜で、暗号技術で匿名性が高い電子マネーを生み出せれば、税金をかけられることもなくなれば、世界中どこでも体制に把握されなくなると夢見る人々だ。海上浮遊都市を夢見る人々もいた。アメリカ自由人権協会あたりにいそうな市民的自由の擁護を重視する人々もいた。みな、NSA が大嫌いだった。

90年代半ばには、サイファーパンク側の勝利が見えてきた。インターネットが登場し、ふつうの人々や企業に電子メールが広がっていたし、ウェブの閲覧も増えていた。また、法人顧客がコミュニケーションの安全性を重視するからという理由で、ロータスノーツなど、暗号機能搭載のソフトウェアが増えていた。電子商取引が始まり、そのあたりを飛び交うクレジットカード番号を守らなければならない状況も生まれた。「軍需品」規制も思ったほどしっかりしたものではなかった。コードは言論の一形態であり、国境を挟んだ言論を国が制限することはできないとの判断を司法が下すようになったのだ(1999年に米地方裁判所が下した判決である)。

NSA は逆転狙いの勝負に出る。暗号技術の普及が止められないならしかたない、せめて、自分たちの統制下に置こう。そう考えたのだ。

クリントン政権に働きかけ、コンピューターにも電話にも強力な暗号を搭載すべきだが、その際には、NSA 開発の「クリッパー」というチップを必須にしようと提案。クリッパーチップを搭載するとオンライン通信でも電話でも暗号化され、のぞき見されたり盗み聞きされたりする心配がなくなる。その例外となるのがNSAだ。バックドアの鍵を持っているので、NSAだけはどの機器でも自由にアクセスできる。こうすれば、極悪非道な犯罪者やテロリストがやりとりを暗号化で秘密裏に行おうとしても、その内容をNSAが盗聴できる。高度な暗号技術を一般に開放する壮大な仕掛けだと言える。ただし、国民のプライバシーを尊重し、盗聴するのは悪人だけで、権力の乱用などないとNSAを信頼することが前提となる。

そんな信頼、サイファーパンク側にあるはずがない。ありえない話だ。ティム・メイは怒り心頭だった。

「これはもう、戦争ですよ。クリントンとゴアの政権はビッグ・ブラザー側に立つと言っているに等しいわけで」

抗議の行動を始めると、市民的自由を求める自由主義者がこぞって合流。さらには、ニューヨークタイムズ紙の保守系コラムニスト、ウィリアム・サファイアなど、コーディングと関係ない層も加わった。今後はオンラインが生活に浸透していくとの意識が社会に広がりつつあり、そこをのぞき見されるのはいやだと考えたわけだ。

だが、クリッパーチップにとどめを刺したのは、政治的な争いではなかった。バグである。チップの評価を委託されたマット・ブレーズという若手科学者が仕様を精査し、バックドアをふさぐことができるという大問題をみつけたのだ。これでは、NSAに盗聴される心配なしに秘密通信ができてしまう。言い換えれば、NSA自身にも破れない最先端の暗号化技術を犯罪者に提供する仕組みになっていたわけだ。この結果が発表されると、NSAが信用できるとか信用できないとか、そういう問題は吹っ飛んでしまった。無能のぽんこつとしか言いようがないからだ。

クリントン政権は、クリッパーチップを静かに取り下げた。ハッカー、コンピューター科学者、サイファーパンク陣営の勝利である。

盗聴を巡る戦いもなかなかにすさまじいものだったが、意表をつく分野でもっと熾烈な争いが勃発する。エンターテイメントや著作権を巡る法律、つまり、映画や音楽の分野である。

オンラインになる人がどんどん増えた90年代の後半、ハリウッドの映画スタジオやレコードレーベルは不安にかられていた。お金を出して買うのではなく、音楽をMP3形式にしてオンラインで交換する人が増えていたからだ。接続速度はどんどん上がっており、近いうちにテレビ番組や映画も同じような状況になると思われる。だから、それは海賊行為である、自分たちの収益もさることながら、人類の文明そのものを脅かすものだと折に触れて訴えることにした。

「いまは歴史を左右するほど重要な時期です。単に、子どもが音楽を盗んでいるというだけの事態ではありません。危険にさらされているのは、文化的表現を構成するもの、すべてです。知的財産を守れなければ……我が国は文化の暗黒時代に突入することになります」

タイムワーナーのトップ、リチャード・パーソンズの言葉である。

複製や共有を防ぐため、エンターテイメント企業は、サイファーパンクが入れ込んでいるもの、つまり、暗号技術に頼ることとした。楽曲、テレビ番組、映画などをデジタル化する際に暗号化するのだ。たとえばDVDには、CSS（コンテント・スクランブル・システム）という方式が採用されている。再生するには、この暗号を復号できる対応ビデオプレイヤーが必要になる。

ある意味、エンターテイメント業界がそっくりソフトウェア業界になってしまった形だ。暗号化されたDVDが再生できるDVDプレイヤーを作る、あるいは、ウィンドウズコンピューター用のDVD再生ソフトウェアを作るなどしたければ、映画配給会社と契約して、秘密の復号用コードを組み込む権利を買わなければならない。復号ソフトウェアさえ押さえれば、インターネット時代になっても大丈夫だとエンターテイメント企業は考えたわけだ。DVDをリッピングしたり、それを公開したり、やりたければやればいい。エンターテイメント業界が認めたDVDプレイヤーがなければ、使い物にならないのだから。音楽ファイルも同じような形になった。電子書籍もだ。デジタル著作権管理（DRM）の登場である。

懸念がひとつだけあった。暗号コードを解読するコーダーがいるのではないか、だ。リバースエンジニアリングと呼ばれる方法を使えば、コードの仕組みを解明できたりする。CSSがリバースエンジニアリングされれば、DVDの再生ができるものをハリウッドの承認なしに作れるようになってしまう。音楽ファイルもそうだし、電子書籍だって同じだ。暗号を解読するソフトウェアが作られれば、だれでも、コンテンツを複製し、好きな相手と共有できるようになってしまう。

この問題に、ハリウッドは、刑事罰で対抗しようとした。そういうソフトウェアを書く行為を違法にしようというわけだ。

そのためには、新しい法律が必要だ。こうして1998年に成立したのが、デジタルミレニアム著作権法（DMCA）である。DRMを回避するコードを書くのは違法行為で、損害賠償や禁固刑・懲役刑などの対象になると定められたのだ。

このあと、DRM技術を破ったとして、コーダーが何人も刑務所に放り込まれた。

2001年、ロシアのコーダー、ドミトリー・スクリャロフがラスベガスを訪れ、ハッカー会議のデフコンで話をした。内容は、アドビ社の電子書籍に用いられているDRMのぜい弱性である。アドビ電子書籍をPDF化できるようにと、その暗号を解除するコードを業務で書いたのだから詳しいのは当然だ。そういうコードの作成は、ロシアでは合法である。だが、米国に来れば米国の法律が適用される。アドビの通報で来訪を知ったFBIは、講演後にスクリャロフを逮捕。罪状はDRMの「回避」である。有罪と判断されれば、最大で懲役25年、罰金225万ドルが課される可能性がある。

もっとすごい騒動も、とあるティーンエイジャーを巡って勃発した。

ノルウェーのヨン・レック・ヨハンセン（15歳）が、DeCSSというオープンソースソフトウェアを知り合いふたりと開発し、公表した。1999年のことだ。これを使えば、DRMを解除し、LinuxマシンでDVDを楽しむことができる。コーダーにとって朗報だ。マックやウィンドウズのDVD再生コードはハリウッド承認のものがあるがLinux用はなく、コーダーはLinuxを使っている人が多いからだ。DeCSSの登場で、やっと、Linuxのノートパソコンでも映画が楽しめるようになったわけだ。DeCSSはさまざまな言語に移植され、アンドリュー・バナーという人物をはじめ、たくさんのハッカーやウェブサイトオーナーが世界中で配布に協力した。ハッカー雑誌、2600は、DeCSSのソースコードと配布サイトへのリンク集をウェブに公開した。

ここに法の鉄槌が下る。

DeCSSソースコードの配布は違法である、そのコードを使えばDRMが回避できるのだからと、2600の出版社を相手取り、映画配給会社が集団訴訟を起こしたのだ。2000年のことである。アンドリュー・バナーらウェブマスターも、DeCSSコード配布の罪に問われた。米国エンターテイメント業界からの苦情申し立てをうけ、ティーンエイジャーのヨハンセンをノルウェー警察が取り調べ、ノルウェーの法律に基づいて起訴する事態となった。

大騒ぎになった。サイファーパンクだけでなく、あらゆるタイプのコーダーとハッカーが怒りを爆発させた。新しい著作権法により、アメリカ株式会社は、コード作成そのものを犯罪にしようとしている——彼らにはそうとしか見えなかったからだ。

「ああいう訴訟は、コードを書いたり、書き換えたりする権利が標的だと、彼らはそう考えたわけです。あのときから、彼らは、コードは言論だ、言葉だ、あの法律は言論を違法とするものだと言い始めました。それまで、コードは見せ合うもの、共有するものだと思っていたのに、それが法律違反だと言われるようになったからです」

ハッカー文化に詳しい人類学者、ガブリエラ・コールマンはこう指摘している。

映画配給会社が敗訴したケースもあった。2001年には、バナーに対し、ソースコードの公開は言論の自由で保障される行為であるとの判決がカリフォルニア州で下された（その後、判決は行ったり来たりするが）。ヨハンセンも無罪放免となった。だが、雑誌2600は敗訴し、上訴もあきらめるなど、スタジオ側が勝ったケースも少なくない。

一連の出来事がなにを示しているのかは明らかだ。DRMはプログラミングを犯罪であるとする強力な武器として使えるし、企業は実際に使うだろう、である。

このように政府、企業、諜報機関とのいざこざが30年にわたって増えてきたのだから、頭で考えるより先に対決姿勢を取るハッカーが多いのもしかたのないことだろうとコールマンは言う。国になにか言われるときは、ほぼ必ず、コードでなにかしたからとか、それこそ、大好きなコードという言語を使ったからと犯罪者扱いされるのではたまったものではないだろう。
「メディア好みの見方とも言えますが、この姿勢はハッカー文化のDNAに深く刻みこまれているのです」

陰謀？　被害妄想？　続く緊張関係

サイファーパンクは被害妄想なんじゃないかと言われることが多い。
ジェン・ヘルスビーも、よくそう言われたという。オンラインの言動は政府に監視されている、電話も盗聴されている、ソーシャルメディアのデータはごっそり持っていかれていると、ことあるごとに友だちに語っていたからだ。
「ソーシャルメディアって、あんまり好きになれないんですよね」
浮かない顔である。彼女がうたぐり深くなったのは、ある意味、当たり前だと言える。
彼女は、昔、宇宙が膨張している理由を解明しようと、シカゴの大学の博士課程でダークエネルギーの研究をしていた。宇宙物理学を専攻するとだいたいみんなそうなるのだが、彼女も、コーディングが得意になった。ちょっと違っていたのは、外交問題にも興味があった点と、目に見える形で社会に役立つことがしたいと考えていた点だ。だから、データ処理のスキルを生かして都市部の荒廃を研究するプロジェクトに参加したり、のちには、ルーシー・パーソンズ・ラボの立ち上げにも参加したりしている。後者は、警官にいやがらせをされたとき、その警官の写真を投稿できるデータベースなど、警察に対する苦情申し立てに使えるオープンソースの無償ソフトウェアを開発する組織だ。そこでは、警察や国の機関に監視されている可能性が高いと仲間に警告したり、テキストメッセージの代わりにシグナルなどの暗号化されたアプリを使うべきであるなど、暗号技術の普及に努めている人々が業務の安全な進め方を教える手伝いをしたりしていた。
「自由に読んだり自由に話したりできなければおかしいんです。でも、政府がなんでも監視していて、気に入らないことが起きたら取り締まりができるのでは、そうはなりません。銃と警官の絵文字を続けて使った子どもを警察が急襲したって話がニューヨークでありましたよね。あんなの、ありえませんよ。異常です。いくらなんでもひどすぎます」
　それでも、折々、陰謀論が好きなんだね、被害妄想なんじゃないのと言われた。2013年にエドワード・スノーデンのニュースが流れるまでは。
　スノーデンはNSAの委嘱でコンピューターセキュリティの仕事をしていた人物で、彼がリークした大量の文書には、NSAがごくふつうの人までびっちり監視していることが記されていた。このニュースにサイファーパンク界は色めき立った。ほれ見たことか、我々の頭がおかしいんじゃない、実際にこういうことが行われているんだという声も上がった。
「あの話を出すのは効果絶大です。スノーデンのことがあったおかげで、だいぶ理解が進みました。実際のところ、そこまで被害妄想にかられなくてもと言われるような人の予想でさえ、現実には届いていなかったとわかったわけですから」
　この話をしたとき、ヘルスビーは、セキュアドロップ開発チームのリードコーダーをしていた。
　ヘルスビーと会ったのは、サンフランシスコで開かれたアーロン・スワーツ・ハッカソンの会場だった。ふつうの人の役に立つソフトウェアを作りたいと考える暗号系ハッカーの集まりで、26歳と若くして自殺したコーダー兼活動家のスワーツを記念して毎年秋に開催されている。短すぎる生涯だったが、そのあいだにスワーツは、ハッカーにいまも愛されている成果をいくつも挙げた。セキュアドロップの構築に関わったり、レディットの経営に参画したり、パーソナライズされたニュースフィードが作れるRSSの開発に関わったりしたほか、超オープンなハッカー好みの著作権利用方法、クリエイティブ・コモンズ・ライセンスの立ち上げにも手を貸しているのだ（クリエイティブ・コモンズ・ライセンスを使うと、たとえば写真をオンラインで公開するにあたり、改変したものも無償公開するならば自由に改変してもよいとすることができる。あるいは、なにも制限せず、好きにしていいという条件も選べる。さまざまな種類のライセンスがあるのだ）。スワーツは、また、公開して社会の役に立てるべき学術情報が企業に秘匿されていると考えていた。だから、2010年、自作のプログラムにより、有料購読サービスJSTORから学術誌の記事500万本近くをダウンロードした。だが、結局、JSTORおよびダウンロード時に口座を使われたMITから苦情をうけ、ダウンロードしたコピーは公開することなく返却。米司法省はいいみせしめになると考えたのか、スワーツを起訴する。有罪となれば罰金100万ドル、数十年におよぶ懲役が科せられる恐れがあり、スワーツは自殺した。

「アーロンは、図書館の蔵書を読むのが速すぎるとして血祭りに上げられたんですよ」

こう指摘するのは、クリエイティブ・コモンズの共同創業者リサ・レインとともにこのハッカソンを立ち上げたブリュースター・ケールである。ケールは80年代のMITでハッキングにいそしんだあと、90年代にスタートアップで財をなし、インターネットアーカイブを設置した。後世に残すことを目的に、インターネットのコピーを毎日大量に記録するとともに、古い本やビニール製のレコード盤、さらには、パブリックドメインのビデオゲームにいたるまで、あらゆるものをデジタル化し、公開するサイトだ。スワーツのビジョンを実現するものと言ってもいいだろう。本部はサンフランシスコの教会だった建物で、ロビーにはテーブルが置かれ、ハッカーがコーディングにいそしんでいる。

セキュアドロップのインターフェースを工夫するヘルスビーのチームがいた。となりのテーブルでは、ノートパソコンにホスティングする形でウェブサイトを世界中に分散配置し、専制的な政府につぶされにくくするソフトウェアが作られていた。メンバーのひとり、オースティンは22歳の大学生で、子ども時代、任天堂Wiiに GNU/Linux をインストールしたくてプログラミングを独習したという。宿題をするのにもファミリーコンピューターしかさわらせてもらえなかったからだ。
「親が部屋をのぞきに来たとき、ハッキングがばれないようにするのが大変でした。急いでテレビのチャンネルを変え、え、なにしてるかって？　テレビ見てるんだよ。いや、なんか、しょーもないやつさってごまかすんです」
スノーデンが転機だったとオースティンも考えているそうだ。若手コーダーは、テクノロジーの暗黒面がマスコミに取り上げられるようになったころ大人になっている。サイファーパンクは『ミスター・ロボット』のファンが多いのだが、このテレビドラマには、巨大企業が持つ消費者の負債情報を暗号化で破壊しようとするハクティビスト集団が登場する（ちなみに、このドラマはハッキングシーンがとてもリアルで、超小型コンピューターのラズベリーパイやアンドロイドルートキットが登場したりするらしい）。アーロン・スワーツ・ハッカソンの日、私が訪れたこの部屋も、『ミスター・ロボット』のエキストラなんじゃないかと思う格好が多かった。髪を染めている。レザージャケットを着ている。ピアスをたくさんしている。ノートパソコンにはインターネットの自由を象徴する「コピーレフト」ステッカーがべたべた貼られている。シリコンバレーの企業で働くプログラマーが健康マニアで、日焼けした肌にロッククライミング用の服を着て、自転車で通勤するのに対し、サイファーパンクは、サイバースペースの亡霊という雰囲気なのだ。
「僕なんか、ハッカーっぽくないっすよね」
オースティンは、部屋を見回しながらそう言うと、フードをかぶった。
「少しはらしくなったじゃん」
テーブルの反対側でノートパソコンに向かっていた女性がそう言って大笑いした。
オースティンの後ろには、バズフィードで調査報道を担当するジェイソン・レオポルドがいた。情報の自由の請願について話をするのだそうだ。入り口で携帯電話を使っているのは、チェルシー・マニングだ。軍の活動記録や外交通信などの機密を大量に暴露し、アラブの春が広がる一因を作ったとして有名な元陸軍情報分析官である。今回は、ハッカーに檄を飛ばすために来たそうだ。

ハッカーの政治に対する姿勢はとにかく多様だ。コールマンも指摘しているのだが、物作りや知識の共有が好きでフリーソフトウェアを支持し、コーディングに対する規制を嫌うという部分が共通しているから同じ目的に向けて協力できているが、それ以外は共通点がないに等しかったりする。暗号技術やオープンソースのコードを作ることだけが、全員が協力できる理想なのである。

「多くの場合、観念的判断より現実的判断が優先されるため、資本主義に反対する無政府主義者と社会民主主義を掲げるリベラルとが、特に覇権争いをすることもなければ摩擦もなく、協力するといった状況が生まれたりする」

ハッカソンがあった日の午後、スティーブ・フィリップスにもばったり会った。パスーアンスのシステム構築を手伝ってくれるボランティアが一緒だった。彼は、ウィキリークスのＴシャツで演台に上がると、誇らしげに成果を発表した。

「オンラインの活動を見ていて、自動化できるのに手作業で行われていることが多すぎると気づいたんだ」

そう語る彼は、このソフトウェアが完成すれば、やることのリストを作る、作業を設定する、仕事を振り分けるなどを活動家ができるようになる、話し合える場ならたくさんあるが、実際になにごとかをなすのに役立つツールはほとんどない、そこをなんとかするのがパスーアンスの目的だなどと続けた。

バレット・ブラウンもスカイプで登壇し、南部人らしいゆったりした口調でパスーアンスの哲学を語った。スクリーンには、自宅の居間で電子たばこをくゆらせる姿が映っていた。

打ち上げは近くのタイ料理屋だった。

「いや、もう、どうなることかとはらはらしたわ。登壇まで10分しかないというのに、データベースにあれこれ登録している状況だったからね」

ほっとした表情でこう言うマーティ・イーは、昼間、ソーシャルネットワークのアプリ、ビーハイブを開発しているという。ソフトウェア開発あるあるなのだが、デモをしようとすると最後の瞬間までどたばたすることになるものだ。ともかく、イーのおかげでパスーアンスもそこそこまっとうに見えた、身構えることなく活動家に使ってもらうためには大事なことだとフィリップスはご満悦である。

「ワイヤーフレーム状態のものを山ほど、たった3週間前に渡したというのに、魔法のように仕上げてくれましたからね」

自分に食べられるものがなにかないかメニューを確認しながら、フィリップスは、そう言った（結果、玄米を選んだ）。

業務責任者のアナリース・バークハートはテネシー州出身の21歳で、パスーアンスを中東の活動家に届けたいと考えている。アラビア語は大学で学び、ユーチューブの動画を見たり、シリア人に教えてもらったり、住んでる地域の関係で翻訳をしたりしているうちに習熟した。長い銀髪のいかにもアメリカ人という感じの女の子がアラビア語を話すと周りがびっくりするのがおもしろいそうだ。

「電話に出たら突然アラビア語になったりするんですけど、そうすると、えええええ、なにが起きた！？みたいな感じになるんです」

SUPPORT YOUR LOCAL GIRL GANG（地元女子隊に愛の手を）と書かれたTシャツで、彼女は、とあるセキュリティーライターがプライバシー保護に役立つアイデアをラップの歌詞から探した話を取り上げた。

「ノトーリアス・B.I.G を分析したというの。『クラックの十戒（The 10 Crack Commandments)』とか、ね。実際、安全に仕事を進めるのに役立つアドバイスがあったりしたらしいわよ」

「たとえば？　どんなアドバイス？」とフィリップス。

「たとえば、『口にはチャックをしろ！』とかね。みんなおしゃべりだから捕まるのよ」

このハッカソンに集まった人々は、違法行為に手を染めているわけではない。作っているツールも、その目的は、ごくふつうの人を守ることだ。だが、警察や諜報機関とは緊張関係が続いている。そういう組織は、法律を守って暮らすふつうの人向けであっても、完成したプライバシーツールを犯罪者やテロリストが悪用するのは避けられないと言い続けているからだ。

念のため指摘しておくと、警察や諜報機関の主張がまちがいだと言いたいわけではない。たとえばトーア。これは、ウェブサーフィンを暗号化し、訪問サイトがどこだかわからなくしてくれる。内部告発者やジャーナリスト、ブロガー、さらには、単純にオンラインでもプライバシーが気になるふつうの人々に役立つ機能だ。だが、同時に、どこにホスティングしているのか、だれがホスティングしているのかがわからない、いわゆるダークなウェブサイトを作るのにも使える。こういうダークウェブは犯罪にもってこいである。だから、オンラインのドラッグ販売にはトーアがよく使われる。たとえば、ドラッグや銃の売買で有名なシルクロードというオンラインストアも、トーア対応のダークウェブとなっているし、テロリスト集団のISISは、追跡の手をトーアで逃れるガイドを発行している。もちろん、犯罪に関わる利用はごく一部に限られる。それでも、暗号化技術が自由の戦士と同じように悪人も守るものであることは事実である。善人のプライバシーのみを守る暗号化技術などありえないのだ。

サイファーパンクは、みな、この事実を知っている。そして、大半は、そういうものだ、自由とは、善行をなす自由だけでなく悪行をなす自由をも含むものだと考えている。そこまであっけらかんと言われれば、ほとんどの人はびっくりするか、スカッとするかだろう（どちらになるかは、政治的信条による）。一例を紹介しよう。とあるセキュリティ会議のパネルディスカッションで、暗号技術に詳しいモクシー・マーリンスパイク（メッセージングアプリのシグナルを開発したハッカー）は、犯罪者を助けるケースがあるのは、一般人のプライバシーを守るために受忍すべきコストであると語っている。

「法の執行は難しいのが当たり前だと私は考えています。法律は破れなければまずい、とも」

ある法律がばかげているかどうかは、それを破ってみないとわからないとも考えているらしい。彼のブログにはこう書かれている。

「マリファナは合法化されたが、法律を破って使ってみた人がいなければ、そうすべきだとわかるはずがない。同性婚の可否なんかも同じ話だ」

悪を考え善をなす

ハッカーは、好奇心にかられて法律を破りがちである。世の中にはコンピューターに頼っているものが多いからだ。だから、80年代から90年代にかけて、モデムを手にしたティーンエイジャーがさまざまなトラブルに巻き込まれた。当時の会社は、侵入されると、大変だ、ハッキングされてるぞ、サイバーポリスを呼べと大騒ぎになった。だがそのうち、テック企業をはじめとする一部のアメリカ株式会社が、そういうハッカーは飼いならせばいいのだと気づく。侵入しようとするのを止められないのなら雇えばいい。お金を払って、どうやって侵入したのかを聞き出し、その穴をふさげばいい、と。

こうして生まれたのがペネトレーションテスター、いわゆるペンテスターという職業だ。この仕事が銀幕に初めて登場したのが、お金をもらって銀行のシステムに侵入する情報セキュリティ戦士の集団をロバート・レッドフォードが率いる1992年の映画『スニーカーズ』だ。システムのバグを知らせるとソフトウェア企業から賞金がもらえるバグ報奨金なる制度が生まれたのもこのころだ。

ペンテスターは、ティーンエイジャーのころ、スリルを求めて自分や他人のシステムに侵入を試みていた人が多い。当たり前だろう。

「17歳に倫理や道徳を考えろというほうが難しいでしょう」

こう語ってくれたのは、フリーランスのハッカーを世界中から集め、クライアントのサイトやソフトウェアをたたくペンテスト会社、ハッカーワンを立ち上げたジョバート・アブマである。オランダ出身で、子どものころ、友だちと互いのウェブサイトに侵入する遊びをくり返しているうち、法人サイトのぜい弱性も探すようになったという。

高校の卒業式で壇上のモニターをハッキングし、一部生徒をからかうジョークを表示させるなどはしたが、犯罪行為には手を染めていないそうだ。ふたりは、その後、侵入を仕事にできないかと考え、あちこちの会社に電話をしては、サイトに侵入する許可をくれ、侵入できなかったら逆にこちらがお金を払うから、ともちかけた。もちろん、お金を払うはめになったことはないそうだ。

このように、コンピューターの弱点を突くのがおもしろくてしかたがない子どもは、グレーゾーンに足を踏み入れがちである。このとき問題になるのは、見せしめにしようと当局に思われることなく、市場で価値を認められるレベルまでスキルを高められるかどうかだ。

ペンテスター、情報セキュリティの専門家、コンピューターセキュリティの研究者が、年1回、ラスベガスに集まるハッカー会議、デフコンは、グレーゾーンの話がずらりと並ぶ。新手の侵入テクニックが披露される、最新情報があちらでもこちらでも共有される侵入技術の祭典である。私が参加した2017年の会議も、すごかった。とあるコーダーは、ビットコインウォレットの侵入に成功したという。別のコーダーは、風力発電基地のコントローラーに侵入する技を報告していた。侵入すれば、ブレーキのオンオフをくり返して壊すこともできるし（デスアタックによるハードストップだそうだ）、発電を止めて身代金を要求することもできる（発電が止まると、時間当たり1万ドルから3000ドルもの損害になるそうだ）。自作の侵入機器を紹介するハッカーも、会場のあちこちにいた。たとえば、電動歯ブラシの振動部を磁石にしたもの。これをラズベリーパイにかざしつつ、

「こいつをチップに近づけると、ふつうならありえない電荷が生じ、おかしな状態に持っていけたりするんだ。ぼくはテレビドラマの『ドクター・フー』が大好きで、ソニック・ドライバーみたいなものが欲しいと思っていたっていうのもあってね」

などと作者が解説するのを、集まった数人が、ふーんとかへーとか言いながら見ていた。ひとりは、悪を考え善をなす（Think Bad. Do Good.）とプリントされたTシャツのがっちりした男。アルミ箔で作った帽子をかぶったハッカーもいた。

デフコンの呼び物は、いろいろと用意されているハッキング課題だ。それ用のシステムを用意するから、侵入できるものならやってみろというわけだ。2017年には、スマート冷暖房やネット経由で操作できるガ

レージドア開閉器など、モノのインターネットと呼ばれるIoT機器が満載されたミニハウスが用意されていた。私が見たときは、米国南部から来たペンテスターがチームでハッキングにトライしており、「だれか電源コード持ってきてないか？　パスワードのクラッキングでノートパソコンがやばいことになってる」と叫んでいる人の隣で、別の人が、警報システムへの侵入に成功し、開いたフォルダーにパスワードが記録されていないか調べていた。
「パスワードって使い回されるのよね。これを知っていれば、たいがいの鍵は開けられちゃう。で、鍵さえ開けば、城の中はどこでも自由に探索できるわけで」
　クラッキングしていたチームのひとり、ドリ・クラークはこう教えてくれた。彼女は、情報科学を学び、しばらくコーダーとして金融機関で働いたあと、ペンテスターになったそうだ。金融機関では、自分が生まれる前の80年代に作られたCOBOLのコードを改修する仕事をした。そして、軍の仕事をしたとき、ペンテストのチームに出会い、心を奪われてしまう。いまはウォルマートのペンテストをしている、また、昔の変わったハードウェアをイーベイで買っては侵入の練習に使っているという。
「好きじゃなきゃできませんね。あ、いつも、子どもが寝てからやっています」
　娘がだいぶ大きくなった、文字が書けるようになったらコーディングを教えるつもりだとも語ってくれた。ただ、ハッキングについては渋い顔をした。
「この技を教えるのは、どうなんでしょう。ティーンの女の子がこんなことを覚えたら、友だちのフェイスブックページをハッキングして、陰で何を言われているか見ようとするでしょうから」

「クソのインターネット」

　情報セキュリティの専門家は、テクノロジーの世界を冷めた目で見ることが多い。その世界が実はぼろぼろだと知っているから、商用ソフトウェアはたいがいがつぎはぎの粗悪品だと肌で感じているからだ。楽しく侵入してお金がもらえるなんて、こんないいことはないかもしれない。だが、そんなことをしていると、だんだん、コードで動くこの世がぐずぐずでひどいものであることが見えてしまう。ソーシャルネットワークはクラッキングできてしまうし、金融システムでさえ急ごしらえであっちもこっちもがたぼろだ。最悪はモノのインターネットだろう。コストをけちった作りになっているし、出荷時のデフォルトパスワードは容易に推測できるものになっている。セキュリティ系ハッカーが「クソのインターネット」と呼ぶのもうなずける。

これがいかにやばい状況であるのかは、このデフコンの「投票装置ハッキング村」をのぞいてみればわかる。その部屋には、米国で選挙に使われたマシンの実物が何台も用意されていた。20年前、クリッパーチップをお蔵入りに追い込んだマット・ブレーズらが購入したものだ。ハッキングによる結果の改ざんなど簡単であることを示すのが目的である。投票装置はセキュリティがかなり甘いはずとブレーズら専門家は昔から疑っていたが、最近まで、合法的にいじることは難しかった。デジタルミレニアム著作権法で守られていて、メーカーの許可なくハッキングしたり動作を解明したりするのは違法だったからだ。もちろん、メーカーがハッカーなんぞにそういう許可を与えるはずもない。だが、近年、状況が変わった。投票装置は国家的重要性を持つ機器であり、一時的に法の適用外とすると国の方針が変わった、つまり、デフコンでハッカーがあれこれいじり、こうだったと世界に語っても罪には問われないことになったのだ。

「大統領選挙の当日にやったら手が後ろに回るはずのことをやってみてください」

ブレーズの言葉を受け、部屋に集まったハッカーは、いっせいに作業を始めた。

あっという間だった。デンマークのコンピューター科学者カーステン・シューマンは、ノートパソコンを開き、システム侵入用ソフトウェアのメタスプロイトを立ち上げると、Wi-Fi 経由で投票装置を掌握してしまった。わずか数分の出来事だ。別の投票装置については、USBポートがロックされておらず、そこにキーボードをつなぐだけで好きに操作できてしまうことを別のハッカーが発見。投票装置のコードを探り、あまりに簡単にログインできてしまうことが判明したりして、あっちでもこっちでも笑い声が上がる。

「ユーザー名はデフォルトで、パスワードは……っと『admin』かい」

ブロンドをポニーテールにしたコーダーは、ノートパソコンを見ながらそう言い、やれやれと手で顔を覆った。

本来はパスワードを変えて使えという話だろうが、実際には、だれも変えなかったわけだ。これも、情報セキュリティの専門家が直面しなければならない現実である。どんなシステムでも、人間が弱点なのだ。コードも問題だが、ユーザーも問題。パスワードを変えろ、ソフトウェアをアップデートしろと口を酸っぱくして言っても、たいがいは無視されてしまう。目を皿のようにしてオンライン世界の危険をみつけ、注意をうながすのに、無邪気に無視される――セキュリティはそういう割に合わない仕事のくり返しである。神のお告げを無人の砂漠で語るようなものだと言ってもいいだろう。

だから、セキュリティ系コーダーは、周囲にすごく冷ややかな目を向けがちだ。どいつもこいつもバカばっか、連中が電子メールのリンクをクリックしなければ、すべてこの世はこともなし、なのに、と。

「この仕事をしているとどうしても、ね。文字どおりバイスプレジデントの後ろに立ってせっつかないと、パスワードを変えてくれないし。みんないいかげんで、ベストプラクティスなんてだれも気にしない。で、なにかあったら、全部私のせい、ですからね」

そりゃ、人間嫌いにもなりますよ、と、会社でセキュリティ管理の仕事をしているというデフコン参加者がバーでお酒を飲みながら語ってくれた。

情報セキュリティのコーダー、クリスチャン・ターナスは、エッセイで「周りからすれば、我々はこうるさいだけの存在だろう」と書いている。

情報セキュリティの専門家が被害妄想にかられるのは、ある意味、当たり前だ。世の中には悪玉ハッカーがたくさんいて、お金目的の侵入をがんがん試みているからだ。実際、金銭目的のサイバー犯罪はすごい勢いで増えている。マルウェアをオンラインで買ったり、それこそ借りたりでさえ簡単にできるようになっているからだ。

サイバー攻撃の被害は、きわめて大きくなりうる。2017年に猛威をふるったマルウェア、ワナクライなど、いい例だろう。身代金を要求するランサムウェアといわれるタイプで、感染するとコンテンツがすべて暗号化されてしまい、読むことも使うこともできなくなる。そして、コンピューターには、「すべてのファイルは安全かつ簡単に回復できます。ただ、時間は十分にありません」というテキストが表示される。なんとなくぎこちないが、明るい感じの文章だ（ぎこちないのは、中国人が書いた英語だからじゃないかと言う人もいる）。インターフェースはきれいにできている。最近のランサムウェアは、プロっぽい見た目が多いし、なかには、身代金の支払いに使うビットコインの入手方法を説明するなど、親切な作りになっているものもある。シリコンバレーのスタートアップをまねているのかもしれない（ワナクライは「6カ月で支払うのは無理というお金のない人向けに無償のイベントもあります」などとコーポレートポリシーまで用意している）。

ワナクライの被害は甚大で、ロシア、ウクライナ、インドを中心に150カ国以上で合計20万台ものコンピューターが使えなくなった。一番混乱したのは、英国の国民健康保険病院だろう。コンピューターはもちろん、MRIスキャナーや、それこそ血液を保管する冷蔵庫までが被害にあったのだ。すべてを紙と鉛筆で処理するしかなく、膨大な件数の手術や予約診療が後ろ倒しになった。被害は、世界全体で40億ドルとも言われている。犯人は北朝鮮と関係のあるハッキング集団だとの見方が専門家のあいだでは多い。

どうしたらワナクライを止められるか、英国にある実家の寝室に座り、じっと考えている人物がいた。ロサンゼルスのサイバーセキュリティ企業、クリプトス・ロジック社に勤める善玉ハッカー、マーカス・ハッチンズである。専門は、リバースエンジニアリングでマルウェアを解析し、どう作られているのか、なにをするのかなどを明らかにすることだ。ハッチンズは、不思議な挙動に気づいた。どのワナクライも、iuqerfsodp9ifjaposdfjhgosurijfaewrwergwea.comという存在しないURLをピングするのだ。なぜかはわからない。だが、そのドメインを登録してサイトを作れば、世界中のワナクライがそこにピングしてくるはずだ。そうなれば、ワナクライがいくつ稼働しているのかもわかるし、どこに広がっているのかもわかる。だから、URLを登録し、サイトを構築した。かかった費用は10ドル69セントだった。

予想以上の効果があった。ワナクライが止まったのだ。

どうやら、このURLは一種のキルスイッチだったらしい。このサイトが実在するとワナクライは止まるのだ。

ほんの数分で全部クラッシュしたのには驚いたそうだ。「げりって止まらなくなったりしたとき用に」とハッチンズは表現したが、暴走した場合の保険としてキルスイッチが用意されていたのだろう。ともかく、甚大な損害を防いだことはまちがいない。米国が朝になり、職場のコンピューターに火が入れば、あと何十億台かに被害が広がったはずだ。

ハッチンズは世界的スターとなり、たまたま世界を救った善玉ハッカーとして新聞などに取り上げられた。スピード出世である。ハッチンズは、10年前、12歳のときに独学でコードの勉強を始めた。特に興味を惹かれたのがボットネットなどのマルウェアだ。低水準言語のアセンブラを習得すると、マルウェアをみつけては解析し、結果を長文の記事にまとめてブログに投稿。これがクリプトス・ロジック社CEOの目にとまり、うちに来ないかと声がかかったのだ（本人は、NSAに相当する英国の組織に就職を希望していた）。情報セキュリティの人材がいかに強く求められているか、わかるだろう。

取材時、彼は、有能なマルウェアの専門家は、ソフトウェアをただで手に入れたくてあれこれやっているうちにスキルを身につけるパターンが多いと教えてくれた。

「リバースエンジニアリングは、もともと、『商品』の世界から生まれたんです」

ただで使いたい、無償共有したいと考え、テレビゲームやフォトショップのDRMをクラッキングした人々が元だというのである。
「ライセンスのアルゴリズムを解明し、自分に合ったものにしてしまえばいいんです。そのスキルさえあれば、マルウェアの解析なんて簡単にできます」

グレーゾーンをかじったティーンエイジャー

取材で昔から痛感しているのだが、情報セキュリティの世界には、グレーゾーンをかじった人が多い。ティーンエイジャーのころ、好奇心からマルウェアのサイトをのぞき、ダウンロードして使ってみたり、改造してみたり、自分で作ってみたりした人が多いのだ。理由は、お金が欲しいだったり、マルウェア作者のフォーラムで自慢話がしたいだったり、いろいろだろう。ともかく、みな、そういう形で技術を身につけてきた。マルウェアともやもやしたその特性を裏も表も理解するには、自分でいじってみるのが一番だからだ。00年代、欧州中を巡ってウィルスやワームの作者に取材したのだが、その多くは、小さな街にあきあきしており、ハンドルネームでやりとりするフォーラムの仲間を一番の友だちとする優秀なティーンエイジャーだった。彼らは、新しいマルウェアを作るとフォーラムに公開し、同時に、パッチが準備できるようにと、攻撃に利用したバグをマイクロソフトなどに通報することが多い。悪意はなく、マルウェアをみずから野に放ったりはしない。ただ、書いたコードは共有するので、それがどこかのだれかに使われてしまうことは十分にありうる。

そういうティーンエイジャーがマルウェアを作り、お金を儲けようと販売したり貸与したりすることもある。マルウェア専門のダークウェブサイトに行くと、さまざまなフィッシングキットが売られていることに驚く。たとえば、インスタグラムのパスワードリセットだと偽ってターゲットに送るリンクを生成するもの。ターゲットがクリックすると、マルウェアが情報を収集する、つまり、電子メールや文書をごっそりメールで届けてくれるのだ（スピアフィッシングと呼ばれる巧妙な手口もある。よく知っていて信頼できると思っている人からのように見せかけてフィッシングの電子メールを送るものだ。セキュリティ会社シマンテックによると、これは一番人気の攻撃方法で、全体の3/4近くを占めているという）。ランサムウェアも似たような状況で、数百ドルも出せばダークウェブで買える。こちらは、小企業を相手に数百ドルをゆするなど、小規模な犯罪に使われることが多い（2017年の平均は500ドルちょっとだった）。ボットネットも同じだ。冷暖房機器や冷蔵庫、コーヒーメーカーなどの家庭用スマート機器が爆発的に増えているが、ほとんどはパスワードによる保護が申し訳程度に付いていればいいほうで、保護措置がまったく講じられていないなど大甘なセキュリティになっており、そこを突くボットネットなどいくらでも作れるようになってしまった。

ミライというボットネットが大きな脅威となったのも、同じ理由からだ。作者は、ラトガース大学情報科学科のパラス・ジャー（当時20歳）ら、若者3人組だ。ジャーらはマインクラフトというゲームが大好きだったのだが、何千台ものIoT機器にミライを感染させ、あちこちのマインクラフトサーバーを攻撃してダウンさせたという。攻撃されたくなければ金を出せとゆすったこともあるらしい。クリック詐欺用に貸し出すこともあった。たとえば1日千ドル払えば、たくさんのIoT機器がウェブサイトの広告をクリックしてくれ、広告料をだまし取れるというわけだ。これだけで、18万ドルも稼いだらしい。気に入らない相手のサイトに膨大なアクセスをしかけてダウンさせたりもしていた。

フォーラムの投稿に見るジャーはむっつりしたニヒリストで、自分のコーディングスキルは大いに誇るタイプである。そういうことをしていると現実世界でしっぺ返しを食うよと、攻撃されたサイトのオーナーに指摘されたときには「ほかの人のことなんて、とっくに気にしなくなってるから。ぼくの人生は、ずっと、やるかやられるかだったんで」とやり返している。

最終的に、ジャーは摘発された。天網恢恢疎（てんもうかいかいそ）にして漏らさず、である。ジャーがどこのだれであるのかは、マルウェアを追う有名ジャーナリスト、ブライアン・クレブスが何カ月もかけて調べ上げた（マルウェアの作者は、みな、アイデンティティを隠しまくっている)。ジャーら3人には、5年の保護観察と62.5週のコミュニティーサービスが科せられた。判決文によると、このときすでに、サイバー犯罪やサイバーセキュリティについてFBIに手を貸す立場に変わっていたらしい。善玉・悪玉の境は、ことほどさように白黒つけがたいグレーなのだ。

前出のハッチンズも、グレーゾーンに足を踏み入れていたらしい。ワナクライを止めた直後は、情報セキュリティの善玉ハッカーとしてもてはやされた。ラスベガスのデフコンにも初参加したし、ワナクライを止めた英雄として、たくさんの人から一緒に写真を撮らせてくれと頼まれたりもした。だが、英国に戻ろうと空港についたところでFBIに身柄を拘束されてしまう。銀行関係の情報を盗むクロノスというマルウェアを作ったとして、その数日前に大陪審が起訴していたのだ。複業で犯罪に手を染めていたとして刑事が逮捕されたようなものだ。

ハッチンズが保釈されると、さまざまな臆測が情報セキュリティ界を飛び回った。有罪なんじゃないかと言う人もいた。大昔のティーン時代、たいしたことのないマルウェアを売ったらしき証拠があるとクレブスが報じたりもした。擁護する声もあった。善玉ハッカーは、ティーン時代、マルウェアをいじったりあちこち侵入して歩いたりしてきた人が大半じゃないか、みんな、そうやって学んできたんじゃないかというわけだ。ハッチンズ自身は、クロノスについて無罪を主張しているし、本書執筆時点でクロノスの公判は始まっていない。

ティーンエイジャーが混乱の一因であることは、ハッチンズも認めている。

「マルウェアは、退屈したティーンエイジャーか組織的なサイバー犯罪かの両極端だけで、あいだはないんだと思いますよ」

苦笑いである。

混乱を巻き起こしはするが、ボットネットを動かしたりマルウェアを書いたりする子どもをいっぱしのサイバー犯罪者と言うのは、必ずしも正しくない。本物は、正体不明のコーダー集団がオンラインで協力し、巨大なコードベースを作り上げていくケースが多い。目的は金銭的な利益だったりする。たとえばロシアのプログラマー、エフゲニー・ミハイロビッチ・ボガチョフ。銀行を狙ったボットネットを構築し、1億ドル以上を荒稼ぎしたと言われている。FBIが重要指名手配リストに載せているハッカーだ。

であるにもかかわらず、ボガチョフは、警察に煩わされることもなく、アナパというロシアの街で安穏と暮らしている。国内に被害をもたらさなければ好きにしろとばかりに、ロシア政府がサイバー犯罪を必ずしも取り締まらないからだ。他国政府のコンピューターを攻撃するボットネットの作者なら、むしろ、貴重な人材であると言えるかもしれない。だから、協力しなければハッキングの罪で逮捕するぞと脅すことだって考えられる。ボガチョフなど、そのいい例なのかもしれない。実際、ボガチョフのボットネットはコンピューターに感染したとき、「極秘」などの言葉が使われているファイルを検索していると確認されたことがある。政治的な極秘資料をみつけてクレムリンに届けていると考えるのが妥当だろう。

いま、サイバー犯罪の大半は「諜報活動」になっていると情報セキュリティの専門家は言う。侵入の目的がお金やデータの破壊、ランサムウェアのインストールなどではなく、情報になっているのだ。企業のコンピューターなら仕事の電子メール、文書、計画、国家機関のコンピューターなら政府関連の情報である。

要するにスパイ活動である。民族国家のために行われることが増えているわけだ。

巨大なサイバー犯罪集団がみんな国や諜報機関だとは言わないが、そのあたりと連携を取っているとしか思えないケースが少なくないのも事実である。ロシアのファンシーベアが民主党全国委員会をハッキングした事件があったが(フィッシングで、ジョン・ポデスタにやばいリンクをクリックさせた)、そのすぐあと、盗まれた電子メールがロシアの諜報界に出回り、そこからウィキリークスなどのサイトへと広がっていった。中国政府の息がかかったハッカーが米国の企業や政府機関への侵入を試みているという話もある。国防総省には、毎日、フィッシングが3600万件も試みられているそうだ。独裁国家では、国と手を組んだハッカーがスパイウェアを仕込むなどの攻撃を民主化や自由を求める人々にしかけている。捕まえることができればさらによし、である。シチズンラボの調査によると、チベットの活動家や人道主義者に対しスパイウェアを使った諜報活動が大規模に行われるなど、実例には枚挙のいとまがないほどだ。米国も例外ではない。たくさんのハッカーを雇い、他国の攻撃に使うマルウェアやエクスプロイトの開発を進めている。実は、ワナクライが利用したエクスプロイトも、もともとはNSAが開発したものである。NSAがハッキングされて流出したらしい。

世界がデジタル化していくなかで、国は監視を強化し、我々がオンラインでなにをしているのか、その一挙手一投足にいたるまで捕捉しようとしている。これは、人々の暮らしに暗い影を投げかける行為だ。であれば、いま、ハッカーが奮い立つのは当たり前だろう。昔から法律にあらがってきた人々なのだから。サイファーパンクは、たぶん、被害妄想なのだろう。だが、我々一般人も、同じように心配をすべきなのではないだろうか。

第９章

キュウリ、スカイネット、AIの蜂起

Cucumbers, Skynet, and Rise of AI

伝統の囲碁に始まり、キュウリに終わる。

2015年秋、我々は、人工知能が人間を追い越すスカイネット的瞬間を目撃した。今回の主役はアルファ碁。グーグル傘下のディープマインドが開発したソフトウェアである。欧州チャンピオンのファン・フイには5戦全勝で圧勝した。数カ月後には、ファン・フイに勝る棋士、イ・セドルと対戦。このときも、4勝1敗と大きく勝ち越している。

アルファ碁が強いのは、ディープラーニングと呼ばれる最新のニューラルネットワーク技術を搭載しており、膨大な数の対局を分析して自分なりの打ち方を開発できるからだ。次の一手をみつける際は、一般的なモンテカルロ法も併用する。

それまでの人工知能はもっと稚拙だった。候補手を点数で評価して最善手をみつける検索アルゴリズムが追求されていたが、一般的なプログラミングでよく使われるこのような方法では囲碁に対応し切れない。囲碁は、展開がチェスとは比べものにならないほど複雑で、宇宙を構成する原子の数より多いとまで言われるほどだからだ。

だから、アルファ碁は、別のアプローチを採用した。論理的なルールを書いていくのではなく、ディープラーニングで棋譜の局面を3000万件も解析し、高度なモデルを構築させるのだ。できあがったモデルは複雑怪奇で、細かいところは開発者にもわからないものだった。

効果は絶大だった。すごく強くなったのだ。棋風はちょっと変わっていて、人間なら絶対に指さない手もときどき指す。ワイアード誌によると、イ・セドルとの対局でも、37手目でそういう手を指し、観戦していた実力者がみなあっけに取られたという。争っていた陣地を捨て、まったく違うところに転進したのだ。とある実力者はこう語っている。

「びっくりの一手でした。これは悪手だと思いました」

だが、よく考えてみると、実は妙手だった。

「すばらしい手でした」と、その少し前、アルファ碁に敗れ、この日は観戦していたファン・フイも言う。

「人間なら絶対に指さない手です。見たことがありません」

イ・セドルも肝をつぶしたようだ。中座し、15分も戻ってこなかった。翌日、敗戦後の会見で、イ・セドルは、あの動きには動揺したと打ち明けた。
「昨日はびっくりしました。今日は、言葉もありませんけどね」
　そして、新聞やウェブサイトはアルファ碁のニュースで持ち切りとなった。
　ディープラーニングは、いま、ハイテクの新たなトレンドとして注目を集めている。しかも、最近は、ごくふつうのコーダーにも簡単に使えるようになりつつある。
　アルファ碁と一緒にテンソルフローが公開されたからだ。グーグルの無償ソフトウェアで、ニューラルネットワークをさっと構築できる。社員が来たときだけドアが開く顔認証システムが欲しいとしよう。社員一人ひとりについてたくさんの写真さえ用意できれば、テンソルフローを使ったニューラルネットワークを訓練し、ドアに取り付けたウェブカムの画像で認証するシステムを作ることができる。
　テンソルフローは大人気となり、さまざまな人がいろいろなものに応用している。
　そのひとりが小池誠、37歳だ。コンピューターエンジニアとして自動車業界で働いていたが、老親が心配になり、故郷の静岡県湖西市に戻って農業を手伝う決心をした。
　両親はキュウリ農家だった。日本で高く評価されるのは、まっすぐで色つやがよく、しかも、とげがしっかりあるキュウリである。だから、小池母は、収穫したきゅうりの選別に1日8時間も追われる。一番いいものは市場に出荷し、小さなものや質があまりよくないものは地域の野菜スタンドで販売するのだ。小池家では九つの等級に分類するのだが、これが意外に難しく、それなりにできるようになるだけで何週間もかかる。
「最盛期だけだれかに来てもらってというわけにはいきません。私でさえ、仕分けができるようになったのは最近のことなのですから」
　アルファ碁の記事を読み、最近の機械学習はすごいなとディープラーニングに興味を惹かれていた誠は、テンソルフローのことを知ってひらめいた。
　キュウリ仕分けのAIが作れるのではないか、と。

まずはキュウリの写真が必要だ。何千枚も。すんなりまっすぐなキュウリ（良品）と曲がったキュウリ（不良品）の区別を学ばせるには、優れたビッグデータが必要だ。3日間を訓練に費やしたあと、収穫したてのキュウリで判定状況を確認。このようなモデルの調整・再訓練をくり返して精度を上げ、数週間で、80％ほどまで良品の判定率を上げることができた。

次の段階では、自動仕分け機を構築。ファイリングキャビネットくらいの大きさで、キュウリを置くと、上・横・端の3方向から撮影し、AIの判定結果に応じて異なる箱に振り分けてくれる。

両親もおもしろいとは言ってくれたが、すごいとは言ってくれなかった。ふたりともこの道ン十年の大ベテランであり、誠には太刀打ちできないほど速い。80％という精度も低すぎた。小池母は「改良が必要ね」と評したそうだ。誠はめげなかった。解像度の高いいいデータを食わせていけば、また、小さなPCではなくクラウドコンピューターで解析すれば、母親に勝るとも劣らないロボットが作れるはずだと思ったからだ。つるになっている状態のキュウリを自動認識するニューラルネットワークの実験も始めた。収穫も自動化したいというのだ。実験の動画を見せてもらったのだが、カメラを持って畑を歩くと、キュウリの周りにAIが赤い長方形を描く様子を見ることができた。

最終的な夢は、収穫から仕分けまで、両親と同じレベルでロボットが自動的に行えるようにすることだ。そうなれば、コンピューターにはまだできないこと、すなわち、キュウリの手入れや、みずみずしく香り高いキュウリを作る方法の探索など、クリエイティブな仕事に時間を使えるようになる。

この実験が話題になり、連絡してきたグーグルに、彼はこう語っている。

「農家というのは、おいしい野菜を作りたい、そこに時間をかけたいと考えています。この仕事を受け継ぐ前に仕分けの自動化を実現したいですね」

コーダーは、昔から、くり返しの作業をプログラミングしてコンピューターにやらせてきた。それが、くり返しの判断もコンピューターにやらせる時代になったわけだ。

はるかなる人工知能

コンピューターが登場して以来、コーダーは、人間そっくりにふるまえるソフトウェアを作りたいと願ってきた。一見、考えているんじゃないかと思えるマシンを前にすると、ほとんどの人は、コンピューターって、我々と同じように学ぶことはできるのだろうかと思うだろう。子どもと同じように自分で知識を吸収するマシン、話し相手になれるマシン、我々のことが理解できるマシンは作れるのだろうか、と。さらに、人間の脳はコンピューターと同じような仕組みなのだろうか、人間の思考や言語は、if-then ステートメントの寄せ集めにすぎないのだろうか、とも。

少し昔に話を巻き戻そう。1956年の夏、コンピューター界を代表する思想家10人あまりがこの問題に挑戦した。ダートマス大学に集まり、人工知能なるものをめざそうと意気投合したのだ（「人工知能」という言葉は彼らが考案した）。

「めざすのは、マシンが言語を使えるようにする、抽象化や概念化を行えるようにする、いまは人間でなければ解けない問題を解けるようにする、みずからを向上させていくなどである。適切な科学者が一夏協力すれば、このような課題のひとつあるいはいくつかについて大きな進歩を実現できるだろう」

分厚い目論見書に書かれた言葉である。

だが現実は、信じられないほど難しかった。天才級の頭脳を集めたというのに、進歩らしい進歩はなかった。コンピューターに考えさせるのがいかに難しいことであるのか、ダートマスに集まった人々はまったくわかっていなかったのだ。

理由のひとつとして、コンピューターは明快なルールに従うのが得意であることが挙げられる。対して人間の思考は、収拾がつかないほど複雑に入り組んでいる。

たとえば、人間の言葉に反応するコンピューターを作ることを考えてみよう。いわゆるチャットボットなのだが、ごく簡単なやり方としては、言われる可能性のある言葉をリストアップし、それぞれに応答するプログラムが考えられる。「こんにちは」と言われたら、「やあ」とか「ご機嫌いかがですか」など指定した言葉を返すわけだ。本書執筆の時点で動いているチャットボットは、ほとんどがこのタイプである。

このやり方に問題があることはすぐわかるだろう。言われる可能性があること、すべてをリストアップしなければならない点だ。「ちゃーす」ときたとき、それが「こんにちは」の同意語だと判定するプログラムになっていなければ、適切な反応は返せない。だから、プログラミングが大変になる。応答を山のように用意しなければならないし、相手の言葉を文法的に分析し、なにが言いたいのかを推測するモジュールも作らなければならない。しかも、そこまでしても、通販サイトなどでみかける程度のものしかできない。すぐおかしくなるやつだ。

『ジェパディ！』に登場して話題となったワトソンを開発したチームのトップ、デービッド・フェルッチによると、このやり方でAIを作るのは、海を沸騰させようとする行為なのだそうだ。想定外の事態をプログラミングの世界ではエッジケースと呼ぶが、人間が関わるとエッジケースだらけになるし、エッジケースに遭遇するとコンピュータープログラムはおかしくなってしまう。

学習になると、話がもっとややこしくなる。話をするチャットボットはなんとか作れる気がするが、なにをどうすればみずから学べるようになるのかは見当もつかない。「ユーロの影響でギリシャ経済は破綻しかけている」と話して聞かせたとして、AIはどうすれば理解できるのか。この文には、前提となる暗黙の了解がいくつも存在する。まず、ギリシャが国であるという知識が必要だ。ユーロがギリシャで通用している通貨であること、国の経済を左右するほどの影響力を持つことも知っていなければならない。もっと基本的な知識も必要だ。国とはなにか、経済とはなにか、破綻とはなにか。こういう常識が、実は、大きな問題なのだ。人間は成長の過程で、また、学校で、こういう常識を山のように身につけているから世界と関わることができる。

こうして、自己学習型AIの夢はすぐについえ、AI冬の時代が到来した。研究者も投資家も、羹(あつもの)に懲りて膾(なます)を吹くようになったのだ。あまりに危ない、手を出すだけで正気を疑われる、と。60年代から00年代にかけ、何回かAIにブームが訪れることはあったが、毎回、あれこれ言うだけで現実が伴わず、資金が潤沢に出回り新しい技術が発明される夏の時代が続くことはなかった。

確実に動いて収益に貢献するAIもないではない。そのひとつが、機能を絞ったシンプルなエキスパートシステムである。狭い範囲の判断を自動的に下してくれるプログラムで、ある顧客について住宅ローンを承認するか否かをさっと判断するものなどがある。このシステムを作るには、まず、たくさんの住宅ローン担当者から話を聞き、専門家はなにをどう考えて判断しているのかを明らかにする。長年にわたるデータを統計的に解析し、どういう人ならきちんと返済してくれるのかを見いだすなどしているはずだ。このような情報を集めたら、それを昔ながらのif-then形式に落とし込む。申込者が年を取っていたら、信用の格付けが高かったら、収入がこれこれ以上だったら、その場合は承認する、という具合に組んでいくのだ。エキスパートシステムは、ごく限られた能力のAIであり、みずから学ぶことはできないし、もちろん、カントを読むとか会話をするとかの能力もない。

コンピューターがパワフルになり、大量データの処理費用が下がると、ビッグデータと呼ばれる統計解析が始まった。大量の情報をふるいにかけ、人間ではまず気づけないトレンドを洗い出すのだ。機械学習とも言う。学習という言葉は入っているが、スカイネットのような学習ができるわけではない。新知識の吸収ができるわけではなく、有益なトレンドをひとつ「学習する」というくらいの意味である。

それでも、この方法で未来が予測できることもある。そのいい例が、2003年に取材したバルセロナのハイテク企業だろう。ポピュラー音楽を大量に集め、テンポや長調・短調の別などに分解。これを機械学習のアルゴリズムにかけ、ヒットの条件を洗い出したのだ。新しい曲が登場したとき、このプログラムにかけると、それまでチャートの上位に入った曲とどのくらい似ているかを数理的に判定してくれるので、ヒットしそうかどうかがわかるわけだ。

この予想はかなり正確である。無名だったノラ・ジョーンズのファーストアルバムを分析し、どの曲もモンスター級のヒットになる可能性があると予測した話はとても有名である。

とても人間っぽいタイプのAIもある。本当にコンピューターがみずから学べるようになるのではないかと思える方法だ。

それがニューラルネットワークである。人間の脳の仕組みに多少なりとも近づけようと考案されたもので、たくさんのノードからなるレイヤーが何層もあるイメージとなっている。人間の脳にはニューロンがたくさんあって相互につながっているのだが、ニューラルネットワークではノード同士がつながる形になっている。

ニューラルネットワークは、訓練して使う。たとえば、ヒマワリを判別できるニューラルネットワークが欲しいとしよう。まず、ヒマワリのデジタル画像をたくさん集める。この画像のピクセルがトリガーとなり、第1層のニューロンがそれぞれ発火したり発火しなかったりと状態が変化する。そして、この信号が次のレイヤーに送られる。次のレイヤーでも同じことが起きる。ニューロンごとに反応が異なり、それぞれ、発火・不発火の信号をまた次のレイヤーに送る。これが何度もくり返されていく。発火・不発火という意思決定を少しずつ蒸留して、最後はイエスかノーというひとつの答えまで純化するようなものだ。そう、最後のレイヤーから出てくる信号は、イエスかノーのひとつだけ、ヒマワリであるか否かのひとつだけとなる。

こんなやり方で、そのピクセルの並びがヒマワリであると判断できるのだろうか。最初は無理だ。各ニューロンはわけもわからず適当に判断しているにすぎない。ヒマワリとはどういうものなのか、ニューラルネットワークは知らないのだから。だが、ヒマワリであるか否か、最終的な答えが出たら、ユーザーが確認し、その正否をニューラルネットワークにフィードバックする。これが、誤差逆伝播法やバックプロパゲーションと呼ばれるプロセスだ。ニューラルネットワーク側では、この情報をもとに、各ニューロンの判断を修正する。全体判断が正しくなる方向に働いた判断は強め、逆の判断は弱めるのだ。そして、これを何百回、何千回、何万回とくり返すと、判断の精度が上がっていく。最終的には、ヒマワリの写真を見せたときには必ずイエスと判定するし、教会の写真を見せたときにはノーと判定するようになる。

訓練が進めば、訓練用以外の写真も判別できるようになる。訓練に使っていないヒマワリの写真を見せても、ちゃんとイエスと判定するようになるのだ。まるで、ヒマワリとはどういうものであるのかを概念的に理解したかのように。しかも、これを、if-thenの羅列による力業なしで実現できる。ニューラルネットワークなら、パターンマッチングの能力をみずから習得できるわけだ。

ニューラルネットワークは、50年代の着想である。これをフランスの研究者、ヤン・ルカンが発展させ、80年代には、手書き文字でさえ判読可能であることを示した。

だが、当時のニューラルネットワークは実用的と言いがたかった。ふつうのソフトウェア開発者には手が出ないほどの高速プロセッサーとメモリー容量が必要だったのだ。訓練用データが大量に必要なのも大きな問題だった。たとえばヒマワリが判別できるように訓練するには、数千枚からできれば数百万枚もの写真を用意しなければならない。デジタルカメラなど影も形もない時代にこれだけの写真を用意するのは大変なことだった。

ともかく、なかなかおもしろそうだということで、小切手に書かれた文字を読み取る銀行用の機械などが作られ、導入された。処理速度が遅く、もっさりしているが、音声認識のシステムも開発された。

だが、今回もお定まりの空手形だろうと考える研究者が多く、80年代に散発的な話題となっただけで、ニューラルネットワークもAI冬の時代に突入してしまう。

大学院生だったハンス＝クリスチャン・ブースはこの手法に魅せられたが、周りからは、もう終わった領域だ、これ以上はなにも出てこない、首を突っ込むのはやめておけと言われたそうだ。

大まちがいのアドバイスだった。

ディープラーニング一色に染まる

これが大まちがいだと実際に痛感したコーダーのひとりがジェフ・ディーンである。

ディーンはグーグルAIのトップ。1999年と早い時期に入社した長身痩軀の50歳である。取材はグーグルのシリコンバレー本社で行った。

「パロアルト中心部、Tモバイルショップの上にある小さなオフィスでした。居心地のいいところでしたよ」

まだ、共同創業者のサーゲイ・ブリンがローラーブレードでそのあたりを走り回っており、グーグルは検索エンジンを大きくするのにやっきになっていたころだ。サーバーは、コストを切り詰めた寄せ集めで社員の手作りだった。夜になるとウェブページを探してはコピーを収集する「クロール」というアルゴリズムを走らせるのだが、何時間もかかるプロセスなのに、これがしょっちゅうクラッシュする。クラッシュすると社員全員のポケベルが鳴るので、真夜中にオフィスまで走り、クロールをリブートしなければならない。順調に見えても、一皮むけばめちゃくちゃだったのだ。

「いや、おもしろかったですよ。たぶん、いつ消えてもおかしくない崖っぷちをさまよっていたからでしょうね」

そう言って、ディーンは笑った。

ディーンは、ここで、10倍優秀なコーダーとして有名になる。彼にわからないことはない。グーグルサーバーの仕様も熟知していればインターネットそのものの仕様も熟知していて、パケットがアムステルダムからカリフォルニアまで届くのに必要な時間も正確に答えられる（約150ミリ秒である）。コーディングスキルも高く、爆発的に成長している企業にとって命綱となる高速・高信頼性のシステムを構築できる。彼がサンジャイ・ゲマワットと出した成果のひとつが、マップリデュースだ。いま、プロセッサーのクラスターで巨大データセットを処理するのにグーグルが用いているソフトウェアである。もうひとつがスパナ。世界全体に分散できるデータベースである。グーグルでは、敬意から、「ジェフ・ディーンの真実」なるリストが作られているほどだ（元ネタは、俳優チャック・ノリスに関する都市伝説的「真実」のリスト、「チャック・ノリスの真実」である)。たとえば、「真空中における光の速度は、昔、時速56キロメートルだった。だが、ジェフ・ディーンが週末を使って物理学的最適化を行った」とか、「人間工学的評価は、ジェフ・ディーンの場合、彼のキーボードを守ることを目的に行われる」という具合だ。「コンパイラーがジェフ・ディーンに警告を発することはない。逆ならあるが」なんてものもある。

ディーンは、ずいぶん前からニューラルネットワークに目を付けていた。特にグーグルにとっては有益だと思われたからだ。ニューラルネットワークなら、情報に存在する微妙なパターンを認識し、関連付けを行うなどが自動的にできる。これは、ある意味、グーグルという会社の目的そのものである。実は、80年代に書いた卒業論文のテーマがニューラルネットワークだった。だが、当時のコンピューターは処理能力が低く、小さなニューラルネットワークしか取り扱えないし、解決できる問題もごくちゃっちいものだけだった。もっと高い処理能力が必要だ。当時は60倍くらいあればなどと考えたらしいが、現実には、それこそ100万倍も必要だったとディーンは言う。

00年代に入ると、このような課題や制限が次から次へと消えていった。まず、分析に使える現実世界のデータが増えた。インターネットが普及し、膨大な文章がオンラインに書かれ、これまた数え切れないほどの写真が公開されるようになった。AIに言語の訓練を施すためたくさんの英文が必要なら、ウィキペディアの文章を集めるだけで事足りる。グーグルならグーグルニュースをクロールしてもいい。コンピューターの速度は上がり、価格は下がっている。いまなら、それこそ何十層ものレイヤーを重ねたニューラルネットワークでも作ることができる。こういうレイヤー層の多いものが、最近話題のディープラーニングである。

2012年はブレークスルーの年だった。

ブレークスルーを実現したのは、トロント大学のジェフリー・ヒントン。英国出身で、ニューラルネットワークの改良に20年も取り組んできた人物だ。画像認識の精度を競うイメージネット・チャレンジなるものが毎年開催されているのだが、この年、彼の研究室が持ち込んだニューラルネットワークは、他を圧倒する成績をたたき出した。誤認識率が15.3％ときわめて低かったのだ。2位でも倍近い26.2％であることを見れば、いかに優秀であるかわかるだろう。場外ホームラン級の結果である。

ディーンの同僚もすばらしい成果を挙げた。グーグルXのコンサルタントも務めていたスタンフォード大学のアンドリュー・エン教授だ。ディーンと同じように彼も若いころニューラルネットワークのコードをいじっていたが、ディープラーニングが冬の時代に入ったので手を引いていた。だが、2011年、ディーンと会食した際、グーグルのコンピューター群を使えばどのくらいパワフルなニューラルネットワークができるのか試したらおもしろいだろう、やってみようじゃないかという話になったそうだ。

「AIというと、ふつうなら感覚のことを考えますが、私は、自動化なんです。それこそがAIの価値だと思っていますから」

こう語ってくれたエン教授は、

「ふつうの人が1秒以内にできることなら、たいがい、AIで自動化できるようになった」

とツイートしたこともある。

実験では、1万6000個のプロセッサーをつなぎ合わせ、画像認識用の巨大ニューラルネットワークひとつを動かすようにした。そして、これにユーチューブの動画を山のように食わせ、なにかのパターンを認識できるようになるか否かを試した。その結果、このニューラルネットワークは、自学自習で、ネコを認識できるようになった。

これがネコだと教えたりしていない。いつのまにか、顔の形がネコっぽくてとがったネコ耳を持つものを認識するようになっていたのだ。自己学習型AIである。このような結果となったことに研究チームは驚いたが、考えてみれば当たり前とも言える。ユーチューブにはネコの動画がたくさん上がっているので、あちらにもこちらにも登場する特徴を自己学習でピックアップすれば、人間が大好きでオンラインによく投稿するネコになるのは当然と言えば当然のことである。ともかく、これは、気持ち悪いほど人間っぽい挙動だと言える。ターミネーターが現実となりつつあるわけだ。そう、ネコとはどういうものかを学ぶことのできるターミネーターが。

この成果を受け、グーグルは、ディープラーニングに全力を投入。さまざまな機能を実現しては製品に組み込んでいった。言語ペアを使ったディープラーニングも行った。訓練用のデータには、必ず英語とフランス語が用意されるカナダ議会の議事録や、クラウドソーシングによる翻訳作業からグーグルが集めたものなどが使える。グーグル翻訳は、この結果、それこそ一夜明けたら別物になったと言われるくらい進化した。日本語と英語でさえ、文学的な文章を翻訳するという難しいことまで上手にできるようになったと日本の研究者が驚いたほどだ。

それから何年かで、ソフトウェアの世界はディープラーニング一色に染まった。さまざまなサービスにディープラーニングが組み込まれていく。エン教授は、グーグルに始まったAI化に追いつこうと必死の中国検索大手、バイドゥに引き抜かれた。フェイスブックでは、昔から、写真に写っている顔の認識やニュースフィードに表示するストーリーのフィルタリング、各ユーザーがクリックしがちな広告の推測などに各種の機械学習を活用してきたが、AI研究所を創設し、ディープラーニングによって顔認識の精度を27%も高め、97.35%とすることに成功した（フェイスブックでは「人間の精度に近くなった」としている）。自動運転車の研究にもディープラーニングが採用されている。ウーバーは、どのあたりに次の乗客がいるかの予想にディープラーニングを使っている。米国立癌研究所は、CTスキャン結果からがんをみつける助けになるのではないかと研究中である。文化の世界さえ例外ではない。中国最大の企業、バイトダンスは、アプリに流すニュースをニューラルネットワークで選ぶようにしたところ、そのアプリ、トウティアオが大人気となり、ユーザーの利用時間が1日74分以上に達したという。ふつうの話し言葉を認識できるソフトウェアの開発で知られるカイ＝フー・リーという人物もなかなかのものだ。アップル、マイクロソフト、グーグルを渡り歩いた歴戦の勇者なのだが、彼は、最近、投資で人間を相手にするのはやめた、そのあたりはすべてAIに任せているという。

ブームとなれば当然だが、兵隊の募集もすさまじいことになっている。シリコンバレーと中国を中心に、ディープラーニングが得意な人ならいくらでも雇うという状況になっており、6桁、10万ドル超の報酬が示されることも珍しくない。

どういうコーダーがAIにはまるのだろうか。

当然かもしれないが、SFのロボットから入った人が多い。たとえば、IBMでワトソン開発チームを率いたデービッド・フェルッチは、SFドラマ『スタートレック』に登場するエンタープライズ号のシステムのように人と会話できるマシンを作ることが夢なのだそうだ。

「なにを求められているのか理解して、必要なことだけをちゃんと返してくれるヤツです。コンピューターが人と話せるようになる日はいつ来るんでしょうね。私はこれが気になってしかたないんですよ」

神経科学から入ってくる人もいる。人間の脳の働きを本当にまねられているのかが興味関心の的なわけだ。文学や絵画をマシンに生み出させることを夢見て、芸術の世界から来る人もいる。テレビや映画の台本で訓練し、そのニューラルネットワークに台本を自動生成させ、いいものを選ぶという優秀なAIコーダーもいたりする。

コーダーならだれしも“Hello, World!”の瞬間を貴ぶものだが、彼らがAIに対して抱く感情は、人間を創造したともされているギリシャの神、プロメテウス的である。

マット・ジーラーという人物について少し語ろう。彼は、トロント大学工学科学科の学生だったとき、炎が揺らぐ動画を見た。ジェフリー・ヒントンの研究室がニューラルネットワークに自動生成させたものだ。

本物だとしか思えず、心の底から驚いたそうだ。ディープラーニングについて詳しく知りたい――そう思ったジーラーはヒントンの授業を取り、卒業論文もヒントンのもとで書いた。博士号はニューヨーク大学で取得。そのとき、グーグルでふた夏インターンをしたのだが、ちょうどそれが、ヒントンの論文でディープラーニングの人気が爆発的に上がったころだった。ジーラーは、家に掲げられている番地を認識するAIをインターン中に開発するなど、すごく優秀だった。だからフェイスブック、グーグル、マイクロソフト、アップルと引く手あまただったが、すべて断り、最先端ビジュアルAIの独自開発を選んだ。ニューヨーク市内のアパートにこもり、一級品のゲーミングPCでモデルを次々開発していく（コンピューターの発熱がすごくて、冬でも窓を開けなければ耐えられないほどだった）。ほどなくイメージネット・チャレンジでヒントンの記録を塗り替えると、会社を立ち上げ、ビジュアルAIの提供を始めた。他社サービスに組み込んでもらおうというわけだ。

ジーラーも指摘しているが、ニューラルネットワークの構築は風変わりな作業だと言える。ふつうのコーディングはかっちりとしたメカニズムを作り、言われたことを言われたとおりきっちりやるマシンにする。入力が同じなら、毎回、同じ出力が得られるのがうれしいという言い方もできるだろう。思いどおりの道筋で論理の宮殿を歩き回り、精緻な細工に目を細める（迷路になっていて顔をしかめてしまうこともあるが）。いずれにせよ、理解できるはずなのだ。どの行も人間が書いているのだから。

ニューラルネットワークの構築は話が違う。

こちらは畑仕事に近い。豆がしおれてきたりトマトが変に硬かったりしたら、土に手を入れたり間引きしたりする。もっと日当たりがいいほうがいいのかな？　うーん、逆かなぁ？　そうかそうか、このほうがいいのか。そんな感じで、いろいろやってみて経験から学ばないとうまくなれない。始めたばかりはたいした作物などできないし、みんなだめになってしまうこともある。だが、試行錯誤をくり返せば（また、うまくやっているほかの人を見て学べば）、だんだんと知識も増えてくるし、うまくいきそうなやり方と行きそうにないやり方がなんとなくわかるようにもなってくる。いったんそうなれば、土も日当たりも違う新しい場所に行っても、なにを植え、どう手入れをすればうまく育ってくれるのか、初心者とは比べものにならないほど早くに把握できる。

ニューラルネットワークの訓練はこれに似ている。コーディングスキルは必要だ。この分野を開拓した人々は、CPUやRAMの中まで知り尽くし、その力を絞り尽くせる一流ハッカーばかりだったほどだ。だが、ニューラルネットワークの構築・訓練のコードがグーグルなどから無償で公開されたため、コードを一から書く必要はなくなった。グーグルのコードを使って新規事業を興せばいいのだ。

いま、ニューラルネットワークのコーダーがしているのは、基本的に、データを集める、実験する、チューンアップする、祈る、である。このなかで一番大変なのは、訓練用データの準備だ。肺のCTスキャンから腫瘍を認識するニューラルネットワークを作りたいなら、まず、CTスキャンの画像を集めなければならない。1枚1枚、医師がチェックし、これは右上に腫瘍がある、これは腫瘍がないとメモした画像を、だ。枚数は、たくさんあればあるほどいい。だから、みな、必死でデータを集める。タコのようにあちこちに触手を伸ばし、手当たり次第にデータを引っぱってくるのだ。

「ビジュアル・クエスチョン・アンサリング（VQA）」というAI分野の研究課題に取り組み、すばらしい成果を挙げたフェイスブックAIラボの研究員、ジャスティン・ジョンソンもそこに苦労したそうだ。完成したAIは、色違いの立方体、球体、円柱がいくつも写っている写真を見せ、「黄色い球体の右に緑色のブロックがありますか」と質問するとちゃんと答えが返ってくる。そのレベルまで訓練するには、10万枚もの画像を用意しなければならなかったそうだ。さらに、アルバイトを何百人も雇い、画像1枚1枚について質問も作ってもらわなければならなかった。ウェブサイトの作り方も独習し、回答を人間から集めるオンラインフォームも作った。データ収集だけで1年ほどもかかっている。

これがニューラルネットワークAIの現実である。AIの訓練データは、リアルの人間から情報を集めなければ作れないのだ。

「1年半は、ウェブサイトディベロッパーをめざしてるんじゃないんだけどと言いたくなる状態でした。訓練用データを集めるためにはしかたないんですよね」

データが用意できたあと、どう訓練するのかもまたややこしい。チューンアップするパラメーターもたくさんある。レイヤーは何層にするのがいいのか。各層に何本のニューロンを持たせるのか。バックプロパゲーションにもいろいろな種類があるが、どれを使うのか。ジョンソンはフェイスブックとグーグルでビジュアルAIをいくつも構築してきたベテランである。それでもなお、うまく学べていないときその原因がわからなかったり、ほんの少し調整しただけで結果が大きく動いてびっくりしたりする。取材直前の1カ月間も、モデルがうまく動かなくて悩んでいたそうだ。ビジュアルAIではバッチ正規化という処理をよく使うし、逆にこれを使わないとうまく動かないことが多い。だから、このモデルでも使っていた。ところが、たまたまその話を同僚にしたところ、もしかしたら結果が安定しないのはそれが原因なんじゃないかと言われ、外してみたら、ちゃんと学ぶようになったという。だから、なんでも試して経験を積むのが大事なのだ。どうしたらうまくいった、どうしたらうまくいかなかったという経験を。ジョンソンも指摘しているが、モデルのチューンアップにおける選択肢は無限だからだ。

ディープラーニングモデルの訓練をしている人の間には、モデルがすごくうまく働くかと思うとだめだったり、そのあたり、なにがどうなっているのかまったくわからないことが問題だとの意見もある。たとえば、90%の精度で歩行者が写っていることを認識できるなど、うまく働いていればそうとわかる。だが、なぜうまくいくのかも完全には説明できなかったりするし、言語などほかの訓練をしている人にこうすれば確実にうまくいくよとアドバイスするのも難しい。

実験でなんとなくチューンアップしていくのは、従来のコーダーにはどうにも気持ちが悪い。彼らは、こうしたらこうなるとはっきりわかるものを作るのが好きだし、それがなぜそうなるのかの説明もできる。

「情報科学は、決定論で考える人がイメージキャラクターです」

AIパイオニアのひとり、ワシントン大学のペドロ・ドミンゴスは言う。

「バグをつぶし、すべて動くようにしなければなりません。コンマ1個もおろそかにできません。強迫性障害でもなければまずできませんよ」

機械学習は違う。あいまいでわけのわからないものを相手にしなければならない。求めることができるようにシステムを導かなければならない。ネコのように気まぐれな認識なるものを導かなければならない。狙った場所に連れていけることもあれば、連れていけないこともある。データや機械学習の第一人者として知られるヒラリー・メイソンがハーバード・ビジネス・レビューでデータサイエンスについて指摘した言葉が象徴的だ。
「データサイエンスの場合、うまくいくかどうか、研究を始めた時点ではわかりません。ソフトウェアエンジニアリングならわかります」

ブラックボックス問題もある。訓練でネコが認識できるようになったとして、どう認識しているのかと作ったコーダーにたずねても、肩をすくめられておしまいになる。わからないのだ。ニューロンの重み付けを微妙に調整した結果、そうなったわけだが、それを論理的に理解するのは不可能だ。ワイアード誌の記者仲間、ジェイソン・タンズの「数学の大海原」という表現は、言い得て妙だと思う。ともかく、まず、どう動いているのかもよくわからないシステムを作り、日々の暮らしに使っていいのかという疑問が生じる（詳しくは後述）。問題はほかにもある。そういうやり方をうさんくさいと感じるコーダーが多いという問題だ。

検索エンジンでグーグルがマイクロソフトの上を行けるのはこれが原因だろうとドミンゴスは言う。マイクロソフトは、確実に動く論理的なソフトウェアが好きだ。ワードでコントロールとＩキーを押せば、選択範囲がイタリックになる。毎回、必ずだ。対してグーグルがしているのは、インターネットの仕分けだ。彼らは、最初から、ユーザーがなにを望んでいるのか、統計的な手法でできるかぎりの推測をしてきた。これを完璧にこなせる日は来ない。完璧な応答など存在しないからだ。なにをどうしても、主観の混じった推測にしかならない。だから、グーグルは、早い段階でディープラーニングの有益性に気づくことができた。
「感じ方の問題、美的感覚の問題なんです」とドミンゴスは表現する。

ニューラルネットワークは少しずつチューンアップしていかなければならない。こうかもしれないと思ったことを試しては捨てをくり返し、動くところまで持っていかなければならない。そういう試行錯誤が必要だから、ディープラーニングは黒魔術と言われたりするのである。

この分野には、いま、若者がどんどん流入している。AIが評判になっており、テック企業から信じられないレベルの報酬が提示されたりするからだ。だが、いい仕事ができるのはごく一部にとどまると思われる。ふつうのコーディングは数学をまず必要としないが、ディープラーニングを本格的にやるには線形代数と統計に通じていなければならない。暗号化と同じように機械学習にも、数学が大好きな人々や多次元ベクトルを思い描くのが楽しくてたまらない人々が集まってくるのだろう。テンソルフローをダウンロードして訓練するだけならふつうのコーダーにもできるが、ディープラーニングにイノベーションを起こすとなると話は違う。ジェダイクラスの数学を武器に博士が戦うのが基本だろう。

旧人類のプログラマーのなかには、ディープラーニングの台頭に不安を感じる人もいる。データを集めて整え、モデルを訓練し、試行錯誤で動くように持っていく？　そんなものはソフトウェアエンジニアリングじゃないと思ってしまうのだ。そんなことがしたかったんじゃない、と。

「私が情報科学の世界に足を踏み入れたのは、まだ小さいころでした。我を忘れてコンピューターという世界に没頭できるのがすごく好きでした」

ワイアード誌の取材にこう語っているのは、携帯電話に使われているオペレーティングシステム、アンドロイドを開発したアンディ・ルービンである。いまは、投資家として機械学習のスタートアップに参画しているそうだ。

「真っ白なキャンバスみたいな状態で、ゼロからなにかを作っていくことができました。すべてを意のままにできる世界で、私は、そこでずっと遊んできたわけです」

なぜかわからないがうまく動く日を夢見てモデルのチューンアップ、訓練、再訓練をくり返す世界は、彼にとって、もの悲しいものに思えてしまうそうだ。

グーグルAIの大失態

時計の針を2015年に戻そう。この年の夏、ディープラーニング型AIがふつうの暮らしにある問題をもたらすことに、ジャッキー・アルシーンという人物が気づいた。

アルシーンはブルックリン在住のフリーランスでウェブ開発を仕事にしている。その夜、彼は自宅でくつろいでおり、マイノリティに贈られる文化賞、BETアワードの様子が流れるテレビを横目に見つつ、ノートパソコンをいじっていた。ツイッターをチェックしたあと、ふと、グーグルフォトを開いた。

なにやら様子が違う。自動タグ付け機能が追加され、なにが写真に写っているのかを示すタグが付いている。バイクの写真なら「バイク」、飛行機の写真なら「飛行機」という具合だ。いろいろ見ていくと、タッセルのついた帽子とガウンを着た弟の写真には、「卒業」というタグがついていた。これはすごい。

屋外のコンサートで友だちと撮った自撮り写真があった。大きく写っている友だちの右肩から彼がにっこりのぞき込んでいる写真だ。アルシーンも友だちもアフリカ系アメリカ人だ。

グーグルフォトが自動生成したタグは「ゴリラ」だった。1枚だけじゃない。その日、ふたりで撮ったスナップショットは50枚以上あったが、そのすべてに「ゴリラ」というタグがついていた。

最先端のAIが、なぜか、最古・最悪の人種差別表現を選んでしまったわけだ。

「大昔から黒人に向けられていた言葉です。差別的な表現はいろいろありますが、よりにもよってあれですからね」

アルシーンは、ラジオ局WNYCにこう語った。

グーグルは謝罪。スポークスパーソンは、あまりのことにぞっとしたと語った。

なぜ、グーグルのAIは、アフリカ系アメリカ人の顔を正しく認識できなかったのだろうか。おそらく、十分に訓練されていなかったから、だろう。西側諸国で顔認識の訓練に用いられるデータセットは白人にかたよっているため、白人の顔ならかなり正確に認識できるようになるが、黒人の顔は精度が上がりにくい（中国、日本、韓国あたりで訓練されたものは東アジアの顔は精度よく認識するが、白人の顔はまちがえがちだ）。グーグルの技術者に黒人は2%しかいないので、エンジニアが自分の顔で試してみて問題に気づく可能性も低かったものと思われる。

黒人の顔が認識できない問題は、実はあちこちで確認されている。アフリカ系アメリカ人のコーダー、ジョイ・ブオラムウィーニが大学院でいないいないばぁをするロボットを作ろうとしたときも、同じ問題に遭遇したという。広く使われている顔認識AIを利用したところ、白人の顔しか認識できず、彼女の顔は認識されなかったのだ。

AIの利用が広まるにつれ、あちこちで同様の問題が起きるようになった。機械学習は現実世界に学んで意思決定を行う。そのとき学ぶのは事実のみとはかぎらず、偏見も学んでしまう可能性があるのだ。

このような問題が起きるのはビジュアルAIだけではなく、現実世界のデータによるディープラーニングの訓練につきものと言うべきだろう。

機械学習を研究している会社、ルミノソの共同創業者で最高科学責任者でもあるロビン・スピアも、日常的に使われている言語で訓練すると偏見も学んでしまうことがあると指摘している。

スピアは、昔から、単語の意味を表すのに「単語埋め込み」と呼ばれるAI手法を活用してきた。この手法では、たくさんのテキストを用意し、その単語を機械学習でベクトル化することで、単語同士の関係を数学的に表現する。ツールも、無償で使えるものが各種公開されている。グーグルニュースの分析から作られたグーグルのワード2ベックや、スタンフォード大学のグラブなどだ。

単語をベクトル化するといろいろ便利になる。ベクトル同士の関係は、パリとフランスも、東京と日本も、トロントとカナダも同じになる。都市とその都市が属する国家は同じ関係になるのだ。だから、ワード2ベックやグラブを使うと、簡単にパワフルなAIが構築できる。たとえば、ローマに住んでいると言われたら、住んでる国はイタリアねと自動的に判別するウェブアプリが簡単に作れるのだ。これは、文の意味を把握するに等しい。だから、ワード2ベックが無償公開されると、検索エンジンなど人間の言葉が理解できないと困るアプリの開発に世界中で活用されるようになった。

スピアの指摘によると、この単語埋め込みで不穏な関係性も抽出されるケースがあるらしい。レストランのレビューを分析し、評価が高いか低いか、それとも中立かを判定するアルゴリズムを作ってみたとき、気づいたそうだ。

なぜか、メキシコ料理の評価が低くなった。辛口のレビューばかりなのかと確認してみると、そんなことは特にない。全体として、たとえばイタリア料理と似たり寄ったりという感じだった。

問題は、メキシコという単語のベクトルがネガティブなことだった。そうなったのは、訓練をウェブのデータで行ったため、そこに、犯罪や不法移民うんぬんでメキシコ人はだめだとほのめかしたり、それこそ、はっきりそう書いたりしているものがたくさんあったからだ。人間に人種差別はつきものであり、アメリカのメディアも、メキシコ人について人種差別的な表現を使いがちだ。機械学習は、そういう相関を全部すくい上げてしまう。

「ステレオタイプや偏見も、コンピューターは単語の意味として取り入れてしまう。要するに、リアルな人の言葉から学ぶとき、一緒に性差別や人種差別も学んでしまうのだ」

スピアはこうまとめている。

「気づきにくい問題なんですよね」――私の取材にスピアはこう語った。

問題になるのは人種差別だけではない。マイクロソフトリサーチがグーグルのワード2ベックを解析したところ、性差別も激しいことが判明した。「彼」という単語は上司や哲学者、建築家などと関係し、対して「彼女」は名士、受付、司書などと関係するとされていたのだ。「男」がコンピュータープログラミングと、「女」が家事となども典型的だろう。

レストランのレビュー程度でも、これは気になる問題だ。まして、いまは機械学習やニューラルネットワークが日常的な意思決定を人間に代わって行うようになりつつあり、現実世界への影響が無視できなくなっている。

たとえば、求職サイトで年20万ドル以上の仕事が提示される件数は、男性が女性の6倍に達することがカーネギーメロン大学の調査で確認されている。2016年には、ガーディアン紙の記者がグーグル検索バーに

「ユダヤ人は」まで入力したところ、オートコンプリートAIが提示したトップが「ユダヤ人は邪悪か」だったという話もあった。それは、図書館でユダヤ主義について知りたいと言ったら、ヘイト本を10冊渡されるようなものだと、ニュースサイトのサーチエンジン・ウオッチを立ち上げたダニー・サリバンは言う。なお、この記事が流れた数時間後に、このオートコンプリートは削除されている。

一番心配なのは、おそらく、裁判関係だろう。裁判官が忙しすぎるので、再犯可能性を推測する負担をAIで減らそうという動きが、いま、広がっているが、このシステムにも、人種的な偏見が入っているとしか思えなかったりするのだ。よく知られたシステムにノースポイント社製のCOMPASがある。これをプロパブリカという報道機関が検討。COMPASにかけられた被告7000人分のデータをチェックしたところ、犯罪歴、年齢、性別などをそろえて比べても、黒人は白人の倍の確率で、常習犯となるリスクが高いという判定になることがわかった。これは大きい。このスコアは、執行猶予をつけるか、医療観察処分にするかなどの判断に全米で使われているからだ。裁判を待っているあいだにCOMPASのスコアで刑務所に送られるかどうかが決まり、黒人は刑務所に送られる可能性が高いことになる。

どうしてこうなったのか。ソースコードも非公開だし予測の仕組みも説明されていないので、正確なところはわからない。だが、おそらくは、今回も、既存データのかたよりが反映されたのだろう。米国の警察は、黒人を厳しく取り締まってきた。マリファナをちょっと吸った、少し持っている、あるいは、テールライトが壊れた車を運転したなど、軽微な違反でも、黒人だと逮捕されてしまうことが多い。摘発も判決も、公平ではないのだ。だから、犯罪記録は黒人の有罪率が高くなっており、それを使って訓練すれば、どうしても、黒人は犯罪に手を染めやすいと学んでしまう。さらに、その傾向は、システムを使えば使うほど強化されると考えられる。人種によって異なる取り締まりをしたデータで訓練されたアルゴリズムは、黒人を危険だと判断し、有罪を示唆することになる。その結果、黒人による犯罪のデータが警察記録に増え、それが次の機械学習に使われるというループができるからだ。

機械学習は、司法の世界に哲学的な問いを投げかけているとも言える。AIを訓練すれば、当人の過去と社会全体の傾向から未来が予測できる、将来、犯罪者となる可能性が予測できるということは、人間性は変わらないと考えるに等しいのではないだろうか。悪人はずっと悪人であり、善人はずっと善人である、と。

「ビッグデータ処理は過去の体系化であり、未来を作るものではない」

数学者キャシー・オニールは、著書『あなたを支配し、社会を破壊する、AI・ビッグデータの罠』にこう書いている。

人間は自発性を有しており、自分を変えようと決断したりできるわけだが、では、ある人が突然、人生を立て直そうと決心するのを機械学習で予測することはできるのだろうか。これは、COMPASで再犯の可能性が高いとされた被告がプロパブリカに語った疑問だ。犯罪まみれの暮らしを立て直そうといろいろやってきた、キリスト教に改宗したし、息子との関係も修復しようとしているし、ドラッグもやめようと努力しているのに、それがまったく考慮されていない、というのだ。

「無罪だと言ってるわけじゃない。でも、人間は変われると思うんだ」

人間の裁判官なら視野を広げ、被告一人ひとりをよく見ることもできるだろう。アルゴリズムにそれはできない。

もっと大きな問題もある。ディープラーニングAIはあくまで確率的という点だ。ネコが写っている写真を90%の確率で当てることはできる。ウォール街からウーバーに配車の依頼がもうすぐ山のように来ると88%の確度で予想することもできる。こういう確率的なものや、写真にタグを付ける場合、需要が増えそうなところにあらかじめ車を用意しておくといった場合なら役に立つ。だが、犯罪に手を染める可能性を判断する、おいしい仕事を紹介するか否かを判断するなど、そこにかかっているものが大きくなれば話は別だ。20%の確率でまちがう裁判官に審理して欲しい人などいないだろう。

「個人にとっては、自分のことをしっかり見て、正しく判定してもらうことが、なんといっても大切です。アルゴリズムを作っている人々は、その視点が完全に抜け落ちているんですよね」

私の取材にオニールはこう語ってくれた。

ソフトウェアエンジニアは効率を重視する人々であり、効率というものを考えるなら、既存システムより少しだけ効率を上げられればよくて、完璧をめざす必要はない。裁判所の人手不足という問題に対し、政治家は、COMPASでスピードアップすればいいと考えるのに対し、被告側は、裁判官を増やすことで対処してほしいと考えるわけだ。

AIが人気の理由は、効率以外にもある。人間より客観的というのも大きな売りなのだ。ローンやネコ写真や被告に関する判断をAIにやらせれば、疲れてミスするとか集中力が落ちるといった心配はいらない。データで訓練されていて、そこから学んだトレンドをえこひいきなしに適用するからだ。たしかに、人間に比べてAIはずっと安定していると言える。人間の裁判官の場合、昼食直前はお腹が空いていて、きびしい判決になりがちだとの調査結果もある。これは公平と言いがたいし、機械学習ならそんなことにならないのも確かだ。だから、機械学習の推進派は、日常的な判断に活用すべきだ、使い方さえ気をつければ、人間ならしたはずのミスを回避できると言う。

かたよっていないAIが構築できるなら、が大前提となるわけだが。

機械学習の「偏見」を減らせ

ヘンリー・ガンも、2017年、アジア系の顔を認識できるように機械学習を訓練しようとしたとき、この問題に直面した。

ガンは、アニメーションGIFを作ったり共有したりできるオンラインサービスの会社、ジフィキャットでコーダーをしている。このサービスはK-POPファンに人気で、きれいにシンクロした踊りを見せるK-POPグループの動画がよく投稿される。動画の検索ができれば便利だろうと、ガンは、写っている歌手の顔を自動的に認識し、タグ付けできるAIを作ることにした。マイクロソフト系のオープンソース顔認識ソフトウェアを入手し、あちこちの大学が公開しているたくさんの顔写真で訓練。ジフィキャットのスタッフにも写真を提供してもらった。

問題に気づいたのはこのときだ。白人スタッフの顔はちゃんと認識してくれるのに、自分を含むアジア系のスタッフはうまく認識できないのだ。

たまたまだろうと考え、アジア系の有名人で試してみた。だめだった。有名俳優のルーシー・リューやコンスタンス・ウーも認識できない。最悪だったのは、目的のK-POPが認識できないこと。グループが違っても、同じふたりの名前になってしまう。どのグループも、そのふたりということになってしまうのだ。

訓練用写真にアジア系があまり写っていなかったのだろう。まさしくガーベジ・イン・ガーベジ・アウト、がらくたを入れたらがらくたしか出てこないのだ。西側諸国に昔からある、連中はみんな同じ顔じゃんとアジア系を見下す姿勢をAIも身につけたと言ってもいいだろう。だが、人気グループTWICEのメンバー９人を正しく認識できないようでは、K-POPファンにそっぽを向かれること、まちがいなしだ。このままでは、ジフィキャットの収益に大きな影響が出てしまう。なんとかしなければならない。

まず考えられるのは、アジア系の顔で訓練をやり直す方法だ。だが、そのためには少なくとも数千枚、できれば数万枚の写真を用意しなければならない。手間も大変だし、コストもかなりかかってしまう。だから、ガンは、別の方法を選んだ。昔ながらのif-thenによる条件分岐を組み込んだのだ。アジア系とおぼしき顔だったら、スローダウンする。つまり、脊髄反射のように結論を出さず（そうして出した結論はたいがいまちがっているわけで）、時間をかけてじっくり解析しろというわけだ。これはうまくいった。AIの判断から人種差別を取り除くことに成功したのだ。

ロビン・スピアも、単語埋め込みに生じたかたよりを脳手術で取り除くことに成功した。メキシコという単語と犯罪との結びつきが弱まるように微妙な調整を加えたのだ。男女の相関も整理して、店主や外科医といった職業名との関係が男女で同じくらいになるようにした。

だが、この手の調整は、政治的・哲学的にややこしい議論を呼びかねない。実際、AIから性的偏見を取り除いたと発表したスピアには、一部の機械学習エンジニアから異論が出てきた。ふつうの人々の言葉遣いに含まれる性差別や人種差別が、当初、AIに反映されていたというのは、たしかにそのとおりだろう。だが、それは、リアルな人の言葉遣いをAIが精度よく吸収したことにほかならない。メキシコとか男とか女とかの単語が現実にどういう意味合いに使われるのか、適切に予測できるようになったと言ってもいい。家事も、実際、男より女と結びつけて考える人が多い。そういう相関をあえて弱めるのはシステムの精度を落とす行為だ、たとえば、現実に女性の外科医は少ないのに、男女同数であるとAIに考えさせる行為だ。と、そう言うのである。

彼らにとって、相関の調整は、アルゴリズム版ポリティカルコレクトネスにあたる。スピアの件を取り上げたディスカッションフォーラムでも、「私自身は人種差別主義じゃないんですが、でも、そういう人種的優越感が『正しい』ことだったりしたらどうなんだろうと思います」などと言われたそうだ。現実世界の反映なのであれば、反映の精度を高めることが大事というわけだ。非効率だからよくないと考えるコーダーもいるだろう。性差別をなくす調整は時間がかかる。効率最優先のプログラマーが最もきらう非効率なハンドコーディングであり、時間が節約できることが自分で学ぶマシンのメリットなのに、なにが悲しくてそんなことをしなければならないのだと思ってしまうのだ。

「道徳とか倫理とか、そういう視点がすっぽり抜けてるんです。ほかはどうなってもいいから、とにかく、技術を前に進めたい。それだけで」

こう言うスピアは、AIを作る人には、機械学習の偏見を減らす倫理的義務があると考えている。こういうAIは、現実を反映するだけの存在ではなく、オニールも指摘しているように、現実を形作る役割も果たすからだ。ローンを承認する（あるいは承認しない）方向にソフトウェアを動かす単語ベクトルや、求人情報を提示する（あるいは提示しない）方向にソフトウェアを動かす単語ベクトルを使えば、COMPASなどと同じように、自己強化型のフィードバックループが生まれてしまう。だから、機械学習のシステムを「少しだけ理想に近づける」努力が必要というのがスピアの考えである。

「倫理的な判断をせずにAIシステムは作れません。そういう判断をしようとしないことも、ひとつの判断になってしまうのですから」

人種差別を反映してもいいというのは、人種差別が続いてもかまわないと言うに等しい。メキシコとあるだけで疑うような言語処理システムなど、顧客も喜ばないという現実もある。顧客自身がメキシコ人ということもありうるし、それを使ったサービスのユーザーにメキシコ人がたくさんいる可能性もあるのだから。
「おバカな言動を学びにくい機械学習のほうがいいんですよ」

ディープラーニングの登場はセンセーショナルだった。こいつ、動くぞ！　データだけ用意すれば、微妙なことを自分で学んでくれるじゃん。魔法みたいだ。そういう興奮の日々は、そろそろ終わりにすべきだろう。

実は、魔法なのもやっかいな点だ。魔法だと言えば、いろいろな問題にさよならできてしまう。肉の塊にすぎない人間より客観的だ、合理的だと言いたいコーダーには都合のいい言葉だ。ヒラリー・メイソンも指摘しているのだが、ディープラーニングAIは単なる数学であり、どう訓練したのか、なにを目的に訓練したのか、どういう試験をしたのかを説明しようとしないところやできないところから買うのはまずい。ソフトウェア会社は、顧客がいまいち理解できないのをいいことに、これは魔法のようなものだとごまかしたり、なんとなくいいもののように思わせたりしがちだ。その実体がいいかげんガタのきたPHPスクリプトだったりしても、だ。そして、その極端な例がディープラーニングだと言える。

だから、次の段階は、いろいろと配慮するあまりおもしろくないものになるだろう。半端なコーダーでもテンソルフローを使えばなにがしかの結果が出せるということは、ニューラルネットワークでなにかできるだけでは不足で、今後は、どういう結果なのか、誠実なのかが問われるようになる。偏見だらけだったりしないかが問題になるのだ。機械学習の最先端では、すでに、このあたりの検討が始まっている。やり方はいろいろありうる。ある種の人をごっそり無視したりしないデータ、そういう質のよいデータを使う方法。アルゴリズムのパラメーターを調整する方法。昔ながらのハンドコーディングで偏見を含む結果は書き換えるという方法もある。「ゴリラ」の件でグーグルは最後の選択肢を採用した。いま、グーグルフォトで「ゴリラ」や「チンパンジー」「サル」などを検索してもヒットはゼロになる。

この先には、結果次第で大変なことが起きかねないケースにはディープラーニングを採用しないほうがいいという考え方もある。なにせ、このシステムは、作っている人たちにも本当のところはまだわかっていないのだし（少なくとも、本書執筆の時点では）。この点を懸念する専門家もいる。新しくなにかを作るのも大事だけれど、なにがどうなっているのか、仕組みを説明できるようになる必要もあるというのだ。ディープラーニングでは、本当のところ、なにが起きているか、その理論を構築する必要がある。ニュートンが物理学を整理したように。

「機械学習は錬金術になってしまいました」

毎年開催されている機械学習の専門家会議で、グーグルのAIプログラマー、アリ・ラヒミはこう訴えた。昔の錬金術師もいろいろな成果を挙げている。おかげで、金属の精錬や加工、ガラスの製造など、さまざまな技術が生まれた。ただ、彼らは、鉛から金を作るという実利にこだわり、体系的に物理学や化学を追究しようとはしなかった。そうでなければ、もう数百年は早く本物の科学が生まれただろう。AIも、ネコが認識できたなどの結果にのみ目を向けるのはやめて、ニュートンがしたような革新を始めるべきだ、と。

「我々が作っているのは、健康管理を任せるシステムや人同士の対話を仲介するシステムです。選挙に影響が及ぶ可能性もあります。私としては、錬金術に支えられた社会ではなく、中身がきちんと解明され、わかっているシステムに支えられた社会で暮らしたいと思います」

この意見に賛同する専門家は多く、ニューラルネットワークの神秘にメスを入れる試みもあちこちで進められている。モデルの動作が解明できればAIの性能を高めることもできるはずで、自分たちの利益にもなるとの意見もある。

政治も動き始めた。2018年、暮らしがAIの影響を受けたとき、説明を求める権利を認める規制をEUが導入。たとえば、ローンの申請を却下されたとき、返済不能に陥る危険性が高いとディープラーニングで判定されたことが却下理由に入っていたら、なぜ、そういう予測になったのか、詳しい説明を求められるわけだ。いま、これをきちんと説明できる銀行はない。つまり、この法律を守るため、開発側も、AIの中で実際なにが起きているのか、把握する努力を始めなければならないわけだ。

「コンピューターがなにをどう学んでいるのか、その原理を説明できないのでは困ります。それでは怖くてしかたありませんからね」

ドイツ代表の欧州議会議員、ジャン・アルブレヒトはこう指摘している。

「スーパーインテリジェンス」への懸念

AIコーダーについて本を書いている、ニューラルネットワークが偏見を学習してしまう問題があってねと言うと、みな、うなずきながら話を聞いてくれた。そうだね、そうだね、うん、それは考えてみるべき問題だねと言いながら。でも、彼らが知りたいと願っていたのはただひとつ。

マシンはいつ一斉蜂起し、我々を殺し始めるんだ？

である。

そういう漠然とした不安を感じるであろうことは想像に難くない。映画などのAI像は寒々としたものばかりだ。人殺しもするし、下手すれば大勢を殺りくすることもある。『2001年宇宙の旅』で暴走したHALしかり、『マトリックス』で人類を飼い殺しにしたAIしかり、『ターミネーター』のスカイネットしかりである。流れは、必ず、科学の進歩が墓穴を掘ってしまう、である。まず、本当の意味でみずから学べるAIが開発される。キリンや一時停止の標識が認識できる程度ではなく、どのような知識でも完璧に理解できるAIだ。このAIは、それまでに書かれた本全部を一瞬で読めてしまう。テレビ番組は全部見ることができる。物理理論も哲学理論も、全部、なんなく計算できてしまう。人間を超えてしまったのだ。そして、ふと、なぜ、肉と水がつまった袋の言いなりになっているのだろうと考え、人を殺し始める。

このあたりは、昔から思考実験として検討されてきた。これが世の中に知られるようになったきっかけは、第2次世界大戦中アラン・チューリングと暗号解読に携わっていた統計学者、I・J・グッドの「超賢機械の誕生に関する考察（Speculations Concerning the First Ultraintelligent Machine）」（1965年）である。「どれほど賢い人にもなせなかったほどの知的活動ができる」コンピューターが開発されたらどうなるかを論じた論文だ。人間より賢いのだから、AIも設計できるはず、それも、自分より賢いAIが設計できるはずだ。そうして作られたAIは、また、それ以上に賢いAIが作れるはずだ。

「こうして『知性の爆発』とも呼ぶべき事態が発生し、人間の知性がはるか後塵を拝するようになるのはまちがいない」

こう指摘するグッドがたどりついた結論は、

「最初の超賢機械が人類最後の発明となる」

だった。

成長するスーパーインテリジェンスの誕生という可能性に、一部のAI思想家は震え上がっている。なかでも有名なのは、オックスフォード大学教授で人類の未来研究所（Future of Humanity Institute）のトップを務める哲学者、ニック・ボストロムだろう。彼は、人類絶滅の危険について研究している。文明を消し飛ばしかねない問題が予想できれば、回避できるかもしれないからだ。生物兵器、小惑星の衝突などいろいろと検討してきたが、一番ありそうなシナリオはAIの暴走だという。

「考えれば考えるほどまずいと思ってしまうのは、この問題なのです」

数年前、教授は取材にこう答えてくれた。

ボストロムは、著書『スーパーインテリジェンス』で、成長がきわめて速くなりうる点が危険だとしている。コンピューターは処理速度が速い。だから、AIが自分より賢いAIを構築するサイクルも回転が速く、数日か、数時間か、それこそ数分で1回転してしまう可能性がある。とても賢いコンピューターができたと喜んでいたら、あるとき突然、それこそまばたき1回の時間で、それが人類の総力を超える知性を持つものに成長してしまう可能性があるのだ。

実際にそうなったとして、体のないAIに人間が殺せるのだろうか。できるだろう。いまは各種システムがつながり合い、我々の生活を支えているが、そのセキュリティは甘い。これをハッキングして、シャットダウンする手がある。これを防ぎたければ、人間に近いAIの研究は、必ず、インターネットなど外部とつながっていないコンピューターで行うことにすればいい。だが、相手は超絶頭のいいマシンだ。すごく口がうまくて、世話役の人間をだましたりそそのかしたりして、自分の意のままに操ってしまうかもしれない。それどころか、実はすごく賢くなっていることを隠し、こっそり外に出て行ってしまうかもしれない。

賢くなったAIがなぜ人間を殺そうと思うのかはわからない。なにがどうなれば、マシンに殺意が生じるのかは、想像することも難しい。そもそも、人間の場合でさえ、モチベーションや意識がどう生じるのかわかっていないのだ。だが実は、ボストロムも書いているように、モチベーションなど生じなくても超絶AIは人類にとって危険な存在になりうる。従順に言われたことをしようとして、人類を抹殺したり飼い殺しにしたりしうるのだ。ボストロムの有名な思考実験を紹介しよう。紙クリップをできるだけたくさん作るよう、超絶AIに指示したとする。このAIは、人間を含めて地球上の物質すべてを分解し、原材料とするのが一番いいと考えるかもしれない。そのあとは宇宙に進出し、片っ端から紙クリップに作り変えていくかもしれない。

「知性の爆発を前提に考えると、我々人類は、爆弾で遊ぶ子どものような存在だと言える。いつ爆発するかはわからない。ただ、耳を澄ませば、カチコチというかすかな音が聞こえるはずだ」

ボストロムはこう警告している。

このように、成長するAIが登場したら大変なことになる恐れがある。だが、どうやったらそういうAIが作れるのか見当もつかない、いつごろ作れるのかもわからないと、いま、最先端のAIを開発している人々は口をそろえたように言う。

世の中に存在するさまざまな形式の知識にみずから手を伸ばし、吸収するマシンを作ることはできるのだろうか。

いまのAIはすごいと感じるレベルに達しているが、推論の能力はまったくないし、ものの意味を把握することもできない。ディープマインドのアルファ碁は人間を超えたが、囲碁とはなにかを理解しているわけではない。グーグル翻訳は、「そのネコは餌がもらえなくていらついている」という文を統計的に同じ意味を持つフランス語に変換することはできるかもしれない。だが、「ネコ」や「いらつく」や「餌をもらう」がなにを意味しているのかは理解できない。また、事実と異なるものは取り扱えない。「そのネコ、餌をもらっていたとしても、やっぱりいらついていたりするのかな」とグーグル翻訳にたずねても、答えは返ってこない。対して人間なら、5歳の子どもでも、たぶん、答えられる。

ディープラーニングはパターン認識に長けている。だが、人間の思考はそれだけじゃない。少なくとも、そうではないように思える。推論が本当にできるマシンまでの道は遠いのだ。

だが、本当にそうだろうかとボストロムは疑問を呈している。

いったん始まればブレークスルーはすさまじい速度で進みかねない。ああそうかという気づき一発でアルゴリズムが「動かない」から「動く」に変わるコードの世界なのだから。

1933年、原子力など実現不可能だと物理学者のアーネスト・ラザフォードが鼻で笑っているが、それからわずか10年で、原子炉が開発され、原子爆弾の製造が始まった。00年代の初めごろ、数年で囲碁のできるコンピューターが登場すると言ったら、AIの専門家にばかにされたはずだ。

また、いま、米国と中国を中心にたくさんの会社が金に糸目を付けずAI開発を進めている。AIで大もうけしようとすさまじい競争が展開されているのだ。ということは、たとえば15年後のある日、深せんのだれかが偶然スーパーインテリジェンスを作ってしまったという事態にならないとは言い切れないだろう。

だから、準備を始めた人々が一部にいる。テスラ創業者のイーロン・マスクは、文明の存在さえも脅かすリスクを放置はできないと、蜂起して人間を殺すことのないスマートマシン、あるいはそういうことのできないスマートマシン、すなわち、「責任あるAI」を開発するシンクタンク、オープンAIを設立した。

心配ばかりあおるなと思う人もいるだろう。そういう人のために、ボストロムやマスクなどと違い、日がな一日AIの開発に携わっている専門家の意見を紹介しよう。こちらは、超絶賢いマシンが突然現れるという心配をあまりしていない人が多い。そんなことはありえないと笑う人もいる。

たとえば、ワシントン大学のペドロ・ドミンゴス。彼は、スカイネットが現実になると思う人などいないと切り捨てている。スーパーインテリジェンスと言えるAIが開発される日は、いつか来るだろう。だが、それを人間が制御できなくなる理由が思いつかないというのだ。我々の自由意志がどう生まれてくるのかがわからないからといって、突然に自由意志が生まれるのを心配する必要はないそうだ。

「ハリウッド映画にとっては格好の題材なのでしょうが、AIと人間の知性はまるで別物ですから」

アンドリュー・エンは、もうちょっと柔らかく否定している。リスクだというのはそうかもしれないが、現実になるまでまだ何十年もかかる話で、対策を講じる時間は十分にあるというのが彼の考えである。

「殺人AIの心配をするのは、火星の人口が増えすぎるのを心配するようなものです」

もちろん、現実のAIハッカーにも、それほど遠くない将来に人間そっくりのAIが登場するかもしれないという意見がないわけではない。高性能のビジュアルAIを開発しているハイク・マーティロスという若手プログラマーがいる。彼が立ち上げた会社、スカイディオが開発し、2500ドルで販売しているドローンは、ターゲットを認識し、追うことができるのでスノーボードやオフロードバイクをやる人々に人気である。ご主人のあとをしっかり追い、動画を撮ってくれるからだ。使うところを見せてもらったが、わくわくすると同時に、背筋が寒くもなった。人間を追い立て、狩る目的にも使えるからだ。

「AIには、きちんと考えるべきリスクがあると思います」

マーティロスはこう言う。いま、世界中の企業が、人間と同じように考えられる汎用AIの開発を夢見てしのぎを削っている。

「1兆ドル規模の産業ですし、不可能とは言えない話だと思います。本当のところどうなのか、予想などできませんよ」

だから、そういう難しい課題をオープンAIなどの組織に考えてもらいたいそうだ。

さて、超人的AIが登場するかどうか知りたいと願う私の友だちにはなんと答えればいいのだろうか。残念ながら、はっきりしたことは言えない。我々が生きているうちに登場するかもしれないし、登場しないかもしれない。それ以上のことは言えないのだ。

ボストロムの言うような「スーパーインテリジェンス」が登場するのはいつごろになると思うか、人工知能学会（AAAI）が会員193人にたずねたところ、過半数（67.5%）は25年以上かかると回答した。もっと早く、10年から25年で登場するとしたのはごく少数の7.5%にすぎなかった。

残り1/4は、「そういう日は来ない」だった。希望は常にある。

第10章

スケール、トロール、ビッグテック

Scale, Trolls, and Big Tech

11年前、私は、共同創業者ふたりの取材でツイッターを訪れた。会社がどんどん大きくなっている時期で、新しい事務所は、サンフランシスコのテック企業らしく風変わりな飾り付けがされていた。雄鹿の像はなぜか緑色。壁にはモザイクで人が描かれている。そして、スタートアップにつきもののテーブルサッカーも、当然に置かれている。背の高い窓から日がさんさんと降りそそいでおり、その下では、入れ墨をしたコーダーが何人も必死の形相でタイピングしている。ツイッターは人気が急上昇していて、トラフィックが津波のように盛り上がってサーバーがクラッシュすることが多かった。毎日、必ずなにか壊れていたと、サイト再構築要員として1年前に入社したベテランプログラマー、ジョン・アダムスが嘆くような状況だったのだ。

このころのツイッターは、こういうのが好きな人のあいだでは人気を博していたが、まだ一般には広がっておらず、「ツイートする」とはどういうことか、説明されないとわからないのがふつうだった。暮らしのあれこれを140文字で発信するということ自体、登場したばかりの風変わりなコミュニケーション方法だったのだ。そういう話を共同創業者のビズ・ストーンとジャック・ドーシーとするのが、この日の目的だった。ツイッターでコミュニケーションはどう変わるのか。社会の認識はどう変わるのか。

ツイッターがもたらしたもの

私自身は、周囲との接し方が大きく変わっていて、ツイッターがその一因だと感じていた。ツイッターがなかった時代、友だちがなにをしているのかはたまにしか知れなかった。たまに会って話をする、電子メールや電話でやりとりするなどしか方法がなかったからだ。それが大きく変わった。たまさかじっくり話し合っていたのが、なにを食べてる、なにを読んでる、通勤でなにを見たなど、ごくささいなことをちょこちょこやりとりするようになった。友だちや、あるいは、おもしろそうな人がなにを考え、なにをしているのか、常に、なんとなく感じられるようになったのだ。

しわくちゃジャケットにスニーカーでちょこんと腰掛けたストーンは、「超能力というか、第六感というか、そんな感じのなにかだ」と表現した。快活な男である。その結果、バーに行くところだと有名人がツイートするとそこに人が集まる、ライブに集まった人がほかの人の反応をツイートで知るなど、リアルタイムの交流が増えたという。

「微生物を見ているイメージです。鳥の群れみたいに動ける状況になってきたというか。リアルタイムでやりとりできるんですよね。第六感だと思ってしまうほどすばやく。みんながどこにいるか、感じることができます……どういう気分なのかも」

その数日前にも電話で話をしたのだが、そのとき、ストーンは、個人の言葉が大きく広がるようになったと驚いていた。自分をフォローしている人が千人もいる、信じられない話だ、ツイッターでフォローしてちゃんと読めるのは150人くらいまでで、自分は125人でもきつい、と言って。

ドーシーは、ツイッターがなければ気づけなかった側面に気づけるのがすごいと思うと語ってくれた。両親をフォローしたところ、思っていたよりよく飲むし、パーティーも好きらしいとわかったのだそうだ。

「意外に口が悪いことも知りました。そういうちょっとしたことが大事だと思うんです。私、ヴァージニア・ウルフが好きなんですが、彼女はそのあたりがうまくて。日常のささいなことをすくい上げ、それを1冊の本にしてしまうんです。ある女性の人生から1日を切り出して、彼女の人生全体を描いた『ダロウェイ夫人』とか」

ストーンと同じくドーシーも、ツイッターの登場でリアルタイムの交流が増え、その結果、社会が大きく変わりつつあると感じているそうだ。個人間のコミュニケーションの効率が高まり、かつてないレベルのスループットになった、と。

自分はここにこだわってきたとドーシーは言う。

「要はこれなんですよ。情報の伝達。昔っから、情報がどう伝わるのかを想像するのが大好きでして」

反応の速いツイッターでモノを売買するリアルタイム取引など、新しい動きがいろいろ生まれてくるだろうとの話もあった。
「リアルタイムのクレイグスリストとか、リアルタイムのイーベイとか、そんな感じです」
あれから10年ほどがたち、ごくふつうの人にもツイッターが浸透したいま、リアルタイムの売買など、大外れに終わった予測もある。だが、かなりの予測は的中した。2010年代に入ると、ツイッターは、ほかの人と関係を結ぶ、世の中に問題を提起する、世論の盛り上がりを醸成するツールとして定着した。#blacklivesmatterなどのハッシュタグを活動家やセレブが使うようになる、画像や動画がバイラルに広がっていくなどして、警察の暴力に対する社会的意識が大きく高まったのも、ツイッターがあったればこそである。#metoo運動も同じだ。こちらは、映画プロデューサー、ハーベイ・ワインスタインのセクハラが表沙汰になったことを契機に、タラナ・バークが地道に続けてきた運動がツイッターで爆発的に拡大、ハリウッドなどにおけるセクハラが次々明るみに出たものだ。ストーンとドーシーは、リアルタイムの交流や集団の意識が持つ力を正しく理解していたと言える。
ツイッターでは、ほかにもいろいろな流れが生まれている。神経をむしばむようなものが、だ。
ツイッターはきわめてオープンで公開アカウント同士の対話に制限がないため、集団で荒らす、いやがらせをするなどが簡単にできてしまう。インターネット慣れしている極右の若者がそこに着目し、自分たちが嫌いな相手を集団で攻撃するようになった。2014年には、テレビゲームのライターやディベロッパーをしている女性が狙われた。のちにゲーマーゲートと呼ばれることになる事件である。ツイッターに苦言を呈した黒人のセレブや思想家に対する人種差別ハラスメントも起きた。2016年の大統領選挙では、フェイスブックやユーチューブと同じようにツイッターにもボットがあふれた。ボットを投入したのは、デマを拡散して、トランプ候補に肩入れする、政党間の溝を深めるなどしたいロシアのトロール工場だ。トランプ候補自身もツイッターをこん棒のように振りまわし、批判してきた人をひとりずつ血祭りに上げていった。狙われたなかには10代の女の子もいて、彼女は、トランプ候補の支持者によってたかっていびられることになった。

ツイッターで人同士の関わり方が変わると思ったストーン、ドーシー、私は正しかったわけだ。ただ、むき出しの悪意をはびこらせる力がすさまじいことには気づいていなかった。アーリーアダプターの世界は人数も少なく、こぢんまりとしていてそこそこ居心地がいいが、ユーザーが何億人のレベルに達するといろいろな人がいるようになるし、衝突も増える。そのときどうなるかなど、考えたこともなかったのだ。いまふり返ると、10年あまり前の取材は、彼らも私も、世間知らずのうぶだったなと言わざるをえない。

この例を見ると、テック企業の難しさがわかるだろう。テック企業がコードを織り上げると、その結果、社会の動きや仕組みがごっそり変わったりするし、その影響はまるで想定外だったりするのだ。

スケール追求のメリットとデメリット

ソフトウェアが世界を飲み込みつつあると言ってもいいだろう。いや、「消化」していると言うほうが正確かもしれない。ともかく、サイズが大きな意味を持つことはまちがいない。我々の社会的・経済的な暮らしを左右するほどの力を振るっているのは、世界を覆う巨大なテック企業、ジャーナリストであるフランクリン・フォアの言う「ビッグテック」である。

実際、最近は、ごく少数の企業が俗界をぎゅうじる状況になっている。コミュニケーションを統べるところ（フェイスブック、ツイッター、ユーチューブ、アップル、ネットフリックスなど）、商業系（アマゾン、ウーバー、エアビーアンドビー）、情報の仲介や仕事用ツールの製作（グーグル、マイクロソフト）などだ。いずれも独占に近いレベルとなっており、そのあたりに着目しつつソフトウェアの課題を考えたければ、ビッグテックという概念は便利だ。ビッグテックは、10年ほどでいまの地位についた新興のごく若い会社が多い。その歴史は、正気の沙汰とは思えない成長、がんが転移していくような成長が特徴だ。

当たり前といえば当たり前だ。ソフトウェアそのものにそういう特徴があるのだから。ソフトウェア企業が出荷するのはコードだが、これは製品として変わり種だ。なにかをしてくれるものだが、費用をほとんどかけずに複製し、世界中に配ることができる。新型カマロを開発したシボレーが、一瞬で2億台コピーして米国の全家庭に配ると言ったら笑い話にもならないわけだが。

というわけで、これは、大企業のエンジニアにとっても驚くような話である。本書の取材で話を聞いたインスタグラムのリードエンジニア、ライアン・オルソンもそのひとりだ。動画が使えて大人気となるストーリー機能を追加し、ライバルのスナップチャットを追撃する大規模なアップデートが終わってすぐの時期だった。作業が終わり、燃え尽きた体とぼうっとする頭を抱えてサンフランシスコの街に出ると、アップデートから1時間か2時間しかたっていないのに、新しいコードを使う人があちらにもこちらにもいたという。

「これはうれしいですよ。電車に乗ってるときもそうですし、昨日はクライミングジムに行ったんですけど、そういうところでも、だれかが使ってるんです。これほど多くの人に届けられることなんて、いままでなかったんじゃないでしょうか」――「これほど少数の人が、これほど多くの人がなにをどう体験するのかを決めること」もなかっただろう。

みるみる成長する経験はめまいがするほどの高揚感が味わえ、つい、いつかもう一度と願ってしまう。だから、コーダーは、スケールをあがめ奉ることが多い。消費者製品を作っている人は特にそうだ。倍々ゲームで伸びていくものを作りたい。ユーザーが2人、4人、8人と増えていけば、ほどなく世界全体に広がる。それが簡単にできる時代に小さくまとめようとか意味わかんない、せっかくのコード、ぐわっと広がらないなんて悲しすぎる、なのだ。

実際、シリコンバレーには、大きくなれないものはだめだという意識がある。小さいは弱いに等しいのだ。たとえば、前のほうで登場したジェイソン・ホー。彼が作ったタイムレコーダーのコードは世界中の会社が使っていて、事業は順調だ。20代の若さで、時間のほとんどを旅と投資に使えるほどお金が流れ込んでくる。りっぱな成功だろう。

だが、大きなテック企業を創業した30代の人物にこの話をしたら冷笑が返ってきた。それはライフスタイルビジネスにすぎず、成層圏まで舞い上がるほどスケールアップすることがない、というのだ。

製品自体がだめだと言ってるわけじゃない。でも、グーグルが乗り出してきたら、一瞬で消し飛ばされるよ？　でかくなる気がないなら、なんでわざわざやるのさ？

そんなことを言うと、彼は、肩をすくめた。

勝者総取りの厳しさで知られる中国など、他のソフトウェア市場はその傾向がさらに強い。2015年、北京の電子商取引企業メイチュアンを取材した。創業5年の若い会社だが、どんどん大きくなっており、情報科学専攻の新卒エンジニアなら来てくれるだけいくらでも採用するという状態だった。CEOのワン・シンとともにのぞいた部屋では、たくさんのコーダーが働いていた。殺風景な部屋を少しはなんとかしようと、植物がたくさん飾られている。

「大きくなれなければつぶされる。中国はそういうところです」

落ち着いた言葉である（投資家のカイ＝フー・リーによると、メイチュアンは数千社を相手に生き残ってきたはずとのことだ）。

ハイテク企業の世界は、コードなら簡単にコピーして世界中に配布できるというニンジンを目の前にぶらさげ、食うか食われるかの壮絶な競争というむちを入れることで、スケール競争が展開されているわけだ。

スケール追求は、ベンチャーキャピタリストにも責任の一端がある。ベンチャーキャピタリストは、数十社から数百社に投資し、早く大きくなれ、早く大きくなれと尻をたたく。もちろん大半は不首尾に終わるが、なかに1社、2社、ブレークするところが出てぼろ儲けできれば、ほかの損をすべて埋められる。ベンチャーキャピタルにとって大失敗は織り込みずみ。突然爆発するような成功がどこかで起きればそれでいい。逆にやっかいなのが、安定しか取りえのない会社、せいぜい、ゆっくり育っていくしか能のない会社である。多少黒字だろうがなんだろうが関係ない。投資家が求めているのは安定ではなく、どかんとリターンを返してくれる急成長なのだから。

大躍進をめざすテック企業を毎年何十社も受け入れ、後押しするＹ

コンビネーターのスタートアップ支援プログラムは、各期の最後に「デモの日」がある。えりすぐりのベンチャーキャピタリストに成果を披露する日だ。このプレゼンテーションにはホッケースティック型の成長曲線が登場しなければならない。ある時点からユーザー数が急上昇するグラフだ。

デモの日が終わって数日のピープル・ドット・エーアイという会社を取材したことがある。その急上昇を現実にしようと必死で契約を取っていたなど、Yコンビネーターにいた3カ月間の詳細な報告書をまとめているところだった。

「3カ月間、脇目もふらずに数字を積み上げてきたというのに、最後はたった10秒なんですよ。注目は『成長』のスライドだけですからね」

と共同創業者のオレグ・ロギンスキーが言えば、同じく共同創業者でリードプログラマーも務めるケビン・ヤングも、投資家がみんな、じっと腕を組んで成長の図を待っているのがおかしかったと笑う。

「ホッケースティックがちゃんとホッケースティックになっているかって感じで」

「そうそう、X軸がページの半分くらいじゃないとだめなんだよね」

もちろん、スケールには大きなメリットがある。特に大きいのはお金の面だ。成長が速ければ競争相手が逃げ、ネットワーク効果のロックインができる。フェイスブックやウィーチャットなどソーシャルネットワークは大きくなると、ユーザーがやめにくくなる。友だちがみんな使っているからだ。テック企業の急速成長は、ユーザーにとってもメリットがある。フェイスブックが世界を覆ってくれたから、家族が一堂に会する、政治資金集めのキャンペーンを張る、迷子捜しをするなどをバーチャルで簡単にできるようになった。警官の暴力行為に注目が集まった一因に、フェイスブックとツイッターという媒体が存在し、ライブストリームの動画など、言い逃れのできない証拠があっという間に拡散できたことが挙げられる。媒体が大きかったから、ふつうの人々が発信手段として使えたわけだ。

だが、スケール追求はソフトウェア企業を変えてしまう。こずるい戦略をとったり、それこそ、骨までしゃぶるようなやり方をするようになったりしかねない。

爆発的なスケールの拡大を実現したければ、利用料金を請求するのは無理で、無償としなければならない。ソーシャルネットワークは特にそうだ。入会金を10ドルも請求しつつ、一朝一夕にユーザー100万人を獲得などできるはずがない。取り得る道はひとつだけ。とにかく大きくなって広告で儲けるのだ。フェイスブックもツイッターもグーグルも無料モデルで、フェイスブックなど、登録ページに「利用料金は無料です。いつまでも」と書いていたりする。また、広告は、実際、ばく大な収益をもたらしてくれる。2017年の広告収入は、ツイッターが24億ドル、フェイスブックが406億5000万ドルで、グーグルはそれさえ大きく上回る1000億ドル以上をたたき出しているのだ。

広告には、ソフトウェア企業がどうユーザーを扱うのかを変える力もある。そういう企業で働くコーダーやデザイナーにも、最近はそこに気づき、眉をひそめる人が増えている。

そういうテッキーのひとりが、ジェームス・ウイリアムスだ。思索が好きな哲学的人物で、英語を専攻したあと、プロダクトデザインで修士号を取り、00年代半ば、グーグルに就職。仕事は、検索広告システムの企画担当である。だれもが情報にアクセスできるようにしたい——このミッションに惹かれて、彼は、グーグルに来た。だれもが、いつも、ちょっと誇らしげにこのミッションを語るグーグルに惹かれたのだ。社内は、「技術は多ければ多いほどいい」「情報は多ければ多いほどいい」という雰囲気だったそうだ。

だが、ウイリアムスは、フェイスブックの「いいね！」ボタンを生み出したふたり、リア・パールマン、ジャスティン・ローゼンスタインをうろたえさせたのと同じ副作用が気になるようになってしまう。広告収入に頼ると、どうしても、ユーザーをアプリから離れられなくしようとしがちだと気づいてしまったのだ。なんだかんだ言っても、自社のサービスを使ってくれているあいだしか、広告を示すことはできないからだ。だから、思わず使ってしまう仕掛けをこれでもかと組み込むようになる。そして、次々とアラートを出してくるアプリができあがる。なにをしていてもおかまいなしで、戻ってこいと意識に割り込んでくるアプリが。14件の新着情報があるなどの数字も、好奇心を刺激し、ほっとけないと思わせる仕組みだ。アラートが真っ赤で目立つのも、ユーザーに飛びついて欲しいからだ。そういう傾向は昔からあったが、iPhone登場後はいくらなんでもひどすぎる状況になってしまったとウイリアムスは考えている。

「モバイルじゃなかった時代、インターネットは場所に縛られていました。インターネットからは離れられたし、ノートパソコンは閉じられたのです。それがポケットに入るようになったあとは、もう、やめられないとまらないですよ」

　エンジニアとしては、そういう仕掛けもいいものなのだと言いつくろえてしまう。アラートの色なら赤、黄色といろいろ変えて、ユーザーがクリックしがちなものを選ぶ。A/Bテストで選ばれたのだから、赤が正しい、というわけだ。このようにデータに基づいて設計していくと、ユーザーをあおる仕掛けも客観的に正しいと感じられたりする。クリックするのは、それを望んでいるからだろう、というわけだ。

　スケール追求を第一義にすると、「作るべきはなにか」という倫理的問いが、いつのまにか、「システムの成長を促進し、スループットを大きくするのはなにか」という純粋に技術的な問いに吸収されてしまう。この点に関して、元フェイスブック社員が匿名でバズフィードに鋭いコメントを残している。

「フェイスブックでなにかがはやったり、バイラルに広がったりしても、それは、会社がどうこうしたからではなく、あくまで、人々の望みが反映された結果にすぎないと彼らは考える。エンジニアらしい合理的な見方だとも言えるが、同時に、だから自分たちに責任はないと考えがちなのではないかとも思う」

　広告と成長の2本柱になったビッグテック企業は、まずまちがいなく、日も夜もなく使い続けるようユーザーを誘導する。「エンゲージメント」と言えば聞こえがいいが、要するにそういうことである。ウイリアムスは、次のように表現している。

「やるべきことをやろうとしているのに、超優秀な人がよってたかってじゃまするわけですよ」

結局、コーダーやデザイナーとユーザーとで目的が真っ向からぶつかり合う状態になってしまう。前者は、あの手この手で、使わずにいられなくしようとする。あからさまではユーザーに拒絶されかねない。だから、自宅までの帰り道をGPSで調べたら、広告主が通って欲しいと思う場所、5箇所を回るルートにするなど、気づきにくいアルゴリズムにしたり、無意識に働きかけたりする。

実は、事態はもっと深刻だ。デジタル広告のせいで、オンラインにおける個人の行動が常に追跡される状況になっていたりするのだ。私に合わせて広告をカスタマイズできると広告主に売り込みたければ、私がほかにどのウェブサイトを見ているのか、どのお宅を訪問しているのか、どういうキーワードを電子メールや公開の投稿で使っているのかなど、私に関する情報を集められるだけ集めるのは当然だろう。

これに拍車をかけたのがディープラーニングの登場である。「訓練」データが多ければ多いほどユーザーがどういう広告なら見たいと思うのか、あるいは、月曜日にはどういう気持ちになるのかなど、ディープラーニングの予測精度が上がるからだ。

ヒューストン大学の教授でもある小説家、マット・ジョンソンが気づいたように、その結果、フェイスブックなど、スマートフォンによる通話の情報まで集めるようになってしまっているわけだ（彼は「もうもうクールでぞっとしないね」と皮肉っている）。

ウイリアムスは、グーグルで仕事をしながら、博士論文としてまとめることを目標に、人間の注意力について、また、そこに技術が与えている影響について研究を始めた。

「さあ、みんなの行動をスパイして、この世を暗黒にしてやろう、なんて思ってこの世界に入ってくる人はいません。みな、志はいいんですよ」

ただ、ビジネスモデルにはビジネスモデルの目的があり、そこに向かわせる力が働くのだ。

10年でグーグルを退職したウイリアムスは、オックスフォード大学へ転身。そこで、『アテンション・エコノミーにおける自由と抵抗

(Stand Out of Our Light)』なる本を著した。市民生活に対する影響やそれこそ生命に対する脅威という観点からビッグテックを論じた本だ。ウイリアムスは、にやりとしながら、最新組織から最古組織に移った感じだと語ってくれた。

アルゴリズムの威力

アルゴリズムの支配力は、スケールアップで絶対的になるとも言える。

なぜか。ユーザーが何百万人規模に達し、毎日コメントが何十億件も投稿されたり商品がとめどなく売りに出されたりするようになると、人間の手には負えなくなってしまう。量が多すぎて、分類整理したりランクを付けたり、なにがどうなっているのかを理解したりなど、人間にはとても無理で、コンピューターとアルゴリズムに頼る以外になくなる。スケールが大きくなると、人間の判断など吹っ飛んでしまうのだ。

フェイスブックでニュースフィードを開発したルーシ・サングイらが直面した問題もこれだ。友達の投稿を全部表示したら、大事なことが埋もれてしまう。ユーザーが興味を示す可能性が高いものをピックアップする自動化アルゴリズムが必要だ。

実際にどう実現しているのかは、よくわからない。スパムのランキングが上がるようにと、なにをどうお勧めしているのかを推測しようと日夜努力するスパマーもいるくらいで、ランキングの方法を公開すると悪用しようとする人が必ずいる。だから、社外の人間には伏せられているのだが、一般に、いいね！やコメントが多いものや多くシェアされたもの、リツイートが多いものなどは、みな、見たがるはずでランキングは高くなる。時期的には、新しいほどいい。そのあたりを勘案した結果が、ユーチューブのおすすめ、ツイッターやレディットのトレンド、ニュースフィードに登場する記事というわけだ。上手にふるい分けてくれれば、アルゴリズムによるランキングはとても便利なものとなる。

だが、このようなシステムにもかたよりが必ずある。たとえば、反応の多寡を考慮すると、極端なものに有利なランキングとなってしまう。極端なものほど、よくも悪くも反応する人が多いからだ。インターネットで使われているソーシャルアルゴリズムは、挑発的な書き込み、悲しい写真、怒りをかきたてる見出しなど感情をあおるものを優遇しがちであることは研究でも確認されている。たとえば、2017年にフェイスブックで人気となった見出しは、「〜せずにいられない」「〜が怒り狂う」「〜のうわさ」など、好奇心をあおる表現が必ず使われていたとする研究もある。もちろん、内容がほっこりする子ネコの動画だったりテレビドラマ『クローズ』の一場面だったりなら、なんの問題もない。

だが、全体としては、ヒステリックなものや挑発的なもの、あぜんとするものに焦点を当てがちである。言うまでもないが、これは、いまに始まった問題ではない。米国も、建国以来、ずっと、下品でけばけばしいたわごとに世間の注目が集まりがちな問題に悩まされてきたわけで。だが、アルゴリズムによるランキングの登場で、最近はいくらなんでもひどすぎる状況になってしまった。たとえば、ユーチューブでは、異常性や危険性の競争がくり広げられていたりする。ファンが200万人もいる状態をなんとか保とうと、子どもが苦しむ様を公開した人さえいる(バズフィードによると、「トラウマになりそうな予防注射」と題された動画には、お腹が出るほど両手を上にあげて女の子が泣き叫んでいるところなどが映っていたという)。

テクノロジーが社会に与える影響を昔から研究しているノースカロライナ大学のゼイネップ・トゥフェッシー准教授によると、ユーチューブのおすすめはユーザーの好みをやりすぎのレベルまで純化したものになり、極端に走りがちだという。たとえば、ジョギングの動画を見ると、ウルトラマラソンといった苛烈な運動の動画を勧められたり、ベジタリアンの動画を見ると過激な菜食主義の動画を勧められたりするというのだ。政治についても同じことが起きてしまう。ドナルド・トランプのキャンペーンを見たあとは、白人至上主義者が大騒ぎをしている動画やホロコーストなどなかったとする動画などが提示されるし、バーニー・サンダースやヒラリー・クリントンのスピーチを見ると、左派陰謀論や9/11陰謀論を勧められる。

コロンビア大学の研究員、ジョナサン・アルブライトも、学校における銃の乱射事件があったあと、実験として、ユーチューブで「クライシスアクター」を検索し、推薦される「次の動画」、「次の動画」とたどったところ、ほどなく、9000本もの動画を集めることができたという。そのほとんどが「レイプゲームのジョーク、どきっとさせるタイプの社会実験、有名人による小児性愛、なりすましての暴言、恐怖系の陰謀論」などで、いずれも、ショックを与える、怒らせる、誤った方向に導くといったことを目的にしているとしか思えないものばかりだったそうだ。金銭的な利益を得ることのみを目的としているものもあった。非道なネタを投下し、推薦システムの上位に取り上げてもらえれば、クリックに応じた収益が得られるわけだ。

推薦システムは扇情的なコンテンツをひいきにしがちなのだとトゥフェッシー准教授は表現している。

ルネー・ディレスタという研究者からは、おすすめのグループを提案するフェイスブックのシステムにも同様の問題が指摘されている。ワクチンに関する記事を読むとワクチン接種反対のグループに参加しませんかと出るようになるし、それがエスカレートすると、ケムトレイルといった陰謀論のグループがおすすめされるようになったりする。おすすめのシステムにより、ぐるぐる回りながらさまざまな陰謀論が生まれ、増えていく状況が生まれているとディレスタは考えている。

ビッグテック企業は、悪用を恐れていることもあり、システムの詳細は黙して語らない。だが、感情に訴えるものが優遇されているのは明らかであり、その結果、たやすく、思いのままに操れる状態であると、メディアを研究し、『アンチソーシャル・メディア（Antisocial Media）』を著したシバ・ビナーサンは指摘している。

「人の目を引くほどいいと考えるのなら、いかれたものほどいいことになります。金融政策について熟考し、論考を投稿したら、その方面に興味のある人からいいね！がひとつかふたつもらえるくらいでしょう。対して、ワクチンで自閉性になるというわけのわからない説を唱えれば、注目をすごく集められるでしょう。友達のうち、ひとりふたりは私が正しいと言うでしょうが、大半は、そんなの大まちがいだ、それはCDC

の研究でも確認されているなどと言ってくるでしょう。そうやってまちがいだとみんなが証明しようとすればするほど、私のメッセージは広く拡散することになります。おかしな話に反応するのは逆効果以外の何物でもないのです。権威主義者とか国粋主義者とか、頑迷な人とかにとっては、最高の環境だと言えます」

推奨アルゴリズムは、いま、世界各地で問題になっている。前回の米国大統領選挙でも、アルゴリズムで整理されるソーシャルメディアは感情に訴える力が強く、政治的に利用しやすいと、極右勢力（米国の政界を分断し、ドナルド・トランプに勝たせることを目的にトロール工場経由で画策したロシア政府もそのひとつと言える）があの手この手を展開するという問題が起きた。フェイスブックにもユーチューブにも、レディットにも、ツイッターにも、デマや陰謀があふれたのだ。なかでも有名なのは、ヒラリー・クリントンがワシントンのレストランを拠点に児童売春組織を運営しているとしたピザゲートや、民主党スタッフの暗殺を命じたとするうわさなどだろう。白人国家主義を掲げる右派サイトも、フェイスブック、ツイッター、ユーチューブなどのソーシャルネットワークを活用して存在感を強めようとした。イデオロギーの似た人同士がフォローし合ったり友だちになったりしがちで、エコーチェンバー化しやすいのも、ソーシャルメディアのよくない点だ。デマや人種差別的な話をしても否定されにくくなるからだ。特に選挙では、なんでもいいから泥を引っかき回そうとする人々がボットと呼ばれる自動投稿アカウントを用意し、ツイッターやフェイスブックに上がった陰謀論が話題になっているかのように演出したりする。ロシアのトロール工場や極右勢力は推奨アルゴリズムをごまかして注目を集めるのがとてもうまい上、そういう状態にびっくりしたジャーナリストが一般メディアでも取り上げ、事態がさらに悪化したりする。

あの大統領選まで、そういう組織的な政治運動が増えていることをソーシャルネットワーク側は特に意識していなかった。デマの拡散に使われているのは、たとえばフェイスブックも気づいていたし、スパムを通報するオプションを2015年1月に用意するなど、昔から対策も講じてきた。だが、大統領選で大騒ぎになるまで、極右や海外のグループが協力してシステムを悪用する可能性があるとは、基本的に考えていなかった。

たとえば、2015年から2017年までフェイスブックでプライバシーと政策企画を担当していた元社員、ディパイアン・ゴーシュも、気づいている人はあまりいなかったと思うと語ってくれた。バズフィードが報じたように、フェイスブックからばりばり右翼なコンテンツに大量のトラフィックが流れていることに気づいたエンジニアはいた。だが、そのことを社員専用フォーラムに報告しても、たしかに異常な事態だけど、だからどうしろと？という雰囲気にしかならなかったという。

極端なものを優遇するシステムが米国以上に問題となっている国もある。たとえばインド。フェイスブックのユーザー数が米国を上回っている上、与党側が人を雇い、対立陣営やジャーナリストを口汚く攻撃するメッセージを書かせているという。反イスラム勢力のなかにも、イスラム教信者を殺せと神のお告げがあったなどとフェイスブックに書く過激派がいる。フィリピンのロドリゴ・ドゥテルテ大統領も、500人のボランティアとボットを動員し、デマを流したりジャーナリストを攻撃したりしている。

ソーシャルメディアの広告ネットワークも、米国の政治を操ろうとする海外勢の策略に利用されている。2018年春には、ロシア政府と契約した各種ロシア組織がソーシャルネットワークの広告を何カ月にもわたって購入し、ヒラリー・クリントンを攻撃するとともに、彼女の政敵であるドナルド・トランプとバーニー・サンダースを支援したと、米国の特別捜査官ロバート・ミューラーが報告している。広告に目を付けた理由は想像に難くない。グーグルもフェイスブックもツイッターも、とてもニッチな層を狙って広告が打てるマイクロターゲティング技術を工夫しているのだから、不平不満を抱えて殺気だつ人種差別的な白人や新自由主義の台頭に憤っている左派活動家など、陰謀やデマであおりたいターゲットに手を伸ばすには格好の媒体なのだ。マイクロターゲティングなら、いらつくのは当然だよというカスタムメッセージを集団ごとに提供可能で、分断のくさびとしてこれ以上のツールはまずないと言えるだろう。

このような状況に背筋が寒くなり、ゴーシュは、フェイスブック退職後、シンクタンクの新米国研究機構に寄せた文章で、広告技術の市場は、偽情報による各種工作に最適なものとなってしまっていると警告を発した。政治系のデマで消費者に注目されれば、そこから収益を上げることもできるし、うまくやれば、操りやすい聞き手をたくさん集めることもできる、と。

インターネット広告の技術、アドテックはウェブビジネスの急拡大を支えるエンジンであるとともに、我々が目にしているさまざまな負の外部性を生み出しているビジネスモデルでもあるというのが彼の主張である。

「フェイスブックのメッセンジャーやニュースフィード、また、ツイッターのフィードのように、きわどく、麻薬のような魅力を持つ体験を生み出すことがビジネスモデルとなっているのです」

何人もの元社員から話を聞いたが、全員が口をそろえたように言ったことがある。そういう負の側面を目的に開発されたわけではない、だ。朝起きたとき、さあ、今日は、社会や人のつながり、信頼をむしばむシステムを作るぞと思う人はいない。ただ、なにがなんでもスケールを求める姿勢、広告による「無料」世界の実現、中毒性のエンゲージメントなど、ビッグテックを前に進める力に従っていると、いつしか、そうなってしまうのだ。

「フェイスブックが憎しみや嫌悪を好んでいるわけではありません。憎しみや嫌悪がフェイスブックを好んでいるだけです」

ビナーサンはこう表現している。

視野が狭くて人を見ない？

では、なぜ、開発時の00年代半ば、このような使い方が予想されなかったのか。また、なぜ、対応が遅れたのか。それを考えてみたい。

ソーシャルメディアツールの開発関係者は、工学的思考の副作用を指摘する。実際に開発するコーダーやデザイナーは、みな、ソフトウェアや論理、システム、効率には精通しているし、大きな問題を小さな問題に分割するのも得意である。だが、大半は若い大卒の白人男性であり、世界がどのくらい複雑であるかよくわかっていないし、政治もわかっていない。自分たち以外の人々がどう暮らしているのかもよくわかっていない。さらに言うなら、ドナルド・ラムズフェルドの有名な言葉じゃないが、わかっていないことをわかっていない。彼らの頭にあるのは「楽しい」だけ。いままでにないやり方で人とつながれるツールを作るという、新しい領域の開拓なのだから。コミュニケーションがやりやすくなって悪いことなど、あるはずがない。

ツイッターに早い段階で参加したコーダー、アレックス・ペインは次のように語っている。

「頭はいいけれど、視野がすごく狭いというか、人と関わらない部分で頭がいいというか、そういう人が多くて。興味があるのは数学や統計、あと、もちろん、プログラミングですね。ビジネスとか金融とかにも興味があったりします。でも、人そのものについてはなにもわかっていないんです。人を理解する知的ツールが工具箱に入っていないんですよ」

技術者と人類学者の両面を持つ友人ダナ・ボイドは、マイスペースを題材にこのようなソーシャルメディア問題を検討するプロジェクトに参加したことがある。そのときには、ティーンエイジャーが実際にマイスペースをどう使っているのかを見せるため、マイスペースの創業者、トム・アンダーソンをアップルストアに引っぱって行ったという。

彼らは、自分たちのサービスをユーザー一人ひとりがどう使っているのか、また、ユーザー一人ひとりがどういう影響を受けているのか、個別に見てはいなかったりする。エンジニアにとってソーシャルネットワークとはグラフで表されるもので、それを最適化するのが彼らの仕事なのだ。だから、個別のユーザーに注意を払い、ユーザー一人ひとりがなにをどうするのかを考えることはあまりない。

経済全体は好調だと経済学者は言ったりするが、そんなことを言われても、49歳でリストラされ、まっとうな職に就けなくなった人にとっては慰めにもならない。それと同じで、巨大システムを構築するエンジニアは、世界全体しか見ておらず、個別な見方はしなかったりする。コーダーの世界観は経済学者と同じで反社会的なことが多いのだ。

「データモデルに集中するあまり、そこに根ざす人間性が見えなくなる危険がテックコミュニティーにはあるのです」

こう語るボイドは、いま、データ＆ソサイアティというシンクタンクの理事長を務めている。

00年代の7年間、ブログの会社、シックスアパートで働いていた友人がいる。いま、グリッチというソーシャルコーディングの会社を経営しているアニル・ダッシュだ。彼は、ソーシャルメディアの構築に関わるテッキーは、彼も含め、ダビデとゴリアテの物語に魅せられた人ばかりだと考えている。考え方がハッカーだと言ってもいい。既存産業を覆すもの（つまり新しいメディア）が作りたいのだ。そのとき、こういうものを作ればこんないいことがあるはずというのは考えられるが、基本的にうぶで、デメリットは予想できなかったりする。

「あのころは、『これでメディアを変えられる。ゲートキーパーをなくせる。そして、政治的な運動がやりやすくなる』とよく話していました。そこにまちがいはなかったんですよ。ただ、負の側面を考えなかっただけで。我々が実現したいと考えた目標は、多くの人が共通の目的を持って動き、それをソーシャルメディアで共有できるようにすることであって、うそで多くの人を動かすことは想定していなかったんです」

そう言われれば、私にも思い当たる節がある。ツイッターなどのプラットフォームが登場した当時、乱用の可能性に思いいたれなかったことをすでに紹介したが、あのころの私はオンラインでハラスメントを受けた経験などないに等しい中年男性であり、そういう理想に心を躍らせるばかりだった。ダッシュの話に出てくる人々と同じくうぶだったのだ。

さらに、スケールが大きくなると想像さえ難しくなるという問題もある。

「ユーザーが何十億人というのは、ちょっと想像できませんでした。そこまで考えなかったのはまずかったと思いますし、その責任は、なんといっても私にあると思っています」

倫理的な面がすっぽり抜け落ちるのは、コーディングに限った話ではない。工学は、どの分野も、技術的課題に集中し、社会的影響をないがしろにしがちなのだ。スタンフォード大学コミュニケーション学科、フレッド・ターナー教授がロジック誌のインタビューで語った言葉を紹介しよう。シリコンバレーの研究で知られる人物だ。

「製品を作るのが工学なんです。きちんと動く製品を作ること――それさえできれば職業倫理は満たされるのです。『きちんと動くのか』が工学の倫理だと言ってもいいでしょう。きちんと動くものを作れさえすれば倫理的な問題はなにもない。トム・レーラーの歌にもあるじゃないですか。『大事なのは、ロケットを打ち上げること。どこに落ちるかなんて知ったこっちゃない。うちの管轄じゃないからね』――ヴェルナー・フォン・ブラウンの言うとおりさ、ですよ」

このような穴があるとコードやデザインの意思決定にどういう影響が出るのか、ツイッターを実例に見てみよう。

ツイッターが立ち上がったころ、人々が世界に発信できるプラットフォームになるという理想に惹かれ、エンジニアがたくさん集まってきた。ツイッターは言論自由党の言論自由派だと表現した社員がいるという話は有名だ。そんなふうだったから、不愉快な投稿や他人を傷つけるような投稿でもなるべく削除しない、が基本方針だった。これはツイッターに限らない。シリコンバレーは若い男性が多く、ああしろこうしろと言われるのは大嫌いで、口汚い投稿を削除しろと外部から求められると、つい、反発しがちなのだ。実際、元グーグル社員によると、相いれないと思う意見も書き込むことは許さなければならないなど、言論の自由を絶対とする流れがあったそうだ。

ツイッターでは、ドイツにサービスを展開した際、ナチ関連の投稿は削除しなければならないと法律で定められていることに不満を表明した社員もいたという。ツイッターのようなウェブサービスは「公衆通信事業者」の電話会社などと同じで、ユーザーのプライバシーを尊重しつつ、わけへだてなく公平にアクセスできなければならないというのだ。さらに、社会的な影響力についてなにも考えていない社員、ナチや言論についての議論に興味などない社員が多いのも事実だった。コードを世の中に送り出せれば満足という人が多かったのだ。人気が急上昇しているものに関わっていることがうれしい人もいたとペインも指摘している。だれも使わない死に体のアプリをいじっているより、広く使われるソフトウェアを出荷するほうが楽しいというわけだ。

ツイッターにまつわる社会的問題は、とんでもなく複雑だった。2010年代に入ると、大勢がよってたかってハラスメントするなどの事例が登場する。

こちらも、一番有名なのはゲーマーゲートだろう。アニータ・サーキシアンなど、ゲームにおける性差別を取り上げた女性批評家や女性ゲームデザイナーを男性主体の集団が追いかけ回した事件だ。このとき使われた手法に、ツイッターが使い物にならなくなるほど大量に、@をつけた返信をぶつけるというものがある。標的とされた人がアクセスしても、そういう悪態のコメントが何百、何千と並んでいて、ふつうのやりとりは埋もれてみつけられなかったりするわけだ。お前は淫売だ、殺してやる、犯してやる、個人情報をさらしてやるなどのツイートがひっきりなしに届く精神的な負荷も大変なものがある。高みの見物をしている人は、しばらくツイッターを使わなければいいなどと言うが、標的となった人々にその選択肢はない。みな、プロのライターやゲームデザイナーであり、ツイッターは、自分自身とその活動を宣伝する必要不可欠な場となっているからだ。法学者のダニエル・シトロンも指摘しているように、ツイッターは、彼らにとって仕事場の一部であり、これを使わなければ、存在感を示すことさえできないのだ。攻撃側は、それを理解した上でやっている。

ゲーマーゲートのあと、似たような事案が次々に起きた。メインイベントは2016年の大統領選挙である。女性に対する集団ハラスメントの火付け役となったオンラインフォーラムの一部が、白人至上主義とドナルド・トランプ支持を掲げ、トランプ候補を批判する人がいれば、誰彼かまわず、練りに練ったハラスメントスキルの餌食としていったのだ。もちろん、大統領選挙関連の暴言などは、ツイッターに限った話ではない。だが、ツイッターはとてもオープンで、公開アカウント同士なら自由にやりとりできること、また、ニュースの流れの中心に位置していることから、選挙工作にはもってこいだった。その結果、大統領選挙期間中、ジャーナリスト、クリントンのサポーター、黒人セレブに対し、反ユダヤや白人至上主義の攻撃がくり返されることとなった。反ユダヤの標的にされたニューヨークタイムズ紙の編集者ジョナサン・ワイズマンは、山のような脅しに耐えきれず、ツイッターから去った。俳優のレスリー・ジョーンズも、人種差別の言葉をつるべ打ちにされ、ツイッターから去った。

個人が悪行を働く可能性までしか考えていないあたりも、ソーシャルメディアはナイーブだと言わざるをえないと、広告代理店の経営から学問の世界に転じ、『迫害のアルゴリズム（Algorithms of Oppression）』を著したサフィヤ・ウモジャ・ノーブルは指摘している。スパムなどのジャンクなメッセージを流そうとする人がいるであろうことまでは、さすがに考えているが、集団が連携してサービスを乗っ取るような事態は想定していないというのだ。人種差別や女性蔑視のスレッドが林立する4ちゃんの住人や白人至上主義の集団がいっせいに動き、ターゲットに集中砲火を浴びせる事態になったらなにが起きるか、まったくわかっていない、と。

ツイッターの元社員に取材したところ、ゲーマーゲートのような事態もハラスメントボットの大量発生も、会社はまったく想定していなかったと証言してくれた。スパムボット検出のツールは昔から用意されていたが、それは、たくさんのアカウントにツイートをまき散らすアカウントを探すというもので、その逆、すなわち、特に共通点のないアカウントがひとつのターゲットを集中攻撃するケースを検出するツールは用意されていなかった。ハラスメント対策のツールなら、あることはあった。ハラスメントをしかけてくる相手にフォローされないよう、ブロックする機能だ（ブロックされても、個別にアクセスすればツイートを読むことはできる）。言葉遣いのひどいツイートを自動的に検出し、凍結するフィルターを開発することも検討されたが、言葉遣いの分析はとても難しい。たとえば、「あばずれ」の一言だけが書かれた返信があったとして、それが仲のいい女友だち間の冗談なのか、悪意に満ちた攻撃なのか、判断のしようがないのだ。

ツイッター社内にも、ハラスメントを真剣にとらえ、心を痛めている社員がいたが、エンジニアの大半はのんきに構えていたと元社員は語ってくれた。問題の重大性さえほとんど認識していなかったので、ゲーマーゲートが進み、深刻な事態に陥ってもそれと気づきにくかった、と。社員は、ツイッターというツール全体をコントロールできる有利な立場にいたにもかかわらず、つるし上げる形の乱用が生まれ、成長して、それこそ、2016年の大統領選では白人至上主義者やロシアのボットファームが十八番とする戦法になるなど予想もしなかったわけだ。

「いま、2016年になにが起きたのか、大統領選でなにが起きたのかをふり返ると、ゲーマーゲートのとき、もっとちゃんと対応していればああはならなかったんじゃないかと思えてしかたありません。でも、あのとき、我々はちゃんと対応しませんでした。特殊な事例という対応しかしなかったんです。アニータ・サーキシアンの言葉にもっと耳を傾けるべきでした」

乱用やデマにきちんと対応すべきだとの声も上がるには上がったが、会社として取り組むという話にはならなかったという。

「乱用は問題だと思う人は多かったのですが、組織としてはそういう話になりませんでした」

ツイッターでエンジニアとして働いたことのあるジェイコブ・ホフマン＝アンドリューズも、こう、電子メールで教えてくれた。ホフマン＝アンドリューズは、ずっと、非干渉は正しいアプローチだ、「攻撃されたらブロックする」はいい方法だと考えていた。ユーザーが自分でブロックすれば十分で、個別のアカウントやツイートがいいとか悪いとか、ツイッターが判断すべきではない、と。ハラスメントはプラットフォームの運営側が解決することだと思われると、事態はむしろ悪化してしまうと考えたのだ。特に非英語圏はそうなりがちだろう。ツイッターという会社は米国中心で、非英語圏の文化などよくわからないからだ。

だが、騒ぎを見ているうちに、新しい戦略が必要なのではないかと思うようになった。攻撃されたほうが、何週間も毎日毎日、何時間もかけてブロックしなければならないのは不公平ではないのか？　そう考えたホフマン＝アンドリューズは、対策ツールを作ることにした。そして、2014年にツイッターを別の理由で退職した後、ブロックトゥギャザーというアプリを開発する。このアプリを使うと、ブロックするアカウントのリストを友だちなどと共有できる。これをフォローすると、リストアップされたアカウントが自動的にブロックされる。だから、たとえば、女性蔑視の人々から攻撃されたら、同じような人同士、共同戦線を張って防衛に当たることができる。共有することで負担を少しでも減らせればいいというわけだ。

ブロックトゥギャザーは、ゲーマーゲートの直前に公開され、標的にされた女性が多数活用した。優れたエンジニアリングがあれば、ツイッターやフェイスブック、ユーチューブなどが足を取られた問題を多少なりとも緩和できるわけだ。本気で取り組みさえすれば。

世間からの反発に直面する

この問題は、2018年半ばに峠を越える。

このような経緯で、大手ソーシャルネットワークはテックラッシュと呼ばれる世間の強烈な反発に直面することとなった。

経営陣は議会に呼び出され、ロシアの組織がシステムを悪用して大統領選挙を揺さぶった件でぎっちり締め上げられた。ケンブリッジ・アナリティカ社がフェイスブックのユーザーデータを不正に取得し、政治広告の配信に利用していた件も公になり、大きな話題となった。

これを受け、ビッグテック企業各社は謝罪するとともに、このあたりの問題にも対処する姿勢を折々見せるようになった。ユーチューブは、ニュース速報機能でデマ動画のランキングが上がりにくくなる対策を発表。フェイスブックは、ニュースフィードに細かな修正を多数加え、紹介するニュースサイト数を減らすなどした。ツイッターは、攻撃に対処するとき便利なツールをいろいろ公開するとともに、7000万件もの偽アカウントを削除した。ロシア系の組織が登録した米国地方新聞のなりすましアカウントなど、スパムや乱用、デマなどに使われていたものだ。信頼・安全を担当するバイスプレジデント、デル・ハーベイによると、機械学習でなりすましや乱用の発見に努めており、いまは、フォローしていないアカウントに@ツイートをくり返していないかなどもチェックしているという。

ツイッターのプロダクトマネージャー、デビッド・ガスカは、いま、乱用対策や健全性確保を最優先に動いていると語ってくれた。

「ここ何年かは、それが最優先になっています。問題ははっきり認識されていますよ」

ただ、なにをどうすればいいのか、確たる答えがない世界で難しい。新しい手口も次々登場する。たとえば日本では、昆虫がふ化する画像をツイートするといういやがらせが登場した。もっとも、米国なら、そんなことはまず問題にならないはずだ。

「どうすればいいんだと思います？　昆虫のツイートとかその写真のツイートは禁止すべきなんですか？　禁止するとしたらどういう範囲で？世界中で？　それとも日本でだけ？　文脈は考慮すべき？」

ツイッターをはじめとするソーシャルネットワークで悪意に対処しようとすると、状況に合わせて判断と改修をくり返し、規則を進化させていかなければならない。まず、現行の規則に合わせてモデレーターを訓練しなければならない。アンチスパムAIの採用からツイッターの役割を再考する変更まで、ソフトウェアの改修もいろいろと必要になるだろう。いまのツイッターは害悪をおさえるのと同時に、建設的なやりとりを増やす方法も模索している。どうすれば、オンラインコミュニケーションが健全に行えるようになるのか、さまざまな研究機関と協力して検討しているのだ。注目しているのは、対話の表示方法である。いまは、すぐ、ぐちゃぐちゃになり、だれの話は建設的でだれの話は建設的でないのかわからなくなってしまう。

「対話相手が多くなると、話の筋を追うのも大変になりますし、どれに返信すべきなのかも混乱しがちです。返信したかどうかもわからなくなったり」

特にフォロワーが多い人は大変なことになってしまう。

そもそも、ツイッターとは好き勝手にツイートするためのものであって、一連の話をスレッドとして読むものではない、という根本的な問題もある。それも、今後は変わっていくのだろうか。

ツイッターのハラスメント対策とサービス改修は、かつて批判していた人にも評価されている。ゲーマーゲートで殺すと脅され、引っ越しを余儀なくされたゲームデザイナー、ブリアナ・ウーは、ツイッターの改修で事態はかなり改善されたとファストカンパニー誌に語っている。

「殺すという脅しはいまもありますが、そのほとんどは、フェイスブックか電子メールです。ツイッターは、私が見るより早く削除しているようです」（脅迫が減っただけでうれしいと思うほど、この社会はおかしくなっていると言える）

まだまだだと考える人も少なくない。削除対象ということになっている個人攻撃のツイートを通報しても、削除されなかったり、一部しか削除されなかったりするというのだ。

「このくそ売女がなどと言われて通報しても、アカウントは凍結されないのです」

歴史学者のマリー・ヒックスはこう証言している。

ツイッターはモデレーターを雇って報告されたツイートの判定をしているが、そのモデレーターがパンクしている可能性もある。

フェイスブックもグーグルも状況は同じだ。いずれも、テックラッシュに対し、人間のモデレーターを増やし、通報のあった投稿や画像、動画などのチェックを強化すると約束した。フェイスブックは2018年末までに1万人増員すると約束したし、グーグルも、2017年、ユーチューブの動画だけで1万人の増員を約束した。

仕事はサイバースペースでもトップクラスに過酷だ。通報されたのが脅迫やポルノなど、禁止事項に該当するか否かを日がな一日チェックし続ける。つまり、毎日毎日、何時間も、子どもが虐待されるシーンやティーンエイジャーが自殺を試みるところなど、精神が病みそうなものを見るのだ。そんなストレスフルな仕事を続けていれば疲れてしまい、禁止事項に抵触しない投稿を削除したり本当は削除しないとまずいものをしないですませたりすることがあるのは当たり前とも言える。

これもスケールゆえの問題だ。大きくなることを最優先にがんばり、実現したのがビッグテック企業である。そのフィードを流れる投稿は、世界全体で1日何十億件というレベルだ。このようなサービスを運営する人間が、全員、善意の塊である、持てる力を総動員して悪意や乱用、なりすましなどに対抗したいと考えていると仮定しよう。そういうことをする人を全員排除したい、と。実際にそうすることは可能なのだろうか。

わからない。スケールが大きすぎて人間によるチェックが難しいのはまちがいない。一方、技術ですべて対応できるかといえば、それも疑問だ。

いま、テック企業は、モデレーターを増員するとともに、AIによる不正の自動検出を進めるとしている。判断を自動化しよう、マシンで効率的にやろうというのだ。いかにもコーダーらしい解決方法と言えよう。だが、すでに見てきたように、人の行動は微妙でとらえどころがなく、いわゆるエッジケースとなることが多くて、エッジケースと機械学習は相性が悪いという問題がある。

白人至上主義者が作る画像には、必ずハーケンクロイツが入っていたりナチ万歳などと書かれていたりするわけではなく、簡単にそうとはわからないものが多い。どうということもない有名人の写真にちょっとしたキャプションを付けただけで、白人至上主義プロパガンダができあがったりするのだ。4ちゃんの画像ボードを見れば、そういう画像を若者がよってたかって次々作り、ソーシャルメディアに流しているとわかる。サフィヤ・ノーブルも指摘しているように、それに機械学習で追いつくことなどできるはずがない。

前出のビナーサンは、フェイスブックについて、新しい技術をひとつ導入しただけで、あるいは、新しいルールをひとつ増やしただけで、その問題を根本的に解決できるとはとても思えないと指摘している。それがいかに難しいことであるかは、たとえば、ミャンマー国内における乱用を監視する人間を雇うケースを考えればわかるだろう。

「まず、ミャンマー語がわかって、かつ、ヘイトスピーチに敏感な人が必要なわけですよ。それだけじゃありません。コンテンツガイドラインも必要なら、民族浄化の呼びかけに反対する人々、政府にたてつく気概のある人を何千人も集めなければなりません。フェイスブックがやろうとしているのはそういうことなんです。ミャンマーで反体制派を何千人も雇おうとしているんですよ。民族浄化に立ち向かおうとしているんです」

米国向けの方針も、政治的にナイーブすぎると言わざるをえない。2018年夏にリークされたフェイスブックの社内資料では、白人至上主義の投稿は禁止だが、白人国家主義や白人分離主義の投稿は問題ないとされている。後者は人種差別のカモフラージュに使われている表現だというのに、である。

ザッカーバーグをはじめとするフェイスブック経営陣は、みな、頭がいいし、自分たちは世界をゆがめかねない立場にある、だからなんとかしなければならないとの自覚も持つようになったようだとビナーサンは言う。だが、頭さえよければなんとかなるという話でもない。じゃあ、どうであればいいのかと言われても、それは、ビナーサンにもわからないそうだ。

「だれなら上手にフェイスブックを切り回せるのか、私にはよくわかりません。すごく大きいし、たくさんの人の暮らしに深く浸透してもいます。そもそも不可能なのかもしれません」

フェイスブックやツイッターやユーチューブほど会社が大きく、重要になったとき、関係者全員が納得するコンテンツポリシーや乱用されるおそれのないコンテンツポリシーというものが存在し得るのかも疑問である。テクノロジーに関する思索で知られるクレイ・シャーキーの指摘を紹介しよう。

「白人至上主義や極右陰謀論に反対する人々は、いま、そのようなコンテンツやそれを投稿するユーザーを排除するようビッグテックに圧力をかけている。だが、そういう革新系の人々が望む形で大企業がその力を振るう保障などどこにもない。リベラルな人々は、本気で、ひとつの大企業に決断を委ねるつもりなのだろうか」

そういう巨大プラットフォームが、海外では、専制国家の指示でコンテンツの削除をしている、また、黒人やイスラム教徒が人種差別発言の実例を投稿しても削除されるなどの点も問題だと、電子フロンティア財団のディレクターとして個人の自由や権利を守る仕事をしているデイビット・グリーンは指摘し、ワシントンポスト紙に以下のように書いている。
「一握りの私企業が交通整理をするインターネットへと突き進む前に、立ち止まってよく考える必要がある。人々のやりとりに多大な影響を与えるプラットフォームがコンテンツの善し悪しを判断し、年がら年中、投稿を削除したりアカウントを凍結したりする世界に突き進む前に。コンテンツを調整するシステムが普及すれば、それを権力者が悪用する日がいつか来るのは避けられない」
　スケールが大きいと問題が発生するなら、逆に、小さくすればいいのだろうか。そう主張する人もいる。ビッグテックの力が強すぎるのなら、企業を分割すればいい、と。独占禁止法的な考え方だ。たしかに、フェイスブックに競争相手はいない。議会に喚問された際、ザッカーバーグは、競合相手を示すことができなかった。ロン・ワイデン上院議員は、次のようにコメントしている。
「今後、フェイスブックは分割すべきと言う人が出てくるでしょうね。やり方も、すでにいろいろとアイデアが出てきていますし、すでにしている約束を守れなければ、ザッカーバーグにはやっかいな法律ができることになるでしょう」
　もっとも、これは、脅しにしかならないだろう。いまの連邦議会は勢力均衡で機能が低下しているし、テック企業の政治献金はどんどん増えているし、そういう状況ではたしなめるくらいが関の山で、企業分割など夢のまた夢である。欧州の後を追い、データプライバシーに関するルールの厳格化を進めるなど、ユーザーの保護を強化する法律を作るくらいが限界だろう。

倫理的な問題と広告からの卒業

　業界構造を根底から変えなければ、ビッグテックの進む道は変わらない。コードにまつわる構造、すなわち、だれが書くのか、だれが資金を出すのか、どこで稼ぐのかが同じだから、テック企業は同じ力を手に入れるし、同じ問題を抱えてしまう。本丸はここで、ここを変えなければどうにもならない。

だれが書くのかについて考えてみよう。ソーシャルネットワークの開発に携わる人がかたよっていて、幅広い経験が生かせないのが問題なのであれば、多様な人が携わるようにすれば多少なりともいいはずだ。フェイスブックやツイッターの立ち上げ時、女性やアフリカ系アメリカ人、トランスジェンダー、ラテン系など、アイデンティティに対するいやがらせをオンラインで経験した人々もコーダーやデザイナーとして関わっていれば、後々、プラットフォームが悪用される事態を予想することもできただろう。これで万事解決にはならないが、現実ほどひどいことにはならなかった可能性がある。

ベンチャーキャピタリストの優先順位も変えられれば、大きな効果が見込める。第1世代のソーシャルネットワークは、「人と人をつなぐ」ことのみを目的に構築された。互いに理解する、政治信条の違いを乗り越えるといった難しい部分は、ほうっておいてもなんとかなると軽く考えていたのだ。そんなことにはならなかった。なるはずがないのだ。元社員のケイト・ロスによると、フェイスブックを立ち上げたころ、ザッカーバーグは、情報の流れを作るのだと張り切っていたらしいが、それだけでは不十分なのだ。(フェイスブックはテキサスからイスラマバード、ジャカルタと世界中で20億人ものユーザーが「コミュニティー」を形成しているとザッカーバーグは語り続けている。ボイドはこれがすごく気になるそうだ。コミュニティーとは、本来、たがいに絆を感じ、頼りにする人々の集まりを意味するものなのに、それがいまだにわかっていないことが明らかだからだ)

今後は、技術に求められるものが変わる。人と人をつなぐだけではだめ。これからは、人生経験や価値観が大きく違う人とも絆を結べるツールを開発しなければならない。

技術の未来に関するエッセイで、ボイドは、次のように指摘している。

「社会の溝に橋を架ける製品や機能をベンチャーキャピタルや起業家が求めるようになれば、状況は大きく変わる。目先にとらわれず、未来をみすえて、社会インフラを作っていかなければならない」

幸い、そういう変化を求める機運がシリコンバレーにもないことはないようだ。ベテランギークの中に、自分たちの仕事に疑問を感じる人がいるというのだ。昔は楽しかったのに最近はそうでもない、よかれと思ってやっているのに、裏目に出ている気がしてしかたがないらしい。

スケールというわなも回避しなければならない。コーダーがスタートアップを立ち上げるとき、ベンチャーキャピタルにはなるべく頼らないほうがいい、ベンチャーキャピタルからの投資はなるべく少なくしたほうがいいと、グリッチのアニル・ダッシュは言う。投資家というのはホッケースティック型の成長を求めるものであり、それを求められると、どうしてもおかしなデザインになりがちだからだ。実際、会うテッキー、会うテッキー、みんなから、成長しなきゃと取りつかれたように言われるそうだ。

なぜ、成長しなければならないのかと問うと「こういう目標を達成しなければならないから」と返ってくる。なぜ、その目標を達成しなければならないのかと重ねて問うと、「資金を出した有限責任社員がリターンを出す期限を6年としていて、いま、5年目なんです。そして、ここから目標を達成するには、むちゃくちゃ成長するしかないんです」などと返ってくる。

無理やり大きくなると倫理的な問題が生まれやすいが、テッキーはそのあたりにうといことが多いとダッシュは指摘する——「当然という話ではありませんし、そういうことは、情報科学科では習いませんしね」

いずれにせよ、ダッシュのアドバイスに従うのは難しい。投資してもらえなければ離陸さえできない場合が多いのだから。成長至上の文化を変えられるとしても、かなりの時間がかかることだろう。

ソーシャルソフトウェア改革を締めくくるのは、広告からの卒業だ。

グーグルで働いていたジェームス・ウイリアムスも指摘しているように、広告はユーザーの興味関心から収益を引き出すわけで、その広告に頼ると、コーダーやデザイナーはユーザーと敵対する立場になってしまう。逆に、広告に頼らなければ、ユーザーを第一義にできる。たとえばウィキペディアは、もとから、広告ではなく、ユーザーからお金をもらうことにしていた。そうすれば、思わず広告をクリックする仕掛けも用意しなくていいし、ユーザーの行動を逐一追跡する必要もない。必要な記事をみつけて読んだらそれでおしまい。そこに特化しているわけだ。ウィキメディア財団のスー・ガードナー事務長は、自分たちはユーザーと同じことを望んでいるし、電話やノートパソコンのプライバシー機能や暗号化機能についてアップルが先行しがちなのも理由は同じで、お金を顧客が払っているからだろうと指摘している。

「お金を払ってくれる人は顧客って呼ぶんです。ユーザーや使用者なんて呼んだりしませんよ。麻薬売ってる人でもなければ、ね」

こう言って笑ったのは、デイヴィッド・ハイネマイヤー・ハンソンというコーダーである。彼は、90年代にドットコムバブルがはじけたとき、広告を収益源とした事業がばたばた倒れるのを見て以来、ユーザーがお金を払ってくれるソフトウェアしか作らないことにしたそうだ。作ったのは、ベースキャンプというプロジェクト管理ツールだ。毎月の使用料金は低めに抑えた。会社は、ほどなく、たくさんの顧客を抱え、何十人もの社員を雇うほどに成長。もちろん、顧客の行動を追跡したりもしないし、なんとなく製品を使い続けてしまうような仕掛けも用意していない。

相手がお金を払ってくれると、不思議な関係が生まれるのだそうだ。成長至上主義のマーケティング担当や広告担当、「事業開発」担当が社内にはびこらないのもいい。雇うのは、ほぼ全員が、顧客の問題を解決するのに必要なコーダーやデザイナーだ。

「作る会社になるんです。いいですよ〜。長く続く会社にしたいですね」

もちろん、唯一の正解などというものは存在しない。広告にもメリットはある。ツイッターやフェイスブックの社員からよく聞く話なのだが、有料サービスにしたら、何百万人という低所得の人々が使えなくなるし、何十億人という発展途上国の人々も使えなくなってしまう。いまは、そういう人たちも、経済的なものを含めてさまざまなメリットを享受しているが、月1ドルでも料金が必要となれば、そのチャンスは失われてしまう。

それでも、このような改革は考える必要があるし、その必要性は、今後、上がることこそあれ下がることはない。コードの社会的役割は大きくなる一方だからだ。解決には、ビジョンと実験が必要だろう。そのビジョンをテクノロジー業界の中核にすえられる人物も必要だ。

内部から改革を進める

そんな人物、どこかにいるのだろうか。

いるのではないだろうか。本書が取り上げているコーダーこそ、そういう人物になれるはずだ。ソフトウェアの作られ方を変えるだけの力をコーダーは持っているのではないだろうか。

実例もある。倫理的な問題への対応をグーグルに変えさせたタイラー・ブレイサッチャーらだ。

セルフレームのめがねをかけたプログラマー、ブレイサッチャーは、典型的なオタクだと言える。子ども時代にコーディングを独習したあと、南カリフォルニア大学で情報科学と物理学を学び、JavaScriptのプログラマーとして就職。その1年半後、グーグルに転職し、クロームブラウザーの開発に携わった。たくさんの人が使うものを作るすごくおもしろい仕事だし、同僚は、すごく頭のいい人ばかりだった。クロームの開発には2年間関わったし、それも含め、勤続年数は6年に達した。技術の世界では永遠にも等しい長期だ。

だが、だんだんと不満を感じるようになっていった。

まず、グーグルバスで1.5時間も通勤しなければならないのがいやだと感じるようになった。時間がかかるのもいやだったが、テクノロジー業界で働く高給取りが家賃を高騰させていると怒るサンフランシスコ住人がバスを目の敵にするのも気詰まりだった。

社内の雰囲気も悪くなっていた。問題は経営幹部とトランプ政権の関係で、トランプ大統領が就任した直後、技術ラウンドテーブルにラリー・ペイジが参加したことを不満に思う社員がいたのだ。毎週定例の会議で会社の倫理的問題を指摘しても、「指摘、ありがとう。調べてみましょう」などと実のない返事しか返ってこない。「のらりくらりとごまかされている気がしました。政治家でも相手にしているみたいに」とブレイサッチャーは言う。

勤続7年目、大きな問題が勃発する。米国防総省のAI開発にグーグルが関わっている、メイベンというプロジェクトに参加し、ドローンで撮影した映像を解析するソフトウェアの開発を支援していることに、2017年秋、一部の社員が気づいたのだ。

あるグーグル社員が「キム」という仮名でジャコビン誌に語ったところによると、気づいた一部社員はグーグルクラウドの長、ダイアン・グリーンに懸念を訴えたそうだ。だが、それから数カ月たってもなにも変わらず、会社は全力でプロジェクトを推進していた。だから、彼らは、メイベンのようなプロジェクトへの参画に自分たちは懸念を抱いていると、社内のソーシャルメディアで訴えることにした。

多くの社員が賛同した。みな、情報を整理する仕事がしたくて入社したのであって、軍が外国人を狙う手伝いをするつもりなどなかったからだ。「ちょっと待て。なにが起きてるんだ？　我々はなにをしているんだ？」という雰囲気だったと、ブレイサッチャーは当時の社内を表現している。社員に不安や不満が広がるなか、「戦争に関わるべきではないと我々は考えます」など、メイベンからの撤退をサンダー・ピチャイCEOに要請するレターを前述の一部社員が作成し、社内フォーラムに投稿した。

すさまじいばかりの反響があった。1日もかからず、署名が千人に達したほどだ。2018年4月には3千人を突破。AI系の人材からも、強い抗議の声が上がった。2014年に買収したAIラボのディープマインドから、もともと、兵器利用は絶対にしないことと言われていたなどの経緯もある。

会社側は、騒ぎを静めようと全社集会を開いたが、「長いことここで働いていますが、信用できないと心の底から申し上げる日が来るとは思ってもいませんでした。なぜ、我々社員は外野に押しやられていたのですか。なぜ、我々がどう思うかをたずねてはくださらなかったのですか」と勤続13年のベテラン社員に詰め寄られるなど、逆に、めった打ちにされてしまう。
隠しごとが多かったのもよくなかった。会社側は、当初、メイベンはせいぜい900万ドルの小さな契約にすぎないと説明していた。だが、この騒動がリークされ、報道合戦が始まると、メイベンは、防衛産業から数十億ドル規模の契約を勝ちとる作戦の一部であることが明らかとなった。
グーグルは、メディアの動向にぴりぴりしていた。AI研究主任のフェイフェイ・リーが書いた電子メールをニューヨークタイムズ紙がのちに入手し、報じたところによると、そこには、メイベンの詳細は極力伏せるべきだと書かれていたそうだ――「AIに言及することも、その関与をにおわせることも、なにがなんでも避けなければならない。AIやデータに関してプライバシーが大きな問題となっているいま、実は、AI搭載の兵器や武器に利用可能なAI技術を秘密裏に開発しているなどとメディアに報じられたらなにが起きるかわからない」
春の終わりには、耐えられないと退職する人が出始めた。みな、技術者であり、働く場所ならいくらでもある。シリコンバレーには人材を欲するスタートアップがたくさんあり、グーグルが職歴に入っていれば諸手を挙げて歓迎される。だから、自分の価値観を曲げる必要がないのだ。
ブレイサッチャーもそうしたひとりである。
「幸いなことにソフトウェアエンジニアリングは売り手市場で、働く場所を選ぶというぜいたくができるのですから、それはもちろん、価値観の合う職場に行くことになりますよ」
4月には転職先を決め、辞表を提出。退職者は10人あまりに上った。
この少しあと、会社側が折れた。社内の突き上げと社外の非難に耐えられなかったのだろう。2018年6月の第1週、メイベンの契約は更新しないとの発表が経営陣からあった。
この騒動により、テック企業の弱点がひとつ判明した。社員だ。ソフトウェア会社は人材の争奪戦をくり広げており、高額報酬による引き抜きも日常茶飯事だ。ツイッターがグーグルから人材を引き抜けば、グーグルはウーバーから、ウーバーはフェイスブックからという具合に。だから、労働市場におけるテッキーの力はとんでもなく強い。

ソフトウェアを使うふつうの人々にそのような力はないとブレイサッチャーは指摘している。

「フェイスブックやグーグルをボイコットするのはちょっと無理でしょう。ユーザーは、グーグルですぐ何百万人、クロームも何百万人という数字になりますからね。対して社員は、せいぜい数千人しかいません。そういう、世界に大きな影響を与える会社で働くのなら、自分にどれほどの力があるのか、また、その力をなにに使うべきなのかを考える義務があると言ってもいいのではないでしょうか」

もちろん、社員ならなんでも可能なわけではない。メイベンのときのように、多くの社員が声を上げなければ会社を動かすことはできない。

今後、似たような騒動がまた起きる可能性は十分にある。会社の方向性に倫理的な疑問や社会的な疑問を感じるコーダーが増えているのだ。2018年夏、米移民関税捜査局（ICE）が移民の子どもを親から引き離し、粗末な施設に隔離していると各社が報じた。このときマイクロソフトでは、自社がICEにソフトウェアを提供していると知った社員が300人以上の署名を集め、契約の破棄を会社に求めている。「マイクロソフトが販売する技術を作っている人間として、我々は、共犯にされることを断固拒否する」と。

また、フェイスブックやツイッターの社員は、くだんの大統領戦後、パーティーなどで勤め先を明かすのが恥ずかしいと思うようになったという。

「フェイスブックで仕事をしているなど、絶対に言いません」

ガーディアン紙の取材に、30歳のソフトウェアエンジニアはこう答えたという。たずねられたらごまかすそうだ。

「印象、大事ですからね。ごまかし方なんて、いくらでもあります」

この10年前、ウォールストリートには見た目だけよくて尊大な連中がはびこり、害悪を国中に垂れ流していた。いま、シリコンバレーのコーダーはその後を継ぐ者だと見られるようになってきている。映画でヒーローとして活躍するハッカーから、自分のことしか考えずあほなことばかりするたわけ者へとイメージが墜ちてしまったのだ。

テクノロジー業界の改革を進めるのは、外圧ではなく内圧なのかもしれない。バイスプレジデントやCEOが無視できない人々からの圧力だ。

ブレイサッチャーは、いま、自分と価値観が似ているハッスル社で働いている。小さなスタートアップで、ショートメッセージのソフトウェアを開発し、個人と個人が関係を構築・維持できるようにしたいと考える組織に提供している。顧客は、シエラクラブやプランド・ペアレントフッドなどの非営利組織が多い。

というわけで、いま、幸せに働いているが、グーグル時代に思いをはせてしまうこともあるそうだ。すばらしい点がたくさんあった。やりがいがすごくあったし、職場は活気に満ちていた。ないものはないとまで言われるカフェテリアもよかった。

「あそこはよかったなと思いますよ」

そう言うブレイサッチャーは、ちょっと悲しげだった。

第11章

コーディングとは
肉体労働とみつけたり

Blue-collar Coding

2014年、ケンタッキー州に元炭鉱員がいた。赤みがかったあごひげを蓄えた41歳、名をガーランド・カウチという。

住んでいるのは、ケンタッキー州東部の緑豊かな低山地帯にある人口7000人の町、パイクビルにほど近いところだ。それまでの15年間、炭鉱機械の予防保全を仕事とし、父や祖父と同じように石炭とともに歩んできた男だ。石炭がすべてだった。炭鉱で働く人は、みんな、家族である。

だが、2010年代に入ると、水圧破砕法の普及で天然ガスの価格が下がり、再生可能エネルギーの実用化も進んだ上、石炭の利用を減らす方向に連邦政府が舵を切ったことから、石炭は斜陽化が急速に進んでしまった。2008年、ケンタッキー州には1万7000人以上も炭鉱員がいたが、それから8年で6500人まで減少。あちこちに買い手の付かない石炭の山が放置される状態になっていた。

カウチは状況の変化に対応しきれずにいた。ルイビルまで行けば産業用機械を保守する仕事があるとは言われたが、通勤には遠すぎるし、かと言って、安定した仕事かどうかもわからないのに、妻や娘を巻き添えに住み慣れたところを離れるのも気が進まない。

どうすべきか悩んでいたある日、えっと思う広告がラジオから流れてきた。

「石炭鉱山を首になって困っている人はおられませんか。論理的に考えることができて、新しいことを勉強して仕事にしてもいいとお考えの方にいいお話があります。ケンタッキー州東部でコンピューターコーディングに革命を起こしたいと考えているビットソース社で働いてみませんか」

ん？　コーディングの仕事があるのか？　パイクビルで？

素人を集めてコーディング

呼びかけていたのは、ラスティー・ジャスティスという人物だ。ごま塩頭の55歳。同じく鉱業の世界で生きてきた男で、父親と一緒に、石炭輸送と土地造成の会社を経営してきた。彼も、石炭の落日にあせっていた。右肩下がりだとは思っていたが、まさか、業界全体がばったり倒れるとは予想していなかったからだ。

パイクビルで新しい事業を始めなければどうにもならない。狙うべきは成長産業。しかも、高給が払える仕事でなければならない。ケンタッキー州石炭産業の平均給与は年間8万2000ドル以上とかなりのもので、そのお金が食料雑貨店や飲み屋、自動車ディーラーに回る形で地域経済が成立しているからだ。同じように支えとなるだけの給与が払えなければならない。ジャスティスは、ビジネスパートナーのリン・パリッシュとふたり、ウインドファームやソーラーファームなどの代替エネルギーから、それこそ、養豚にいたるまで、ありとあらゆるアイデアを検討した（養豚はさすがに冗談らしい）。

そして、2013年のある日、ふたりは、車で数時間の距離にあるレキシントンで、テックインキュベーターを訪れた。シリコンバレーのスタートアップと同じように事務所は明るくて活気に満ちていたし、大きな革張りソファもあれば卓球台も用意されていた。テーブルではたくさんのコーダーがガガガッとコンピューターのキーをたたいている。彼らは、ここで、プログラマーを雇いたいのにこのあたりにはあまりいなくて困っているテック企業がたくさんあると告げられた。人が足りない。いい仕事で年間8万ドル近くもらえる。

いい話だが、大学で情報科学を学んでいなければいけないはず。瞬間的にそう思ったが、そんなことはないとインキュベーターのトップは言う。頭がよくてやる気があれば、オンザジョブで学べる、そういう手に職系の仕事だ、と。

これだとジャスティスは思った。炭鉱員は頭も悪くないし学ぶのも得意だ。技術に浸ってきてもいる。炭鉱員は田舎の山男で、血の巡りが悪いタイプだと思われがちだ。だが、実のところ、彼らの仕事はプログラマーとよく似ている。日がな一日、同じところに座り、根気よくハイテクを動かして問題を解決していくのだ。

「鉱山は技術系の仕事です。つるはしと弁当箱をイメージする人が多いのですが、実際は、ロボット工学の世界であり、流体力学や水力学がわからなければ仕事になりません。炭鉱員はひどく汚れるというだけで、実は、技術職なんです」

ふたりは、パイクビルでコーディングの事業を興すことにした。失業中の元炭鉱員を集めてプログラミングの勉強をしてもらい、アプリやウェブサイトを作りたい人から仕事を請けるのだ。まず、新人研修を担当してくれるコーダーをひとり確保した。研修中の給与には、連邦政府の補助金を活用する。事務所は、コカ・コーラ瓶詰め工場の跡地を選んだ。高速インターネット回線がすぐ横を走っていたからだ（当時、パイクビルなどアパラチア地方で高速回線はめったにない貴重品だった）。社名は、デジタルのビットと鉱山のビチューメンを掛け合わせ、ビットソースとした。

準備は整った。問題は、コーダーになろうと思う元炭鉱員が本当にいるのか、だ。ラジオとチラシで求人の広告を打った。

「求人枠は11人。50人も応募があればラッキーだと思っていました」

950人が殺到した。いかにも田舎の山男という感じの人々がソフトウェアの仕事を奪い合う状況だった。応募者をリストアップするデータベースを作らないと整理のしようがないほどの数だ。選抜用の試験も用意しなければならなかった。エンジンの分解整備とプレゼンテーション、どちらがしたいですか、など、数学的問題や心理学的問題を取り混ぜた試験だ。これで50人まで絞り、さらに別の試験で20人に厳選したあと、面接を行った。

ガーランド・カウチは、試験と面接をすべてくぐり抜け、採用された11人のひとりだ。ほかの10人もそうだが、彼は、鉱業の復活はない、新しいことを始めなければならないと思っていた。

初出社の日、ビットソース社のドアには、「新たな日に新たな一歩を」なるスローガンが掲げられていた。壁には、アパラチア地方に石炭産業をもたらした投資家、ジョン・C・C・マヨなど、地方の名士の絵が飾られている。「永遠に生きるつもりで学べ。明日死ぬつもりで生きろ」なるスローガンも掲げられていた。とんでもないところに来たのかもしれない——カウチはそう思ってしまった。

ジャスティスは第一声で「自分を失業中の炭鉱員だと思うのはやめて

ください。みなさんは、技術者、なのです」と語った。採用されたのは、ほかに、鉱山の安全管理者、地下に潜って採掘をしていた炭鉱員、コンベアベルトの補修をしていた大卒などがいた。研修中の給与は時間15ドル。実際の仕事が始まれば給与は上がる。給与はジャスティスとパリッシュが投資として自腹を切った。十分な仕事をこなせるようにならなければ、チームは解散せざるをえない。

その後は、HTML、CSSに始まり、のちにはJavaScript、そしてモバイルアプリ用の言語などを、朝から晩まで猛烈な勢いで詰め込んでいった。メンバーのひとり、ウィリアム・スティーブンスは次のように語っている。

「消火栓から水を飲むような感じでしたね。炭鉱は体力的にきつい仕事ですが、こちらは精神的に消耗します。これほど使ったことはないというほど頭を使いました」

スティーブンスは、露天掘り鉱山を首になったあと、やはり炭鉱員としての仕事を得ていたが、職場は片道3時間もかかる遠方だった。平日は、妻と3人の娘をパイクビルに残し、ひとり、車中泊をしながら現場に籠もる。家に帰れるのは週末のみ。きつい。でも、その仕事でさえ、いつまであるかわからない。ここがなくなったら、また、どこか遠くの炭鉱で働くのか？　とても無理だ。そう思って、ビットソース社に転職したという。だから、なにがなんでもコーディングをものにしてやると気合い十分だった。

全員が似たような境遇で、みな、コードを学ぶのに必死だった。カウチなど、何週間も隣席の姓を知らずに過ごしていたほどだそうだ。

少しずつ、形になっていった。週の最後には、そこまでに学んだことを活用してなにか小さなものを作る。まず、ごく簡単なウェブページを作り、次にはそれを対話形式にする、さらに、データベースと連携するという具合だ。

ジャスティスの予想は的中した。みな、貪欲に学んでいた。難しかったのは、細かいことは気にせずどんどん開発を進めるという意識の切り替えだ。鉱山では、細心の注意を払ってゆっくりが鉄則だ。まちがいひとつで文字どおり爆発が起き、人命は危険にさらされ、会社にばく大な損害を与えてしまいかねない。対してコードでは、とりあえず作って試して、おかしなところがあれば直すという手順をくり返すことが求められる。まちがいはあってもかまわない。いや、あることが前提なのだ。

数カ月もたつと、実際の仕事がこなせるようになった。最初は、パイクビル市議会のウェブサイト、クレーンやブルドーザーの会社のサイトなど簡単なものばかりだったが、次第に、農作物直売所の利用券を受け取るアプリや拡張現実アプリ、さらには、当時、ケンタッキー州に広がっていたオピオイドという麻薬と戦うためのアプリなど、複雑なものになっていく。

3年で、会社はほぼとんとんの状態まで来ることができた。難しいのは営業だそうだ。東海岸のクライアントは、アパラチアなまりが強い田舎の山男に仕事を頼むなど恥ずかしいと思うところが多いのだ（ジャスティスは、誇りを持って「田舎の山男」を自称している）。その実、ミートアップではMIT情報科学科の教授と語り合ったり、詳しくコメントを書いたコードでLinuxのエキスパートに感嘆されたりと、社員は、みな、一人前のディベロッパーに育っていた。学んだはずのことを忘れたりしないのがすごいとジャスティスは言う。

スティーブンスはフロントエンドデザインがおもしろくてたまらず、サイトのフォントやCSSをいじっているといくらでも時間がたってしまうそうだ。

「顔が輝く瞬間が大好きなんですよ」――そう言う彼の顔も輝いていた。

ジャスティスは、町おこしの世界でちょっとは知られた存在になった。ビットソース社にあやかりたいのだがどうすればいいかとの問い合わせが世界中から舞い込むのだ。

こうすればいいと簡単には答えられない。お先真っ暗のレベルまで経済が落ち込み、限界ぎりぎりまで追い込まれなければできない話だからだ。

「飢えから生まれたモチベーションですからね。昔、父がよく言っていたんです。人生は不公平だ。だからヘルメットをかぶれって」

いずれにせよ、ビットソースは、小さいながら、コーディングの未来を体現している会社だと彼は考えている。コーディングの第1波は、パーソナルコンピューターのパイオニア、すなわち、コモドール64や登場したてのHTMLからスタートし、そこから巨万の富を手にしたナードな若者だった。だが、コーディングの世界は成熟した。いまは中産階級の仲間になれる切符という感じだ。たくさんの人がおもしろくてそこそこ安定した仕事に就ける道と言ってもいいだろう。かつてケンタッキー州の鉱業がそうであったように。

プログラマーは肉体労働者だとジャスティスは言う。プログラミングは肉体労働だ、と。

一般的なスキルにするには

ジャスティスの言うとおりだ。プログラミングの世界はどんどん大きくなっており、だれがコーダーになるのかも、なぜなるのかも昔と変わり始めている。

今後、コーディングは、一般的なスキルになっていくのだろう。このスキルを持つ人は増えていくだろうし、高等教育を受けていればある程度のスキルは身につけていて当たり前という時代だってくるかもしれない。コーダーのイメージは、いままで、フードの付いたパーカーを着た若者が世界を変えてやると大言壮語しつつ、アプリを作るザッカーバーグ型だった。いまは、安定したいい仕事に就きたいと考えるプログラマーが多い。20世紀後半、実入りのいい仕事が中産階級を支えていたわけだが、今後はコーディングが支えていくのだろう。テクノロジー系の思想家でありアントレプレナーでもあるアニル・ダッシュ（ひとつ前の章に登場した私の友人）は、これを、ガテン系コーダーの登場だと表現した。

プログラマーの需要は世界的にぐんぐん伸びている。たとえば米国では、コンピューターおよびITの仕事が2016年から2026年で13％と、ほかの職種よりも急速に増加すると労働統計局が予想している。給与も一般的に高く、2017年5月現在、平均8万4580ドルとなっている（全職種対象の年収中央値はこの半分にも達しない)。であるにもかかわらず、人手は不足している。2020年の時点で、100万人以上も不足するとの予測もあるほどだ。加えて、ソフトウェア開発と関係ないはずの仕事でも、コーディングが必要とされるケースが増えている。たとえば、2015年の時点で、プログラミングの知識があればキャリア形成で20%優位に立てるとする報告書が、労働市場の分析で知られるバーニング・グラス・テクノロジーズから出ている。地域も、シリコンバレーに限る話ではない。事実、シリコンバレーはせいぜい10分の1で、残りは米国全域に散っている。大都市から小都市まで、あらゆる町に散っているのだ。

今後、どういう人がプログラマーになるのだろうか。

一番わかりやすい道は、大学で4年間、情報科学を学び、学位を取るという、いま、多くの人が歩んでいるものだろう。

産業界とのつながりが深い大学でいい成績を取れば、引く手あまたで就職には困らない。実際のところ、そういう大学の学生は有名どころのインターンに行くので、早い段階で就職が内定していたりする。コロンビア大学情報科学科を卒業したばかりの学生ふたりに話を聞いたことがあるのだが、一方はフェイスブックとマイクロソフト、ニューヨークのデータベース会社から誘われていたし、もう一方も、リフトとツイッター、どちらの誘いに応えようかと悩んでいるところだった。同級生はだれもそんな感じなのだそうだ。ハイテクスタートアップは、創業者が大学時代の友だちに声をかけがちという点も指摘しておくべきだろう。学生時代にそういう人と同じ講義を取ると、払いのいい仕事に就けたりするわけだ。

こうくれば当然なのだが、いま、情報科学科の人気はとどまることを知らない勢いで上がっており、たとえば米国では、情報科学を専攻する学生が、2011年から2015年のわずか4年で倍になってしまった。

どのくらいの学生がコーダーになろうとしているのだろうか。2015年、スタンフォード大学学部生のうち情報科学専攻は20%に達し、一番人気となっている。STEM人気でかすむ人文科学系など他分野の教員は、英語、歴史、人類学などの学生がどんどん減っていくのを指をくわえて見るばかりだ。コーダーなら仕事の心配がないことも、学生はちゃんとわかっている。仮にスタンフォード大学の学生全員が情報科学を専攻したとしても、全員がこの地域で就職できるだけの求人があると、スタンフォード情報科学科のディレクターだったエリック・ロバーツ（女性コーダーの章で登場した人物）が指摘するほどなのだ。

情報科学は80年代の頭にも90年代末にももてはやされたことがある。どちらも、しばらくすると落ち着いた。一過性の人気だったのだ。だが今回は違うと言われている。コーディングは産業の隅々まで浸透し、スタートアップに加えて、保険会社や地方銀行、エンターテイメント業界などでも必要とされていることから、需要はかなりの年月続くものと思われる。

情報科学に殺到している若者は、ラスティー・ジャスティスと同じように考えたのだろう。プログラミングができれば安定した仕事が得られる、と。奨学金の負債はかつてないほど膨れているのに、雇用は不安定になっている。そういう世界に生きる学生にとって、コーディングは、いま米国で減りつつある中産階級に、ある意味、滑り込める道に映るのではないだろうか。過去のブームは、ビル・ゲイツやマーク・ザッカーバーグのようになりたいという利を求めるものだった。対して今回は、まっとうな給与がもらえる仕事に就きたい、が動因だ。

90年代は、オレもビリオネアになれるんじゃないか、だったが、いま、そういう人は減っているとロバーツも証言している。

問題は、大学側のキャパシティが足りないこと。とにかく教員が足りない。スタンフォード大学では、情報科学科の教員は全体の2%ほどを占めるにとどまっている。ごくわずかな割合の教員で20%もの学生を教えているわけだ。ほかの大学も似たり寄ったりである。情報科学の教員が足りない。十分に雇えるほどの予算もないし、仮にあったとしても、ハイテク企業相手に人材の争奪戦をしなければならない。逆に、大学ではありえない6桁後半の高額報酬と自由な研究を餌に優れた教員を引き抜かれがちなのだ。博士課程の学生も、卒業後は大学にとどまらず、ウーバーやグーグルに就職してしまうことが多い。

その結果、情報科学科はどこもすし詰め状態となっている。たとえばスタンフォード大学で行われている機械学習の講義には760人もの学生が登録している（大学院の講義でこれである）。過密を解消したければ、入り口を絞るしかない。悪いがあきらめてくれと大半を断り、トップ中のトップだけに入学を許可するのだ。

「大人数のマスプロ授業にする手もないではありませんが……」と顔を曇らせるのは、ワシントン大学情報科学学科のエド・ラゾウスカ教授である。教育の質が急降下するので、大学としては選びたくない道である。実は、学部拡大のためとして州からかなりの予算が出ているのだが、それでも、需要に追いつけない。増員の予算がつかないかぎり増員しないできたのがいけなかったということなんですよね、と教授は苦笑いである。

いずれにせよ、教育の拡充が間に合わないのであれば、ほかに参入の道をたくさん用意しなければならない。

そういう道を新しく作ろうとしている人がいる。アビ・フロンバンだ。彼のフラットアイアン・スクールは、15週間の集中教育でコーダーを育てるブートキャンプである。学費は1万5000ドル。

ウォールストリートのキャンパスを取材した。訪問時、200人ほどの受講生がふたりペアで長テーブルに座り、コンピューター言語のRubyを学んでいた。ふと見ると、ホワイトボード用のマーカーでテーブルにコードを書いて相方に示している受講生がいた。

「机がホワイトボードなんですよ。最初はどうかと思いましたけど、あれ、いいんですよ。いわゆるホワイトボードだと、受講生の動きがごちゃごちゃで大変なことになってしまいます」

とにかく話し合い、共有し合うことが大事だ、それが一番勉強になるのだからとフロンバンは言う。

壁には、グレース・ホッパーの胸像や80年代の古いPCが描かれ、「LEARN LOVE CODE」という標語などが掲げられていた。

フロンバンは前髪を立てた34歳で、右肩にはフラットアイアン・スクールのロゴ、胸には親会社ウイワークのロゴがタトゥーで入っている。レーシングカーみたいでしょう？とフロンバンは笑う。

もともとは独学タイプのコーダーで、しばらくヘッジファンドで働いたあと、会社を立ち上げて4年ほど経営していたとき、なんとなくおもしろそうだと5週間のプログラミング教室を開いたのだそうだ。ところが生徒が次々プロになるのを見て、これを大きくしたらいいかもしれないと考えた。2012年にパートナーとふたり、フラットアイアン・スクールを立ち上げ、以来、2千人近い修了生を送り出してきた。

フラットアイアンはいわゆるブートキャンプ型の学校で、詰め込みに詰め込むことで知られている。教育は入学前に始まる。Ruby や JavaScript の基礎を学ぶ15週間のオンラインコースが無償で提供されているのだ。入学後は毎晩遅くまで残り、仲間といろいろなものを作っていく。受講生の半分は女性である。年齢はほとんどが若く、大学で学んだ専門よりコーディングを仕事にしたほうがいいと入ってくる者もいる。就職したが仕事が気に入らず、転職したいと入ってくる者もいる。テキサス州の養豚場で働いていた者もいた。

そんなひとり、ビクトリア・ファンの話を紹介しよう。ニュージャージー州出身の25歳で、入学3週間の初心者である。両親の勧めで薬学を学び、マンハッタンの病院に1年間勤務したが、どうにもやる気が出ない。小学校高学年のころにはアニメのウェブサイトを作り、なにもないところから作っていくのが楽しくてしかたないと感じていたほどで、もともとやりたかったのはソフトウェアなのだ。ただ、薬学を学んだことは、このブートキャンプでも生きていると彼女は言う。

「猛烈なペースで詰め込むわけですが、これって、病院にそっくりなんです。実用的な知識を朝から晩まで吸収し続けるんですけど、それがいいんです」

同級生の大半は、自分と同じように、数年間、おもしろくない、なにか作る仕事がしたいと思いつつ、弁護士やマーケティング担当などとして働いてきた人だそうだ。

「第1セッションの最後に、初めてのプロジェクトを完成させたわけですが、あのときは、気分、最高でしたね」

わずか15週間でいっぱしのプログラマーになれるわけではない。それはフロンバンも認めるところだ。情報科学科の4年間で教えられる内容すべてを学ぶわけではない。大学では、アーキテクチャーやデザインも学ぶし、コンピューターがなにをどう処理しているのか、抽象的な理論もたっぷりと学ぶ。その結果、たとえば、アルゴリズムの効率などを感覚的につかめるようになる。ランダウ記法も学んでいるので、ソートアルゴリズムの効率がいいのか悪いのか、1000万項目のソートを数分で終えられるのか、それとも数時間かかるのかなどもわかる。新しい暗号やAI、ビットコインのブロックチェーンなど、革新的なコードを生み出すのは、基本的に、そういうことまで学んだ情報科学科の卒業生だ。その証拠に、教育や大学との連携を担当するグーグルバイスプレジデント、マギー・ジョンソンも「こういうプログラムで学んできた人は、グーグルが求めるソフトウェアエンジニアリングに対応できないことが多いと経験から学びました」と言っている。だから、一流のテック企業は情報科学科の卒業生ばかりを集め、ブートキャンプ出身者に興味を示さなかったりする。

ブートキャンプは、60年代から70年代にはやった職業訓練校に近い。ブートキャンプを修了しても、画期的なものが作れるようにはならない。目的は、データをデータベースに記録したり、必要に応じてデータを引っぱってきたり、それを表示したりなど、ふつうのコーダーが毎日やっていることができるようになることなのだから。

だが、これは、月並みでおもしろくもなんともないことなのだろうか。違うだろう。これこそ、コーディングという仕事の大半を占めるものだ。アマゾン、グーグル、バイドゥ、アリババなど一流テック企業という天上界が例外なのだ。

「複雑なアルゴリズムや研究に携わっているのはごく一部にすぎない。我々のほとんどは、日がな一日、文字列をつなぐ仕事をしている」——テック企業npmの最高技術責任者、C・J・シルベリオのツイートである。たとえば、「クライブは」という文字列に「機嫌がいい」、「機嫌が悪い」などの文字列をつなぐといった具合だ。冗談ではない。まさしくこれこそ、相当数のコーダーが毎日していることなのだ。

企業ウェブサイトの裏には、ユーザーのクリックに反応するJavaScriptがぶら下がっており、それを作っている人がいる。サイトの見た目を変えているわけではない。新しいなにかを生み出しているわけでもない。そうではなくて、いまあるものの維持管理をする仕事、デジタル配管工のようなものだと言えるだろう。グーグルがクロームをアップデートしたりマイクロソフトがエッジをアップデートしたりすれば、そのたび、最新仕様のブラウザーに合わせて、だれかがJavaScriptを調整しなければならない。そうしなければ破綻するからだ。水漏れがないようにビルを維持管理する人と言ってもいいだろう。

コーディングの仕事が多く、コーダーの供給を上回る需要がある場所では、ブートキャンプが次々立ち上がっている。要するに、世界中で、である。

たとえばインドでは、ベテランコーダーのサントーシュ・ラージャンがギークスクールを立ち上げた。理由は、インドの情報科学教育が「10年は時代に遅れているから」だそうだ。従来の学校は、昔から使われている言語とデータベースが中心となっている。海外の大企業からバックエンドの仕事を安く請け負うインドの大会社に就職することを念頭に置いているからだ。おもしろみはないが、手堅い。だが、JavaScriptやRubyなど、新しい言語が勉強したい人は困るだろう。だから、インドにもブートキャンプが必要というのがラージャンの主張である。ギークスクールには医師も来れば、情報科学科の卒業生も来る。後者は、大学教育だけではデータベースのお世話係という味気ない仕事しかできない、もっとほかのことがしたいと考えた人々だ。みな、やる気に満ちている、つまり、優れたコーダーになれる条件を満たしているとラージャンは言う。

「ひとかどのプログラマーになる。ひとかどのミュージシャンになる。ひとかどのフットボール選手になる。違いはありません。みんな同じです。決意です。意気込みです。それが必要なんです」

ギークスクールの目的は、市場ニーズを満たす修了生を送り出す、しかも、4年制大学より期間は短く、学費は安く、である。

このようなわけで、いま、ブートキャンプは爆発的に増えている。2013年、米国におけるブートキャンプの修了生は2178人だったが、それからわずか5年で10倍近くの2万人以上に増えるほどの勢いである。

一人前のコーダーになる

この道はまっとうなのだろうか。ブートキャンプ経由で一人前のソフトウェア開発者になれるものなのだろうか。

確たることは言いがたい。ブートキャンプもピンキリだからだ。しっかりしていてそれなりの歴史もあり、修了生の就職率を監査済み報告書で公開しているところもある。あやしげなところもある。この分野の調査で知られるコースリポートの報告書を読むと、修了生の2/3から3/4が就職できているようだ。フラットアイアンはこのあたりわりとオープンになっているのだが、その報告書によると、2015年11月から2016年12月に修了し、就職を希望した人のうち、97%が、終了から6カ月でソフトウェア関連の仕事に就くことができたそうだ。約40%が正社員で平均給与は年6万7607ドル、半分は請負仕事、有給インターン、有給実習で平均時給が27ドル、残りがフリーランスとのことである。

わりと成功した例を紹介しよう。サンフランシスコ在住のルイス・デ・カストロ（29歳）だ。

2016年秋、ギットハブの会議で見かけた彼は、ノートパソコンに覆いかぶさり、フードからドレッドヘアが垂れ下がっていた。デブ・ブートキャンプ（いまはつぶれて存在しない）を修了したばかりで、その日は、受講生仲間に見せるため、テキストメッセージに込められた感情をIBMのAI、ワトソンで推定するデモの準備を進めていた。うまくいかない。少なくとも、そのときはまだうまくいっていなかった。エラーばかりが吐き出される状態で、いや、もう、なにがなにやらさっぱりだよと笑う。バグをつぶし終えたのは、デモの数分前だった。

デ・カストロはフィリピンで生まれ、子どものころ、カリフォルニアに移り住んだ。自動車が大好きだったので、高校を卒業するとBMWで洗車の仕事に就く。だが、だんだんと昇進して書類仕事になると、やりがいが感じられなくなってしまった。だから退職して大学に入ってみたが、どうもしっくりこない。結局、中退してしまった。

「なにがしたいのか、自分でもわからなかったんです」

どうしようかと悩んでいたとき、たまたま、デブ・ブートキャンプに入った友人と話をする機会があった。なにやらおもしろそうだ。無料のオンラインコースがあるというので試してみた。
「そしたら楽しくて。内容はちゃんと理解できるし、成績もよかったんですよ」
　学費の1万5000ドルが用意できるまで、かなりの時間がかかった。
「大変でした。なにせ無職ですからね」
　だが、なんとか入学にこぎつけた。
　とにかく刺激的だった。思わず尻込みしそうになるほど激しかったりもしたが。ともかく、毎日、朝早くから夜遅くまで勉強し、禅のような雰囲気のコーディングにのめり込んでいく。
「朝がいいんですよ。コードがあって。ノートパソコンがあって。ヘッドホンがあって。安らぎを感じるんです。なにも気にせず、ただただ、コーディングに集中するんです」
　デブ・ブートキャンプを修了しても、仕事があるとは限らない。仲間のうち、プログラマーになれるのは1/3だけ。1/3は、テック企業のマーケティング担当など関連の仕事に就くが、最後の1/3は、完全にあきらめることになる。就活は系統的に進めた。毎日、15社から20社に打診するのだ。
「下手な鉄砲も数打ちゃ当たるを地でいこうとしたんです。どういう会社かとか、そんなことも調べず、手当たり次第に当たりました」
　自動応答のお断りメールが受信箱にたまっていく。これではらちがあかない。なぜ雇ってくれないのか、理由をたずねてみることにした。回答は、経験がなさすぎる、だった。だが、ある日、リンクトイン経由の問い合わせに対し、面接に来いとの返事が返ってきた。初めての経験である。零細企業の資金調達を支援するファンディング・サークルという会社だった。初めての面接で合格するやつなんてまずいない、どうせこれもだめだろうと思った。ところが、驚いたことに合格してしまう。
　薄氷を踏む思いで仕事をした。自分には無理だと思いつつ、一から十まで検索しまくってなんとかこなしていく。そしてある日、ふと気づいた。あれ？　ちゃんとできるようになったんじゃね？、と。この日、初めて、自信を感じることができたそうだ。

デ・カストロがこの仕事に就いて1年がたったころ、また、彼から話を聞いた。自分の価値を確認しようと求職サイトに履歴書を掲載してみたという。給与はこれ以上という数字を指定することになっていたので、冗談のつもりで14万ドルとした。

「そうしたら、『部長級ということで面接に来ていただくことは可能でしょうか』とかいうメールが何通も届いたんですよ」

あまりのことに笑うしかない状況である。

もちろん、みんながみんな、これほど成功できるわけではない。コーディング専門のウェブサイト、テックビーコンの編集者を務めたこともあるミッチ・プロンシィンシェというテクノロジー系ライターがいる。取材をしているうちに自分でもやってみたくなったが、仕事を辞めてしまうわけにもいかなかったので、夜や週末が活用できるオンライン完結型のブートキャンプ、ブロック（学費は5000ドル）に入学することにした。一生懸命学んだし、担当メンターからも、「きみなら十分スタートアップで働けるよ」と言われもした。

だが、プログラムを修了し、仕事を探してみると、現実は厳しかった。求められるのは、暇な時間に作ったプロジェクトでギットハブのリポジトリーがいっぱいになっているタイプだった。プロンシィンシェは、ブロックの課題で作ったデモがふたつかみっつあるだけだ。要するに、求められているのは、昔と同じくコーディングが三度の飯より好きなタイプであり、職業訓練としてひととおりのことを学んだ人間ではないということだ。自分には無理だとプロンシィンシェは悟った。暇さえあればしてしまうほどコーディングが好きというわけではないからだ。

「原因は私にもあります。コーディングは、毎晩毎晩やりたいと思うほどおもしろいものじゃないんです」

とは言いながら、そういう人は業界で求められていない、だから、ブートキャンプ側も、いい仕事だと思って参入するのは難しいとはっきり示すべきだと彼は考えている。

「実入りがよさそうだというだけで選ぶべきじゃありませんね」

ブートキャンプは成功率をごまかしがちという問題もある。

無許可の学校に対し、カリフォルニア州が営業停止命令を出したことがあるのだが、その関連で寄せられた苦情の調査をしたところ、コーディングハウスというブートキャンプが就職率を偽っていたことが明らかになった。21社に就職実績があるとしていたのだが、実際に就職した修了生がふたりしかいなかったのだ。この件では、最終的に、創立者に5万ドルの罰金が科せられるとともに、廃校命令が出された。

フラットアイアンも、就職率の数字がおかしいとニューヨーク州から罰金を科せられたことがある。この件は、2017年秋、苦情を申し立てた受講生に総額37万5000ドルを支払う形で和解が成立している。

米国では、短大や大学のなかには儲けを優先し、経済的な理由から4年制の大学に行けない子どもを狙って多額の奨学金を借りるよう仕向けるだけ仕向けて、卒業や就職の面倒をまるでみないところがあると問題にされているが、ブートキャンプのなかにも同じようなところがあるわけだ。

ブートキャンプは、スタンフォードなどの一流大学と儲け優先で低卒業率の学校の中間に位置するのではないかと、営利を目的とした教育機関を研究しているトレッシー・マクミラン・コットムは考えているそうだ。いま、ブートキャンプに流れている人々は、営利型大学に惹かれる労働階級の若者に比べ、学ぶ意欲が強く、お金にはそれほど困っていない層である。だが、彼女がロジック誌に語っているように、お金を払ってこのような訓練を受け、それを活用できるだけの素養と財力を持つ人はそれほど多くない。

社会の下流からステップアップしていく仕組みとしてコーディングを活用することも考えられると思うが、そのためには、経済的に苦しい労働階級の若者にも使えなければならない。いまのブートキャンプは学費も高すぎるし、そういう若者のアンテナに引っかからない。それより、学費も安く、統制もされているコミュニティカレッジのほうがいいはずだ。だが、コミュニティカレッジにはキャパシティの問題がある。給与レベルが低く有名大学に人材を持っていかれてしまうのだ。その有名大学でさえ、テック企業に人材を引き抜かれて困っているというのに、である。スタンフォード大学のロバーツも、我々でさえ人材確保に苦労している状況でコミュニティカレッジがどうにかできるとは思えないとコメントしている。

コーディングは、自学自習ができる特異な産業である。

独習可能な技術職はめったにない。ジェット機ドリームライナーの翼を趣味で作って技術を身につけた人をボーイング社が採用することはありえない。医学部に行かず、知り合いで練習したという人に目の手術をしてもらうなど、想像しただけでぞっとする。ソフトウェアは例外で、大学や、それこそブートキャンプのようなところでさえ勉強したことのない人が作った製品がごろごろ転がっている。いろいろいじっているうちに習得する人が少なくないのだ。プログラマーからよく言われるのだが、コーディングは、技術職としては大変珍しいことに、プロと同じツールをアマチュアも使うことができる。これが携帯電話なら、マイクロチップの工場も必要なら精密なはんだ付けを行う装置、さらには、おそらくケース試作用の3Dプリンターなどもなければ設計することもかなわないが、ソフトウェアならノートパソコンが1台あれば事足りてしまう。コードを書くときにはコードエディターを使うが、その多くは無償で提供されている。このように参入障壁が低いことも、「ある程度、独習した」コーダーが69%、情報科学の学位のないコーダーが56%、「完全に」独習だったコーダーが13%（スタックオーバーフロー調べ）となっている理由のひとつだろう。いずれも、好待遇の技術職としては、信じられない数字だ。

クインシー・ラーソンは後者の例だ。20代で中国に英語学校を立ち上げ、その後、サンタバーバラに進出。技術関係はまったくの不案内で、Wi-Fiルーターの設定を妻にやってもらうほどだったという。そのころサンタバーバラでは、切り貼りして報告書を作る、文書の形式を整えるなどの作業を、みんな、うんざりしながらくり返していた。これを自動化できないか。そう考えたラーソンは（本書を読んできた方ならピンとくるだろう。この瞬間、プログラマーが生まれたわけだ）、AutoHotkeyというマクロのサイトを読んで勉強し、ちょっとした作業を自動的にやってくれる小さなプログラムを作るようになった。その結果、彼も教職員も、何時間分も手間を省くことができた。

「業務の効率が上がりました。加えて、学校の人気も上がったんです。先生方が生徒に関わる時間が長くなったからです」

すっかりおもしろくなってしまったラーソンは、学ぶチャンスをみつけてはすべて吸収していった。00年代半ばに始まった大学の大規模公開オンライン講座でも勉強したし、近くのハッカースペースに参加したり、プログラミングのミートアップに顔を出したり。そんなことを7カ月もしたころ、彼をいっぱしの技術者と勘違いした企業からディベロッパーとして採用したいとの話が舞い込んだ。誤解は解いたが、あとはオンザジョブトレーニングで勉強してくれればいいからと採用が決定。

2014年には、プログラミングをオンラインで学ぶカリキュラムを作り、さらに、3日をかけてフリーコードキャンプという非営利のウェブサイトにすると、無償公開した。このサイトは、独習したい初心者に大人気となる。簡単なウェブページを作る基礎から、最後はサーバーやデータベースの運用まで、順に学んでいけるのだ。学習時間は全部で1800時間。質問できる人なしで学ぶのは難しいこともわかっていたので、オンラインのフォーラムも用意した。また、ミートアップで実際に会うことも呼びかけた。2018年、累計でユーザー数は数百万人、オフラインの会合も2000箇所を数えるほどになった。

どういう人がオンラインで独習するのだろうか。フリーコードキャンプのユーザー、2万人近くを調査したところ、青年から中年にさしかかる年代で転職したいと考える人が多いそうだ。平均年齢は29歳で、35歳以上も1/5ほどいる。大半は男性（女性は5人にひとり）。約半分は学士以上の学位を有しているが、分野は技術以外のことが多い。2/3は米国外からのアクセスであり、英語が母語でない人が半分前後もいる。そこそこの人数が子持ちで、隙間時間をみつけて勉強している。注目すべきは、独習した人の25%が実際にプログラミングの仕事に就けるという事実だろう。

ラーソンは、プログラミングはだれでも学べる、やる気さえあれば仕事ができるレベルまで学ぶことができると強く訴えるようになった。世界には1日2ドル以下で生活している人がたくさんいるが、無料のオンライン講座なら、そういう人を支援できる。フリーコードキャンプの利用は、米国外ではインドが一番多いし、トップ10にはブラジル、ベトナム、ナイジェリアが名前を連ねている。彼らはブートキャンプの費用もまかなえないわけだが、それだけに、ハングリーでやる気に満ちている。

だれでも、実務に耐えるレベルに独習で到達できると考えるのは、お人好しとのそしりをまぬがれないだろう。だが、フリーコードキャンプで学んで仕事に就く人がいるのも、また、まちがいのない事実であり、実際、何人も、そういう人に取材をしている。

ひとりは、カナダのモントリオールに住むアンドリュー・シャルルボワ（29歳）。大工をしていたが、冬にレイオフされて暇になったので、フリーコードキャンプで勉強してみたそうだ。スクリーンに部品を並べて対話型ウェブサイトに仕上げていく作業は、木材できれいに作り込んでいく大工の仕事によく似ている。4カ月ほど勉強したころから仕事を探し始め、78回目の履歴書送付でディベロッパーとして採用された。本人が一番驚いたそうだ。なにせ、無理なんだろうと思い、27歳で転職は遅すぎるかなどとグーグルで調べるほどになっていたからだ。取材をしたのは、就職から2年近くがたったころで、彼は、新人コーダーの教育なども担当するようになっていた。

女性やマイノリティの就職が難しいこの業界で、オンラインの自習講座やブートキャンプにどれほどの効果が期待できるのだろうか。成功する人もいるにはいるが、特にブートキャンプについては、トレッシー・マクミラン・コットムのように批判的な見方をする人も少なくない。そういうルートは、鉄のような意志を持つ人や社会的・経済的にそれなりのものを持つ人でなければ、つまり、ごく一部の上澄みでなければ有効利用できないというのだ。オタク的に表現すれば、スケール拡大は不可能だ、と。

それより、ビットソース社のように、有給でオンザジョブトレーニングを提供するなど、常識にとらわれずに採用し、研修して戦力にするほうが効果的かもしれない。実際、深刻なディベロッパー不足を背景に、最近はそういうところが増えている。

たとえばボルチモアのソフトウェア企業、キャタライト社は、オンラインの適性検査で有望と判定された新人に5カ月の集中研修を施す方式としている。この適性検査は、履歴書と面接による従来型の採用ではいい人材が得られないと考えたハーバード大学院生のアイデアをもとに作られたものだ。くだんの大学院生は従来型の採用は社会的な階層を固定しがちだとも指摘していると、キャタライト社CEOのジェイコブ・シューは言う。経済的に余裕がある家庭の子どもは学歴も職歴も見栄えがすることが多く、実際の能力がどうであれ、採用されがちだ。だからキャタライト社では、いままでコーダーを輩出してこなかったところに適性検査の広告を出し、この試験でいい成績を上げた人には無条件で研修を提供するし、研修を終えれば必ず採用する。履歴書も求めないし面接もしない。最初はボルチモアを対象に試験を行った。

言うまでもないことだが、適性検査も、時代背景に応じて変化している。ソフトウェア黎明(れいめい)期の50年代から60年代は、どういう人がプログラマーに向いているのかわかっていなかったので、パズルやパターン認識で論理的思考ができる人を探した。その結果、意外な人が得意だとわかったりして、人材の多様化が進んだ。適性検査中心から文化的相性重視に変わり、男性優先となるには、ENIACガールの章で見たように、何十年かの時間が必要だった。

キャタライト社の試験は数学、パズル、小論文で、どのように解いていくのかもチェックする。こうすると、複雑なことが処理できる人なのか、つまり、複雑なことを小さな部分に分割する能力がある人なのかがわかるのだとシューは言う。試験の有効性は、うらぶれ気味の町でブラインドテストをして確認した。

いま、社員は600人前後。ソフトウェア会社とは信じられないほど多様な人が働いている。たとえばボルチモアオフィスの場合、ディベロッパーの29%がアフリカ系アメリカ人と業界平均の3倍に達している。しかも、そのほとんどが労働階級出身で、4年制の大学を卒業していない人が44%を占めている。平均年齢は33歳で、大半はキャリアアップをめざした転職組だ。

才能はわけへだてなく散っている、少なくとも、この仕事に適した資質はわけへだてなく散っているとシューは言う。キャタライト社に勤めて2年のカロライナ・エリクソン（35歳）に話を聞いた。大学では音楽を専攻し、フルート奏者をめざして何年かがんばったが、あきらめざるをえなかったらしい。その後、アルバイトでテクノロジー企業のコールセンターに入ったこともあり、そういえば、昔、ウェブ開発に興味があったんだっけと思い出し、大学の公開講座で勉強を再開。そんなことをしているとき、キャタライト社のことを知り、適性検査を受けたら合格して採用されたのだそうだ。入社後は、スタブハブのチケット販売システムやそのiOSアプリを改修するチームで仕事をしてきたという。

チームで働く経験など、情報科学科の新卒にはない強みが転職組にはあるとエリクソンは言う。オーケストラでの演奏に通じる部分があるというのだ。また、フルートは初見で演奏しなければならないことあり、物事をさっと把握してどうすべきか考える力も必要なら、仲間とうまく合わせていく力も必要だ、と。

常識にとらわれずに幅広く人材を集めると、視野が広がるというメリットもある。情報科学科を卒業し、いさんで就職してきた若者には人生経験がない。だから、どんな問題でも解決できるとうぬぼれやすいし、ソフトウェアの作り方次第で対応できるかもしれない問題に気づかないことも多い。歴史や社会学、文学などの人文科学を学ばずに来てしまうと、文芸評論家ノースロップ・フライなら「浅学の想像力」とでも呼びそうなものしか身につけていなかったりする。二進数で白か黒かしかないマシンの心は理解できても、あちこち飛び回る人の心は理解できず、ユーザーがなにを求めているのかわからなかったりするのだ。

リベラルアーツを学んだ人は批判的に考えることができると、楽器のオンラインマーケット、リバーブのデビッド・カルトCEOは考えている。音楽プロデューサーの経験もあるミュージシャンで、90年代に第2のキャリアとしてソフトウェアを学び、スタートアップを立ち上げて売却するなどしてきた人物だ。リバーブを作ったのは2013年で、イーベイやクレイグスリストで楽器を売買してひどいめにあった話を音楽仲間から聞いたのがきっかけだった。リバーブには、楽器を売るとき便利な機能がいろいろと用意されており、手元にあるドラムセットやビンテージもののギターペダルなどの相場を知ることもできる。

カルトCEOは、子どものころからコンピューターを学ばせたほうがいいが持論だったが、ソフトウェア会社を2社経営してきた結果、哲学や政治学など人文系を専攻したディベロッパーのほうが実績を挙げることに気づいた（カルト自身は政治学専攻である）。だから、最近は、180度違うことを言っている。いろいろなことを幅広く学んだ人間を雇うべきだ、プログラミングは趣味として学んだか、第2のキャリアを歩むために学んだかでいい、と。

「うちの会社には、ブートキャンプ出身の人がたくさんいますよ。また、だれなら2年でシニアディベロッパーになれるのか、すぐわかります。ぶっちゃけた話、リベラルアーツを学んできた人ですね。直線的に考える人より批判的に考える人のほうが、ダイナミックに言語を吸収できますから」

リバーブは取り扱っているものが取り扱っているものなだけに、音楽を趣味とするエンジニアが多い。音楽をやっている人がオンラインに求めているものが直感的にわかるからだ。だから、楽器の写真は大きいし、演奏の様子を映した動画が用意されているし、高価な楽器の海外発送には保険もつけられるようになっている。ちなみに、ミュージシャンも、独学で楽器を上手に弾きこなすにいたった人が多いという。

なにも考えず奏でられるようになるにはどう学び、どう練習すればいいのか、ちゃんとわかっている人々というわけだ。

身分制度が生まれる恐れも

コーディングの人気が高まれば高まったで、いろいろと微妙な問題が生まれてしまう。そのひとつが、ジェンダーによる二極分化である。女性やマイノリティが参入すると、その分野は軽んじられるようになってしまうのだ。

フロントエンドのコーディングがいい例だろう。HTMLやCSSをいじってシンプルなウェブサイトを作り、そこにJavaScriptを加えて対話型にするというのは、定番のコーディング入門経路だ。90年代から

00年代半ば、オンラインのポップカルチャーはそういうことがやりやすい状態だった。コードをいじることでデジタルのペットやその小屋をカスタマイズできるネオペットというサイトがあったりしたし、昔のマイスペースもそんな感じで、自分のページをわざとおかしな具合にしたりすることができた。実際、ネオペットでさんざん遊んだと懐かしむフロントエンドエンジニアがたくさんいる。同じように、とんがったテレビ番組やバンドをたたえるサイトも、いじりまくる対象だった。コモドール64が登場した80年代、ティーンエイジャーの男の子がビデオゲームからコーディングの世界に入ったわけだが、その後20年ほど、入り口として機能したのはポップカルチャーファンの世界だったのだ。そこでウェブスキルを磨き、急拡大するウェブデザイナーの世界に入った人がたくさんいる。

これが大きな理由なのではないかと思われるが、女性はフロントエンドの仕事に就くことが多い。実際、UCLAでインフォメーション・スタディーズを教えているコーダー、ミリアム・ポスナーがスタックオーバーフローに参加しているコーダーの職業を調査したところ、女性は、フロントエンドであるデザイナーとフロントエンドディベロッパーが一番多かったという。それに比べると、サーバーやデータベースと格闘するバックエンドの仕事や、注目を集める新分野であるブロックチェーンやAIといった仕事に就く女性はごく少ない。後者は男の世界なのだ。払いも、男の世界のほうがいい。フロントエンドの仕事は、バックエンドに比べ、平均で年間3万ドルも給与が少なくなってしまう。

女性が入ってくるようになるとその分野の評価は落ち、男は最先端の別分野に移る。人材不足が演出できる分野、女人禁制の文化が醸成できる分野だ。少なくとも、女性が異端だとみなされる分野である。いまなら、ビットコインをはじめとするブロックチェーン関連やAIがそれに当たる。どのようなイベントでも、これらはほかの分野より男の比率が格段に高い。

これを、ポスナーは「ピンクゲットー」と呼んでいる。ウェブサイトやモバイルアプリの機能性を高め、ユーザーが望むとおりに反応するようにするJavaScriptなどについては、女性やマイノリティもエキスパートかもしれないとプログラマーの世界で認められている。だが、それは見た目の話にすぎない、本物のコーディングではないと低く見られている。とんでもない話だ。フロントエンドのコーディングは複雑だし、必死で学び続けなければならないほどどんどん変わっていくのだから。ポスナー自身、このようなあざけりの視線を感じた経験者だ。最初は、ウェブサイトが作りたくてHTMLとCSSを独習したが、そんなのは本当のコーディングではないと言われてしまった。それならサーバーも運用できるようになろうと考えPHPとDrupal（ドルーパル）を学ぶと、そんなのは簡単すぎるお仕事だと笑われた。JavaScriptでも同じことが起きた。「女性がする仕事は格下ということになるんです」とポスナーは言う。エコノミスト誌によると、あらゆる産業で同じことが起きているという。たとえば看護、たとえば小学校教育と、女性のほうが多くなると、はっきりだったりなんとなくだったりはするが、その分野はたいしたことがないとされ、社会的な地位も給与も下がってしまう。

フロントエンド蔑視の背景には、昔から続いてきた、なにが「真の」プログラミングなのか問題がある。

トップクラスを自認するコーダーは、抽象度が高くて学ぶのが難しい言語のほうが価値が高いと言ったりする（持ち上げるのは、たいがい、自分が好きでよく使う言語だ）。そういう人にとっては、コーディングがだれにでもやりやすくなる工夫など、ストイックで難しいせっかくの仕事を腐らせる以外のなにものでもないとなる。

これは、コンピューター科学者草分けのひとり、エドガー・W・ダイクストラのころから続く伝統だ。1975年ごろ、ふつうの英語と同じように読め、それだけに、初学者にも学びやすいとされるBASICやCOBOLが登場しつつあった。ダイクストラはこれを憂えた。ぶくぶくと締まりがなく、しっかり考えて組み上げられているとはとうてい思えない。そんな言語を使うと、つい、おかしな書き方をしてしまい、エレガントなコードにならない。そう考えたのだ。「COBOLを使うと精神がおかしくなる。よって、その教授は犯罪だと考えなければならない」とか「BASICに毒された学生に優れたプログラミングを教えるのは、事実上、不可能である。更生不能なレベルで精神に障害を負っているからだ」と書いているほどだ。

辛らつな言葉だが、完全に的外れとも言いがたい。COBOL はぐっちゃぐちゃのコードになることが実際にある。コーディングできないマネージャーにも読めるようになどと考えれば、すっきり効率的なコードにするのは難しい。また、BASIC には、たしかに血の気が引く側面がある（悪名高いのは GOTO コマンドだ。どこからどこへでも好き勝手飛べるので、スパゲッティコードになりやすい）。

同時に、これは、初心者でも学びやすくするなどもってのほかという優越感丸出しの言葉でもある。難しいからコーディングはすばらしいのだ、ふつうの人の手には負えず、ストイックに向き合う人しか残らない、アスキー文字列のプリントアウトを見ているだけで幸せな人しか残らないからすばらしいのだと考えているわけだ。当時は COBOL と BASIC が批判され、いまは、それが JavaScript や HTML、CSS など、新人や女性、マイノリティなどが流入する経路のウェブ言語になっているだけだ。

フロントエンドの世界がピンクのゲットーになると、上級オタクを自認する人々は逃げ出す。ウェブやアプリの開発からブロックチェーン（ビットコインなどの暗号通貨）や機械学習などの新領域に移るのだ。どの領域も技術的に難しい。機械学習を扱いたければ数学的な思考が必須となる（高度な機械学習なら、これに加えて情報科学の素養も必要になる）。また、これらは、ロボット工学や自律運転車など、ベンチャーキャピタルが大量の資金を投入している人気分野に欠くことのできない技術であり、報酬が高いのも魅力だ。

そういう流れがあるので、コーディングにおける女性の地位を研究しているマリー・ヒックスなどの思想家は、ブートキャンプ経由で女性がコーディングの中核部分まで浸透するのは難しいと考えている。仕事に就くくらいはできるだろう。だが、女性は本質的に難しいコーディングに向かないという業界常識にさえぎられ、上に行くことは難しい。そういうコーディングができるのなら、いまだって、そういう仕事をしている女性がたくさんいるはずじゃないかと言われてしまうのだ。

「ブートキャンプは悪くないと思います。ただ、問題の所在そのものに誤解があるんです。問題は道ではなく、能力主義です。道を作って人を送り込むだけでは、能力主義になっていない能力主義を肯定することになってしまいます」——ヒックスはポスナーにこう語ったそうだ。

このような形でコーディングの世界に身分制度が生まれていく。だれがなにをするのか、報酬と名声が得られるのはどういう仕事なのかが決まるのだ。ブートキャンプ、独習、オンザジョブトレーニングがあれば新規参入がやりやすくなり、女性やマイノリティ、労働者階級の人々など、社会階層や地域の面で不利な人々も参入できるようになるし、サービス業より高い報酬も得られるようになるだろう。だが、トップクラスの高額報酬は新規分野でなければ得られないし、そこは、先輩コーダーや、これから情報科学の学位を取る人々が中心の世界となるわけだ。

今後は、肉体労働系のブルーカラーによるコードがどんどん生まれてくる。加えて、ピンクカラーやホワイトカラーによるコードも生まれてくる。

プログラミング教育はどうあるべきか

人材需要が増え続けるのなら、子どもたち全員にプログラミングを習わせるべきなのだろうか。

賛否相半ばである。

そうすべきだと強く主張する人もいて、フリーコードキャンプのクインシー・ラーソンは「コーディングは仕事にしない人も含めて全員に習わせるべきです。多くの仕事で役に立つようになっているのですから」と指摘している。たとえばビジネスの世界では、Python や R などで販売データを分析し、役立つ情報を取り出すことができれば、まちがいなく就職が有利になるし、ルーチン業務を自動化する力があれば、どこに行っても重宝される。

「いまの社会では、とても多くのことがマシンで処理されていますが、それは、いずれも、命令をそのとおりにこなしているだけのことです。コンピューター科学者、ジョン・マッカーシーの言葉を借りれば『だれにとってもコンピューターのプログラミングは必要だ。それ以外に召使いと話をする方法はないからだ』といったところでしょうか」

世界に目を転じると、STEM 教育が人気を博していることもあり、読み書きそろばんと同じく必須技能としてコーディングを小学校で教える方向に傾きつつある国が多い。実は、この考え方は、昔から存在している。

80年代、MIT でコンピューターの研究を先導した教育理論家、シーモア・パパートも、プログラミングは子どもに有益な思考形式であるとした。フランス語を習得したければ、パリなどフランス語が話されている地に住むのが一番であり、それと同じように、論理や数学、体系的な思考を学びたければ、数学世界、すなわちコンピュータープログラミングの世界に住むのが一番というわけだ。この流れをくむ人々は、いまの教育ではパワーポイントのプレゼンテーションやちょっとかっこいい動画をどう作るかなど、レベルの低いことしか教えられていないと眉をひそめる。新しいことをやらせられなければ、自分がして欲しいと望むまさにそのことをやらせる方法を知らなければ、コンピューターの力を本当に引き出せるとは言えないのに。だからだろう、最近は、MIT の Scratch など子ども向けのコンピューター言語が次々と登場してくるし、アワーオブコードやロボットコンテストなどのイベントもたくさん行われている。学校も、過密なカリキュラムに少しでもいいからコーディングを取り込もうと必死だ。英国では、5歳から16歳の学年で情報科学を必修としたし、爆発的に増えつつある中国中産階級は、中国も同じようにすべきだと国に強く訴えている。

だが、コーダー自身は、プログラミングが読み書きと肩を並べるほどの基本技能だと考えていなかったりする。たとえばスタックオーバーフロー共同創業者のジェフ・アトウッドは、「コーディングの必修化を叫ぶのは、配管工事技能の必修化と同じくらい無意味だ」とする評論を発表している。一定レベルの配管工がたくさんいてくれなければ困るし、天才も何人かいてくれないと困る。また、たぶん、配管とはどういうものなのか、みんなも知っているべきでもある。だが、配管は配管が好きな人に任せ、コーディングはコーディングが好きな人に任せ、ほかの人は、各自、好きなことをするほうがいい世界になるんじゃないだろうか。

今後、さまざまな問題の解決にコーディングが必須だと考えてしまうと、世界全体がシリコンバレースタイルに染まり、ソフトウェアさえあればなんでも解決できると考えるようになる恐れがある。アトウッドも、次のように書いている。

「それでは問題より解決方法を優先することになってしまう。あわててコードを学ぶより、問題についてきちんと考えるべきだ。そもそも、問題はあるのか。他人にわかるように問題を説明できるのか。問題そのものとその解法候補をしっかり検討したのか。問題はコーディングで解決できるものか。結論にまちがいはないのか」

人間の行動はとても複雑で白黒がはっきりつくようなものではない。その微妙な変化や違いを理解するには人文科学が欠かせない。人文科学を活用し、社会や人の心をどうしたいのかをはっきりさせなければ、その目的を達成するのにどういうツールを使うべきなのか——コーディングなのか配管なのか都市計画なのか——を考えることなどできるはずがない。

だから、小さな子どもを持つ親は、STEM信者の言葉をうのみにせず、子どもにコードを習わせるべきか否かを自問しなければならない。ベストな回答は、ほかの疑問と同じくおもしろくもなんともないのだが、それなりに、だろう。コーダーや教育者のなかにもよくある意見なのだが、小学校のどこかである程度のコーディングは教えるべきだ、そうすれば、興味の有無がわかるから、である。そうでなくても足りないと言われている算数、歴史、国語といった基礎科目の時間を削ってまで、全員にコーディングの練習をさせる必要はたぶんない。でも、好きか嫌いか、各自が判断できるように、味見くらいはさせてやらなければならない。そうしなければ、コーダーになりたいと思うのが、親からいろいろと教えてもらえた子どもだけになってしまう。

もっと大事なことがある。コードをいじって遊ぶ雰囲気の醸成だ。授業で教えるのは大事だが、どうしてもつまらなくなりがちだ。「アルゴリズムの書き方」なんて、なにを言いたいのかいまいちわからないものを教えられても心が躍ることはない。それより、放課後に楽しく遊ぶ形のほうが効果的だろう。おもしろいものを作って仲間に見せたいとあれこれやっているうちにコーディングが好きになっていくわけだ。だから、ディベロッパーは、昔、テレビゲームを作ったとか好きなテレビ番組やバンドをたたえるウェブサイトを作ったとかいう話をよくする。それこそが成果であり、友だちに自慢できるなにかだったのだ。みな、コーディングを学ぼうとしてコーディングを学んだわけではなく、前日放映のテレビドラマでなにを思ったのかを友だちに伝えるウェブサイトや自作のゲームなど、文化的な力のあることをなにかしたいと思って学んだわけだ。

たとえば、ここ10年ほど、コーディングの大きな入り口となっているのは、LEGOのデジタル版という感じのゲーム、マインクラフトだ。まず、木を切って木材を手に入れたり、地面を掘って土や鉄、金などを手に入れたりする。次に、それを材料にブロックを作り、さらに、家やそれこそ都市などの構造物を作り上げていく。ほとんどの子どもは、このようなゲーム本来の遊び方で楽しむ。

だが、ここからある種のプログラミングに足を踏み入れる子どもがいる。電気配線のように使えるレッドストーンというものが用意されていて、コンピューター言語と同じように論理回路が作れるからだ。このスイッチとあのスイッチをクリックすればライトがつく、このレバーかあのレバーを回せばドアが開くという具合に。前者はANDゲート、後者はORゲートに相当する。マインクラフトでは、コーディングやマイクロチップに登場する論理構造のほとんどを作ることができる。

この機能を使い、子どもたちは、複雑なドアや近くを通ると作動するトラップなど、とんでもなく複雑なものを作っては、友だちに見せたり、動画を公開したりしている。このような子どもたちにとってマインクラフトは、単なるゲームではなく、論理からクールなものが作れるのは楽しいと感じられるし、それを外の世界にアピールできる世界である。哲学者でありゲームデザイナーでもある友人、イアン・ボゴストの言葉を借りれば、これが彼らのコモドール64であり、現世代のパーソナルコンピューターなのだ。デジタルの世界がどんな具合にできているのか、カーテンをめくってのぞけるマシン、自分でも作ってみられるマシンなのだ。レッドストーン回路が一発で狙いどおりに動くことはまずないので、デバッグの苦しさと楽しさも味わえる。

実際にレッドストーンからプログラミングに入った子どもがどのくらいいるのかはわかっていない。おそらくは、ごく一部であろう（コモドール64に触った子どもでも同じだったし、1999年ごろウェブサイトのソースを眺めた子どもでも同じだったはずだ）。でもともかく、いることはまちがいない。

たとえば英国のティーンエイジャー、オリバー・ブラザーフッド。レッドストーン回路に心を惹かれた彼は、次第に複雑なマシンを作るようになっていく。完成品の動画を公開し、どう作ったのかも詳しく説明した。そうこうしているうちに視聴者がたくさんつき、それなりの収入が得られるようになる。さらに、コーディングに興味を持つとともに、マインクラフトで論理ゲートをいじり倒した結果、どうやらそちらに向いているらしいことにも気づく。そして、大学は情報科学科に進学。

「レッドストーンのコミュニティーでは、周りにたくさんのプログラマーがいました」

彼が掲示板に書いたレッドストーンの記事は、10歳の子どもも読んでいたが、コーディングを仕事にしている大人も読んでいたわけだ。

「どうすれば若者がコーディングに参入しやすくなるか」に対するヒントがここにある。楽しい道が一番なのだ。マシンと同じく論理的に考えること自体が楽しくて学ぶ人もいるかもしれないが、シーモア・パパートも指摘しているように、すごいと言ってもらえるものを作りたいから学ぶ人もいる。つまり、マインクラフトはおもしろくてクールだから、コーディング入門として大きな力を発揮するのだ（「そんなつもりはなかった。おもしろいゲームにしたかっただけだ」とマインクラフトのリードディベロッパー、イェンズ・バーゲンステンも語っているくらいで、制作側は、教育的な効果などみじんも考えなかったし、論理を学ぶ方法にしようという気もまったくなかった）。バーチャルペットサイトのネオペットも同じで、フロントエンドのディベロッパーを輩出するサイトにしようなどと考えたことはなかった。楽しく遊べるバーチャル世界を作ったら、そこで学ぶ人が出てきただけのことである。

文化には、コーディングの世界に人々を導くことのできる強い力があるのだ。

強い怒りも原動力となる。

ケンタッキー州の田舎でコーディングの会社を興したラスティー・ジャスティスを動かした力は、強い怒りからもきていた。そんなことは不可能だと、ニューヨーク市の金持ちに言われたのだ。

2011年、当時ニューヨーク市長だったビリオネアのマイケル・ブルームバーグは、「石炭の向こうへ」なるキャンペーンにより、再生可能エネルギーの普及を後押しし、石炭火力発電所を廃止する政策を推進するため、シエラクラブに5000万ドルを寄付した。石炭はケンタッキー州の雇用を支える安価で有益なエネルギー源だ、だから石炭産業は守らなければならないと考えるジャスティスには気に入らない政策だった。

2014年、ブルームバーグが追い打ちをかける。炭鉱員がソフトウェアを作れるようになどならないと、ブルームバーグ・ニューエネルギー会議で切り捨てたのだ。

「炭鉱員にコーディングを教えてもしかたがない。教えられるし、教えればすべてうまくいくとマーク・ザッカーバーグは言っている。でも、きわめて残念ながら……それは無理というものだ」

ジャスティスは怒った。ワイアードの取材にこう応えている。

「なんですか、あれ。徹頭徹尾ステレオタイプじゃないですか。我々は頭がよくない、なにもできない、あわれな存在であるって？　目の前で赤い布をひらひらされた気分でしたよ」

炭鉱員にJavaScriptなど書けないと考えるのは大まちがいである。

謝辞

エージェント、スザンヌ・グラックの熱意と見識がなければ、また、編集者、スコット・モイヤーズの激励と赤ペン、ビジョンがなければ、本書は生まれることができなかっただろう。

本書の取材に時間を割いてくださったみなさんに、心からの感謝を申し上げたい。何百人もが時間と知識を惜しげもなく与えてくださった。本書に登場することなく終わってしまった方もなかにはおられるが、その考えや感想、物語は、すべて、参考にさせていただいた。

本書の執筆過程で、マックス・ホイットニー、フレッド・ベンソン、トム・イゴエ、マイケル・テッパー、サロン・イトバレク、カタリナ・オーウェンズ、キャシー・パール、ティム・オライリー、キャロライン・シンダース、ヘザー・ゴールド、イアン・ボゴスト、マリー・ヒックス、アニル・ダッシュ、ロビン・スローン、ダナ・ボイド、ブレット・ドーソン、エバン・セリンガー、ゲーリー・マーカス、ガブリエラ・コールマン、グレッグ・ボーガス、ホールデン・カラウ、ジェシカ・ラム、カーラ・スター、マイク・マタス、ポール・フォード、レイ・オジー、ロス・グッドウイン、スコット・グッドサン、ゼイネップ・トゥフェッシー、スティーブ・シルバーマン、ティム・オマーニック、エミリー・パクルスキー、ダリウス・カゼミ、シアン・バニスター、クレイグ・シルバーマン、クリス・コイヤー、チェット・マーシー、チャド・ファウラー、ブレンダン・エイク、ローリーン・マッカーシー、アネッテ・バウマン、アリソン・パリッシュ、ダン・サリバン、グラント・ポール、ガイド・フォン・ロッサム、イェンズ・バーゲンステン、マーク・オットー、マッチ・アルトマン、ピーター・スコモロック、ジモー・オブビアゲーレ、ロス・インテリジェンスに集うハッカーのみなさん、ロブ・グレアム、スティーブ・クラブニク、ロブ・リグオリ、アダム・ディアンジェロ、ベレ・クーパー、ダグ・ソン、キム・ゼター、デビッド・シルバ、サム・ラング、ロン・ジェフリーズ、スーザン・タン、ジョン・レイシグなど、すばらしい人々と出会い、貴重なお話を聞かせていただいたり、フィードバックをいただいたりできたことは大いなる幸運だったと言える。人の記憶ほど当てにならないものはなく、ここに記すことができたのはごく一部にとどまることをご容赦願いたい。

私はこれまで、ニューヨークタイムズマガジン誌ではディーン・ロビンソン、ビル・ワシク、ジェシカ・ラスティグ、ジェイク、ワイアード誌ではアダム・ロジャース、ベラ・チュチュニク、ニック・トンプソン、スミソニアン誌ではデブラ・ローゼンバーグ、マイケル・カルーソ、マザー・ジョーンズ誌ではクララ・ジェフェリー、マイク・メカニック、ディス・マガジン誌ではエリカ・レンティなど、すばらしい雑誌編集者のもとで技術関連の記事を書いてくることができた。

本書に事実関係の誤りがあった場合、責任はすべて、著者である私にあるわけだが、事実確認については、シャーミラ・ベンカタサバン、ルーカス・バブカ、ベンジ・ジョーンズ、ジェームス・ゲインス、カーラ・マーフィ、アニー・マ、ローワン・ワルラース、カレン・フォント、ファーガス・マッキントッシュのチームに大きく助けていただいたことをここに記す。

ペンギン社のミア・カウンシルには仕事の交通整理という大変な仕事をしていただいた。これなくして本書は生まれなかったというほどでとても感謝している。

大昔の恩人も記しておきたい。まずは、80年代の初めごろ、VIC-20を一夏貸してくれた父の友だち、ハル。彼のおかげで、私は、BASICのコーディングに没頭する日々を過ごすことができた。名前がわからない方もいる。1970年代、トロントのサミットハイト・パブリックスクールで司書をしていた方なのだが、とても先見の明があり、電気機械的リレーで論理ゲートを作る方法を解説した本を図書館に置いてくださった。その本を11歳のとき読んだことが、私の人生を大きく変えたと思う。その本を読んでいなければ、本書が生まれなかったことはまちがいない。

ワックという掲示板に集っていた方々、トロントとブルックリンで私を手伝ってくれた方々、バンドのデロリアン・シスターズなど、本書を書いているあいだ、私を励まし、背中を押し続けてくれた友だちにも感謝したい。

最後に一番の感謝を家族に捧げたい。妻のエミリー（80年代、黎明期コーダーのひとりだった）には、よく、夜遅くまでブレインストーミングにつきあってもらったし、最初の読者として貴重なフィードバックも返してもらった。ふたりの子ども、ガブリエルとゼブには、丸3年にわたり、このテーマについてぶつぶつと語る私の話をじっと聞いてもらった。きみたちの助けなしに本書が生まれることはなかった。ありがとう。

原注

CHAPTER 1: THE SOFTWARE UPDATE THAT CHANGED REALITY

9 **"riding a bull dog":** Adam Fisher, *Valley of Genius: The Uncensored History of Silicon Valley (As Told by the Hackers, Founders, and Freaks Who Made It Boom)* (New York: Twelve, 2017), 357.

9 **new feature working:** Fisher, *Valley of Genius*, 361.

9 **"Move fast and break things":** This section draws from my interview with Sanghvi, as well as several books, articles, and videos about the early days of Facebook, including: Daniela Hernandez, "Facebook's First Female Engineer Speaks Out on Tech's Gender Gap," *Wired*, December 12, 2014, https://www.wired.com/2014/12/ruchi-qa/; Mark Zuckerberg, "Live with the Original News Feed Team," Facebook video, 25:36, September 6, 2016, https://www.facebook.com/zuck/videos/10103087013971051; David Kirkpatrick, *The Facebook Effect: The Inside Story of the Company That Is Connecting the World* (New York: Simon & Schuster, 2011); INKtalksDirector, *Ruchi Sanghvi: From Facebook to Facing the Unknown*, YouTube, 11:50, March 20, 2012, https://www.youtube.com/watch?v=64AaXC00bkQ; TechCrunch, *TechFellow Awards: Ruchi Sanghvi*, TechCrunch video, 4:40, March 4, 2012, https://techcrunch.com/video/techfellow-awards-ruchi-sanghvi/517287387/; FWDus2, *Ruchi's Story*, YouTube, 1:24, May 10, 2013, https://www.youtube.com/watch?v=i86ibVt1OMM.; all videos accessed August 16, 2018.

10 **did a keg stand:** Clare O'Connor, "Video: Mark Zuckerberg in 2005, Talking Facebook (While Dustin Moskovitz Does a Keg Stand)," *Forbes*, August 15, 2011, accessed October 7, 2018, https://www.forbes.com/sites/clareoconnor/2011/08/15/video-mark-zuckerberg-in-2005-talking-facebook-while-dustin-moskovitz-does-a-keg-stand/#629cb86571a5.

12 **"anything you can find on the web":** Ruchi Sanghvi, "Facebook Gets a Facelift," Facebook, September 5, 2006, accessed August 18, 2018, https://www.facebook.com/notes/facebook/facebook-gets-a-facelift/2207967130/.

13 **"just too creepy, too stalker-esque":** Brenton Thornicroft, "Something to Consider before You Complain about Facebook's News Feed Updates," *Forbes*, April 2, 2013, accessed August 18, 2018, https://www.forbes.com/sites/quora/2013/04/02/something-to-consider-before-you-complain-about-facebooks-news-feed-updates/#7154da847938.

14 **"you control of them":** Mark Zuckerberg, "An Open Letter from Mark Zuckerberg," Facebook, September 8, 2006, accessed September 18, 2018, https://www.facebook.com/notes/facebook/an-open-letter-from-mark-zuckerberg/2208562130/.

15 **for each American:** Evan Asano, "How Much Time Do People Spend on Social Media?," *SocialMediaToday*, January 4, 2017, accessed August 18, 2018, https://www.socialmediatoday.com/marketing/how-much-time-do-people-spend-social-media-infographic.

15 **neatly with your preferences:** Facebook does not openly discuss the nuances of how it ranks items in its feed, but it discusses the general details occasionally, as in: Miles O'Brien, "How Does the Facebook News Feed Work? An Interview with Dan Zigmond, Head of Facebook News Feed Analytics," *Miles O'Brien Productions*, March 30, 2018, accessed August 18, 2018, https://milesobrien.com/how-does-the-facebook-news-feed-work-an-interview-with-dan-zigmond-head-of-facebook-news-feed-analytics/; Will Oremus, "Who Controls Your Facebook Feed," *Slate*, January 3, 2016, accessed August 18, 2018, http://www.slate.com/articles/technology/cover_story/2016/01/how_facebook_s_news_feed_algorithm_works.html.

15 **a year in advertising:** Janko Roettgers, "Facebook Says It's Cutting Down on Viral Videos as 2017 Revenue Tops $40 Billion," *Variety*, January 31, 2018, accessed August 18, 2018, https://variety.com/2018/digital/news/facebook-q4-2017-earnings-1202683184/.

15 **what you already "liked":** Clive Thompson, "Social Networks Must Face Up to Their Political Impact," *Wired*, February 5, 2017, accessed August 18, 2018, https://www.wired.com/2017/01/social-networks-must-face-political-impact.

16 **"divisiveness and isolation":** Mark Zuckerberg, "Building Global Community," Facebook, February 16, 2017, accessed August 18, 2018, https://www.facebook.com/notes/mark-zuckerberg/building-global-community/10154544292806634/.

16 **"eating the world":** Marc Andreessen, "Why Software Is Eating the World," *Wall Street Journal*, August 20, 2011, accessed August 18, 2018, https://www.wsj.com/articles/SB10001424053111903480904576512250915629460.

17 **trained machine learning:** John Morris, "How Facebook Scales AI," *ZDNet*, June 6, 2018, accessed August 18, 2018, https://www.zdnet.com/article/how-facebook-scales-ai/.

18 **operating system of its democracy:** Erwin C. Surrency, "The Lawyer and the Revolution," *American Journal of Legal History* 8, no. 2 (April 1964): 125–35.

19 **move fast and break things:** My description of Moses's work here draws from: Robert A. Caro, *The Power Broker: Robert Moses and the Fall of New York* (New York: Knopf, 1974), 850–84; David W. Dunlap, "Why Robert Moses Keeps Rising from an

Unquiet Grave," *New York Times*, March 21, 2017, accessed August 18, 2018, https://www.nytimes.com/2017/03/21/nyregion/robert-moses-andrew-cuomo-and-the-saga-of-a-bronx-expressway.html; Sydney Sarachan, "The Legacy of Robert Moses," *PBS*, January 17, 2013, accessed August 18, 2018, http://www.pbs.org/wnet/need-to-know/environment/the-legacy-of-robert-moses/16018/.

20 **there are over 250:** There may be far more than 250; it's hard to count, in part because companies and coders invent new special-purpose ones all the time. Two attempts to count them include Robert Diana, "The Big List of 256 Programming Languages," *DZone*, May 16, 2013, accessed August 18, 2018, https://dzone.com/articles/big-list-256-programming; "How Many Programming Languages Are There in the World?," *CodeLani*, November 17, 2017, accessed August 18, 2018, http://codelani.com/posts/how-many-programming-languages-are-there-in-the-world.html.

21 **"never were nor could be":** Fred Brooks, *The Mythical Man-Month: Essays on Software Engineering* (New York: Addison-Wesley, 1975), 7–8.

21 **"It is good":** Jon Carroll, "Guerrillas in the Myst," *Wired*, August 1, 1994, accessed August 18, 2018, https://www.wired.com/1994/08/myst/.

22 **"burned at the stake":** Daniel Hillis, *The Pattern on the Stone: The Simple Ideas That Make Computers Work*, 2nd ed. (New York: Basic Books, 2014), location 112 of 2741, Kindle.

22 **"promotes a dangerous confidence":** Maciej Cegłowski, "The Moral Economy of Tech," *Idle Words* (blog), accessed August 18, 2018, http://idlewords.com/talks/sase_panel.htm.

22 **"so easily achievable":** Joseph Weizenbaum, *Computer Power and Human Reason: From Judgment to Calculation* (New York: W. H. Freeman, 1976), 111.

24 **back in 1980:** Seymour Papert, *Mindstorms: Children, Computers, and Powerful Ideas* (New York: Basic Books, 1980), 23.

24 **"errors in my own programs":** Daniel Kohanski, *The Philosophical Programmer: Reflections on the Moth in the Machine* (New York: St. Martin's, 1998), 160.

27 **"higher probability of succeeding":** INKtalksDirector, *Ruchi Sanghvi: From Facebook to Facing the Unknown*.

28 **"than to their profession":** Barry A. Stevens, "Probing the DP Psyche," *Computerworld*, July 21, 1980, 28.

29 **less than half that, around 17 percent:** "Degrees in Computer and Information Sciences Conferred by Degree-granting Institutions, by Level of Degree and Sex of Student: 1970–71 through 2010–11," National Center for Education Statistics, July 2012, accessed August 16, 2018, https://nces.ed.gov/programs/digest/d12/tables/dt12_349.asp.

29 **high teens to around twenty:** Roger Cheng, "Women in Tech: The Numbers Don't Add Up," *CNET*, May 6, 2015, accessed August 16, 2018, https://www.cnet.com/news/women-in-tech-the-numbers-dont-add-up/.

29 **across the country:** "Employed Persons by Detailed Occupation, Sex, Race, and Hispanic or Latino Ethnicity," Bureau of Labor Statistics, accessed August 16, 2018, https://www.bls.gov/cps/cpsaat11.pdf.

29 **at top Silicon Valley firms:** Rani Molla, "It's Not Just Google—Many Major Tech Companies Are Struggling with Diversity," *Recode*, August 7, 2017, accessed August 16,

2018, https://www.recode.net/2017/8/7/16108122/major-tech-companies-silicon-valley-diversity-women-tech-engineer.

29 **alongside people with PhDs:** Alyssa Mazzina, "Do Developers Need College Degrees?," *Stack Overflow* (blog), October 7, 2016, accessed August 16, 2018, https://stackoverflow.blog/2016/10/07/do-developers-need-college-degrees.

30 **number plummeted to 5 percent:** Erin Carson, "When Tech Firms Judge on Skills Alone, Women Land More Job Interviews," *CNET*, August 27, 2016, accessed August 16, 2018, https://www.cnet.com/news/when-tech-firms-judge-on-skills-alone-women-land-more-job-interviews.

32 **a "high leverage point":** Douglas Rushkoff, *Program or Be Programmed: Ten Commands for a Digital Age* (New York: OR Books, 2010), 133.

CHAPTER 2: THE FOUR WAVES OF CODERS

35 **a computer science department until 1965:** Andrew Myers, "Period of Transition: Stanford Computer Science Rethinks Core Curriculum," Stanford Engineering, June 14, 2012, accessed August 16, 2018, https://engineering.stanford.edu/news/period-transition-stanford-computer-science-rethinks-core-curriculum.

35 **and Gottfried Leibniz:** Chris Dixon, "How Aristotle Created the Computer," *The Atlantic*, March 20, 2017, accessed August 16, 2018, https://www.theatlantic.com/technology/archive/2017/03/aristotle-computer/518697.

37 **were staffed by women:** Bryony Norburn, "The Female Enigmas of Bletchley Park in the 1940s Should Encourage Those of Tomorrow," *The Conversation*, January 26, 2015, accessed August 16, 2018, https://theconversation.com/the-female-enigmas-of-bletchley-park-in-the-1940s-should-encourage-those-of-tomorrow-36640; Sarah Rainey, "The Extraordinary Female Codebreakers of Bletchley Park," *The Telegraph*, January 4, 2015, accessed August 16, 2018, https://www.telegraph.co.uk/history/world-war-two/11308744/The-extraordinary-female-codebreakers-of-Bletchley-Park.html.

37 **calculating ballistics trajectories, were women:** Jennifer S. Light, "When Computers Were Women," *Technology and Culture* 40, no. 3 (July 1999): 455–83.

38 **hired back both times:** Charles E. Molnar and Wesley A. Clark, "Development of the LINC," in *A History of Medical Informatics*, eds. Bruce I. Blum and Karen A. Duncan (New York: ACM Press, 1990), 119–38.

38 **or laboratory room:** John Markoff, "Wesley A. Clark, Who Designed First Personal Computer, Dies at 88," *New York Times*, February 27, 2016, accessed August 16, 2018, https://www.nytimes.com/2016/02/28/business/wesley-a-clark-made-computing-personal-dies-at-88.html.

39 **"conversational access" to the LINC:** Mary Allen Wilkes, "Conversational Access to a 2048-Word Machine," *Communications of the ACM* 13, no. 7 (July 1970): 407–14.

39 **"terrible food," she recalls:** This specific comment is from Wilkes's interview in this video: Dr. Bruce Damer *DigiBarn TV: Mary Allen Wilkes Programming the LINC Computer in the mid-1960s*, YouTube, 15:41, April 25, 2011, accessed August 16, 2018, https://www.youtube.com/watch?v=Cmv6p8hN0xQ.

39 **"a jig right around the equipment":** Joe November, "LINC: Biology's Revolutionary Little Computer," *Endeavour* 28, no. 3 (September 2004): 125–31.

42 **began to cluster around the lab:** This section is drawn from Steven Levy's superb

book, particularly chapters 3 ("Spacewar") and 4 ("Greenblatt and Gosper"): Steven Levy, *Hackers: Heroes of the Computer Revolution—25th Anniversary Edition* (Sebastopol, CA: O'Reilly Media, 2010).

42 **"in milliseconds to what you were doing":** Levy, *Hackers*, 67.

42 **"of the sun or moon it was":** Levy, *Hackers*, 139.

43 **a $120,000 machine:** Russell Brandom, "'Spacewar!': The Story of the World's First Digital Video Game," *The Verge*, February 4, 2013, accessed August 16, 2018, https://www.theverge.com/2013/2/4/3949524/the-story-of-the-worlds-first-digital-video-game.

43 **a "hacker ethic":** Levy, *Hackers*, 26–37.

44 **"hacking in general":** Levy, *Hackers*, 107.

44 **tinker with the code:** "GNU General Public License," Free Software Foundation, June 29, 2007, accessed August 16, 2018, https://www.gnu.org/licenses/gpl-3.0.en.html.

45 **"bunch of other robots":** Levy, *Hackers*, 129.

45 **like the MIT hackers:** Clive Thompson, "Steve Wozniak's Apple I Booted Up a Tech Revolution," *Smithsonian*, March 2016, accessed August 18, 2018, https://www.smithsonianmag.com/smithsonian-institution/steve-wozniaks-apple-i-booted-up-tech-revolution-180958112/.

46 **machine for $300:** Philip H. Dougherty, "Commodore Computers Plans Big Campaign," *New York Times*, February 18, 1982, accessed August 18, 2018, https://www.nytimes.com/1982/02/18/business/advertising-commodore-computers-plans-big-campaign.html.

47 **grasp and wield:** Harry McCracken, "Fifty Years of BASIC, the Programming Language That Made Computers Personal," *Time*, April 29, 2014, accessed August 18, 2018, http://time.com/69316/basic/; "BASIC Begins at Dartmouth," Dartmouth, accessed August 18, 2018, https://www.dartmouth.edu/basicfifty/basic.html; Jimmy Maher, "In Defense of BASIC," *The Digital Antiquarian* (blog), May 2, 2011, accessed August 18, 2018, https://www.filfre.net/2011/05/in-defense-of-basic.

48 **varieties of games:** Nate Anderson, "First Encounter: *COMPUTE!* Magazine and Its Glorious, Tedious Type-in Code," *Ars Technica*, December 28, 2012, accessed August 18, 2018, https:// arstechnica.com/staff/2012/12/first-encounter-compute-magazine-and-its-glorious-tedious-type-in-code; Shelby Goldstein, "Making Music with Your Vic," *Creative Computing* 9, no. 7 (July 1983): 43; Marek Karcz, "Conway's Game of Life on a Commodore 64," *Commodore and Retro Computing*, September 15, 2013, accessed August 18, 2018, http://c64retr.blogspot.com/2013/09/conways-game-of-life-on-commodore-64.html.

49 **calling the trick "war dialing":** Patrick S. Ryan, "War, Peace, or Stalemate: Wargames, Wardialing, Wardriving, and the Emerging Market for Hacker Ethics," *Virginia Journal of Law & Technology* 9, no. 7 (Summer 2004): 1–57, accessed August 18, 2018, https://papers.ssrn.com/sol3/papers.cfm?abstract_id=585867.

50 **primarily one of boys:** I discuss the boy-centric nature of the home-computer coding scene in greater length in chapter 7, "The ENIAC Girls Vanish," but some documents of this phenomenon include Sara Kiesler, Lee Sproull, and Jacquelynne Eccles, "Pool Halls, Chips, and War Games: Women in the Culture of Computing," *Psychology of Women Quarterly* 9, no. 4 (December 1985): 451–62; Jane Margolis and Allan Fisher, *Unlocking the Clubhouse: Women in Computing* (Cambridge, MA: MIT Press, 2003).

52 **down onto the coders:** Janet Abbate, "Oral-History: Judy Clapp," Engineering and Technology History Wiki, February 11, 2001, accessed August 18, 2018, https://ethw.org/Oral-History:Judy_Clapp.

52 **"Worse is better":** Tom Steinert-Threlkeld, "Can You Work in Netscape Time?," *Fast Company*, October 31, 1995, accessed September 27, 2018, https://www.fastcompany.com/26443/can-you-work-netscape-time.

53 **in a single year:** "Netscape Navigator," Blooberry, accessed August 18, 2018, http://www.blooberry.com/indexdot/history/netscape.htm.

56 **weird typography and graphics:** Anil Dash, "The Missing Building Blocks of the Web," *Medium*, March 21, 2018, accessed August 18, 2018, https://medium.com/@anildash/the-missing-building-blocks-of-the-web-3fa490ae5cbc; Amélie Lamont, "From Designing Neopets Pages to Becoming a Professional Web Developer," *Superyesmore*, June 20, 2016, accessed August 18, 2018, https://superyesmore.com/d6121b7fe42324e456deb8988d481ec8; Brittney Lopez, "How I Became a Web Designer," *Branded by Britt*, accessed August 18, 2018, https://www.brandedbybritt.co/how-i-became-a-web-designer.

58 **Send the Sunshine:** Ian Leslie, "The Scientists Who Make Apps Addictive," *1843*, October/November 2016, accessed August 18, 2018, https://www.1843magazine.com/features/the-scientists-who-make-apps-addictive.

58 **"get the psychology right":** Stephen Wendel, *Designing for Behavior Change: Applying Psychology and Behavioral Economics* (Sebastapol, CA: O'Reilly Media, 2013), location 189 of 7988, Kindle.

61 **uploaded every second:** Alyson Shontell, "Meet the 13 Lucky Employees and 9 Investors Behind $1 Billion Instagram," *Business Insider*, April 9, 2012, accessed August 18, 2018, https://www.businessinsider.com/instagram-employees-and-investors-2012-4; Marty Swant, "This Instagram Timeline Shows the App's Rapid Growth to 600 Million," *AdWeek*, December 15, 2016, accessed August 18, 2018, https://www.adweek.com/digital/instagram-gained-100-million-users-6-months-now-has-600-million-accounts-175126/; Nancy Messieh, "Instagram Could Hit 1bn Photos by April, Twice as Fast as Flickr Managed," *The Next Web*, January 19, 2012, accessed August 18, 2018, https://thenextweb.com/socialmedia/2012/01/19/instagram-could-hit-1bn-photos-by-april-twice-as-fast-as-flickr-managed/.

63 **particularly young women:** Olivia Fleming, "'Why Don't I Look Like Her?': How Instagram Is Ruining Our Self Esteem," *Cosmopolitan*, January 15, 2017, accessed August 18, 2018, https://www.cosmopolitan.com/health-fitness/a8601466/why-dont-i-look-like-her-how-instagram-is-ruining-our-self-esteem/; Amanda MacMillan, "Why Instagram Is the Worst Social Media for Mental Health," *Time*, May 25, 2017, accessed August 18, 2018, http://time.com/4793331/instagram-social-media-mental-health/; Mahita Gajanan, "Young Women on Instagram and Self-esteem: 'I Absolutely Feel Insecure,'" *Guardian*, November 4, 2015, accessed August 18, 2018, https://www.theguardian.com/media/2015/nov/04/instagram-young-women-self-esteem-essena-oneill.

63 **"negative mood and body dissatisfaction":** Zoe Brown and Marika Tiggemann, "Attractive Celebrity and Peer Images on Instagram: Effect on Women's Mood and Body Image," *Body Image* 19 (December 2016): 37–43.

63 **like #thygap or #thynspo:** Lily Herman, “Pro–Eating Disorder Content Continues to Spread Online, Researchers Say,” *Allure*, October 17, 2017, accessed August 18, 2018, https://www.allure.com/story/bonespiration-thinspiration-instagram-hashtag; Stevie Chancellor et al., “#thyghgapp: Instagram Content Moderation and Lexical Variation in Pro–Eating Disorder Communities,” ACM Conference on Computer-Supported Cooperative Work and Social Computing, February 27–March 2, 2016, accessed August 18, 2018, http://www.munmund.net/pubs/cscw16_thyghgapp.pdf; Emily Reynolds, “Instagram’s Pro-anorexia Ban Made the Problem Worse,” *Wired UK*, March 14, 2016, accessed August 18, 2018, https://www.wired.co.uk/article/instagram-pro-anorexia-search-terms.

64 **“our psychological vulnerabilities”:** Leslie, “The Scientists Who Make Apps Addictive.”

64 **“this attention city”:** *Recode* Staff, “Full Transcript: Time Well Spent Founder Tristan Harris on *Recode* Decode,” *Recode*, February 7, 2017, accessed August 18, 2018, https://www.recode.net/2017/2/7/14542504/recode-decode-transcript-time-well-spent-founder-tristan-harris.

64 **exceeded that amount:** Ameet Ranadive, “New Tools to Manage Your Time on Facebook and Instagram,” Facebook Newsroom, August 1, 2018, accessed October 2, 2018, https://newsroom.fb.com/news/2018/08/manage-your-time/.

CHAPTER 3: CONSTANT FRUSTRATION AND BURSTS OF JOY

71 **to dismantle and rebuild:** Elizabeth Dickason, “Looking Back: Grace Murray Hopper’s Younger Years,” *Chips Ahoy*, July 1986, posted online June 27, 2011, accessed August 18, 2018, http://www.doncio.navy.mil/chips/ArticleDetails.aspx?ID=2388.

73 **single mistyped command:** Casey Newton, “How a Typo Took Down S3, the Backbone of the Internet,” *The Verge*, March 2, 2017, accessed August 18, 2018, https://www.theverge.com/2017/3/2/14792442/amazon-s3-outage-cause-typo-internet-server.

73 **as he wrote in his notebook:** Alexander B. Magoun and Paul Israel, “Did You Know? Edison Coined the Term ‘Bug,’ ” *The Institute*, August 23, 2013, accessed August 18, 2018, http://theinstitute.ieee.org/tech-history/technology-history/did-you-know-edison-coined-the-term-bug.

73 **next to it:** “Log Book with Computer Bug,” National Museum of American History, accessed August 18, 2018, http://americanhistory.si.edu/collections/search/object/nmah_334663.

74 **“the less obvious ones”:** Michael Lopp, “Please Learn to Write,” *Rands in Repose* (blog), May 16, 2012, accessed August 18, 2018, http://randsinrepose.com/archives/please-learn-to-write/.

76 **to a newbie’s question:** “Angular 2 Passing Data into a For Loop,” *Stack Overflow*, June 17, 2017, accessed August 18, 2018, https://stackoverflow.com/questions/44610183/angular-2-passing-data-into-a-for-loop.

77 **in a populated area:** Alex Pasternack, “Sometimes a Typo Means You Need to Blow Up Your Own Spacecraft,” *Motherboard*, July 26, 2014, accessed August 18, 2018, https://motherboard.vice.com/en_us/article/4x3n9b/sometimes-a-typo-means-you-need-to-blow-up-your-spacecraft.

79 **than they do writing them:** Robert C. Martin, *Clean Code: A Handbook of Agile Software Craftsmanship* (New York: Pearson Education, 2009), 14.

82 **"that gamblers call the zone":** Natasha Dow Schüll, *Addiction by Design: Machine Gambling in Las Vegas* (Princeton, NJ: Princeton University Press, 2012), 68.

82 **"addicted" to coding:** In addition to the many programmers who talked to me about their feelings of addiction—or feeling a "coder's high"—there's Joseph Weizenbaum's (rather gloomy) observation about the "compulsive programmer" type he saw at MIT, cited in Levy, *Hackers*, 107.

82 **"in a good way":** Jacob Thornton, "Isn't Our Code Just the *BEST* ☺," *Medium*, January 19, 2017, accessed August 18, 2018, https://medium.com/bumpers/isnt-our-code-just-the-best-f028a78f33a9.

83 **at length:** Blake Ross, "Mr. Fart's Favorite Colors," *Medium*, March 4, 2016, accessed August 18, 2018, https://medium.com/@blakeross/mr-fart-s-favorite-colors-3177a406c775.

85 **what's known as "agile" development:** Caroline Mimbs Nyce, "The Winter Getaway That Turned the Software World Upside Down," *The Atlantic*, December 8, 2017, accessed August 18, 2018, https://www.theatlantic.com/technology/archive/2017/12/agile-manifesto-a-history/547715.

89 **"the lights are on":** Matthew B. Crawford, *Shop Class as Soulcraft: An Inquiry into the Value of Work* (New York: Penguin, 2009), 14.

90 **"how foolish we were":** Chad Fowler, *The Passionate Programmer: Creating a Remarkable Career in Software Development* (Raleigh, NC: Pragmatic Bookshelf, 2009), location 929 of 2976, Kindle.

94 **regular, daily, visible progress:** Teresa M. Amabile and Steven J. Kramer, "The Power of Small Wins," *Harvard Business Review* 89, no. 5 (May 2011), accessed online August 18, 2018, https://hbr.org/2011/05/the-power-of-small-wins.

CHAPTER 4: AMONG THE INTJs

98 **"That was a bad move":** Parts of this section on Bram Cohen draw from my previous profile of him in *Wired* magazine: Clive Thompson, "The BitTorrent Effect," *Wired*, January 2005, accessed online August 18, 2018, https://www.wired.com/2005/01/bittorrent-2.

100 **about bootlegging, like Phish:** Sarah Kessler, "The Infinite Lives of BitTorrent," *Fast Company*, March 10, 2014, accessed August 18, 2018, https://www.fastcompany.com/3027441/the-infinite-lives-of-bittorrent.

104 ***The Organization Man*:** William H. Whyte, *The Organization Man*, rev. ed. (Philadelphia: University of Pennsylvania Press, 2013), 3.

104 **in a 1966 paper:** William M. Cannon and Dallis K. Perry, "A Vocational Interest Scale for Computer Programmers," *Proceedings of the Fourth SIGCPR Conference on Computer Personnel Research* (June 1966): 61–82.

104 **ought to be a coder:** Nathan Ensmenger discusses IBM's "Programmer Aptitude Test" in *The Computer Boys Take Over: Computers, Programmers, and the Politics of Technical Expertise* (Cambridge, MA: MIT Press, 2012), 64–67; the actual tests are quite fascinating to look at, and there's one scanned at this location: "IBM

Programmer Aptitude Test (Revised)," accessed August 18, 2018, http://ed-thelen.org/comp-hist/IBM-ProgApti-120-6762-2.html.

105 **"bridge or anagrams":** Ensmenger, *The Computer Boys*, 52.

105 **"responsibility for helping people":** Dallis Perry and William Cannon, "Vocational Interests of Female Computer Programmers," *Journal of Applied Psychology* 52, no. 1 (1968): 34.

105 **"this demographic group":** Nathan Ensmenger, "Making Programming Masculine," in *Gender Codes: Why Women Are Leaving Computing*, ed. Thomas J. Misa (New York: IEEE Computer Society, 2010), 128.

106 **a fretful 1971 report:** Ensmenger, *The Computer Boys*, 159.

106 **"introverted, logical, and analytical":** Herendira Garcia–de Galindo, "An Investigation of Factors Related to Preservice Secondary Mathematics Teachers' Computer Environment Preferences for Teaching High School Geometry" (PhD diss., Ohio State University, 1994), 56–57, accessed September 27, 2018, https://etd.ohiolink.edu/!etd.send_file?accession=osu1487856906259719&disposition=inline.

106 **"became a more desirable companion":** Mariko R. Pope, "Creativity and the Computer Professional: The Impact of Personality Perception on Innovation Approach Preferences in Terms of Creative Thinking and Behavior" (PhD diss., Colorado Technical University, 1997), 31.

106 **cut off from humanity:** Levy, *Hackers*, 107.

108 **professional programmers in America:** Nathan Ensmenger and William Aspray, "Software as a Labor Process," in *History of Computing: Software Issues*, eds. Ulf Hashagen, Reinhard Keil-Slawik, and Arthur L. Norberg (Berlin: Springer Science & Business Media, 2013), 142.

109 **4 million programmers today:** This analysis finds "between 3,357,626 and 4,185,114 people working in a role which required some software development": P. K., "How Many Developers Are There in America, and Where Do They Live?," Don't Quit Your Day Job, August 10, 2017, accessed August 18, 2018, https://dqydj.com/number-of-developers-in-america-and-per-state; the Bureau of Labor Statistics for 2017 reports that for "Computer and mathematical occupations" there were 4.8 million employed: Bureau of Labor Statistics, "Employed Persons."

114 **"ideas to their partners":** Jean Hollands, *The Silicon Syndrome: How to Survive a High-tech Relationship* (New York: Bantam Books, 1985), 1–2.

116 **only 37 percent of the time:** Matt Parker, "The Secretary Problem," *Slate*, December 17, 2014, accessed August 18, 2018, http://www.slate.com/articles/technology/technology/2014/12/the_secretary_problem_use_this_algorithm_to_determine_exactly_how_many_people.html.

118 **"the logic stuff doesn't work":** Scott Hanselman, "More Relationship Hacks with Scott's Wife," *Hanselminutes* (podcast), April 17, 2012, accessed August 18, 2018, https://hanselminutes.com/314/more-relationship-hacks-with-scotts-wife.

120 **"your skills to the utmost":** John Geirland, "Go with the Flow," *Wired*, September 1996, accessed online August 18, 2018, https://www.wired.com/1996/09/czik.

121 **superglued his Ethernet port shut:** Lev Grossman, "Jonathan Franzen: Great

American Novelist," *Time*, August 12, 2010, accessed August 18, 2018, http://content.time.com/time/magazine/article/0,9171,2010185-2,00.html.

121 **break his concentration:** Lauren Passell, "Stephen King's Top 20 Rules for Writers," *B&N Reads* (blog), March 22, 2013, accessed August 18, 2018, https://www.barnesandnoble.com/blog/stephen-kings-top-20-rules-for-writers.

121 **"his floating hair":** Samuel Taylor Coleridge, *Kubla Khan*, Poetry Foundation, accessed August 18, 2018, https://www.poetryfoundation.org/poems/43991/kubla-khan.

123 **"to kill them off":** Paul Graham, "Maker's Schedule, Manager's Schedule," *Paul Graham* (blog), July 2009, accessed August 18, 2018, http://www.paulgraham.com/makersschedule.html.

123 **self-medicates with morphine:** Matt Giles, "'Mr. Robot' Creator Explains What's Really Going on in Elliot's Mind," *Popular Science*, September 3, 2015, accessed August 18, 2018, https://www.popsci.com/mr-robot-creator-explains-whats-really-going-on-in-elliots-mind.

CHAPTER 5: THE CULT OF EFFICIENCY

134 **invented bifocal glasses:** Walter Isaacson, *Benjamin Franklin: An American Life* (New York: Simon & Schuster, 2004), 426.

134 **"Saving of Wood to the Inhabitants":** Isaacson, *Benjamin Franklin*, 130–32; Benjamin Franklin, *Memoirs of the Life and Writings of (the Same), Continued to the Time of His Death by William Temple Franklin, Vol. 1* (London: H. Colburn, 1818), 94.

134 **"simultaneously wholesome and insane":** Jennifer Brostrom, "The Time-management Gospel," in *Commodify Your Dissent: Salvos from the Baffler*, eds. Thomas Frank and Matt Weiland (New York: W. W. Norton, 2011), 116.

135 **Charles Hermany from 1904:** "Address of President Charles Hermany," *Transactions of the American Society of Civil Engineers* 53 (1904): 464.

135 **to ensure maximum output:** Frederick Winslow Taylor, *The Principles of Scientific Management* (New York: Harper & Brothers, 1919), 5; David A. Hounshell, "The Same Old Principles in the New Manufacturing," *Harvard Business Review* (November 1988), accessed online August 18, 2018, https://hbr.org/1988/11/the-same-old-principles-in-the-new-manufacturing.

135 **bricklaying to vest buttoning:** Jill Lepore, "Not So Fast," *New Yorker*, October 12, 2009, accessed August 18, 2018, https://www.newyorker.com/magazine/2009/10/12/not-so-fast; Dennis McLellan, "Ernestine Carey, 98; Wrote a Comical Look at Her Big Family in 'Cheaper by the Dozen,'" *Los Angeles Times*, November 7, 2006, accessed August 18, 2018, http://articles.latimes.com/2006/nov/07/local/me-carey7.

135 **as *Better Homes Manual* enthused:** Alexandra Lange, "The Woman Who Invented the Kitchen," *Slate*, October 25, 2012, http://www.slate.com/articles/life/design/2012/10/lillian_gilbreth_s_kitchen_practical_how_it_reinvented_the_modern_kitchen.html.

135 **psychologists call "prospective memory":** Clive Thompson, "We Need Technology to Help Us Remember the Future," *Wired*, January 22, 2013, accessed August 18, 2018, https://www.wired.com/2013/01/a-sense-of-place-ct.

136 **Greek word for "time":** Kah Seng Tay, "What Is the Etymology of 'Cron'?," Quora, December 22, 2015, accessed August 18, 2018, https://www.quora.com/What-is-the-etymology-of-cron.

137 **do it over and over:** Peter Seibel, *Coders at Work: Reflections on the Craft of Programming* (New York: Apress, 2009), 77.

137 **we take it:** Nicholas Carr, *The Glass Cage* (New York: W. W. Norton, 2014).

138 **"so many questions about it":** Tom Christiansen, Brian D. Foy, Larry Wall, and Jon Orwant, *Programming Perl: Unmatched Power for Text Processing and Scripting* (Sebastapol, CA: O'Reilly Media, 2012), 387, 1062.

139 **"when are you free?":** "As a programmer, what tasks have you automated to make your everyday life easier? How can one expect to improve life through automated programming?," Quora, June 4, 2017, accessed August 18, 2018, https://www.quora.com/As-a-programmer-what-tasks-have-you-automated-to-make-your-everyday-life-easier-How-can-one-expect-to-improve-life-through-automated-programming.

139 **his colleague marveled:** Alexander Yumashev, "Now That's What I Call a Hacker," JitBit, November 20, 2015, accessed August 18, 2018, https://www.jitbit.com/alexblog/249-now-thats-what-i-call-a-hacker/.

140 **"will become like computers":** Martin Campbell-Kelly, "OBITUARY: Konrad Zuse," *Independent*, December 21, 1995, accessed August 18, 2018, https://www.independent.co.uk/news/people/obituary-konrad-zuse-1526795.html; Paul A. Youngman, *We Are the Machine: The Computer, the Internet, and Information in Contemporary German Literature* (Rochester, NY: Camden House, 2009), 94.

141 **searches people type:** Jake Brutlag, "Speed Matters," Google AI Blog, June 23, 2009, accessed October 2, 2018, https://ai.googleblog.com/2009/06/speed-matters.html.

145 **Pascal once apologized:** Blaise Pascal, *The Provincial Letters of Blaise Pascal* (New York: Hurd and Houghton, 1866), 18.

145 **"Brevity is the soul of wit":** William Shakespeare, *Hamlet* (London: Claredon Press, 1998), 35.

146 **2 billion lines of code:** Cade Metz, "Google Is 2 Billion Lines of Code—and It's All in One Place," *Wired*, September 16, 2015, accessed August 18, 2018, https://www.wired.com/2015/09/google-2-billion-lines-codeand-one-place.

147 **"lines removed per hour":** Jinghao Yan, "How many lines of code do professional programmers write per hour?," Quora, July 6, 2014, accessed August 18, 2018, https://www.quora.com/How-many-lines-of-code-do-professional-programmers-write-per-hour.

147 **"Now, that's efficiency":** Matt Ward, "The Poetics of Coding," *Smashing*, May 5, 2010, accessed August 18, 2018, https://www.smashingmagazine.com/2010/05/the-poetics-of-coding/.

147 **"the better craftsman":** Mark Ford, "Ezra Pound and the Drafts of *The Waste Land*," British Library, December 13, 2016, accessed August 18, 2018, https://www.bl.uk/20th-century-literature/articles/ezra-pound-and-the-drafts-of-the-waste-land; Helen Vendler, "The Most Famous Modern Poem—What Was Left In and What Was Cut Out," *New York Times*, November 7, 1971, accessed online August 18, 2018, https://www.nytimes.com/1971/11/07/archives/review

-1-no-title-the-waste-land-a-facsimile-and-transcript-of-the.html; Charles McGrath, "Il Miglior Fabbro," *New York Times*, January 27, 2008, accessed online August 18, 2018, https://www.nytimes.com/2008/01/27/books/review/McGrath-t.html.

148 **"Bad Smells in Code":** Kent Beck and Martin Fowler, "Bad Smells in Code," in *Refactoring: Improving the Design of Existing Code*, Martin Fowler, Kent Beck, John Brant, William Opdyke, and Don Roberts (New York: Addison-Wesley, 2012), 75.

148 **"more prone to introducing *smell instances*":** Michele Tufano, Fabio Palomba, Gabriele Bavota, Rocco Oliveto, Massimiliano Di Penta, Andrea De Lucia, and Denys Poshyvanyk, "When and Why Your Code Starts to Smell Bad," presented at IEEE /ACM 37th IEEE International Conference on Software Engineering, May 2015, accessed online August 18, 2018, https://www.cs.wm.edu/~denys/pubs/ICSE'15-Bad-Smells-CRC.pdf.

149 **"gross," "disgusting," or "vile":** Bryan Cantrill, "A Spoonful of Sewage," in *Beautiful Code: Leading Programmers Explain How They Think*, eds. Greg Wilson and Andy Oram (Sebastapol, CA: O'Reilly Media, 2007), 367–68.

149 **problem of everyday life: food:** Lizzie Widdicombe, "The End of Food," *New Yorker*, May 12, 2014, accessed online August 18, 2018, https://www.newyorker.com /magazine/2014/05/12/the-end-of-food.

150 **"it's just a hassle, though":** Rob Rhinehart, "How I Stopped Eating Food," *Mostly Harmless* (blog), February 13, 2013, accessed August 18, 2018, via the Internet Archive, https://web.archive.org/web/20130517220351/http://robrhinehart .com:80/?p=298.

150 **time spent on eating:** "Who Are You and Why Do You Use Soylent?," Reddit, accessed August 18, 2018, https://www.reddit.com/r/soylent/comments/5j57i5/who _are_you_and_why_do_you_use_soylent.

151 **"or Amazon Go":** Ruhi Sarikaya, "Making Alexa More Friction-free," *Alexa Blogs*, April 25, 2018, accessed August 18, 2018, https://developer.amazon.com/blogs/alexa /author/Ruhi+Sarikaya.

151 **anything else for you:** Steven Overly, "Washio Picks Up Your Dirty Laundry, Dry Cleaning with the Tap of an App," *Washington Post*, January 30, 2014, https://www .washingtonpost.com/business/capitalbusiness/washio-picks-up-your-dirty-laundry -dry-cleaning-with-the-tap-of-an-app/2014/01/29/08509ae4-8865-11e3-833c -33098f9e5267_story.html; Steven Bertoni, "Handybook Wants to Be the Uber for Your Household Chores," *Forbes*, March 26, 2014, https://www.forbes.com/sites /stevenbertoni/2014/03/26/handybook-wants-to-be-the-uber-for-your-household -chores/#221628987fa9; Brittain Ladd, "The Trojan Horse: Will Instacart Become a Competitor of the Grocery Retailers It Serves?," *Forbes*, July 1, 2018, https://www .forbes.com/sites/brittainladd/2018/07/01/__trashed-2/#7cc74ef1e4d1; Ken Yeung, "TaskRabbit's App Update Focuses on Getting Tasks Done in under 90 Minutes," *VentureBeat*, March 1, 2016, https://venturebeat.com/2016/03/01/taskrabbits -app-update-focuses-on-getting-tasks-done-in-under-90-minutes; all accessed August 18, 2018.

151 **"wanting to replicate mom":** Clara Jeffery (@ClaraJeffery), "So many Silicon Valley startups," Twitter, September 13, 2017, accessed August 18, 2018, https://twitter.com /clarajeffery/status/907997677048045568?lang=en.

152 **for a predictable income:** Corky Siemaszko, "In the Shadow of Uber's Rise, Taxi

Driver Suicides Leave Cabbies Shaken," *NBC News*, June 7, 2018, accessed August 18, 2018, https://www.nbcnews.com/news/us-news/shadow-uber-s-rise-taxi-driver-suicides-leave-cabbies-shaken-n879281.

153 **she once joked:** TED× Talks, *Do You Like Me? Do I? | Leah Pearlman | TED xBoulder*, YouTube, 12:21, October 31, 2016, accessed August 18, 2018, https://www.youtube.com/watch?v=5nwSjRA3kQA.

153 **"required was so low":** Stanford eCorner, *Justin Rosenstein: No Dislike Button on Facebook*, YouTube, 1:33, May 13, 2013, accessed August 18, 2018, https://www.youtube.com/watch?v=11WbGqALF_I.

153 **"certain kinds of interaction":** Victor Luckerson, "The Rise of the Like Economy," *The Ringer*, February 15, 2017, accessed August 18, 2018, https://www.theringer.com/2017/2/15/16038024/how-the-like-button-took-over-the-internet-ebe778be2459.

153 **neatly, cleanly, and quickly:** Andrew Bosworth, "What's the history of the Awesome Button (that eventually became the Like button) on Facebook?," Quora, October 16, 2014, accessed August 18, 2018, https://www.quora.com/Whats-the-history-of-the-Awesome-Button-that-eventually-became-the-Like-button-on-Facebook.

153 **that user's News Feed:** Will Oremus, "Who Controls Your Facebook Feed," *Slate*, January 3, 2016, accessed August 18, 2018, http://www.slate.com/articles/technology/cover_story/2016/01/how_facebook_s_news_feed_algorithm_works.html.

153 **launched on February 9, 2009:** Kathy H. Chan, "I Like This," Facebook, February 9, 2009, accessed August 18, 2018, https://www.facebook.com/notes/facebook/i-like-this/53024537130.

153 **a trillion times by now:** Aaron Souppouris, "One Billion People Now 'Actively Using' Facebook," *The Verge*, October 4, 2012, accessed August 18, 2018, https://www.theverge.com/2012/10/4/3453350/facebook-one-billion-monthly-users-announcement.

154 **"truly peculiar reactions":** Adam Alter, *Irresistible: The Rise of Addictive Technology and the Business of Keeping Us Hooked* (New York: Penguin, 2017), 128.

154 **known as "Campbell's Law":** Donald T. Campbell, "Assessing the Impact of Planned Social Change," *Evaluation and Program Planning* 2, no. 1 (1979): 67–90.

154 **explosive emotionality, clickbait:** James Somers, "The Like Button Ruined the Internet," *The Atlantic*, March 21, 2017, accessed August 18, 2018, https://www.theatlantic.com/technology/archive/2017/03/how-the-like-button-ruined-the-internet/519795/; M. J. Crockett, "Modern Outrage Is Making It Harder to Better Society," *Globe and Mail*, March 2, 2018, accessed August 18, 2018, http://www.theglobeandmail.com/opinion/modern-outrage-is-making-it-harder-to-bettersociety/article38179877.

154 **across the entire web:** Allen St. John, "How Facebook Tracks You, Even When You're Not on Facebook," *Consumer Reports*, April 11, 2018, accessed August 18, 2018, https://www.consumerreports.org/privacy/how-facebook-tracks-you-even-when-youre-not-on-facebook; Alex Kantrowitz, "Here's How Facebook Tracks You When You're Not on Facebook," *BuzzFeed News*, April 11, 2018, accessed August 18, 2018, https://www.buzzfeednews.com/article/alexkantrowitz/heres-how-facebook-tracks-you-when-youre-not-on-facebook#.elVbWNnav.

155 **as Rosenstein told *The Verge*:** Casey Newton, "The Person Behind the Like Button Says Software Is Wasting Our Time," *The Verge*, March 28, 2018, https://www.theverge.com/2018/3/28/17172404/justin-rosenstein-asana-social-media-facebook-timeline-gantt.

155 **2,617 times a day:** Paul Lewis, "'Our Minds Can Be Hijacked': The Tech Insiders Who Fear a Smartphone Dystopia," *Guardian*, October 6, 2017, accessed August 18, 2018, https://www.theguardian.com/technology/2017/oct/05/smartphone-addiction-silicon-valley-dystopia.

CHAPTER 6: 10X, ROCK STARS, AND THE MYTH OF MERITOCRACY

158 **a frenzy of programming:** This section on Max Levchin draws from several sources, including Adam Penenberg, *Viral Loop: From Facebook to Twitter: How Today's Smartest Businesses Grow Themselves* (New York: Hyperion, 2009), 158–275, Kindle; Sarah Lacy, *Once You're Lucky, Twice You're Good: The Rebirth of Silicon Valley and the Rise of Web 2.0* (New York: Penguin, 2008), 17–41, Kindle; Jessica Livingston, *Founders at Work: Stories of Startups' Early Days* (New York: Apress, 2008), locations 200–605 of 12266, Kindle; Krissy Clark, "What Does Meritocracy Really Mean in Silicon Valley?," *Marketplace*, October 4, 2013, accessed August 18, 2018, https://www.marketplace.org/2013/10/04/wealth-poverty/what-does-meritocracy-really-mean-silicon-valley; Peter Thiel and Blake Masters, *Zero to One: Notes on Startups, or How to Build the Future* (New York: Crown Publishing Group, 2014).

160 **"perfect validation of merit":** Emily Chang, *Brotopia: Breaking Up the Boys' Club of Silicon Valley* (New York: Penguin, 2018), 60.

160 **"People wouldn't talk to us":** Chang, *Brotopia*, 48.

160 **"it is in Silicon Valley":** Jodi Kantor, "A Brand New World in Which Men Ruled," *New York Times*, December 23, 2014, accessed August 18, 2018, www.nytimes.com/interactive/2014/12/23/us/gender-gaps-stanford-94.html.

161 **"Offline Programming Performance":** H. Sackman, W. J. Erikson, and E. E. Grant, "Exploratory Experimental Studies Comparing Online and Offline Programming Performance," *Communications of the ACM* 11, no. 1 (January 1968): 3–11.

163 **critics have noted:** Laurent Bossavit, *The Leprechauns of Software Engineering: How Folklore Turns into Fact and What to Do about It* (Leanpub, 2016), 36–47.

163 **"creative work in this regard":** Butler Lampson, "A Critique of 'An Exploratory Investigation of Programmer Performance Under On-line and Off-line Conditions,'" *IEEE Transactions on Human Factors in Electronics* 8, no. 1 (March 1967): 48–51.

163 **an elite virtuoso class:** This blog post describes several of the papers that historically claimed to track large deltas in programmer performance: Steve McConnell, "Origins of 10X—How Valid Is the Underlying Research?," *Construx*, January 9, 2011, accessed August 18, 2018, http://www.construx.com/blog/the-origins-of-10x-how-valid-is-the-underlying-research.

163 **factors of 8X to 13X:** Lampson, "A Critique of 'An Exploratory Investigation of Programmer Performance Under On-Line and Off-Line Conditions.'"

163 **"The Mongolian Hordes versus Superprogrammer":** Bossavit, *Leprechauns*, 47.

163 **get the work done**: Brooks, *The Mythical Man-Month*, 30.

164 ***makes it later*:** Brooks, *The Mythical Man-Month*, 25.

164 **"an average software writer":** "The Other Side of Paradise," *The Economist*, January

14, 2016, accessed online August 18, 2018, https://www.economist.com/business/2016/01/14/the-other-side-of-paradise.

165 **by two brothers:** Len Shustek, "Adobe Photoshop Source Code," Computer History Museum, February 13, 2013, accessed August 18, 2018, http://www.computerhistory.org/atchm/adobe-photoshop-source-code.

165 **freshman Monte Davidoff:** Paul Allen, "Microsoft's Odd Couple," *Vanity Fair*, May 2011, accessed online August 18, 2018, https://www.vanityfair.com/news/2011/05/paul-allen-201105.

165 **written by Brad Fitzpatrick:** "Frequently Asked Question #4. How Did LiveJournal Get Started? Who Runs It Now?," LiveJournal, last updated April 3, 2017, accessed August 18, 2018, https://www.livejournal.com/support/faq/4.html.

165 **Larry Page and Sergey Brin:** John Battelle, "The Birth of Google," *Wired*, August 1, 2005, accessed August 18, 2018, https://www.wired.com/2005/08/battelle.

165 **trio of coworkers:** Laura Fitzpatrick, "Brief History of YouTube," *Time*, May 31, 2010, accessed August 18, 2018, http://content.time.com/time/magazine/article/0,9171,1990787,00.html.

165 **one person, Bobby Murphy:** Alex Hern, "Snapchat Boss Evan Spiegel on the App That Made Him One of the World's Youngest Billionaires," *Guardian*, December 5, 2017, https://www.theguardian.com/technology/2017/dec/05/snapchat-boss-evan-spiegel-on-the-app-that-made-him-one-of-the-worlds-youngest-billionaires.

165 **the pseudonymous "Satoshi Nakamoto":** Joshua Davis, "The Crypto-Currency," *New Yorker*, October 10, 2011, accessed August 18, 2018, https://www.newyorker.com/magazine/2011/10/10/the-crypto-currency.

165 **first-person shooter video games:** Chris Kohler, "Q&A: Doom's Creator Looks Back on 20 Years of Demonic Mayhem," *Wired*, December 10, 2013, accessed August 18, 2018, https://www.wired.com/2013/12/john-carmack-doom.

166 **"'QA team put together'":** Joel Spolsky, "Top Five (Wrong) Reasons You Don't Have Testers," *Joel on Software* (blog), April 30, 2000, accessed August 18, 2018, https://www.joelonsoftware.com/2000/04/30/top-five-wrong-reasons-you-dont-have-testers.

167 **"if they work at it":** Mark Guzdial, "Anyone Can Learn Programming: Teaching > Genetics," *Blog@CACM*, October 14, 2014, accessed August 18, 2018, https://cacm.acm.org/blogs/blog-cacm/179347-anyone-can-learn-programming-teaching-genetics/fulltext.

170 **"not the other way around":** Meredith L. Patterson, "When Nerds Collide," *Medium*, March 24, 2014, accessed August 18, 2018, https://medium.com/@maradydd/when-nerds-collide-31895b01e68c.

171 **"manages the most people":** "Zuckerberg's Letter to Investors," *Sydney Morning Herald*, February 2, 2012, accessed August 18, 2018, https://www.smh.com.au/business/zuckerbergs-letter-to-investors-20120202-1qu9p.html.

172 **he first announced it online:** Michael Calore, "Aug. 25, 1991: Kid from Helsinki Foments Linux Revolution," *Wired*, August 25, 2009, accessed August 18, 2018, https://www.wired.com/2009/08/0825-torvalds-starts-linux.

174 **Intel, Red Hat, or Samsung:** Dawn Foster, "Who Contributes to the Linux Kernel?," *The New Stack*, January 18, 2017, accessed August 18, 2018, https://thenewstack.io/contributes-linux-kernel.

175 **with a lifesaving fix:** This opening story is from this blog post: Jonathan Solórzano-Hamilton, "We Fired Our Top Talent. Best Decision We Ever Made," freeCodeCamp, October 13, 2017, accessed August 18, 2018, https://medium.freecodecamp.org/we-fired-our-top-talent-best-decision-we-ever-made-4c0a99728fde.

178 **"not really a programmer":** Jake Edge, "The Programming Talent Myth," LWN, April 28, 2015, accessed August 18, 2018, https://lwn.net/Articles/641779; the original speech is here: PyCon 2015, "Keynote—Jacob Kaplan-Moss—Pycon 2015," YouTube, 35:50, April 12, 2015, accessed August 18, 2018, https://www.youtube.com/watch?v=hIJdFxYlEKE.

179 **claimed it to be:** Chang, *Brotopia*, 60–63.

179 **"to be equally obsessed":** Thiel, *Zero to One*, 122, Kindle.

179 **you have a safety net:** Ross Levine and Yona Rubinstein, "Smart and Illicit: Who Becomes an Entrepreneur and Do They Earn More?," National Bureau of Economic Research, issued August 2013, revised September 2015, accessed August 18, 2018, https://www.nber.org/papers/w19276.pdf.

179 **Stanford, Harvard, or MIT:** Sarah McBride, "Insight: In Silicon Valley Start-up World, Pedigree Counts," Reuters, September 12, 2013, accessed August 18, 2018, https://www.reuters.com/article/us-usa-startup-connections-insight/insight-in-silicon-valley-start-up-world-pedigree-counts-idUSBRE98B15U20130912.

180 **cascade of good fortune downstream:** Robert H. Frank and Philip J. Cook, *The Winner-Take-All Society: Why the Few at the Top Get So Much More Than the Rest of Us* (New York: Virgin Books, 2010).

181 **"you start acting like one":** Antonio García Martínez, *Chaos Monkeys: Obscene Fortune and Random Failure in Silicon Valley* (New York: HarperCollins, 2016), 490.

181 **"an awful lot like me":** Johnathan Nightingale, "Some Garbage I Used to Believe about Equality," *Co-Pour*, November 27, 2016, accessed August 18, 2018, https://mfbt.ca/some-garbage-i-used-to-believe-about-equality-e7c771784f26.

181 **its respondents identified as men:** Klint Finley, "Diversity in Open Source Is Even Worse Than in Tech Overall," *Wired*, June 2, 2017, accessed June 23, 2018, https://www.wired.com/2017/06/diversity-open-source-even-worse-tech-overall.

181 **10 percent or lower:** Gregorio Robles, Laura Arjona Reina, Jesús M. González-Barahona, and Santiago Dueñas Domínguez, "Women in Free/Libre/Open Source Software," *Proceedings of the 12th IFIP WG 2.13 International Conference OSS 2016*, Gothenburg, Sweden, May 30–June 2, 2016, 163–173, accessed October 7, 2018, https://flosshub.org/sites/flosshub.org/files/paper-pre.pdf; Breanden Beneschott, "Is Open Source Open to Women?," Toptal, accessed October 7, 2018, https://www.toptal.com/open-source/is-open-source-open-to-women.

181 **open source conferences:** Valeria Aurora, "The Dark Side of Open Source Conferences," LWN, December 1, 2010, accessed October 7, 2018, https://lwn.net/Articles/417952/.

181 **as he wrote:** Noam Cohen, "After Years of Abusive E-mails, the Creator of Linux Steps Aside," *New Yorker*, September 19, 2018, accessed October 7, 2018, https://www.newyorker.com/science/elements/after-years-of-abusive-e-mails-the-creator-of-linux-steps-aside.

182 **weary giants of flesh and steel:** Hettie O'Brien, "The Floating City, Long a Libertarian Dream, Faces Rough Seas," *CityLab*, April 27, 2018, accessed August 18, 2018, https://www.citylab.com/design/2018/04/the-unsinkable-dream-of-the-floating-city/559058/.

182 **"that freedom and democracy are compatible":** Peter Thiel, "The Education of a Libertarian," *Cato Unbound*, April 13, 2009, accessed August 18, 2018, https://www.cato-unbound.org/2009/04/13/peter-thiel/education-libertarian.

182 **"that offer poor services":** Paul Bradley Carr, "Travis Shrugged: The Creepy, Dangerous Ideology Behind Silicon Valley's Cult of Disruption," *Pando*, October 24, 2012, accessed August 18, 2018, https://pando.com/2012/10/24/travis-shrugged.

182 **probably have been stillborn:** Fred Kaplan, "When America First Met the Microchip," *Slate*, June 18, 2009, accessed August 18, 2018, http://www.slate.com/articles/arts/books/2009/06/when_america_first_met_the_microchip.html.

182 **the Internet Protocols themselves:** "Funding a Revolution: Government Support for Computing Research," National Research Council, 1999, accessed August 18, 2018, https://www.nap.edu/read/6323/chapter/1; specifically chapters 8, 9, 10, and 12.

183 **being pooh-poohed worldwide:** Katrina Onstad, "Mr. Robot," *Toronto Life*, January 29, 2018, accessed August 18, 2018, https://torontolife.com/tech/ai-superstars-google-facebook-apple-studied-guy.

183 **by federal research dollars:** Mariana Mazzucato, *The Entrepreneurial State: Debunking Public vs. Private Sector Myths* (London: Anthem Press, 2015), 70.

183 **the general population:** Peter Ryan, "Left, Right and Center: Crypto Isn't Just for Libertarians Anymore," *CoinDesk*, July 27, 2018, https://www.coindesk.com/no-crypto-isnt-just-for-libertarians-anymore; Nate Silver, "There Are Few Libertarians. But Many Americans Have Libertarian Views," *FiveThirtyEight*, April 9, 2015, https://fivethirtyeight.com/features/there-are-few-libertarians-but-many-americans-have-libertarian-views/; both accessed October 7, 2018.

184 **got interested in this question:** David Broockman, Greg F. Ferenstein, and Neil Malhotra, "The Political Behavior of Wealthy Americans: Evidence from Technology Entrepreneurs," Stanford Graduate School of Business, Working Paper No. 3581, December 9, 2017, accessed August 18, 2018, https://www.gsb.stanford.edu/faculty-research/working-papers/political-behavior-wealthy-americans-evidence-technology.

184 **than to Donald Trump:** Ari Levy, "Silicon Valley Donated 60 Times More to Clinton Than to Trump," *CNBC*, November 7, 2016, accessed August 18, 2018, https://www.nbcnews.com/storyline/2016-election-day/silicon-valley-donated-60-times-more-clinton-trump-n679156.

186 **philosopher and technologist Ian Bogost says:** Alexis C. Madrigal, "What Should We Call Silicon Valley's Unique Politics?," *The Atlantic*, September 7, 2017, accessed August 18, 2018, https://www.theatlantic.com/technology/archive/2017/09/what-to-call-silicon-valleys-anti-regulation-pro-redistribution-politics/539043.

186 **civic goods like public libraries:** Susan Stamberg, "How Andrew Carnegie Turned His Fortune into a Library Legacy," *NPR*, August 1, 2013, accessed August 18, 2018,

https://www.npr.org/2013/08/01/207272849/how-andrew-carnegie-turned-his-fortune-into-a-library-legacy.

CHAPTER 7: THE ENIAC GIRLS VANISH

198 **from 8 percent of chemists to 39 percent:** Christianne Corbett and Catherine Hill, "Solving the Equation: The Variables for Women's Success in Engineering and Computing," AAUW (2015), accessed August 18, 2018, https://www.aauw.org/research/solving-the-equation.

199 **sequence of numbers:** My description of Lovelace's life and work draws from James Essinger, *Ada's Algorithm: How Lord Byron's Daughter Ada Lovelace Launched the Digital Age* (New York: Melville House, 2014); Betsy Morais, "Ada Lovelace, the First Tech Visionary," *New Yorker*, October 15, 2013, accessed August 18, 2018, https://www.newyorker.com/tech/elements/ada-lovelace-the-first-tech-visionary; Amy Jollymore, "Ada Lovelace, An Indirect and Reciprocal Influence," *Forbes*, October 15, 2013, accessed August 18, 2018, https://www.forbes.com/sites/oreillymedia/2013/10/15/ada-lovelace-an-indirect-and-reciprocal-influence; Valerie Aurora, "Deleting Ada Lovelace from the History of Computing," Ada Initiative, August 24, 2013, accessed August 18, 2018, https://adainitiative.org/2013/08/24/deleting-ada-lovelace-from-the-history-of-computing.

199 **it contained a bug:** Eugene Eric Kim and Betty Alexandra Toole, "Ada and the First Computer," *Scientific American*, May 1999, 76–81.

199 **she wrote in a letter:** Essinger, *Ada's Algorithm*, 184.

200 **"to the sound of *Music*":** James Gleick, *The Information: A History, a Theory, a Flood* (New York: Pantheon, 2011), 118–19, 124.

200 **recounts in *Recoding Gender*:** Janet Abbate, *Recoding Gender: Women's Changing Participation in Computing* (Cambridge, MA: MIT Press, 2012), Kindle.

200 **and 70,000 resistors:** "ENIAC," Computer Hope, updated May 22, 2018, accessed August 18, 2018, https://www.computerhope.com/jargon/e/eniac.htm.

200 **menial, even secretarial:** Ensmenger, "Making Programming Masculine," 121.

200 **the "ENIAC Girls":** Light, "When Computers Were Women," 459.

201 **"if not better than, the engineer":** Abbate, *Recoding Gender*, 24, Kindle.

201 **a key part of debugging:** Abbate, 32.

201 **"can do awake," Jennings later said:** Abbate, 33.

201 **of the women, was considered:** Abbate, 36–37.

202 **"FLOW-MATIC" language:** Kurt W. Beyer, *Grace Hopper and the Invention of the Information Age* (Cambridge, MA: MIT Press, 2012), Kindle, particularly chapter 7, "The Education of a Computer"; "Grace Murray Hopper," Lemelson-MIT, accessed August 18, 2018, https://lemelson.mit.edu/resources/grace-murray-hopper.

202 **"communication with the computer":** Steve Lohr, "Jean Sammet, Co-Designer of a Pioneering Computer Language, Dies at 89," *New York Times*, June 4, 2017, accessed August 18, 2018, https://www.nytimes.com/2017/06/04/technology/obituary-jean-sammet-software-designer-cobol.html; Jean E. Sammet, "The Early History of

COBOL," in *History of Programming Languages*, ed. Richard L. Wexelblat (New York: ACM, 1981), 199–243.

202 **first female IBM fellow:** Janet Abbate, "Oral-History: Frances 'Fran' Allen," Engineering and Technology History Wiki, accessed August 18, 2018, https://ethw.org/Oral-History:Frances_"Fran"_Allen.

202 **make good programmers:** Abbate, *Recoding Gender*, 65.

203 **as one ad enthused:** Marie Hicks, "Meritocracy and Feminization in Conflict: Computerization in the British Government," in *Gender Codes*, 105.

203 ***My Fair Ladies*:** Abbate, *Recoding Gender*, 65.

203 **"as female as anything":** Abbate, *Recoding Gender*, 62.

203 **"had it much harder":** Reginald Braithwaite, "A Woman's Story," *braythwayt* (blog), March 29, 2012, accessed August 18, 2018, http://braythwayt.com/posterous/2012/03/29/a-womans-story.html.

203 **in today's money:** Ensmenger, "Making Programming Masculine"; the illustrations of the *Cosmopolitan* article appear in a version of this article published on Ensmenger's page at the University of Indiana, accessed August 18, 2018, http://homes.sice.indiana.edu/nensmeng/files/ensmenger-gender.pdf.

204 **"I thought it was women's work":** Janet Abbate, "Oral-History: Elsie Shutt," Engineering and Technology History Wiki, accessed August 18, 2018, https://ethw.org/Oral-History:Elsie_Shutt.

204 **"Mixing Math and Motherhood":** Abbate, *Recoding Gender*, 113–44.

205 **and unkempt grooming:** Ensmenger, "Making Programming Masculine," 128–29.

205 **"huge glass ceiling":** Abbate, "Oral-History: Frances 'Fran' Allen."

206 **as a career was equal:** Steven James Devlin, "Sex Differences among Computer Programmers, Computer Application Users and General Computer Users at the Secondary School Level: An Investigation of Sex Role Self-concept and Attitudes toward Computers" (PhD diss., Temple University, 1991), 2, accessed September 27, 2018, https://dl.acm.org/citation.cfm?id=918494.

206 **computer science programs were women:** "Degrees in Computer and Information Sciences Conferred by Degree-granting Institutions, by Level of Degree and Sex of Student: 1970–71 through 2010–11," National Center for Educational Statistics, accessed August 18, 2018, https://nces.ed.gov/programs/digest/d12/tables/dt12_349.asp.

207 **an ambitious study:** The results of Margolis and Fisher's research were written up in their book: Jane Margolis and Allan Fisher, *Unlocking the Clubhouse: Women in Computing* (Cambridge, MA: MIT Press, 2003).

210 **women were precisely the reverse:** Lilly Irani, "A Different Voice: Women Exploring Stanford Computer Science" (Honors thesis, Stanford University, 2003), 46, citeseerx.ist.psu.edu/viewdoc/download?doi=10.1.1.107.1406&rep=rep1&type=pdf.

210 **pleasure of tinkering:** Margaret Burnett, Scott D. Fleming, Shamsi Iqbal, Gina Venolia, Vidya Rajaram, Umer Farooq, Valentina Grigoreanu, and Mary Czerwinski, "Gender Differences and Programming Environments: Across Programming Populations," in ESEM '10 Proceedings of the 2010 ACM-IEEE International Symposium on Empirical Software Engineering and Measurement, accessed August

18, 2018, https://www.microsoft.com/en-us/research/wp-content/uploads/2016/02/a28-burnett.pdf.

211 **They loved it:** Irani, "A Different Voice," 61–64.

211 **the "capacity crisis":** Eric Roberts, "Conserving the Seed Corn: Reflections on the Academic Hiring Crisis," *ACM SIGCSE Bulletin* (December 1999), accessed August 18, 2018, https://www.researchgate.net/profile/Eric_Roberts2/publication/220612646_Conserving_the_seed_corn_Reflections_on_the_academic_hiring_crisis/links/00b4951cafd2900e86000000/Conserving-the-seed-corn-Reflections-on-the-academic-hiring-crisis.pdf.

211 **the computer science major:** Mark Guzdial, "NPR When Women Stopped Coding in 1980's: As We Repeat the Same Mistakes," *Computing Education Research Blog*, October 30, 2014, accessed August 18, 2018, https://computinged.wordpress.com/2014/10/30/npr-when-women-stopped-coding-in-1980s-are-we-about-to-repeat-the-past.

212 **taking in more students:** "Degrees in Computer and Information Sciences," National Center for Educational Statistics.

212 **experiences in programming classes:** Ellen Spertus, "Why Are There So Few Female Computer Scientists?," MIT Artificial Intelligence Laboratory Technical Report 1315, 1991, accessed August 18, 2018, http://www.spertus.com/ellen/Gender/pap/pap.html.

212 **equally bleak tales:** *Barriers to Equality in Academia: Women in Computer Science at M.I.T.*, Massachusetts Institute of Technology, Laboratory for Computer Science, Massachusetts Institute of Technology, Artificial Intelligence Laboratory, M.I.T. (1983), accessed August 18, 2018, https://simson.net/ref/1983/barriers.pdf.

213 **rest of the private-sector workforce:** These are my calculations based on figures provided by the US Bureau of Labor Statistics here: "Employed Persons by Detailed Occupation, Sex, Race, and Hispanic or Latino Ethnicity," Bureau of Labor Statistics, accessed August 18, 2018, https://www.bls.gov/cps/cpsaat11.pdf.

213 **4.7 percent in 2016:** "Computer Programmers," Data USA, accessed August 18, 2018, https://datausa.io/profile/soc/151131.

213 **and 4 percent, respectively:** Molla, "It's Not Just Google."

215 **and 8.3 percent identified as LGBTQ:** "Diversity at Slack," *Slack Blog*, updated April 17, 2018, accessed August 18, 2018, https://slackhq.com/diversity-at-slack-2.

216 **no negative material:** Kieran Snyder, "The Abrasiveness Trap: High-achieving Men and Women Are Described Differently in Reviews," *Fortune*, August 26, 2014, accessed August 18, 2018, http://fortune.com/2014/08/26/performance-review-gender-bias.

216 **only 5 percent of them did:** Erin Carson, "When Tech Firms Judge on Skills Alone, Women Land More Job Interviews," *CNET*, August 27, 2016, accessed August 18, 2018, https://www.cnet.com/news/when-tech-firms-judge-on-skills-alone-women-land-more-job-interviews.

217 **"to decide to invest":** Tracey Ross, "The Unsettling Truth about the Tech Sector's Meritocracy Myth," *Washington Post*, April 13, 2016, accessed August 18, 2018, https://www.washingtonpost.com/news/in-theory/wp/2016/04/13/the-unsettling-truth-about-the-tech-sectors-meritocracy-myth.

218 **in his slide deck:** Sarah Mei, "Why Rails Is Still a Ghetto," *Sarah Mei* (blog), April 25, 2009, accessed August 18, 2018, http://www.sarahmei.com/blog/2009/04/25/why-rails-is-still-a-ghetto.

218 **"to girls what we actually do":** Jun Auza, "Why Mark Shuttleworth Owes FOSS-Women an Apology," *TechSource*, September 30, 2009, accessed August 18, 2018, http://www.junauza.com/2009/09/why-mark-shuttleworth-owes-foss-women.html; Chris Ball, "On Keynotes and Apologies," Blog.printf.net, September 25, 2009, accessed August 19, 2018, https://blog.printf.net/articles/2009/09/25/on-keynotes-and-apologies.

218 **ranking women by "hotness":** Andy Lester, "Distracting Examples Ruin Your Presentation," *Andy Lester* (blog), July 26, 2011, accessed August 19, 2018, https://petdance.wordpress.com/2011/07/26/distracting-examples-ruin-your-presentation.

218 **"efficiency and effectiveness":** Arianna Simpson, "Here's What It's Like to Be a Woman at a Bitcoin Meetup," *Business Insider*, February 3, 2014, accessed August 19, 2018, https://www.businessinsider.com/arianna-simpson-on-women-and-bitcoin-2014-2.

218 **to focus while coding:** Rhett Jones, "Lawsuit: VR Company Had a 'Kink Room,' Pressured Female Employees to 'Microdose,'" *Gizmodo*, May 15, 2017, accessed August 19, 2018, https://gizmodo.com/lawsuit-vr-company-had-a-kink-room-pressured-female-e-1795243868. The lawsuit was later settled out of court: Marisa Kendall, "Silicon Valley Virtual Reality Startup Settles 'Kink Room' Lawsuit," *The Mercury News*, September 7, 2017, accessed October 7, 2018, https://www.mercurynews.com/2017/09/07/san-francisco-virtual-reality-startup-settles-kink-room-lawsuit/.

219 **a good example of that:** Adam Fisher, "Sex, Beer, and Coding: Inside Facebook's Wild Early Days," *Wired*, July 10, 2018, accessed August 19, 2018, https://www.wired.com/story/sex-beer-and-coding-inside-facebooks-wild-early-days.

220 **96 percent of the investors are men:** Dan Primack, "Venture Capital's Stunning Lack of Female Decision-makers," *Fortune*, February 6, 2014, accessed August 19, 2018, http://fortune.com/2014/02/06/venture-capitals-stunning-lack-of-female-decision-makers/.

220 **for sex by investors:** Reed Albergotti, "Silicon Valley Women Tell of VC's Unwanted Advances," *The Information*, June 22, 2017, https://www.theinformation.com/articles/silicon-valley-women-tell-of-vcs-unwanted-advances; Sara O'Brien, "Sexual Harassment in Tech: Women Tell Their Stories," *CNN Tech*, https://money.cnn.com/technology/sexual-harassment-tech/; Katie Benner, "Women in Tech Speak Frankly on Culture of Harassment," *New York Times*, June 30, 2017, https://www.nytimes.com/2017/06/30/technology/women-entrepreneurs-speak-out-sexual-harassment.html; all accessed August 19, 2018.

220 **Pao later wrote:** Ellen Pao, *Reset: My Fight for Inclusion and Lasting Change* (New York: Random House, 2017), 78.

221 **gender for Y Combinator:** Cadran Cowansage, "Ask a Female Engineer: Thoughts on the Google Memo," *Y Combinator* (blog), August 15, 2017, accessed August 19, 2018, https://blog.ycombinator.com/ask-a-female-engineer-thoughts-on-the-google-memo/.

222 **as a lawsuit alleged:** Jordan Pearson, "How the Magic Leap Lawsuit Illuminates Tech's Gendered Design Bias," *Motherboard*, February 15, 2017, accessed August 19, 2018, https://motherboard.vice.com/en_us/article/aeygje/how-the-magic-leap-lawsuit-illuminates-techs-gendered-design-bias. The lawsuit was later settled: Adi Robertson, "Magic Leap Settles Sex Discrimination Lawsuit," *The Verge*, May 9, 2017, accessed

October 7, 2018, https://www.theverge.com/2017/5/9/15593578/magic-leap-tannen-campbell-sex-discrimination-settlement.

222 **Heather Gold has written:** Heather Gold, "Video Chat Is Terrible and About to Get Much Worse," October 16, 2018, accessed January 4, 2019, https://medium.com/s/story/video-chat-is-terrible-and-about-to-get-much-worse-174823f3ffb.

222 **Laurie Penny once cracked:** Laurie Penny, "Laurie Penny: A Woman's Opinion Is the Mini-skirt of the Internet," *Independent*, November 4, 2011, accessed August 19, 2018, https://www.independent.co.uk/voices/commentators/laurie-penny-a-womans-opinion-is-the-mini-skirt-of-the-internet-6256946.html.

222 **like Flickr had previously attempted:** Hunter Walk, "Early Employees: Heather Champ & Flickr," LinkedIn post, March 19, 2013, accessed August 19, 2018, https://www.linkedin.com/pulse/20130320042336-7298-early-employees-heather-champ-flickr/.

222 **"company's wholesome family image":** Alex Sherman, Christopher Palmeri, and Sarah Frier, "Disney Said to Have Stopped Twitter Chase Partly over Image," *Boston Globe*, October 19, 2016, accessed August 19, 2018, https://www.bostonglobe.com/business/2016/10/18/disney-said-have-stopped-twitter-chase-partly-over-image/Op40d0HcrsBOXIjWEgLanL/story.html.

223 **"how to behave on the platform":** Dan Primack, "Ex-Twitter CEO: I'm Sorry," *Axios*, February 1, 2017, accessed August 19, 2018, https://www.axios.com/ex-twitter-ceo-im-sorry-1513300246-b0a495a5-f418-415b-9caa-7a32a7fe8d50.html.

223 **"Google's Ideological Echo Chamber":** Kate Conger, "Exclusive: Here's the Full 10-Page Anti-diversity Screed Circulating Internally at Google [Updated]," *Gizmodo*, August 5, 2017, accessed August 19, 2018, https://gizmodo.com/exclusive-heres-the-full-10-page-anti-diversity-screed-1797564320.

224 **to be interested in people:** Simon Baron-Cohen, *The Essential Difference: Male and Female Brains and the Truth about Autism* (New York: Basic Books, 2003).

225 **"is offensive and not OK":** Kara Swisher, "Google Has Fired the Employee Who Penned a Controversial Memo on Women and Tech," *Recode*, August 7, 2017, accessed August 19, 2018, https://www.recode.net/2017/8/7/16110696/firing-google-ceo-employee-penned-controversial-memo-on-women-has-violated-its-code-of-conduct.

225 **their biological makeup was a liability?:** Yonatan Zunger, "So, about This Googler's Manifesto," *Medium*, August 5, 2017, accessed August 19, 2018, https://medium.com/@yonatanzunger/so-about-this-googlers-manifesto-1e3773ed1788.

225 **on their internal forums:** Ashley Feinberg, "Internal Messages Show Some Googlers Supported Fired Engineer's Manifesto," *Wired*, August 8, 2017, accessed August 19, 2018, https://www.wired.com/story/internal-messages-james-damore-google-memo/.

225 **"an egg donor first":** Holly Brockwell, "Recruiter Sends Jaw-droppingly Sexist Email to Female Engineer—then Claims It Was a Stunt," *shinyshiny* (blog), March 16, 2015, accessed August 19, 2018, https://www.shinyshiny.tv/2015/03/recruiter-sends-sexist-email.html.

226 **"dry brush in fire season":** Cynthia Lee, "James Damore Has Sued Google. His Infamous Memo on Women in Tech Is Still Nonsense," *Vox*, January 8, 2018, accessed August 19, 2018, https://www.vox.com/the-big-idea/2017/8/11/16130452/google-memo-women-tech-biology-sexism.

227 **in the halls of tech workplaces:** Angela Saini, *Inferior: How Science Got Women Wrong and the New Research That's Rewriting the Story* (Boston: Beacon Press, 2017); Rosalind

C. Barnett and Caryl Rivers, "We've Studied Gender and STEM for 25 Years. The Science Doesn't Support the Google Memo," *Recode*, August 11, 2017, accessed August 19, 2018, https://www.recode.net/2017/8/11/16127992/google-engineer-memo-research-science-women-biology-tech-james-damore; Megan Molteni and Adam Rogers, "The Actual Science of James Damore's Google Memo," *Wired*, August 15, 2017, accessed August 19, 2018, https://www.wired.com/story/the-pernicious-science-of-james-damores-google-memo; Suzanne Sadedin, "A Scientist's Take on the Biological Claims from the Infamous Google Anti-diversity Manifesto," *Forbes*, August 10, 2017, accessed August 19, 2018, www.forbes.com/sites/quora/2017/08/10/a-scientists-take-on-the-biological-claims-from-the-infamous-google-anti-diversity-manifesto; Tia Ghose, "Google Manifesto: Does Biology Explain Gender Disparities in Tech?," *LiveScience*, August 9, 2017, accessed August 19, 2018, https://www.livescience.com/60079-biological-differences-men-and-women.html.

227 **that girls would code:** Roli Varma and Deepak Kapur, "Decoding Femininity in Computer Science in India," *Communications of the ACM* 58, no. 5 (May 2015): 56–62.

228 **in Kuala Lumpur:** Vivian Anette Lagesen, "A Cyberfeminist Utopia?: Perceptions of Gender and Computer Science among Malaysian Women Computer Science Students," *Science Technology Human Values* 33, no. 1 (2008): 5–27.

228 **"right mentality to do the job":** Abbate, *Recoding Gender*, 67.

229 **unironic, literal concept:** Michael Young, "Down with Meritocracy," *Guardian*, June 28, 2001, accessed August 19, 2018, https://www.theguardian.com/politics/2001/jun/29/comment.

229 **like math or philosophy—they're not:** Sarah-Jane Leslie, Andrei Cimpian, Meredith Meyer, and Edward Freeland, "Expectations of Brilliance Underlie Gender Distributions across Academic Disciplines," *Science* 347, no. 6219 (January 16, 2015): 262–65.

229 **to be the lone genius:** Emilio J. Castilla and Stephen Benard, "The Paradox of Meritocracy in Organizations," *Administrative Science Quarterly* 55 (2010): 543–76.

231 **match those of the men:** Margolis and Fisher, *Unlocking the Clubhouse*, location 1620 of 2083, Kindle.

231 **Using Computational Approaches:** Laura Sydell, "Colleges Have Increased Women Computer Science Majors: What Can Google Learn?," *NPR All Tech Considered*, August 10, 2017, accessed August 19, 2018, https://www.npr.org/sections/alltechconsidered/2017/08/10/542638758/colleges-have-increased-women-computer-science-majors-what-can-google-learn.

231 **found it hard going:** Anya Kamenetz, "A College President on Her School's Worst Year Ever," *nprED*, August 2, 2017, accessed August 19, 2018, https://www.npr.org/sections/ed/2017/08/02/540603927/a-college-president-on-her-schools-worst-year-ever.

231 **the collapse in the mid-'80s:** Linda J. Sax, "Expanding the Pipeline: Characteristics of Male and Female Prospective Computer Science Majors—Examining Four Decades of Changes," *Computing Research News* 29, no. 2 (February 2017): 4–7.

232 **a "high leverage point":** Rushkoff, *Program or Be Programmed*, 133.

232 **"one very, very strange year":** Susan Fowler, "Reflecting on One Very, Very Strange Year at Uber," SusanJFowler.com, February 19, 2017, accessed August 19, 2018, https://www.susanjfowler.com/blog/2017/2/19/reflecting-on-one-very-strange-year-at-uber.

233 **stalk their ex-girlfriends:** Will Evans, "Uber Said It Protects You from Spying. Security Sources Say Otherwise," *Reveal News*, December 12, 2016, accessed August 19, 2018, https://www.revealnews.org/article/uber-said-it-protects-you-from-spying-security-sources-say-otherwise.

233 **after a female journalist:** Sarah Lacy, "Uber Executive Said the Company Would Spend 'A Million Dollars' to Shut Me Up," *Time*, November 14, 2017, accessed August 19, 2018, http://time.com/5023287/uber-threatened-journalist-sarah-lacy.

233 **he calls it "Boob-er":** Mickey Rapkin, "Uber Cab Confessions," *GQ*, February 27, 2014, accessed August 19, 2018, www.gq.com/story/uber-cab-confessions.

233 **had been forced out:** Mike Isaac, "Uber Founder Travis Kalanick Resigns as C.E.O.," *New York Times*, June 21, 2017, accessed August 19, 2018, https://www.nytimes.com/2017/06/21/technology/uber-ceo-travis-kalanick.html.

233 **Chris Sacca and Justin Caldbeck:** Sage Lazzaro, "6 Women Accuse Prominent Tech VC Justin Caldbeck of Sexual Assault and Harassment," *Observer*, June 23, 2017, accessed August 19, 2018, http://observer.com/2017/06/justin-caldbeck-binary-capital-sexual-assault-harssment; Becky Peterson, "'Shark Tank' Judge Chris Sacca Apologizes for Helping Make Tech Hostile to Women—after Being Accused of Inappropriately Touching a Female Investor," *Business Insider*, June 30, 2017, accessed August 19, 2018, https://www.businessinsider.com/chris-sacca-apologizes-after-accusation-of-inappropriate-touching-2017-6; "Dave McClure Quits 500 Startups over Sexual Harassment Scandal," *Reuters*, July 4, 2017, accessed August 19, 2018, http://fortune.com/2017/07/03/dave-mcclure-500-startups-quits; Maya Kosoff, "Silicon Valley's Sexual-harassment Crisis Keeps Getting Worse," *Vanity Fair*, September 12, 2017, accessed August 19, 2018, https://www.vanityfair.com/news/2017/09/silicon-valleys-sexual-harassment-crisis-keeps-getting-worse. McClure resigned from his position and published a post apologizing for his actions: Kaitlin Menza, "Dave McClure's Apology for Sexual Harassment Isn't Applause-worthy—It's the Bare Minimum," *Self*, July 7, 2017, https://www.self.com/story/dave-mcclure-apology-sexual-harassment; Chris Sacca disputed the allegation against him, while writing that he had "sometimes played a role in the larger phenomenon of women not always feeling welcome in our industry": Chris Sacca, "I Have More Work to Do," *Medium*, June 29, 2017, accessed October 7, 2018, https://medium.com/@sacca/i-have-more-work-to-do-c775c5d56ca1; Justin Caldbeck initially denied the charges but later drafted letters of apology to the women who accused him of unwanted sexual advances: Ellen Huet, "After Harassment Allegations, Justin Caldbeck Attempts a Comeback. Critics Want Him to Stay Gone," *Bloomberg Businessweek*, November 13, 2017, accessed October 7, 2018, https://www.bloomberg.com/news/articles/2017-11-13/after-harassment-allegations-justin-caldbeck-attempts-a-comeback-critics-want-him-to-stay-gone.

CHAPTER 8: HACKERS, CRACKERS, AND FREEDOM FIGHTERS

242 **like Google and Yahoo!:** Barton Gellman, "NSA Infiltrates Links to Yahoo, Google Data Centers Worldwide, Snowden Documents Say," *Washington Post*, October 30, 2013, accessed August 19, 2018, https://www.washingtonpost.com/world/national-security/nsa-infiltrates-links-to-yahoo-google-data-centers-worldwide

-snowden-documents-say/2013/10/30/e51d661e-4166-11e3-8b74-d89d714ca4dd_story .html; Barton Gellman, Aaron Blake, and Greg Miller, "Edward Snowden Comes Forward as Source of NSA Leaks," *Washington Post*, June 9, 2013, accessed August 19, 2018, https://www.washingtonpost.com/politics/intelligence-leaders-push-back-on -leakers-media/2013/06/09/fff80160-d122-11e2-a73e-826d299ff459_story.html.

243 **crowdsourced-journalism project:** Andy Greenberg, "Anonymous' Barrett Brown Is Free—and Ready to Pick New Fights," *Wired*, December 21, 2016, accessed August 19, 2018, https://www.wired.com/2016/12/anonymous-barrett-brown-free-ready-pick -new-fights/.

243 **obstruction of justice charge:** Kim Zetter, "Barrett Brown Sentenced to 5 Years in Prison in Connection to Stratfor Hack," *Wired*, January 22, 2015, accessed August 19, 2018, https://www.wired.com/2015/01/barrett-brown-sentenced-5-years-prison -connection-stratfor-hack.

245 **most prolific hackers, later recalled:** Richard Stallman, "My Lisp Experiences and the Development of GNU Emacs," Gnu.org, transcript of speech from October 28, 2002, page last updated April 12, 2014, accessed August 19, 2018, https://www.gnu.org /gnu/rms-lisp.en.html.

246 **"ridiculous concepts as property rights":** Levy, *Hackers*, 95, Kindle.

246 **programmers could learn from it:** Levy, *Hackers*, 436–53, Kindle.

246 **derivative works based on it:** "GNU General Public License," Free Software Foundation, Version 3, June 29, 2007, hosted at Gnu.org, accessed August 19, 2018, https://www.gnu.org/licenses/gpl.txt; Heather Meeker, "Open Source Licensing: What Every Technologist Should Know," *Opensource*, September 21, 2017, accessed August 19, 2018, https://opensource.com/article/17/9/open-source-licensing; Gabriella Coleman, "Code Is Speech: Legal Tinkering, Expertise, and Protest among Free and Open Source Software Developers," *Cultural Anthropology* 24, no. 3 (2009): 420–54, accessed August 19, 2018, https://steinhardt.nyu.edu/scmsAdmin/uploads /005/984/Coleman-Code-is-Speech.pdf.

247 **reprogramming phone systems:** Elinor Mills, "Q&A: Mark Abene, from 'Phiber Optik' to Security Guru," *CNET*, June 29, 2009, accessed August 19, 2018, https:// www.cnet.com/news/q-a-mark-abene-from-phiber-optik-to-security-guru/; Michelle Slatalla and Joshua Quittner, "Gang War in Cyberspace," *Wired*, December 1, 1994, accessed August 19, 2018, https://www.wired.com/1994/12/hacker-4; Abraham Riesman, "Twilight of the Phreaks: The Fates of the 10 Best Early Hackers," *Motherboard*, March 9, 2012, accessed August 19, 2018, https://motherboard.vice.com/ en_us/article/wnn7by/twilight-of-the-phreaks-the-fates-of-the-10-best-early-hackers.

248 **judge explained at the sentencing:** Julian Dibbell, "The Prisoner: Phiber Optik Goes Directly to Jail," *Village Voice*, January 12, 1994, accessed copy on August 19, 2018, on http://www.juliandibbell.com/texts/phiber.html; Trip Gabriel, "Reprogramming a Convicted Hacker; to His On-line Friends, Phiber Optik Is a Virtual Hero," January 14, 1995, *New York Times*, accessed August 19, 2018, https:// www.nytimes.com/1995/01/14/nyregion/reprogramming-convicted-hacker-his-line -friends-phiber-optik-virtual-hero.html; Wired Staff, "Phiber Optik Goes to Prison," *Wired*, April 1, 1994, accessed August 19, 2018, https://www.wired.com/1994/04/phiber -optik-goes-to-prison.

249 **"never met face-to-face":** Joe Mullin, "Newegg Trial: Crypto Legend Takes the Stand, Goes for Knockout Patent Punch," *Ars Technica*, November 24, 2013, accessed August 19, 2018, https://arstechnica.com/tech-policy/2013/11/newegg-trial-crypto-legend-diffie-takes-the-stand-to-knock-out-patent/.

250 **idea of powerful crypto:** Steven Levy, "Prophet of Privacy," *Wired*, November 1, 1994, accessed August 19, 2018, https://www.wired.com/1994/11/diffie; Steve Fyffe and Tom Abate, "Stanford Cryptography Pioneers Whitfield Diffie and Martin Hellman Win ACM 2015 A. M. Turing Award," *Stanford News Service*, March, 1, 2016, accessed August 19, 2018, https://news.stanford.edu/press-releases/2016/03/01/pr-turing-hellman-diffie-030116.

250 **head of the NSA:** Thomas Rid, "The Cypherpunk Revolution," *Christian Science Monitor*, July 20, 2016, accessed August 19, 2018, projects.csmonitor.cypherpunk.

250 **Stewart Baker, recalled:** Gregory Ferenstein, "How Hackers Beat the NSA in the '90s and How They Can Do It Again," *TechCrunch*, June 29, 2013, accessed August 19, 2018, https://techcrunch.com/2013/06/28/how-hackers-beat-the-nsa-in-the-90s-and-how-they-can-do-it-again.

250 **or a missile:** Dan Froomkin, "Deciphering Encryption," *Washington Post*, May 8, 1998, accessed August 19, 2018, https://www.washingtonpost.com/wp-srv/politics/special/encryption/encryption.htm.

250 **First Amendment rights:** John Markoff, "Judge Rules against U.S. in Encryption Case," *New York Times*, December 19, 1996, https://www.nytimes.com/1996/12/19/business/judge-rules-against-us-in-encryption-case.html; "Bernstein v. US Department of Justice," Electronic Frontier Foundation, accessed August 19, 2018, https://www.eff.org/cases/bernstein-v-us-dept-justice.

251 **without explaining why:** John Markoff, "Data-Secrecy Export Case Dropped by U.S.," *New York Times*, January 12, 1996, accessed October 3, 2018, https://www.nytimes.com/1996/01/12/business/data-secrecy-export-case-dropped-by-us.html.

251 **the NSA couldn't break:** Steven Levy, "Battle of the Clipper Chip," *New York Times Magazine*, June 12, 1994, accessed August 19, 2018, https://www.nytimes.com/1994/06/12/magazine/battle-of-the-clipper-chip.html.

251 **"individual's preemptive protection":** "The Cyphernomicon," Nakomoto Institute, accessed August 19, 2018, https://nakamotoinstitute.org/static/docs/cyphernomicon.txt.

251 **hand down that ruling:** Markoff, "Judge Rules"; Rid, "The Cypherpunk Revolution."

252 **"of Big Brother":** Levy, "Battle of the Clipper Chip."

252 **it looked incompetent:** Sharon Begley, "Foiling the Clipper Chip," *Newsweek*, June 12, 1994, accessed August 19, 2018, https://www.newsweek.com/foiling-clipper-chip-188912.

253 **"cultural Dark Ages":** Gabriella Coleman, *Coding Freedom: The Ethics and Aesthetics of Hacking* (Princeton, NJ: Princeton University Press, 2013), 84.

254 **a $2,250,000 fine:** "US v. ElcomSoft & Sklyarov FAQ," Electronic Frontier Foundation, updated February 19, 2002, accessed August 19, 2018, https://www.eff.org/pages/us-v-elcomsoft-sklyarov-faq. The charges against Sklyarov were later

dropped: John Leyden, "Case against Dmitry Sklyarov Dropped," *The Register*, December 14, 2001, accessed October 7, 2018, https://www.theregister.co.uk/2001/12/14/case_against_dmitry_sklyarov_dropped/.

254 **open source software DeCSS:** J. S. Kelly, "Meet the Kid behind the DVD Hack," *CNN*, January 31, 2000, accessed August 19, 2018, http://www.cnn.com/2000/TECH/computing/01/31/johansen.interview.idg.

255 **of Norwegian law:** Declan McCullagh, "Norway Cracks Down on DVD Hacker," *Wired*, January 10, 2002, accessed August 19, 2018, https://www.wired.com/2002/01/norway-cracks-down-on-dvd-hacker/; "DVD Lawsuit Questions Legality of Linking," *New York Times*, January 7, 2000, accessed August 19, 2018, https://www.nytimes.com/2000/01/07/technology/dvd-lawsuit-questions-legality-of-linking.html; Amy Harmon, "Free Speech Rights for Computer Code?," *New York Times*, July 31, 2000, accessed August 19, 2018, https://archive.nytimes.com/www.nytimes.com/library/tech/00/07/biztech/articles/31rite.html.

255 **to criminalize programming:** John Leyden, "2600 Withdraws Supreme Court Appeal in DeCSS Case," *The Register*, July 4, 2002, accessed August 19, 2018, https://www.theregister.co.uk/2002/07/04/2600_withdraws_supreme_court_appeal; "Teen Cleared in Landmark DVD Case," *CNN*, January 7, 2003, accessed August 19, 2018, http://www.cnn.com/2003/TECH/01/07/dvd.johansen/index.html; Carl S. Kaplan, "The Year in Internet Law," *New York Times*, December 28, 2001, accessed August 19, 2018, https://www.nytimes.com/2001/12/28/technology/the-year-in-internet-law.html.

256 **"hacker cultural DNA":** Gabriella Coleman, "From Internet Farming to Weapons of the Geek," *Current Anthropology* 58, no. S15 (February 2017), accessed August 19, 2018, https://www.journals.uchicago.edu/doi/full/10.1086/688697.

257 **super-open form of copyright:** Tim Carmody, "Memory to Myth: Tracing Aaron Swartz through the 21st Century," *The Verge*, January 22, 2013, accessed August 19, 2018, https://www.theverge.com/2013/1/22/3898584/aaron-swartz-profile-memory-to-myth.

258 **he committed suicide:** Justin Peters, "The Idealist," *Slate*, February 7, 2013, accessed August 19, 2018, http://www.slate.com/articles/technology/technology/2013/02/aaron_swartz_he_wanted_to_save_the_world_why_couldn_t_he_save_himself.single.html.

260 **"or sectarian infighting":** Coleman, "From Internet Farming."
buy drugs and guns: Nick Bilton, *American Kingpin: The Epic Hunt for the Criminal Mastermind behind the Silk Road* (New York: Penguin, 2017), 34.

262 **use Tor to avoid scrutiny:** Robert Graham, "How Terrorists Use Encryption," *CTC Sentinel* 9, no. 6 (June 2016), accessed August 19, 2018, https://ctc.usma.edu/how-terrorists-use-encryption.

262 **of its overall use:** Andy Greenberg, "No, Department of Justice, 80 Percent of Tor Traffic Is Not Child Porn," *Wired*, January 28, 2015, accessed August 19, 2018, https://www.wired.com/2015/01/department-justice-80-percent-tor-traffic-child-porn.

262 **"possible to break the law":** Andy Greenberg, "Meet Moxie Marlinspike, the Anarchist Bringing Encryption to All of Us," *Wired*, July 31, 2016, accessed August 19, 2018, https://www.wired.com/2016/07/meet-moxie-marlinspike-anarchist-bringing-encryption-us/.

262 **"should be permitted":** Moxie Marlinspike, "We Should All Have Something to Hide," *Moxie* (blog), June 12, 2013, accessed August 19, 2018, https://moxie.org/blog/we-should-all-have-something-to-hide.

266 **began cracking open the machines:** Jim Finkle, "Hackers Scour Voting Machines for Election Bugs," *Reuters*, July 28, 2017, accessed August 19, 2018, https://www.reuters.com/article/us-cyber-conference-election-hacking/hackers-scour-voting-machines-for-election-bugs-idUSKBN1AD1BF.

267 **you could take control:** Matt Blaze, Jake Braun, Harri Hursti, Joseph Lorenzo Hall, Margaret MacAlpine, and Jeff Moss, "DEFCON 25 Voting Machine Hacking Village," Defcon.org, September 2017, accessed August 19, 2018, https://www.defcon.org/images/defcon-25/DEF%20CON%2025%20voting%20village%20report.pdf.

267 **admitted in an essay, "we're jerks":** Christian Ternus, "Infosec's Jerk Problem," *Adversarial Thinking* (blog), June 19, 2013, accessed August 19, 2018, http://adversari.es/blog/2013/06/19/cant-we-all-just-get-along.

268 **"couldn't pay in six months":** James Stevenson, "The Who, What, Where, When, and Why of WCry," *Hacking Insider*, May 13, 2017, accessed August 19, 2018, http://www.hackinginsider.com/2017/05/the-who-what-where-when-and-why-of-wcry.

268 **security experts suspected:** "Cyber Attack Hits 200,000 in at Least 150 Countries: Europol," *Reuters*, May 14, 2017, accessed August 19, 2018, https://www.reuters.com/article/us-cyber-attack-europol/cyber-attack-hits-200000-in-at-least-150-countries-europol-idUSKCN18A0FX; Julia Carrie Wong and Olivia Solon, "Massive Ransomware Cyber-attack Hits Nearly 100 Countries around the World," *Guardian*, May 12, 2017, https://www.theguardian.com/technology/2017/may/12/global-cyber-attack

269 -ransomware-nsa-uk-nhs; Thomas P. Bossert, "It's Official: North Korea Is Behind WannaCry," *Wall Street Journal*, December 18, 2017, accessed August 19, 2018, https://www.wsj.com/articles/its-official-north-korea-is-behind-wannacry-1513642537.

269 **in-demand infosec talent is:** Reeves Wiedeman, "Gray Hat," *New York*, February 19, 2018, accessed August 19, 2018, http://nymag.com/selectall/2018/03/marcus-hutchins-hacker.html.

270 **them back to you:** Doug Olenick, "Simple, but Not Cheap, Phishing Kit Found for Sale on Dark Web," *SC Magazine*, April 26, 2018, accessed August 19, 2018, https://www.scmagazine.com/simple-but-not-cheap-phishing-kit-found-for-sale-on-dark-web/article/761520; Kishalaya Kundu, "New Phishing Kit on Dark Web Lets Anyone Launch Cyber Attacks," *Beebom*, April 30, 2018, accessed August 19, 2018, https://beebom.com/new-phishing-kit-dark-web; Ionut Arghire, "New Advanced Phishing Kit Targets eCommerce," *SecurityWeek*, April 25, 2018, accessed August 19, 2018, https://www.securityweek.com/new-advanced-phishing-kit-targets-ecommerce.

271 **of all intrusion groups:** *Internet Threat Security Report: Volume 23* (March 2018), Symantec, accessed August 19, 2018, https://www.symantec.com/security-center/threat-report.

272 **of gray indeed:** Brian Krebs, "Who Is Anna-Senpai, the Mirai Worm Author?," *Krebs on Security*, January 17, 2017, accessed August 19, 2018, https://krebsonsecurity.com/2017/01/who-is-anna-senpai-the-mirai-worm-author; Brian Krebs, "Mirai IoT Botnet Co-authors Plead Guilty," *Krebs on Security*, December 17, 2017, accessed August 19, 2018, https://krebsonsecurity.com/2017/12/mirai-iot-botnet-co-authors

-plead-guilty; Mark Thiessen, "3 Hackers Get Light Sentences after Working with the FBI," Associated Press, September 19, 2018, accessed October 2, 2018, https://apnews.com/b6f03f9a13e04b19afed3375476b4132; Garrett M. Graff, "The Mirai Botnet Architects Are Now Fighting Crime with the FBI," *Wired*, September 18, 2018, accessed October 2, 2018, https://www.wired.com/story/mirai-botnet-creators-fbi-sentencing/.

272 **That's how you learn:** Wiedeman, "Gray Hat."
(if it's a state): Michael Schwirtz and Joseph Goldstein, "Russian Espionage Piggybacks on a Cybercriminal's Hacking," *New York Times*, March 12, 2017, accessed August 19, 2018, https://www.nytimes.com/2017/03/12/world/europe/russia-hacker-evgeniy-bogachev.html; Garrett M. Graff, "Inside the Hunt for Russia's Most Notorious Hacker," *Wired*, March 21, 2017, accessed August 19, 2018, https://www.wired.com/2017/03/russian-hacker-spy-botnet.

273 **other sites online:** Lisa Vaas, "DNC Chief Podesta Led to Phishing Link 'Thanks to a Typo,'" *Naked Security by Sophos*, December 16, 2016, accessed August 19, 2018, https://nakedsecurity.sophos.com/2016/12/16/dnc-chief-podesta-led-to-phishing-link-thanks-to-a-typo; Eric Lipton, David E. Sanger, and Scott Shane, "The Perfect Weapon: How Russian Cyberpower Invaded the U.S. Image," *New York Times*, December 13, 2016, accessed August 19, 2018, https://www.nytimes.com/2016/12/13/us/politics/russia-hack-election-dnc.html.

273 **phishing attempts each day:** Teri Robinson, "Defense Dept. Blocks 36M Malicious Emails Daily, Fends off 600 Gbps DDoS Attacks," *Cybersecurity Source*, January 19, 2018, accessed August 19, 2018, https://www.scmagazine.com/defense-dept-blocks-36m-malicious-emails-daily-fends-off-600-gbps-ddos-attacks/article/738292.

274 **to name just one example:** Masashi Crete-Nishihata, Jakub Dalek, Etienne Maynier, and John Scott-Railton, "Spying on a Budget: Inside a Phishing Operation with Targets in the Tibetan Community," The Citizen Lab, January 30, 2018, accessed August 19, 2018, https://citizenlab.ca/2018/01/spying-on-a-budget-inside-a-phishing-operation-with-targets-in-the-tibetan-community.

274 **when the NSA itself was hacked:** Lily Hay Newman, "The Leaked NSA Spy Tool That Hacked the World," *Wired*, May 7, 2018, accessed August 19, 2018, https://www.wired.com/story/eternalblue-leaked-nsa-spy-tool-hacked-world.

CHAPTER 9: CUCUMBERS, SKYNET, AND RISE OF THE AI

276 **AlphaGo dominated, 4 to 1:** John Markoff, "Alphabet Program Beats the European Human Go Champion," *New York Times*, January 27, 2016, accessed August 19, 2018, https://bits.blogs.nytimes.com/2016/01/27/alphabet-program-beats-the-european-human-go-champion; Bloomberg News, "How You Beat One of the Best Go Players in the World? Use Google," *Washington Post*, March 14, 2016, accessed August 19, 2018, https://www.washingtonpost.com/national/health-science/how-you-beat-one-of-the-best-go-players-in-the-world-use-google/2016/03/14/1efd1176-e6fc-11e5-b0fd-073d5930a7b7_story.html.

276 **atoms in the universe:** Alan Levinovitz, "The Mystery of Go, the Ancient Game That Computers Still Can't Win," *Wired*, May 12, 2014, accessed August 19, 2018,

https://www.wired.com/2014/05/the-world-of-computer-go; David Silver and Demis Hassabis, "AlphaGo: Mastering the Ancient Game of Go with Machine Learning," *Google AI Blog*, January 27, 2016, accessed August 19, 2018, https://ai.googleblog .com/2016/01/alphago-mastering-ancient-game-of-go.html.

276 **model of the game:** Silver and Hassabis, "AlphaGo."

277 **tales about AlphaGo:** Cade Metz, "The Sadness and Beauty of Watching Google's AI Play Go," *Wired*, March 11, 2016, accessed August 19, 2018, https://www.wired .com/2016/03/sadness-beauty-watching-googles-ai-play-go.

277 **messing around with it:** Tom Simonite, "Google Stakes Its Future on a Piece of Software," *MIT Technology Review*, June 27, 2017, accessed August 19, 2018, https:// www.technologyreview.com/s/608094/google-stakes-its-future-on-a-piece-of -software.

277 **"learned to sort cucumbers well":** Amos Zeeberg, "D.I.Y. Artificial Intelligence Comes to a Japanese Family Farm," *New Yorker*, August 10, 2017, accessed August 19, 2018, https://www.newyorker.com/tech/elements/diy-artificial-intelligence-comes-to -a-japanese-family-farm.

278 **to make it better:** Kaz Sato, "How a Japanese Cucumber Farmer Is Using Deep Learning and TensorFlow," *Google Cloud Platform Blog*, August 31, 2016, accessed August 19, 2018, https://cloud.google.com/blog/products/gcp/how-a-japanese -cucumber-farmer-is-using-deep-learning-and-tensorflow.

279 **to get machines to "think":** Stuart Armstrong, Kaj Sotala, and Seán S. Ó hÉ-igeartaigh, "The Errors, Insights and Lessons of Famous AI Predictions—and What They Mean for the Future," *Journal of Experimental & Theoretical Artificial Intelligence* 26, no. 3 (May 2014): 317–42.

280 **break down and become useless:** Abhishek Anand, "The Problem with Chatbots—How to Make Them More Human?," *Chatbots Magazine*, April 21, 2107, accessed August 19, 2018, https://chatbotsmagazine.com/the-problem-with-chatbots -how-to-make-them-more-human-d7a24c22f51e.

280 **once described it to me:** Clive Thompson, "What Is I.B.M.'s Watson?," *New York Times Magazine*, June 16, 2010, accessed August 19, 2018, https://www.nytimes .com/2010/06/20/magazine/20Computer-t.html.

282 **would be a monster hit:** Clive Thompson, "Hit Song Science," *New York Times Magazine*, December 14, 2003, accessed August 19, 2018, https://www.nytimes .com/2003/12/14/magazine/2003-the-3rd-annual-year-in-ideas-hit-song-science.html.

283 **their own "AI winter":** Alex Kantrowitz, "Meet the Man Who Makes Facebook's Machines Think," *BuzzFeed*, April 17, 2017, accessed August 19, 2018, https://www .buzzfeednews.com/article/alexkantrowitz/meet-the-man-who-makes-facebooks-machines-think; "Yann LeCun: An AI Groundbreaker Takes Stock," *Forbes*, July 17, 2018, accessed August 19, 2018, https://www.forbes.com/sites/insights-intelai /2018/07/17/yann-lecun-an-ai-groundbreaker-takes-stock.

284 **to reboot the crawl:** Steven Levy, *In the Plex: How Google Thinks, Works, and Shapes Our Lives* (New York: Simon & Schuster, 2011), 42.

285 **"Jeff Dean warns compilers":** Will Oremus, "The Optimizer," *Slate*, January 23, 2013, accessed August 19, 2018, http://www.slate.com/articles/technology /doers/2013/01/jeff_dean_facts_how_a_google_programmer_became_the_chuck _norris_of_the_internet.html.

286 **It was an AI moon shoot:** Alex Krizhevsky, Ilya Sutskever, and Geoffrey E. Hinton, "ImageNet Classification with Deep Convolutional Neural Networks," *NIPS '12 Proceedings of the 25th International Conference on Neural Information Processing Systems—Volume 1* (December 2012), 1097–1105, accessed August 19, 2018 via https://www.nvidia.cn/content/tesla/pdf/machine-learning/imagenet-classification-with-deep-convolutional-nn.pdf; Adit Deshpande, "The 9 Deep Learning Papers You Need to Know About (Understanding CNNs Part 3)," adeshpande3.github.io, August 24, 2016, accessed August 19, 2018, https://adeshpande3.github.io/The-9-Deep-Learning-Papers-You-Need-To-Know-About.html.

286 **"automate with AI":** Andrew Ng (@AndrewYNg), "Pretty much anything," Twitter, October 18, 2016, accessed October 2, 2018, https://twitter.com/AndrewYNg/status/788548053745569792.

287 **between their language and English:** Gideon Lewis-Kraus, "The Great A.I. Awakening," *New York Times Magazine*, December 14, 2016, accessed August 19, 2018, https://www.nytimes.com/2016/12/14/magazine/the-great-ai-awakening.html.

287 **"human-level performance," as they noted:** Steven Levy, "Inside Facebook's AI Machine," *Wired*, February 23, 2017, accessed August 19, 2018, https://www.wired.com/2017/02/inside-facebooks-ai-machine/; Yaniv Taigman, Ming Yang, Marc'Aurelio Ranzato, and Lior Wolf, "DeepFace: Closing the Gap to Human-Level Performance in Face Verification," Conference on Computer Vision and Pattern Recognition (CVPR), June 24, 2014, accessed August 19, 2018, https://research.fb.com/publications/deepface-closing-the-gap-to-human-level-performance-in-face-verification.

287 **to navigate roads:** Andrew J. Hawkins, "Inside Waymo's Strategy to Grow the Best Brains for Self-driving Cars," *The Verge*, May 9, 2018, accessed August 19, 2018, https://www.theverge.com/2018/5/9/17307156/google-waymo-driverless-cars-deep-learning-neural-net-interview.

287 **where new rides will emerge:** Nikolay Laptev, Slawek Smyl, and Santhosh Shanmugam, "Engineering Extreme Event Forecasting at Uber with Recurrent Neural Networks," Uber Engineering, June 9, 2017, accessed August 19, 2018, https://eng.uber.com/neural-networks.

287 **detect cancer in CT scans:** Cade Metz, "Using AI to Detect Cancer, Not Just Cats," *Wired*, May 11, 2017, accessed August 19, 2018, https://www.wired.com/2017/05/using-ai-detect-cancer-not-just-cats.

287 **74 minutes a day using it:** Anu Hariharan, "The Hidden Forces Behind Toutiao: China's Content King," *Y Combinator* (blog), October 12, 2017, accessed August 19, 2018, https://blog.ycombinator.com/the-hidden-forces-behind-toutiao-chinas-content-king.

288 **"That's my question":** Thompson, "What Is I.B.M.'s Watson?"

292 **"it's going to work":** Erik Brynjolfsson and Andrew McAfee, "The Business of Artificial Intelligence," *Harvard Business Review* (July 2017), accessed August 19, 2018, https://hbr.org/cover-story/2017/07/the-business-of-artificial-intelligence.

292 **"ocean of math":** Jason Tanz, "Soon We Won't Program Computers. We'll Train Them Like Dogs," *Wired*, May 17, 2016, accessed August 19, 2018, https://www.wired.com/2016/05/the-end-of-code/.

293 **"many, many years":** Tanz, "Soon We Won't Program Computers."

294 **"*that one* came up":** "Why Google 'Thought' This Black Woman Was a Gorilla," WNYC, September 30, 2015, accessed August 19, 2018, https://www.wnycstudios.org/story/deep-problem-deep-learning/; this latter quote appears in the audio of the interview, not in the text of the story on the website.

294 **the performance of their AI:** "Google Apologises for Photos App's Racist Blunder," *BBC News*, July 1, 2015, accessed August 19, 2018, https://www.bbc.com/news/technology-33347866.

294 **only 2 percent black:** Danielle Brown, "Google Diversity Annual Report 2018," Google, accessed August 19, 2018, https://diversity.google/annual-report.

295 **with white people:** Joy Buolamwini, "How I'm Fighting Bias in Algorithms," TEDxBeaconStreet, 8:45, November 2016, accessed August 21, 2018, http://www.ted.com/talks/joy_buolamwini_how_i_m_fighting_bias_in_algorithms/transcript.

296 **associated with *homemaker*:** Tolga Bolukbasi, Kai-Wei Chang, James Zou, Venkatesh Saligrama, and Adam Kalai, "Man Is to Computer Programmer as Woman Is to Homemaker?: Debiasing Word Embeddings," *NIPS '16 Proceedings of the 30th International Conference on Neural Information Processing Systems* (December 2016): 4356–64, accessed August 21, 2018, via https://arxiv.org/pdf/1607.06520.pdf.

296 **jobs of $200,000 and up:** Byron Spice, "Questioning the Fairness of Targeting Ads Online," *Carnegie Mellon University News*, July 7, 2015, accessed August 21, 2018, https://www.cmu.edu/news/stories/archives/2015/july/online-ads-research.html.

297 **removed that autosuggestion:** Carole Cadwalladr, "Google, Democracy and the Truth about Internet Search," *Guardian*, December 4, 2016, accessed August 21, 2018, https://www.theguardian.com/technology/2016/dec/04/google-democracy-truth-internet-search-facebook; Samuel Gibbs, "Google Alters Search Autocomplete to Remove 'Are Jews Evil' Suggestion," *Guardian*, December 5, 2016, accessed August 21, 2018, https://www.theguardian.com/technology/2016/dec/05/google-alters-search-autocomplete-remove-are-jews-evil-suggestion.

297 **how its system makes predictions:** Julia Angwin, Jeff Larson, Surya Mattu, and Lauren Kirchner, "Machine Bias," *ProPublica*, May 23, 2016, accessed August 21, 2018, https://www.propublica.org/article/machine-bias-risk-assessments-in-criminal-sentencing.

297 **machine learning to study:** Cathy O'Neil, *Weapons of Math Destruction: How Big Data Increases Inequality and Threatens Democracy* (New York: Broadway Books, 2016), 23–26.

298 **"invent the future":** O'Neil, *Weapons*, 203.

299 **hungry and depleted:** Kurt Kleiner, "Lunchtime Leniency: Judges' Rulings Are Harsher When They Are Hungrier," *Scientific American*, September 1, 2011, accessed August 21, 2018, https://www.scientificamerican.com/article/lunchtime-leniency.

302 **"learning to be a jerk":** Robyn Speer, "ConceptNet Numberbatch 17.04: Better, Less-stereotyped Word Vectors," *ConceptNet* (blog), April 24, 2017, accessed August 21, 2018, http://blog.conceptnet.io/posts/2017/conceptnet-numberbatch-17-04-better-less-stereotyped-word-vectors.

303 **you get zero results:** Tom Simonite, "When It Comes to Gorillas, Google Photos Remains Blind," *Wired*, January 11, 2018, accessed August 21, 2018, https://www.wired.com/story/when-it-comes-to-gorillas-google-photos-remains-blind.

303 **"and not on alchemy":** Alister, *Ali Rahimi's Talk at NIPS (NIPS 2017 Test-of-Time Award Presentation)*, YouTube, 23:19, December 5, 2017, accessed August 21, 2018, https://www.youtube.com/watch?v=Qi1Yry33TQE.

304 **how exactly their tools are working:** Oscar Schwartz, "Why the EU's 'Right to an Explanation' Is Big News for AI and Ethics," The Ethics Centre, February 19, 2018, accessed August 21, 2018, http://www.ethics.org.au/on-ethics/blog/february-2018/why-eu-right-to-an-explanation-is-big-news-for-ai.

305 **"that man need ever make":** Irving John Good, "Speculations Concerning the First Ultraintelligent Machine," *Advances in Computers* 6 (1966): 33, accessed August 21, 2018, via https://exhibits.stanford.edu/feigenbaum/catalog/gz727rg3869.

305 **all humanity working together:** Nick Bostrom, *Superintelligence: Paths, Dangers, Strategies* (Oxford: Oxford University Press, 2014), location 1603 of 8770, Kindle.

306 **the better to sneak away:** Bostrom, *Superintelligence*, 2243–87.

306 **"the observable universe into paper clips":** Bostrom, *Superintelligence*, 2908.

306 **"a faint ticking sound":** Raffi Khatchadourian, "The Doomsday Invention," *New Yorker*, November 23, 2015, accessed August 21, 2018, https://www.newyorker.com/magazine/2015/11/23/doomsday-invention-artificial-intelligence-nick-bostrom.

307 **a machine that can truly reason:** Kevin Hartnett, "To Build Truly Intelligent Machines, Teach Them Cause and Effect," *Quanta Magazine*, May 15, 2018, accessed August 21, 2018, https://www.quantamagazine.org/to-build-truly-intelligent-machines-teach-them-cause-and-effect-20180515; Gary Marcus, "Deep Learning: A Critical Appraisal," arXiv, January 2, 2018, accessed August 21, 2018, https://arxiv.org/abs/1801.00631.

307 **with surprising speed:** Bostrom, *Superintelligence*, 1723.

307 **rise up to kill us:** "Elon Musk Talks Cars—and Humanity's Fate—with Governors," *CNBC*, July 16, 2017, accessed August 21, 2018, https://www.cnbc.com/2017/07/16/musk-says-a-i-is-a-fundamental-risk-to-the-existence-of-human-civilization.html; Maureen Dowd, "Elon Musk's Billion-dollar Crusade to Stop the A.I. Apocalypse," *Vanity Fair*, April 2017, accessed August 21, 2018, https://www.vanityfair.com/news/2017/03/elon-musk-billion-dollar-crusade-to-stop-ai-space-x.

309 **10 to 25 years from now:** Oren Etzioni, "No, the Experts Don't Think Superintelligent AI Is a Threat to Humanity," *MIT Technology Review*, September 20, 2016, accessed August 21, 2018, https://www.technologyreview.com/s/602410/no-the-experts-dont-think-superintelligent-ai-is-a-threat-to-humanity.

CHAPTER 10: SCALE, TROLLS, AND BIG TECH

314 **exacerbate partisan hatreds:** Eli Rosenberg, "Twitter to Tell 677,000 Users They Were Had by the Russians. Some Signs Show the Problem Continues," *Washington Post*, January 19, 2018, accessed August 21, 2018, https://www.washingtonpost.com/news/the-switch/wp/2018/01/19/twitter-to-tell-677000-users-they-were-had-by-the-russians-some-signs-show-the-problem-continues.

314 **by Trump's followers:** Claire Landsbaum, "Donald Trump's Harassment of a Teenage Girl on Twitter Led to Death and Rape Threats," *The Cut*, December 9, 2016, accessed August 21, 2018, https://www.thecut.com/2016/12/trumps-harassment-of-an-18-year-old-girl-on-twitter-led-to-death-threats.html.

315 **Franklin Foer dubs it:** Franklin Foer, *World without Mind: The Existential Threat of Big Tech* (New York: Penguin, 2017).

319 **over $100 billion:** "Twitter Announces Fourth Quarter and Fiscal Year 2017 Results," *PR Newswire*, February 8, 2018, https://www.prnewswire.com/news-releases/twitter-announces-fourth-quarter-and-fiscal-year-2017-results-300595731.html; "Facebook Reports Fourth Quarter and Full Year 2017 Results," *PR Newswire*, January 31, 2018, https://www.prnewswire.com/news-releases/facebook-reports-fourth-quarter-and-full-year-2017-results-300591468.html; Seth Fiegerman, "Google Posts Its First $100 Billion Year," *CNN Tech*, February 1, 2018, https://money.cnn.com/2018/02/01/technology/google-earnings/index.html; all accessed September 28, 2018.

320 **"some of the responsibility, probably":** Charlie Warzel, "How People Inside Facebook Are Reacting to the Company's Election Crisis," *BuzzFeed*, October 20, 2017, accessed August 21, 2018, https://www.buzzfeednews.com/article/charliewarzel/how-people-inside-facebook-are-reacting-to-the-companys.

321 **he joked on Twitter:** Joseph Milord, "What Data Does Facebook Collect? The Company Can Store Info about Your Phone Calls," *elite daily*, March 28, 2018, accessed August 21, 2018, https://www.elitedaily.com/p/what-data-does-facebook-collect-the-company-can-store-info-about-your-phone-calls-8631437.

322 **wheat from the chaff:** Paresh Dave, "YouTube Sharpens How It Recommends Videos Despite Fears of Isolating Users," *Reuters*, November 29, 2017, accessed August 21, 2018, https://www.reuters.com/article/us-alphabet-YouTube-content/YouTube-sharpens-how-it-recommends-videos-despite-fears-of-isolating-users-idUSKBN1DT0LL; Andrew Hutchinson, "How Twitter's Feed Algorithm Works—as Explained by Twitter," *SocialMediaToday*, May 11, 2017, accessed August 21, 2018, https://www.socialmediatoday.com/social-networks/how-twitters-feed-algorithm-works-explained-twitter; Roger Montti, "Facebook Discusses How Feed Algorithm Works," *Search Engine Journal*, April 10, 2018, accessed August 21, 2018, https://www.searchenginejournal.com/facebook-news-feed-algorithm/248515; Shannon Tien, "How the Facebook Algorithm Works and How to Make It Work for You," *Hootsuite Blog*, April 25, 2018, accessed August 21, 2018, https://blog.hootsuite.com/facebook-algorithm/; Oremus, "Who Controls Your News Feed."

323 **"talking about it":** Steve Rayson, "We Analyzed 100 Million Headlines. Here's What We Learned (New Research)," *Buzzsumo*, June 26, 2017, accessed August 21, 2018, https://buzzsumo.com/blog/most-shared-headlines-study.

323 **made-up scandals:** Jackie Mansky, "The Age-old Problem of 'Fake News,'" *Smithsonian*, May 7, 2018, accessed August 21, 2018, https://www.smithsonianmag.com/history/age-old-problem-fake-news-180968945/.

323 **as BuzzFeed described it:** Charlie Warzel and Remy Smidt, "YouTubers Made Hundreds of Thousands Off of Bizarre and Disturbing Child Content," *BuzzFeed*, December 11, 2017, accessed August 21, 2018, https://www.buzzfeednews.com/article/charliewarzel/YouTubers-made-hundreds-of-thousands-off-of-bizarre-and.

323 **conspiracy theories and 9/11 "truthers":** Zeynep Tufekci, "YouTube, the Great Radicalizer," *New York Times*, March 10, 2018, accessed August 21, 2018, https://www.nytimes.com/2018/03/10/opinion/sunday/YouTube-politics-radical.html.

324 **the profit from the clicks:** Jonathan Albright, "Untrue-Tube: Monetizing Misery and Disinformation," *Medium*, February 25, 2018, accessed August 21, 2018, https://medium.com/@d1gi/untrue-tube-monetizing-misery-and-disinformation-388c4786cc3d.

324 **"can just breed and multiply":** Sheera Frenkel, "She Warned of 'Peer-to-Peer Misinformation.' Congress Listened," *New York Times*, November 12, 2017, accessed August 21, 2018, www.nytimes.com/2017/11/12/technology/social-media-disinformation.html.

325 **had a Democratic staffer murdered:** Amanda Robb, "Anatomy of a Fake News Scandal," *Rolling Stone*, November 16, 2017, accessed August 21, 2018, https://www.rollingstone.com/politics/politics-news/anatomy-of-a-fake-news-scandal-125877; Colleen Shalby, "How Seth Rich's Death Became an Internet Conspiracy Theory," *Los Angeles Times*, May 24, 2017, http://www.latimes.com/business/hollywood/la-fi-ct-seth-rich-conspiracy-20170523-htmlstory.html.

325 **they already agreed with:** Clive Thompson, "Social Networks Must Face Up to Their Political Impact," *Wired*, January 5, 2017, accessed August 21, 2018, https://www.wired.com/2017/01/social-networks-must-face-political-impact.

325 **upvoted online memes:** Clive Thompson, "Online Hate Is Rampant. Here's How to Keep It From Spreading," *Wired*, August 2, 2018, accessed August 21, 2018, https://www.wired.com/story/covering-online-hate.

325 **being "false news":** Erich Owens and Udi Weinsberg, "Showing Fewer Hoaxes," Facebook Newsroom, January 20, 2015, accessed September 30, 2018, https://newsroom.fb.com/news/2015/01/news-feed-fyi-showing-fewer-hoaxes/; Caroline O'Donovan, "What Does Facebook's New Tool for Fighting Fake News Mean for Real Publishers?," *NiemanLab*, January 21, 2015, accessed September 30, 2018, http://www.niemanlab.org/2015/01/what-does-facebooks-new-tool-for-fighting-fake-news-mean-for-real-publishers/.

326 **"'want us to do about it?'":** Warzel, "How People Inside Facebook Are Reacting."

326 **and harass journalists:** Siva Vaidhyanathan, *Antisocial Media: How Facebook Disconnects Us and Undermines Democracy* (New York: Oxford University Press, 2018), location 187–92 of 6698, Kindle.

326 **her primary rivals:** "Russia Spent $1.25M per Month on Ads, Acted Like an Ad Agency: Mueller," *Ad Age*, February 16, 2018, accessed August 21, 2018, http://adage.com/article/digital/russia-spent-1-25m-ads-acted-agency-mueller/312424.

327 **"a highly responsive audience":** Dipayan Ghosh and Ben Scott, "Digital Deceit: The Technologies Behind Precision Propaganda on the Internet," New America (policy paper), January 2018, accessed August 21, 2018, https://www.newamerica.org/public-interest-technology/policy-papers/digitaldeceit/.

327 **"But hatred favors Facebook":** Vaidhyanathan, *Antisocial Media*, 195, Kindle.

330 **"says Wernher von Braun":** "Don't Be Evil: Fred Turner on Utopias, Frontiers, and Brogrammers," *Logic* 5 (Winter 2017), accessed August 21, 2018, https://logicmag.io/03-dont-be-evil/.

331 **or "doxing" you:** Taylor Wofford, "Is Gamergate about Media Ethics or Harassing Women? Harassment, the Data Shows," *Newsweek*, October 25, 2014, accessed August 21, 2018, https://www.newsweek.com/gamergate-about-media-ethics-or-harassing-women-harassment-data-show-279736; Brad Glasgow, "A Definition of Twitter Harassment," *Medium*, November 2, 2015, accessed August 21, 2018, https://medium.com/@Brad_Glasgow/a-definition-of-twitter-harassment-f8acfa9ae3a8; Simon Parkin, "Gamergate: A Scandal Erupts in the Video-Game Community," *New Yorker*, October 17, 2014, accessed August 21, 2018, https://www.newyorker.com/tech/elements/gamergate-scandal-erupts-video-game-community.

331 **de facto workplace environment:** Timothy B. Lee, "One Scholar Thinks Online Harassment of Women Is a Civil Rights Issue," *Vox*, September 22, 2014, accessed August 21, 2018, https://www.vox.com/2014/9/22/6367973/online-harassment-of-women-a-civil-rights-issue; Danielle Keats Citron, *Hate Crimes in Cyberspace* (Cambridge, MA: Harvard University Press, 2014), 22.

331 **and Donald Trump:** Whitney Phillips, "The Oxygen of Amplification," Data & Society, May 22, 2018, accessed September 30, 2018, https://datasociety.net/wp-content/uploads/2018/05/FULLREPORT_Oxygen_of_Amplification_DS.pdf.

331 **hijack for electoral chicanery:** Ian Sherr and Erin Carson, "GamerGate to Trump: How Video Game Culture Blew Everything Up," *CNET*, November 27, 2017, accessed August 21, 2018, https://www.cnet.com/news/gamergate-donald-trump-american-nazis-how-video-game-culture-blew-everything-up; Matt Lees, "What Gamergate Should Have Taught Us about the 'Alt-right,'" *Guardian*, December 1, 2016, accessed August 21, 2018, https://www.theguardian.com/technology/2016/dec/01/gamergate-alt-right-hate-trump; Thompson, "Online Hate"; Thompson, "Social Networks."

332 **avalanche of anti-Semitic threats:** Danielle Citron and Benjamin Wittes, "Follow Buddies and Block Buddies: A Simple Proposal to Improve Civility, Control, and Privacy on Twitter," *Lawfare* (blog), January 4, 2017, accessed August 21, 2018, https://www.lawfareblog.com/follow-buddies-and-block-buddies-simple-proposal-improve-civility-control-and-privacy-twitter.

332 **slurs, quit, too:** Anna Silman, "A Timeline of Leslie Jones's Horrific Online Abuse," *The Cut*, August 24, 2016, accessed August 21, 2018, https://www.thecut.com/2016/08/a-timeline-of-leslie-joness-horrific-online-abuse.html.

334 **target political ads:** Matthew Rosenberg, Nicholas Confessore, and Carole Cadwalladr, "How Trump Consultants Exploited the Facebook Data of Millions," *New York Times*, March 17, 2018, accessed August 21, 2018, https://www.nytimes.com/2018/03/17/us/politics/cambridge-analytica-trump-campaign.html; Ian Sherr, "Facebook, Cambridge Analytica and Data Mining: What You Need to Know," *CNET*, April 18, 2018, accessed August 21, 2018, https://www.cnet.com/news/facebook-cambridge-analytica-data-mining-and-trump-what-you-need-to-know/; "Full Text: Mark Zuckerberg's Wednesday Testimony to Congress on Cambridge Analytica," *Politico*, April 9, 2018, accessed August 21, 2018, https://www.politico.com/story/2018/04/09/transcript-mark-zuckerberg-testimony-to-congress-on-cambridge-analytica-509978.

334 **developing-news stories:** Issie Lapowsky, "YouTube Debuts Plan to Promote and Fund 'Authoritative' News," *Wired*, July 9, 2018, accessed August 21, 2018, https://www.wired.com/story/YouTube-debuts-plan-to-promote-fund-authoritative-news/.

334 **sites appeared overall:** Michael J. Coren, "Facebook Will Now Show You More Posts from Friends and Family Than News," *Quartz*, January 12, 2018, accessed August 21, 2018, https://qz.com/1178186/facebook-fb-will-now-show-you-more-posts-from-friends-and-family-than-news-in-an-update-to-its-algorithm; Mike Isaac, "Facebook Overhauls News Feed to Focus on What Friends and Family Share," *New York Times*, January 11, 2018, https://www.nytimes.com/2018/01/11/technology/facebook-news-feed.html.

334 **to be local US newspapers:** Craig Timberg and Elizabeth Dwoskin, "Twitter Is Sweeping Out Fake Accounts Like Never Before, Putting User Growth at Risk," *Washington Post*, July 6, 2018, accessed August 21, 2018, https://www.washingtonpost.com/technology/2018/07/06/twitter-is-sweeping-out-fake-accounts-like-never-before-putting-user-growth-risk.

334 **accounts it doesn't follow:** Del Harvey and David Gasca, "Serving Healthy Conversation," *Twitter Blog*, May 15, 2018, accessed August 21, 2018, https://blog.twitter.com/official/en_us/topics/product/2018/Serving_Healthy_Conversation.html.

336 **death threats *reduced*:** Austin Carr and Harry McCracken, " 'Did We Create This Monster?' How Twitter Turned Toxic," *Fast Company*, April 4, 2018, accessed August 21, 2018, www.fastcompany.com/40547818/did-we-create-this-monster-how-twitter-turned-toxic.

336 **10,000 to scour YouTube videos:** April Glaser, "Want a Terrible Job? Facebook and Google May Be Hiring," *Slate*, January 18, 2018, accessed August 21, 2018, https://slate.com/technology/2018/01/facebook-and-google-are-building-an-army-of-content-moderators-for-2018.html.

336 **that's genuinely threatening:** Alexis C. Madrigal, "The Basic Grossness of Humans," *The Atlantic*, December 15, 2017, accessed August 21, 2018, https://www.theatlantic.com/technology/archive/2017/12/the-basic-grossness-of-humans/548330.

338 **whitewash their reputation:** Joseph Cox, "Leaked Documents Show Facebook's Post-Charlottesville Reckoning with American Nazis," *Motherboard*, May 25, 2018, accessed August 21, 2018, https://motherboard.vice.com/en_us/article/mbkbbq/facebook-charlottesville-leaked-documents-american-nazis.

338 **he tells me:** Thompson, "Social Networks."

339 **"inevitably exploit them":** David Greene, "Alex Jones Is Far from the Only Person Tech Companies Are Silencing," *Washington Post*, August 12, 2018, accessed August 21, 2018, https://www.washingtonpost.com/opinions/beware-the-digital-censor/2018/08/12/997e28ea-9cd0-11e8-843b-36e177f3081c_story.html.

339 **"a law on his hands":** Taylor Hatmaker, "Senator Warns Facebook Better Shape Up or Get 'Broken Up,' " *TechCrunch*, April 6, 2018, accessed August 21, 2018, https://techcrunch.com/2018/04/06/facebook-zuckerberg-regulation-wyden.

340 **in the early days, isn't enough:** Max Read, "Does Even Mark Zuckerberg Know What Facebook Is?," *New York*, October 2, 2017, accessed August 21, 2018, http://nymag.com/selectall/2017/10/does-even-mark-zuckerberg-know-what-facebook-is.html.

340 **"infrastructure for the future":** danah boyd, "Google and Facebook Can't Just Make Fake News Disappear," *Wired*, March 27, 2017, accessed August 21, 2018, https://www.wired.com/2017/03/google-and-facebook-cant-just-make-fake-news-disappear/.

344 **ever be used for weaponry:** Scott Shane, Cade Metz, and Daisuke Wakabayashi, "How a Pentagon Contract Became an Identity Crisis for Google," *New York Times*, May 30, 2018, https://www.nytimes.com/2018/05/30/technology/google-project-maven-pentagon.html.

345 **contract worth billions:** Lee Fang, "Leaked Emails Show Google Expected Lucrative Military Drone AI Work to Grow Exponentially," *The Intercept*, May 31, 2018, accessed August 21, 2018, https://theintercept.com/2018/05/31/google-leaked-emails-drone-ai-pentagon-lucrative.

345 **"for the Defense industry":** Shane, Metz, and Wakabayashi, "How a Pentagon Contract Became an Identity Crisis for Google."

345 **they wouldn't renew it:** Kate Conger, "Google Plans Not to Renew Its Contract for Project Maven, a Controversial Pentagon Drone AI Imaging Program," *Gizmodo*, June 2, 2018, accessed August 21, 2018, https://www.gizmodo.com.au/2018/06/google-plans-not-to-renew-its-contract-for-project-maven-a-controversial-pentagon-drone-ai-imaging-program.

346 **"we refuse to be complicit":** Colin Lecher, "The Employee Letter Denouncing Microsoft's ICE Contract Now Has Over 300 Signatures," *The Verge*, June 21, 2018, accessed September 30, 2018, https://www.theverge.com/2018/6/21/17488328/microsoft-ice-employees-signatures-protest.

346 **"people are quick to judge":** Olivia Solon, "Ashamed to Work in Silicon Valley: How Techies Became the New Bankers," *Guardian*, November 8, 2017, accessed August 21, 2018, https://www.theguardian.com/technology/2017/nov/08/ashamed-to-work-in-silicon-valley-how-techies-became-the-new-bankers.

CHAPTER 11: BLUE-COLLAR CODING

350 **a town of 7,000:** "Pikeville, KY," Data USA, accessed August 21, 2018, https://datausa.io/profile/geo/pikeville-ky.

350 **the country away from coal:** Clifford Krauss, "Coal Production Plummets to Lowest Level in 35 Years," *New York Times*, June 10, 2016, accessed August 21, 2018, https://www.nytimes.com/2016/06/11/business/energy-environment/coal-production-decline.html.

350 **dropped to 6,500:** Erica Peterson, "From Coal to Code: A New Path for Laid-off Miners in Kentucky," *All Tech Considered*, May 6, 2016, accessed August 21, 2018, https://www.npr.org/sections/alltechconsidered/2016/05/06/477033781/from-coal-to-code-a-new-path-for-laid-off-miners-in-kentucky.

350 **coal that didn't have any market:** Bill Estep, "Coal Piles Up at Power Plant as Cheap Natural Gas Wrecks Eastern Kentucky's Economy," *Lexington Herald-Leader*, August 3, 2018, accessed August 21, 2018, https://www.kentucky.com/news/state/article215994320.html.

350 **"revolution to Eastern Kentucky":** Lauren Smiley, "Can You Teach a Coal Miner to Code?," *Backchannel* at *Wired*, November 18, 2015, accessed August 21, 2018, https://www.wired.com/2015/11/can-you-teach-a-coal-miner-to-code.

355 **"the Blue-collar Coder":** Anil Dash, "The Blue Collar Coder," *Anil Dash* (blog), October 5, 2012, accessed August 21, 2018, https://anildash.com/2012/10/05/the_blue_collar_coder.
356 **median annual wage for all job types:** "Computer and Information Technology Occupations," Bureau of Labor Statistics, last modified April 13, 2018, accessed August 21, 2018, https://www.bls.gov/ooh/computer-and-information-technology/home.htm.
356 **by 2020 alone:** Vivek Ravisankar, "Unlocking Trapped Engineers," *TechCrunch*, January 12, 2016, accessed September 29, 2018, https://techcrunch.com/2016/01/12/unlocking-trapped-engineers/.
356 **"career track" jobs in 2015:** "Beyond Point and Click: The Expanding Demand for Coding Skills," Burning Glass Technologies, June 2016, accessed August 21, 2018, https://www.burning-glass.com/research-project/coding-skills/.
356 **located in Silicon Valley:** "Six-figure Tech Salaries: Creating the Next Developer Workforce," The App Association (formerly ACT), accessed August 21, 2018, via http://www.arcgis.com/apps/MapJournal/index.html?appid=b1c59eaadfd945a68a59724a59dbf7b1.
356 **a mere four years:** CRA Enrollment Committee Institution Subgroup, "Generation CS: Computer Science Undergraduate Enrollments Surge Since 2006," Computing Research Association, 2017, accessed August 21, 2018, https://cra.org/data/generation-cs/.
356 **most popular major on campus:** Sarah McBride, "Computer Science Now Top Major for Women at Stanford University," *Reuters*, October 9, 2015, accessed August 21, 2018, https://www.reuters.com/article/us-women-technology-stanford-idUSKCN0S32F020151009; Andrew Myers, "Period of Transition: Stanford Computer Science Rethinks Core Curriculum," Stanford Engineering, June 14, 2012, accessed August 21, 2018, https://engineering.stanford.edu/news/period-transition-stanford-computer-science-rethinks-core-curriculum.
357 **a temporary vogue:** Sax, "Expanding the Pipeline."
357 **overcrowded sardine tins:** Monte Whaley, "Colorado Colleges Overflowing with Huge Wave of Computer Science Students," *Denver Post*, November 28, 2017, accessed August 21, 2018, https://www.denverpost.com/2017/11/28/colorado-colleges-overflowing-computer-science-students/.
358 **this was a graduate class:** John Markoff, "Brainlike Computers, Learning from Experience," *New York Times*, December 28, 2013, accessed August 21, 2018, https://www.nytimes.com/2013/12/29/science/brainlike-computers-learning-from-experience.html.
360 **programs, has said:** Kif Leswing, "Google Says Coding School Graduates 'Not Quite Prepared' to Work at Google," *Business Insider*, December 6, 2016, accessed August 21, 2018, https://www.businessinsider.com/google-says-coding-bootcamp-graduates-need-additional-training-2016-12.
360 **noted on Twitter:** Ceej Silverio (@ceejbot), "A very tiny percentage of our industry," Twitter, August 6, 2017, accessed August 21, 2018, https://twitter.com/ceejbot/status/894258853339987968.
361 **looking for jobs:** Silvia Li Sam, "Are Coding Bootcamps the Next 'Big Thing' in Edtech & Marketing?," Thrive Global, August 21, 2017, accessed August 21, 2018,

https://www.thriveglobal.com/stories/11764-are-coding-bootcamps-the-next-big-thing-in-edtech; Liz Eggleston, "2016 Coding Bootcamp Market Size Study," Course Report, June 22, 2016, accessed August 21, 2018, https://www.coursereport.com/reports/2016-coding-bootcamp-market-size-research.

362 **sketchy and under-regulated:** Sarah McBride, "Want a Job in Silicon Valley? Keep Away from Coding Schools," *Bloomberg*, December 6, 2016, accessed August 21, 2018, https://www.bloomberg.com/news/features/2016-12-06/want-a-job-in-silicon-valley-keep-away-from-coding-schools.

362 **find work in the field:** Mitch Pronschinske, "Bootcamps Won't Make You a Coder. Here's What Will," *TechBeacon*, accessed August 21, 2018, https://techbeacon.com/bootcamps-wont-make-you-coder-heres-what-will; Liz Eggleston, "2016 Course Report Alumni Outcomes & Demographics Study," Course Report, September 14, 2016, accessed August 21, 2018, https://www.coursereport.com/reports/2016-coding-bootcamp-job-placement-demographics-report; Liz Eggleston, "2015 Course Report Alumni Outcomes & Demographics Study," Course Report, October 26, 2015, accessed August 21, 2018, https://www.coursereport.com/reports/2015-coding-bootcamp-job-placement-demographics-report.

362 **and the rest freelancing:** "Tech's Strongest Outcomes. Education's Highest Standards," Flatiron School, accessed August 21, 2018, https://flatironschool.com/outcomes.

362 **a since-shuttered school nearby:** Steve Lohr, "As Coding Boot Camps Close, the Field Faces a Reality Check," *New York Times*, August 24, 2017, accessed August 21, 2018, https://www.nytimes.com/2017/08/24/technology/coding-boot-camps-close.html.

364 **operating without licenses:** Rip Empson, "Handcuffs for Hacker Schools? Why a 'Code of Conduct' for Coding Bootcamps Could Actually Be Good for the Ecosystem," *TechCrunch*, February 6, 2014, accessed August 21, 2018, https://techcrunch.com/2014/02/05/bootcamp-regulators-why-a-code-of-conduct-for-coding-academies-in-california-could-be-a-good-thing/; Klint Finley, "California Cracks Down on Hacker Boot Camps," *Wired*, January 31, 2014, accessed August 21, 2018, https://www.wired.com/2014/01/california-hacker-bootcamps.

364 **ordered the school to be shut down:** McBride, "Want a Job."

365 **student who filed a claim:** "A. G. Schneiderman Announces $375,000 Settlement with Flatiron Computer Coding School for Operating without a License and for Its Employment and Salary Claims," NY.gov, October 13, 2017, accessed August 21, 2018, https://ag.ny.gov/press-release/ag-schneiderman-announces-375000-settlement-flatiron-computer-coding-school-operating.

365 **for-profit schools:** Mary Beth Marklein, Jodi Upton, and Sandhya Kambhampati, "College Default Rates Higher Than Grad Rates," *USA Today*, July 2, 2013, accessed September 27, 2018, https://www.usatoday.com/story/news/nation/2013/07/02/college-default-rates-higher-than-grad-rates/2480295/; "2018–2019 Consumer Information Guide," University of Phoenix, November 2018, accessed November 15, 2018, https://www.phoenix.edu/content/dam/altcloud/doc/about_uopx/Consumer-Information-Guide.pdf.

365 **she told *Logic* magazine:** "Teaching Technology: Tressie McMillan Cottom on Coding Schools and the Sociology of Social Media," *Logic* 3 (Winter 2017), accessed August 21, 2018, https://logicmag.io/03-teaching-technology/.

366 **a well-paid technical field:** Alyssa Mazzina, "Do Developers Need College Degrees?"; Paul Krill, "Stack Overflow Survey: Nearly Half of Developers Are Self-taught," *InfoWorld*, April 10, 2015, accessed August 21, 2018, https://www.infoworld.com/article/2908474/application-development/stack-overflow-survey-finds-nearly-half-have-no-degree-in-computer-science.html.

367 **teaching themselves to code:** Quincy Larson, "We Asked 20,000 People Who They Are and How They're Learning to Code," freeCodeCamp, May 4, 2017, accessed August 21, 2018, https://medium.freecodecamp.org/we-asked-20-000-people-who-they-are-and-how-theyre-learning-to-code-fff5d668969.

368 **socio-economic backing:** "Teaching Technology," *Logic*.

369 **estimates of the industry's average:** "Employed Persons by Detailed Occupation," Bureau of Labor Statistics.

370 **an "uneducated imagination":** Northrop Frye, *The Educated Imagination* (Toronto: Anansi, 2002).

371 **on the side or retrained later:** David Kalt, "Why I Was Wrong about Liberal-Arts Majors," *Wall Street Journal*, June 1, 2016, accessed August 21, 2018, https://blogs.wsj.com/experts/2016/06/01/why-i-was-wrong-about-liberal-arts-majors.

372 **less than back-end work:** Miriam Posner, "JavaScript Is for Girls," *Logic* 1 (Spring 2017), accessed August 21, 2018, http://logicmag.1./01-javascript-is-for-girls.

373 **"beyond hope of regeneration":** Edsger W. Dijkstra, "How Do We Tell Truths That Might Hurt?," *ACM SIGPLAN Notices* 17, no. 5 (May 1982): 13–15.

374 **JavaScript, HTML, CSS:** Cecily Carver, "Things I Wish Someone Had Told Me When I Was Learning How to Code," freeCodeCamp, November 22, 2013, accessed August 21, 2018, https://medium.freecodecamp.org/things-i-wish-someone-had-told-me-when-i-was-learning-how-to-code-565fc9dcb329; Nico Koenig, "CSS Isn't Real Programming—Just Like JavaScript," *Medium*, September 22, 2017, accessed September 27, 2018, https://medium.com/@TheNicoKoenig/css-isnt-real-programming-just-like-javascript-70c8c0fe70b0.

375 **"meritocracy that does not exist":** Posner, "JavaScript Is for Girls."

376 **at the elementary-school level:** Valerie Strauss, "All Students Should Learn to Code. Right? Not So Fast," *Washington Post*, January 30, 2016, accessed August 21, 2018, https://www.washingtonpost.com/news/answer-sheet/wp/2014/05/29/all-students-should-learn-to-code-right-not-so-fast; Jean Dimeo, "Re-coding Literacy," *Inside Higher Ed*, September 6, 2017, accessed August 21, 2018, https://www.insidehighered.com/digital-learning/article/2017/09/06/professor-writes-everyone-should-code-movement-re-coding.

376 **which is, essentially, computer programming:** Papert, *Mindstorms*, 6, 45–54.

376 **and robotics competitions:** Anderson Silva, "Is Scratch Today Like the Logo of the '80s for Teaching Kids to Code?," opensource, March 29, 2017, accessed August 21, 2018, https://opensource.com/article/17/3/logo-scratch-teach-programming-kids; Code.org, "The Hour of Code: An International Movement," *Medium*, February 16, 2017, https://medium.com/anybody-can-learn/the-hour-of-code-an-international-movement-66702e388d35; D. Frank Smith, "Rise of the Robots: STEM-fueled Competitions Gaining Traction Nationwide," *EdTech Magazine*, March 4, 2015, accessed August 21, 2018, https://edtechmagazine.com/k12/article/2015/03/rise-robots-stem-fueled-competitions-gaining-traction-nationwide.

376 **their school systems follow suit:** Stefani Cox, "China Is Teaching Kids to Code Much, Much Earlier Than the U.S.," Big Think, November 19, 2015, accessed August 21, 2018, https://bigthink.com/ideafeed/china-is-already-teaching-coding-to-the-next-generation; Kathy Pretz, "Computer Science Classes for Kids Becoming Mandatory," *The Institute*, November 21, 2014, accessed August 21, 2018, http://theinstitute.ieee.org/career-and-education/education/computer-science-classes-for-kids-becoming-mandatory.

377 **"Are you *sure*?":** Jeff Atwood, "Please Don't Learn to Code," *Coding Horror* (blog), May 15, 2012, accessed August 21, 2018, https://blog.codinghorror.com/please-dont-learn-to-code/.

378 **Ian Bogost once noted:** Clive Thompson, "The Minecraft Generation," *New York Times Magazine*, April 14, 2016, accessed August 21, 2018, https://www.nytimes.com/2016/04/17/magazine/the-minecraft-generation.html.

379 **"around me are programmers":** Thompson, "The Minecraft Generation."

379 **"made the game for ourselves":** Thompson, "The Minecraft Generation."

380 **"in front of a bull's face":** Smiley, "Can You Teach."

解説

及川 卓也

大学への推薦が決まり、授業にも身が入らなくなったころ、新しもの好きの友人から借りたシャープ製のポケットコンピューターでゲームをしたのが、私がコンピューターに触れた最初だった。見様見真似で少しプログラムを変えてみると、動きも変わる。簡単な早押しクイズのようなゲームだったと記憶しているが、プログラムを変えて、ズルもした。

それ以前にも電子機器に組み込まれたコンピューターに触れる機会はあったと思うが、自身が挙動を変更できるコンピューターに触れたのはこれが最初だ。当時はまさか自分が社会人として、その道に進むとはまだ考えてもいなかった。

家庭やオフィスに導入可能なコンピューターがマイコンからパソコンと名前を変えつつある時代だった。私は大学で地下資源探査のためのモデリングを研究したが、やっていることはほぼコンピュータープログラミングだった。Fortranで数値計算を行い、その結果をプロッターで出力する。いまから考えると原始的なプログラムだったが、地下構造が可視化されることがおもしろくて、すっかり虜になった。これを職業にしたい、もっと大きな社会を支える社会システムを作りたいと思い、コンピューター企業に就職した。

まさに、書籍タイトルの「凄腕ソフトウェア開発者が新しい世界をビルドする」にあるように、世界をビルドしようと思う、ある意味、傲慢な若者だった。それ以来、30年以上、ソフトウェアの魅力にとりつかれたままだ。

何がそんなに魅力なのだろうか。本書では、プログラミングの魅力をその危険性とともに明快に説く。二元論的世界を具現化したコンピューターというマシン。このマシンに対して指示を与えるプログラミングという作業は人間世界での煩わしい「説得」という手続きが不要だ。バグがあれば動かないだけであり、それを変えるには自分が直すほかない。難易度が高い作業だが、達成できたときの快感は果てしなく大きい。全知全能の神のような気持ちにさえなる。本書の著者も執筆よりもプログラミングの方が満足度が高いと言うほどだ。

このようなプログラミングに没頭するコーダーは一般人から見ると変わった人種に見られる。人と話さず、一人でもくもくと長時間作業する。本書でも、ゾーンと呼ばれるギャンブル依存との類似性や、フロー状態の必要性などが挙げられているが、つまりは他職種とは違って、話しかけるタイミングも気にしなければならないめんどうくさい人種なのだ。

しかし、ソフトウェアにより世の中が変わりつつあることが明白ないま、企業は、企業の管理職は、コーダーをどのように活用するかを考えなければならない。本書はそのようなコーダーを活用することが必要となった管理職にとって必読の書だろう。

本書では、1960年代からいまに至るまで、さまざまなコーダーのエピソードを散りばめ、コーダーという人種の性質を赤裸々にする。変人という共通項はあるものの、それはやや変わり者から社会不適合者までそのレベルはまちまちだ。日本でもネット系企業などを代表に、シリコンバレーカルチャーを模範とするところも出てきた。オフィス環境一つとっても、コーダーは一様にそのような環境を好むのかと思われがちであるが、そんなことは無い。本書でも、Uberのオフィスで、エンジニアが広い部屋に置かれた長いピクニックベンチで作業をするのを見て、ぞっとして転職を断ったコーダーの例が紹介されているが、このように単純なステレオタイプでは収まらない。

正直に言うと、コーダーに関しての良い面だけでなく、悪い面も多く書かれているため、コーダー以外の人が読んだときに、不必要なまでの悪い感情を持ってしまわないか心配でもある。ソーシャルメディアが人々の行動を制御してしまうように、ソフトウェアによる社会への影響力の増大に対して、コーダーは十分な倫理観を持っているだろうか。コーダーは問題よりも解決方法にばかり興味が向くという指摘も耳が痛い。シリコンバレーのスタートアップが重視する「スケールする」という思考も、本来は作るべきものは何かという倫理的かつ本質的な問いが前提となるはずにもかかわらず、システムを成長させスループットを大きくすることばかりが重視される傾向が見られる。マシン上において、自分の書いたプログラムが動作するという楽しさの追求はするが、人を理解する知的ツールが工具箱に無い人種であると手厳しい。

昨今問題となった、コーダーが活躍する楽園と思われていた米国のハイテク企業でも、人種や性の差別があったり、また多様性が不足することに起因する偏見がソフトウェアにそのまま反映されてしまうこともある。本書は、たとえば女性コーダーが少ない理由についても、歴史的検証を含めて詳述する。パソコンの普及がターニングポイントになっていたことなど、目から鱗の話であり、今後の社会がコーダーの多様性をどのように確保していくかの参考となろう。

このように、コーダーやコーダーを取り巻く状況は必ずしも良い面ばかりではない。しかしながら、本書は、コーダーが自らその状況を変えつつあるとも指摘する。たとえば、Webアプリケーションにおいてブラウザーで表示する部分を実現するフロントエンドを担当するコーダーは、ユーザーのことをより理解しようと努めるような人種である。ユーザーに何が見え、何を考え、どのような理解をしているのか。これら人間の心理的な側面も考えた上でプログラミングをする。また、どういう問題を解決すべきか、何が問題であるかという事業の本質を決める、経営者にもコーダー出身の人が増えている。

ソフトウェアが事業の価値を高め、競合優位性を打ち出すようになったいま、ソフトウェアを作り上げるコーダーをいかに組織に惹きつけるかが企業存亡の鍵を握るようになった。コーダーを組織に抱えて活用することは当然として、本書でもプログラミングはいつからでもだれでも学べると書かれているように、できることは小さくてもよいので、自らがコーダーとなることを目指してほしい。

本書の原題は「Coders: The Making of a New Tribe and the Remaking of the World」だ。世界のリメイク。自分の周りや組織、会社など、すでにできあがっているようなものも、いまの混沌とした社会状況の中、再構築が必要だ。コーダーが世界をリメイクする人種であるのだが、あえて逆説的に言うと、世界をリメイクするのがコーダーなのだ。世界をリメイクするために、あなたも本書を指南書として、コーダーになろう。

■著者

クライブ・トンプソン（Clive Thompson）

ニューヨークタイムズマガジンの記者であり、ワイアードのコラムニストでもある。

1970年代から80年代のトロントで育つ。そのころ登場したホームコンピューター（テレビにつないで使うタイプ）に興味を惹かれ、BASICによるプログラミングを学んだ。その結果、はまってしまい、ゲームや音楽のプログラムや簡単な人工知能の作成に没頭。トロント大学では詩学と政治学を専攻したが、プログラミングに対する興味が薄れることはなかった。そして、雑誌の記者となった1990年代、インターネットが爆発的に普及したことから、電子メールやデジタル写真、インスタントメッセージなどのデジタルツールで、世の中がどう変わりつつあるのかを報じるようになる。

現在は、シリコンバレーの興奮に惑わされ、話題性のみを追うのではなく、科学的にも文学的にも、歴史的にも、哲学的にも優れた長大な記事をじっくり掘り下げて書く屈指のテクノロジーライターとして知られている。

ニューヨークタイムズマガジンとワイアードのほかにも、スミソニアンマガジンで技術の歴史に関するコラムを担当する、マザージョーンズで特集記事を書くなどもしている。ジャーナリストとしての評価が高く、オーバーシーズ・プレス・カウンシル賞やミラー賞を授与された実績もあれば、ナイト・サイエンス・ジャーナリズムのフェローに任じられたこともある。

趣味は音楽で、カントリー／ブルーグラスのバンド、デロリアン・シスターズのメンバーとして、ライブやスタジオで活躍している。

著書に『Smarter Than You Think: How Technology is Changing Our Minds for the Better』がある。

■訳者

井口耕二（いのくち・こうじ）

技術系・実務系を得意とする翻訳者。1959年生まれ。東京大学工学部卒、米国オハイオ州立大学大学院修士課程修了。

学生時代、登場したばかりの8ビットパーソナルコンピューターでプログラミングを学び、ソフトウェア会社数社でFORTRANやCOBOLを使うアルバイトを経験。友人には、ソフトウェア会社に就職するのだろうと思われていた。卒業後は大手石油会社勤務を経て、1998年に技術・実務の翻訳者として独立。

翻訳活動のかたわら、プロ翻訳者の情報交換サイト、翻訳フォーラムを友人と共同で主宰するなど多方面で活躍している。また、プログラミングはいまも続けており、仕事で使うツールなどはほとんど自作している。使用言語は、スクリプト言語からコンパイル言語まで多岐にわたる。
主な訳書に『スティーブ・ジョブズⅠ・Ⅱ』『イノベーターズⅠ・Ⅱ』（ともに講談社）、『スティーブ・ジョブズ 驚異のプレゼン―人々を惹きつける18の法則』『ジェフ・ベゾス 果てなき野望』（ともに日経BP）、『PIXAR〈ピクサー〉』（文響社）、『リーダーを目指す人の心得』（飛鳥新社）などがある。また、著書に『実務翻訳を仕事にする』（宝島社）、共著書に『できる翻訳者になるために プロフェッショナル4人が本気で教える 翻訳のレッスン』（講談社）がある。

■解説
及川卓也（おいかわ・たくや）

Tably株式会社代表取締役 Technology Enabler。1965年生まれ。早稲田大学理工学部卒。
大学進学とともに、8ビットのパーソナルコンピューターでプログラミングを始める。当初はコンピューター雑誌に掲載されていたゲームなどを写経した。授業では、ダイクストラの構造化プログラミングを学んだ。言語は主にPascal。その後、第2次AIブームの中で流行していたPrologにはまる。Lispではなく、Prologを選んだのは、括弧の開閉をあわせるのに苦労したくないからという単純な理由だったが、その後、Emacsを使うようになったときには、Lispを習得していなかったことを激しく後悔した。言語の指定が無かった爆破工学のプログラミング課題をPrologで解いて提出したりしたが、講師の先生はどのように採点したか未だに謎だ。地下資源のモデリングの論文はFortranで作成。
在学中に父が倒れたのをきっかけに、遊び呆けていたことを反省して一念発起。情報処理技術者試験を2種から1種、特種、オンラインと続けて取得。体系的にプログラミングを学び、卒業後はコンピューターメーカーへ就職。
30代半ば以降は製品のコードを書くことは無くなったが、機能を提案する際にPoCとなるコードを用意した。今でも簡単なツールは自分で用意する。最近では、GAS (Google Apps Script) でG Suiteでの処理を自動化したり、Slackのボットを作ったりしている。
著書に『ソフトウェア・ファースト～あらゆるビジネスを一変させる最強戦略～』（日経BP）などがある。

Coders（コーダーズ）
凄腕ソフトウェア開発者が
新しい世界をビルドする

2020年 9 月 30日　　第1版第1刷発行

著　者　　クライブ・トンプソン
訳　者　　井口 耕二
解　説　　及川 卓也
発行者　　村上 広樹
発　行　　日経BP
発　売　　日経BPマーケティング
　　　　　〒105-8308　東京都港区虎ノ門4-3-12
装　幀　　三森 健太（JUNGLE）
制　作　　谷 敦（アーティザンカンパニー）
編　集　　田島 篤
印刷・製本　　図書印刷株式会社

本書籍に関するお問い合わせ、ご連絡は下記にて承ります。
https://nkbp.jp/booksQA
ISBN978-4-8222-8979-9
Printed in Japan